Ciclo A

2020
Manual para **proclamadores** de la **palabra**®

Raúl H. Lugo Rodríguez
y
Feliciano Tapia Bahena

LTP

RECURSOS
CATÓLICOS
EN ESPAÑOL

ÍNDICE

MANUAL PARA PROCLAMADORES DE LA PALABRA® 2020 © 2019 Arquidiócesis de Chicago, Liturgy Training Publications 3949 South Racine Avenue Chicago, IL 60609 1 800-933-1800 fax: 1-800-933-7094 email: orders@ltp.org

Visítanos en internet: www.LTP.org.

Edición: Ricardo López
Corrección: Christian Rocha
Cuidado de la edición: Víctor R. Pérez
Tipografía: Juan A. Castillo
Diseño: Anna Manhart
Portada: Barbara Simcoe

Impreso en los Estados Unidos de América.

ISBN 978-1-61671-465-9

MP20

Tiempo Pascual

Tiempo Ordinario

Nihil Obstat
Canciller
Arquidiócesis de Chicago
1 de abril de 2019

Imprimatur
Obispo Auxiliar Ronald A. Hicks
Vicario General
Arquidiócesis de Chicago
1 de abril de 2019

Nihil Obstat e *Imprimatur* son declaraciones eclesiásticas oficiales de que un libro está libre de errores doctrinales y morales. Estas declaraciones no implican que quienes las han concedido están de acuerdo con el contenido, opiniones o declaraciones expresas en la obra. Tampoco ellos asumen alguna responsabilidad legal asociada con la publicación.

INTRODUCCIÓN

Muy apreciable hermano en el ministerio: ¡Dios bendice y sostiene a quien le sirve!

En la Iglesia, servimos a Dios mediante la proclamación de la Palabra; es un ministerio indispensable. La meta del *Manual para Proclamadores de la Palabra®* es ofrecerte el apoyo y la guía necesarias para que lleves a cabo tu ministerio con sentido de fe y eficacia misionera. En esta introducción encontrarás una exposición de puntos pertinentes a varios aspectos del ministerio del lector, como son: a) el lugar de la Palabra de Dios como fuente de vida para la Iglesia y para el mundo; b) el ministerio del lector como parte integral de la misión de toda la Iglesia que vive y proclama el evangelio; c) algunos aspectos sobre la persona del lector en su identidad y espiritualidad como discípulo y amigo de la Palabra de Dios; y d) algunas recomendaciones prácticas para el lector o proclamador con base en la experiencia y para mejorar en este bellísimo ministerio.

La Palabra de Dios: fuente de vida para todos

Dios inicia su plan de salvación desde el momento en que da forma y vida a toda su creación. Al haber sido creados a su imagen y semejanza, todas las personas venimos a ser parte de la obra divina. Buscamos a Dios y él nos sale encuentro para revelarnos su plan. En Jesucristo, su Palabra hecha carne, se nos revela plena y definitivamente. La Sagrada Escritura nos narra esa revelación hecha vida y salvación en el pueblo de Dios. De ahí que proclamar con fe y eficiencia esa palabra sea un ministerio tan necesario para la evangelización, siempre nueva.

"La Iglesia se funda sobre la Palabra de Dios, nace y vive de ella". Con esta afirmación, Benedicto XVI en la exhortación postsinodal *Verbum Domini* (n. 3), nos invita a reflexionar sobre la Sagrada Escritura como fuente de vida para la Iglesia en todos sus niveles y expresiones. La Palabra de Dios debe permear todo ministerio y actividad evangelizadora, de modo especial en la liturgia y la celebración de los sacramentos. Por ello, cuando proclamamos y escuchamos la Palabra de Dios en la celebración de la Eucaristía, es Dios mismo quien habla a la comunidad eclesial. La proclamación es un acto solemne en el que debemos poner todo nuestro corazón, nuestra inteligencia y mejores talentos para que la obra de Dios llegue a la vida de todos y dé frutos.

Los acontecimientos de salvación proclamados en la asamblea litúrgica, por ejemplo, son una afirmación de la revelación de Dios en la historia e igualmente de la comunión que crea con las personas. La historia y la cultura en la que se encarna la revelación tiende un puente de vida entre el pueblo de Dios de antes y de ahora. Es la vida la que teje la comunión humana con ese hilo de la revelación de Dios. Cuando proclamamos las lecturas, es Dios el que se comunica para vitalizar y regenerar a su pueblo y, con él, a los demás pueblos. Las Escrituras proclamadas nos impulsan al encuentro de Dios, pero nunca sin nuestros hermanos; primero, los congregados en asamblea, pero también los que no acuden. Aquí tenemos una tarea.

Escuchar y proclamar la Palabra: misión de toda la Iglesia

El ministerio de proclamar la Palabra en la Eucaristía dominical es muy importante, aunque apenas es una mínima parte de la misión de la Iglesia. Proclamar ante la asamblea pide de nosotros mucho más que una buena entonación. Pide que pongamos en acción al espíritu profético recibido en el bautismo. Ese espíritu, sin embargo, no se agota aquí, sino que se prolonga en el testimonio profético de Cristo y de su palabra en todo momento de nuestra vida. Por eso, el lector litúrgico es consciente de que, al ponerse frente a la comunidad eclesial, ofrece su compromiso público de escuchar la Palabra de Dios. Proclamar las lecturas es un acto profético y de compromiso con Dios, con la Iglesia y con los hermanos.

Dios se revela en múltiples situaciones y modos. Traigamos a la memoria lo que el Sínodo de América (1999) identifica como los cuatro lugares de la revelación de Dios: la Biblia, los sacramentos, la liturgia y en nuestros hermanos sobre todo los más pobres y necesitados.

En la acción litúrgica de la Iglesia, la Palabra de Dios tiene un lugar especial durante todo el año. A partir del Concilio Vaticano II las lecturas bíblicas son más abundantes, especialmente en la Eucaristía dominical. Se determinó que cada año litúrgico fuese guiado por la lectura continua de un evangelio. Así tenemos tres años litúrgicos que se suceden: el año A por san Mateo, el B por san Marcos y el C por san Lucas, mientras el evangelio de Juan acompaña los tres ciclos en los tiempos de Navidad y Pascua.

Este año litúrgico nos corresponde el A, con el evangelio de san Mateo como guía. Es un evangelio eclesial y muy catequético. Aunque no tenemos muchos datos de su autor, la tradición lo identifica con Leví, el cobrador de impuestos mencionado en Marcos 2:14, y que después adoptaría el nombre de Mateo (ver Mateo 9:9). El ambiente en el que nace este evangelio parece tenso. Sería el de una comunidad de judíos convertidos al cristianismo, pero que vive bajo sospecha entre otros grupos judíos. Sus miembros corren el riesgo de ser excluidos de las sinagogas por ser "nazarenos". Son judíos conocedores de la Ley y las tradiciones, que no precisan explicaciones de las referencias al Antiguo Testamento, que encontramos hasta en sesenta ocasiones.

El evangelista afirma la continuidad y novedad del Evangelio de Jesús. Como "un señor de casa que saca de la alacena cosas nuevas y viejas" (13:52). La genealogía de Jesús se remonta hasta Abraham "nuestro padre" y, al relacionarlo con Moisés, lo presenta como superior. La Ley que ha sido revelada en el monte Sinaí ahora encuentra una versión nueva, actual y más plena las bienaventuranzas (Mateo 5–7). Mateo llama "iglesia" a la comunidad cristiana y la considera como el verdadero y nuevo pueblo elegido por Dios que ha entrado en la etapa final del reinado de Dios. Esta comunidad judeo-cristiana no debe renunciar ni renegar de su pasado, pero debe asumir su nueva identidad en Jesús, con un presente glorioso de discipulado acorde a la misión encomendada por su Mesías y maestro verdadero.

Esta comunidad va organizando su vida con normas de conducta, prácticas sacramentales y litúrgicas, catequesis al interior y celo misionero para judíos y paganos. Una organización básica sería la siguiente: la introducción y relatos de la infancia (caps. 1–2), ministerio de Jesús en Galilea y en Jerusalén (caps. 4–13 y 14–26), pasión, muerte y resurrección de Jesús (caps. 27–28). También puede identificarse claramente una organización en cinco bloques, tipo nuevo Pentateuco, conteniendo los cinco discursos: el sermón del monte (5–7), la misión de los apóstoles (10), el reino explicado en parábolas (13), las instrucciones a la comunidad (18) y el discurso escatológico (24–25). Este año A es una gran oportunidad para que el ministro se familiarice con este evangelio, lo estudie, lo medite y lo haga suyo dejándose cautivar por la sabiduría de sus discursos y la belleza de sus narraciones.

Discípulos de la Palabra: identidad y espiritualidad del ministro

Dios llama y nosotros respondemos. El ministerio del lector es mucho más que un quehacer práctico; es una vocación que requiere oración y discernimiento, compromiso y perseverancia. Preparar la lectura correspondiente con anterioridad es lo mínimo que debe hacer el proclamador. El discípulo de la Palabra, además, ha de fraternizar con la Biblia para que ese espíritu que anima sus páginas se le transmita a la piel y al corazón, modelando su nueva identidad. Esta nueva identidad le permite entrar en comunión con dos mundos: el mundo de la Biblia y el del encuentro con los demás. Y de esa profunda comunión se va forjando su modo de ser, alimentado por el genuino Intérprete de la Palabra, el Espíritu de Dios. La diferencia de estos dos mundos u horizontes no se anula ni se ignora, más bien se asume para que sea auténtica la transformación, que se nota en la diversidad de frutos. Entremos en la comunión plural de vida con la Palabra.

El camino y la experiencia del lector o proclamador

La experiencia nos enseña que el ministerio del lector impacta la vida de la comunidad y del propio ministro. Sabemos que al servir tenemos la oportunidad de crecer y madurar en los valores humanos y cristianos mediante prácticas bien concretas. Por ejemplo, la responsabilidad que se nota en la preparación y la puntualidad. La eficacia y respeto a la Palabra y a la comunidad se desdoblan en ejercitarse en buena pronunciación y vocalización, así como en

Éste es mi mandamiento: que se amen los unos a los otros como yo les he amado.

Proclamemos la grandeza del Señor y alabemos todos juntos su poder.

un continuo esfuerzo por dominar las técnicas gramaticales, vocales y de postura corporal para verdaderamente proclamar la Palabra, no solo leer en voz alta. Mientras andamos el camino de este ministerio y seguimos creciendo como personas y como servidores, reflexionemos no solo en lo que hacemos sino en lo que Dios está haciendo en nuestra vida, mediante este ministerio de darle voz y vida a su Palabra eficaz. En lo que sigue, vamos a abordar más de cerca algunas cuestiones técnicas y prácticas que nos ayuden a crecer en nuestro ministerio.

Cómo aprovechar mejor este *Manual*

Hemos venido insistiendo en que leer y proclamar la Palabra de Dios es un servicio que envuelve toda la vida de quien realiza el ministerio. Aunque solo estés frente a la asamblea durante muy poco tiempo, toda tu existencia debe estar frente a la Palabra de Dios. Esta es una actitud que se puede cultivar a través de pasos muy sencillos en tu ministerio como lector y en el uso de este *Manual*.

La semana previa al domingo en que vas a proclamar alguna lectura, prepárate así: (1) Toma tu *Manual para proclamadores* y lee pausadamente las tres lecturas y el salmo juntos. Esto te ayudará a tener el pulso espiritual de la Palabra de Dios para ese fin de semana, pero también para ver que la lectura que harás forma parte de un todo: la Liturgia de la Palabra. Tu fragmento es parte de un conjunto armonioso que se ejecuta en la liturgia. (2) Haz que estas lecturas, especialmente la que te corresponde, se vuelvan una fuente inspiración y guía para tu vida de oración, pero también en tus relaciones con los demás bautizados. (3) Ahora que conoces mejor el texto, procura buscarlo en la Biblia para ampliar tu familiaridad con él. Con cuidado explora lo que está antes y lo que viene después del trocito que corresponde a la lectura litúrgica; nota si se trata de un himno, un relato, dichos, comparaciones u otro tipo de expresiones literarias. Esto te dará más elementos para ubicar el texto a proclamar y a comprenderlo mucho mejor. (4) Los comentarios al texto que presentamos en este *Manual* están hechos pensando en ti y en tu servicio a la Palabra de Dios. Ya familiarizado con las tres lecturas, profundiza en la que te toca para la liturgia. Sírvete de los tres comentarios que se ofrecen y haz tus propias notas o subraya lo pertinente en el *Manual*; ¡es tu instrumento de preparación! (5) Regresa a tu lectura una vez más, pero ahora hazla en voz alta y tomando en cuenta las notas y recomendaciones que se ofrecen en los márgenes verticales de tu *Manual*. Pon en juego todos tus sentidos al hacer este ejercicio. (6) Con estos pasos encontrarás tu propio estilo de proclamar la Palabra de Dios, sabiendo que "proclamar" es algo más que una lectura pública en voz alta. Es el anuncio elocuente y digno de la Palabra de Dios en su contexto más elevado, el litúrgico.

Busca recursos adicionales

Con el tiempo te habrás dado cuenta de que la Palabra de Dios es fascinante y fuente de vida, de paz y luz para ser mejores personas. Busca otros recursos bíblicos como diccionarios o comentarios sin olvidar que lo más importante es el texto bíblico y tu encuentro y diálogo con él. En el contexto litúrgico, puedes verificar más recursos escritos y digitales en nuestro sitio web: www.ltp.org

Actitud, postura y técnicas

La proclamación de la Palabra de Dios es una excelente oportunidad para, además de lo anterior, seguir creciendo y madurando en tu identidad bautismal. El creer y el saber son ingredientes muy personales que impulsan el crecimiento de cada quien para un servicio más eficaz en la comunidad donde vive. Un buen lector o proclamador se enfoca más en la lectura y en la comunidad que en sí mismo. Esto no quiere decir que descuide su persona o su preparación para el servicio de la proclamación. Quiere decir que todos los demás recibirán el mensaje únicamente por el modo como realizas el ministerio. Ante la comunidad es más importante el *cómo* proclamas que el *porqué*. De hecho, en el modo como uno hace las cosas dice mucho del porqué alguien está haciendo tal trabajo, servicio o ministerio. El tuyo es un servicio muy especial que edifica a la comunidad entera.

El *cómo* del proclamador de la Palabra es aparente en lo que se ve, se escucha y se siente de él en la asamblea. Estamos hablando de cosas tan claras y específicas como son la mirada, la voz, la lectura bien hecha, el lenguaje corporal, la postura amable y respetuosa en el área de la celebración, pero también más allá de ella. Tenemos que convencernos de que nuestro servicio a la Palabra va más allá de los tres o cuatro minutos que estamos en el ambón. La asamblea nos conoce y nos reconoce, de modo que estará mejor dispuesta a recibir un mensaje si nota nuestra coherencia de vida cristiana. Digámoslo con otras palabras.

En la calidad de las acciones y gestos concretos del lector o proclamador se podrá sentir y percibir los valores más profundos que animan al ministro lector: la verdadera humildad, sinceridad y responsabilidad puestas al servicio de la obra de Dios. El lector tiene sus recursos, pero él mismo es un recurso y digno instrumento para que la Palabra de Dios encuentre el cauce más directo al corazón del pueblo que acude a beber la Palabra de Dios en la celebración litúrgica de la Iglesia. Por eso, pidamos al Señor que aumente nuestra fe y no guíe en el servicio digno, eficaz y humilde, para que cuando hayamos hecho el mayor esfuerzo en lo que se nos pide nuestra oración no sea otra que decir: "Somos siervos inútiles; hicimos lo que teníamos que hacer" (Lucas 17–10).

Leer y proclamar es ya interpretar

"La palabra de Dios es viva y eficaz" anuncia la Epístola a los Hebreos (4:12). Algo similar podemos constatar en la propia experiencia: una palabra o mensaje bien dicho y compartido no solamente es bien recibido y comprendido, sino que puede cambiar la vida de las personas. Con cuánta mayor razón la Palabra de Dios. Es Palabra viva y vivificante en la vida de la Iglesia que es la Casa de la Palabra. De ahí la importancia de ver la proclamación de la Palabra como un servicio, un ministerio.

Quien lee, proclama y escucha la palabra de Dios, la está al mismo tiempo interpretando. Por lo mismo, debe poner todo su ser (mente, corazón, voz, oídos, fe, etc.) en lo que proclama, escucha, siente y celebra en medio del pueblo de Dios. Por eso cabe decir que una buena proclamación es también una buena actuación o interpretación de la Palabra, cuando emplea de forma adecuada la voz y pone atención a los matices, pausas, puntuaciones, entonaciones, ritmo y tonos. Sin esos elementos, el texto bíblico puede verse disminuido en su fuerza, belleza, claridad y contenido y persuasión espiritual ante toda la asamblea. En cuanto texto vivo es más que simples palabras escritas.

Todo el texto bíblico es Palabra de Dios puesta por escrito, y podemos decir que tiene como tres tipos de coordenadas que modulan su comunicación: la coordenada teológica o de fe, la emotiva o experiencial y la coordenada estética o belleza propia del texto. En otras palabras, el texto bíblico siempre comunica un *mensaje de fe*, como la llamada de Jesús a sus discípulos, la curación de las personas por parte de Jesús, la invitación de Pablo vivir en Cristo, a la cordialidad y unidad al interior de la comunidad cristiana, la misión del profeta, etcétera. Pero también busca y provoca una sintonía *emocional con y para la vida*, porque de la vida vienen los textos, fraguados en la experiencia de los creyentes de muchas generaciones que nos entregan su experiencia para hacer carne palpitante la fe en cada uno de los bautizados. La fe nos conecta a todos. Es la gran red de vida que nos une con Dios, pero también a unos con otros. Miremos esto un poco más.

El autor de un texto sagrado quiere comunicar sentimientos, y de hecho los transmite, que provocan una reacción determinada en los que leen o escuchan sus palabras. El texto es un vehículo emocional. Traigamos aquí, por ejemplo, la emoción del ciego cuando se percata de la presencia de Jesús y da un salto para ir a su encuentro, o el sufrimiento, emoción y alegría de aquella mujer que al tocar a Jesús quedó curada de su hemorragia, o la experiencia de las hermanas de Lázaro, o de los discípulos y de los presentes al momento de su resurrección. Esa carga emotiva debe aflorar en la proclamación también, de modo que se vuelva como un resorte que impulsa a actuar al oyente (y al proclamador) en una determinada dirección, siempre al encuentro de Jesús y de los demás.

Dichosos los pobres de espíritu, porque de ellos es el Reino de los cielos.

Sincera es la palabra del Señor y todas sus acciones son leales.

La tercera modulación comunicativa de nuestros textos bíblicos es la estética. *La belleza literaria del texto* en su forma y estructura resulta clave para tener un acceso más provechoso a las coordenadas antes enunciadas. En la medida de lo posible, hay que estar atentos a los varios aspectos que integran este elemento. Cuando prepares tu lectura busca ver su tejido, su "textura" y el entretejido de personajes, acciones, repeticiones, exclamaciones; también ayuda mucho identificar qué tipo de narración tienes enfrente: parábola, exhortación, historia, poesía, profecía; cada forma y género literarios guarda su propia belleza. No tienes que ser un experto en literatura o exégesis para percibir las distintas policromías del texto bíblico. Solo dedícale tiempo y atención para saber bien lo que estás leyendo y vas a proclamar. Percatándote de la belleza textual, tu espíritu también se dispondrá a hacerte amigo del texto bíblico, harás tuyos su ritmo y cadencia, al grado de transmitir esa belleza a la audiencia. Tanto los lectores más experimentados como los neófitos en esto, todos, hemos de sentirnos igualmente invitados a renovarnos continuamente a través del servicio que ofrecemos y al cual hemos sido llamados.

Solo para terminar, te recomendamos atender a las notas marginales que van a un lado del texto. En ellas hemos considerado varios aspectos de ayuda para tu preparación. Son como muletas o andadera para aprender a caminar. No son notas preceptivas. Ellas quieren ayudarte a ejecutar de la mejor manera posible tu ministerio de lector.

En estas líneas, nos hemos referido con insistencia a tu preparación personal interior (espiritualidad), pero sobre todo nos enfocamos en la importancia de incorporar la intención del autor, el sentido del texto y los diferentes aspectos que se deben resaltar (en negrita, por ejemplo) en cuanto a las técnicas de lectura y proclamación propiamente hablando. Los autores y todo el equipo de Liturgy Training Publications agradecemos tu dedicación y entrega a este indispensable servicio que prestas en y desde tu plena membresía en la Iglesia, Pueblo de Dios y Cuerpo místico de Cristo. Oramos por ti, tu familia y tu comunidad para que Dios siga dando vida en abundancia mediante tu servicio a su Palabra. F.T.

Otros recursos para el proclamador

A. Castaño, *Evangelio de Marcos. Evangelio de Mateo*, Estella: EVD, 2010.

S. Carillo Alday, *El Evangelio según san Mateo*, EStella: EVD, 2009.

R. Duarte Castillo, *San Mateo*, México: Paulinas, 1989.

B. J. Malina–R. L. Rohrbaugh, *Los evangelios sinópticos y la cultura mediterránea del siglo I. Comentario desde las ciencias sociales*, Estella: EVD, 1996.

J. H. Neyrey, *Honor y vergüenza. Lectura cultural de Mateo*, Salamanca: Sígueme, 2005.

X. Pikaza, *Evangelio de Mateo. De Jesús a la Iglesia*, Estella: EVD, 2016.

U. Luz, *El evangelio según san Mateo*, 4 vols., Salamanca: Sígueme, 1996-2005.

V. Meagher y P. Turner, *Manual para lectores y proclamadores*, Chicago: LTP, 2008.

Proclamadores de la palabra: Formación para los lectores en la liturgia (DVD), Chicago: LTP, 1996.

I DOMINGO DE ADVIENTO

I LECTURA Isaías 2:1–5

Lectura del libro del profeta Isaías

Visión de **Isaías**, hijo de **Amós**, acerca de **Judá** y **Jerusalén**:
En **días futuros**, el **monte** de la casa del **Señor**
    será **elevado** en la cima de los **montes**,
    encumbrado sobre las montañas
    y **hacia** él confluirán **todas las naciones**.

Acudirán pueblos **numerosos**, que dirán:
"**Vengan**, **subamos** al monte del Señor,
    a **la casa** del Dios de Jacob,
    para que **él** nos instruya en sus caminos
    y podamos **marchar** por sus sendas.
Porque de Sión **saldrá** la ley,
    de Jerusalén, la **palabra** del **Señor**".

Él será el **árbitro** de las naciones
    y el **juez** de pueblos numerosos.
De las **espadas** forjarán **arados**
    y de las **lanzas**, **podaderas**;
    ya no **alzará** la espada pueblo contra pueblo,
    ya no se adiestrarán para la guerra.

¡Casa de Jacob, **en marcha**!
Caminemos a la luz del **Señor**.

Este oráculo es un anuncio glorioso. Léelo con fuerza y entusiasmo. La primera línea es como un título: haz una pausa brevísima antes de continuar.

Este anuncio de paz preside la entrada al edificio de la ONU. Proclámalo detenidamente y culmina proclamando gozosamente la invitación de los dos últimos renglones.

I LECTURA En el oráculo, el profeta Isaías describe un movimiento de peregrinación hacia un lugar de fiesta. Pronuncia este oráculo hacia el año 750; eran tiempos malos para el reino de Judá. El imperio asirio amenazaba a toda la región de Siria, incluyendo Israel y Judá. Las infidelidades a la alianza se multiplican en medio del pueblo: tanto gobernantes como sacerdotes y pueblo se han apartado del camino del Señor. No puede esperarse para ellos más que castigo.

En medio de este negro panorama, Isaías anuncia la esperanza en este cántico, un llamado a la paz. El centro de la escena es el monte del Templo, en la ciudad de Jerusalén. Desde ese monte se irradia la palabra de Dios para todos los pueblos y hacia él concurren las naciones. La ciudad de Jerusalén aparece simbólicamente como centro del encuentro definitivo entre Dios y la humanidad.

Esta convergencia viene encabezada por la Casa de Jacob. Su vocación fundamental: ser un botón de muestra de lo que Dios quiere para todos los pueblos, ser agente de paz y promotor de un nuevo tipo de convivencia. Un sentido universalista impregna todo el oráculo: son todas las naciones las que acudirán al Monte del Señor, la Jerusalén futura. Hasta los instrumentos de guerra quedarán convertidos en instrumentos de paz.

El monte de Dios nos recuerda la imagen que Jesús usó para hablar de sus discípulos (Mateo 5:14–16). Nosotros también somos ciudad puesta en lo alto de un monte, luz que tiene que brillar para que otras personas, otros pueblos, también glorifiquen al Padre del cielo construyendo un nuevo tipo de relaciones, basadas en la paz y el respeto.

Para meditar

SALMO RESPONSORIAL   Salmo 121:1–2, 4–5, 6–7, 8–9

R. Qué alegría cuando me dijeron: "Vamos a la casa del Señor".

Qué alegría cuando me dijeron: "Vamos a la casa del Señor". Ya están pisando nuestros pies tus umbrales, Jerusalén. **R.**

Allá suben las tribus, las tribus del Señor. Según la costumbre de Israel, a celebrar el nombre del Señor. En ella están los tribunales de justicia en el palacio de David. **R.**

Deseen la paz a Jerusalén: "Vivan seguros los que te aman, haya paz dentro de tus muros, seguridad en tus palacios". **R.**

Por mis hermanos y compañeros voy a decir: "La paz contigo". Por la casa del Señor nuestro Dios, te deseo todo bien. **R.**

II LECTURA   Romanos 13:11–14

Lectura de la carta del apóstol san Pablo a los romanos

Hermanos:

Tomen en cuenta el **momento** en que vivimos.
Ya es hora de que se **despierten** del sueño,
    porque **ahora** nuestra salvación está **más cerca** que cuando
        empezamos a creer.
La noche está avanzada y se **acerca** el día.
Desechemos, pues,
    la obras de las tinieblas
    y **revistámonos** con las armas de la luz.

Comportémonos **honestamente**, como se hace **en pleno día**.
Nada de comilonas ni borracheras,
    nada de lujurias ni desenfrenos,
    nada de pleitos **ni** envidias.
Revístanse más bien, de nuestro Señor **Jesucristo**
    y que el **cuidado** de su cuerpo **no dé ocasión**
        a los **malos deseos**.

Esta lectura es una exhortación: Debe leerse con acento de invitación. Evitar tonos amenazantes. Debe producirse entusiasmo, no miedo.

La enumeración de los vicios debe hacerse sin que suene a regaño. La invitación a una vida nueva, que viene en los últimos tres renglones, debe sobresalir en la proclamación.

II LECTURA   Pablo asume un tema espinoso: ¿Cómo deberán comportarse los cristianos con las autoridades civiles? ¿Están llamados al sometimiento o a la rebeldía?

La carta ha sido escrita hacia los años 57 y 58, cuando Pablo, probablemente desde Corinto, manifiesta la intención de compartir con los cristianos de Roma "el mutuo consuelo de la fe común" (1:12) mientras intenta avanzar con su mensaje hacia los confines del mundo, España (15:23–24). Aunque ya gobierna Nerón (años 54–68), no ha habido aún persecución de parte de

Roma hacia los discípulos. Pablo, reconoce la legitimidad de los gobernantes romanos e insta a los cristianos a obrar bien, de acuerdo con las normas vigentes, para que la autoridad no les persiga.

Pablo da un salto de la necesidad de dar testimonio del bien por parte de los cristianos ante las autoridades civiles y políticas, hasta un llamado al fundamento escatológico de todo obrar cristiano: la esperanza en la venida próxima del Salvador. Con una reflexión que se basa en el binomio sueño-vigilia, el Apóstol invita a los cristianos de Roma a permanecer vigilantes,

a despertar del sueño, a revestirse de luz. El vestido es también armadura: la vida es una batalla en la que tenemos que luchar para salir triunfantes.

La imagen poética se decanta en recomendaciones muy puntuales: vivir decentemente, huir de excesos y rivalidades, es una buena manera de conducir el dinamismo de nuestras vidas hacia su consumación definitiva en Dios. El llamado a una vida sobria resuena con acento especial ante la actual crisis climática y las enormes desigualdades sociales en las que vivimos.

EVANGELIO   Mateo 24:37–44

Lectura del santo Evangelio según san Mateo

En **aquel** tiempo, Jesús dijo a sus **discípulos**:
"**Así** como sucedió en tiempos de **Noé**,
    así **también** sucederá cuando venga el **Hijo del hombre**.
Antes del diluvio,
    la gente **comía**, **bebía** y **se casaba**,
    hasta **el día** en que Noé entró en el **arca**.
Y cuando **menos** lo esperaban,
    sobrevino el **diluvio**
        y se llevó a **todos**.
Lo mismo sucederá cuando venga el **Hijo del hombre**.
Entonces,
    de **dos hombres** que estén en el campo,
    uno será llevado y **el otro** será dejado;
    de **dos mujeres** que estén **juntas** moliendo trigo,
    una será **tomada** y la otra **dejada**.

Velen, pues, y **estén** preparados,
    porque no saben **qué día** va a venir su **Señor**.
Tengan por cierto que si un padre de familia
        supiera **a qué hora** va a venir el **ladrón**,
    estaría **vigilando**
    y **no dejaría** que se le metiera
        por un boquete **en su casa**.
También ustedes **estén preparados**,
    porque a la hora que **menos lo piensen**,
        vendrá el **Hijo del hombre**".

Lee con aplomo esta comparación entre los tiempos de Noé y la venida del Señor. Es una llamada a vivir alertas. Remarca el tono para distinguir la situación cotidiana de la irrupción de lo sorpresivo.

En este último párrafo, como en un embudo, se decanta toda la lectura. Léelo con voz pausada y remarcando los verbos que llaman a vivir despiertos.

EVANGELIO Nuestro texto es un fragmento del discurso escatológico (Mateo 24 y 25). De difícil interpretación, estos capítulos expresan la preocupación de los discípulos por la destrucción de Jerusalén (24:2), que los destinatarios originales del evangelio ya han conocido y experimentado, y su inquietud por la llegada del fin de la historia (24:3). Aunque son dos temas distintos, algunas frases de la tradición recogida por Mateo los funden y los confunden. Hay una mezcla de temor y curiosidad en los discípulos.

La incertidumbre es acicate para vivir siempre alertas. Jesús enlaza el tema de la destrucción de Jerusalén (24:34) con el fin del mundo, de fecha imprevisible. La alusión al diluvio (Génesis 6:9–12) apunta a prevenir a los cristianos de una falsa confianza. Ante la llegada del Señor, cuyo día y fecha ignoramos, nos toca estar siempre vigilantes.

En los monasterios sufíes, los monjes llevan unas sandalias de madera que hacen mucho ruido a cada paso. Cuando el visitante pregunta la razón, los monjes responden: es que debemos estar siempre despiertos. A esta actitud motiva el texto que hoy se nos anuncia. La incertidumbre del día de la venida del Señor no deberá llevarnos a despreocuparnos del presente, sino a vivir en continuo estado de discernimiento. Así lo recalca el ejemplo usado por Jesús que nos habla del ladrón nocturno ante el cual hay que estar alertas. No podemos conformarnos con esta realidad actual en la que vivimos, este mundo de injusticia y de violencia. Vivir alertas significa también vivir a contracorriente, ofrecer con nuestras vidas un signo de la justicia que viene.

II DOMINGO DE ADVIENTO

Este oráculo es un anuncio mesiánico. Mientras lo proclamas, piensa que nosotros lo aplicamos a Jesús.

I LECTURA   Isaías 11:1–10

Lectura del libro del profeta Isaías

En aquel día **brotará** un renuevo del tronco de Jesé,
  un vástago **florecerá** de su raíz.
Sobre él **se posará** el espíritu **del Señor**,
  espíritu de sabiduría e inteligencia,
  espíritu de consejo y fortaleza,
  espíritu de piedad y temor de Dios.

La misión del Mesías de establecer la justicia tiene tareas varias. Lee con mayor énfasis las positivas y no las de castigo.

No juzgará por apariencias,
  ni sentenciará de oídas;
  defenderá con justicia al **desamparado**
  y con equidad **dará** sentencia al pobre;
  herirá al violento con el **látigo** de su boca,
  con el soplo de sus labios **matará** al impío.
Será la justicia su **ceñidor**,
  la fidelidad **apretará** su cintura.

El ideal mesiánico es ecológico. Que tu proclamación refleje la armonía que se anuncia.

Habitará el **lobo** con el **cordero**,
  la **pantera** se echará con el **cabrito**,
  el **novillo** y el **león** pacerán **juntos**
  y un **muchachito** los apacentará.
La **vaca** pastará con la **osa**
  y sus **crías** vivirán **juntas**.
El león comerá paja con el **buey**.

I LECTURA Es un hermoso canto a la paz, que no se limita a la especie humana, porque se extiende a toda la naturaleza. El centro es la figura del Mesías, constructor de la paz. Se conecta con Isaías 9:1–6; en ambos casos hay un vástago, un hijo, que establecerá la paz a través de la instauración de la justicia y el derecho.

El tronco de Jesé hace referencia a un tocón, la parte del tronco de un árbol que queda unida a la raíz cuando ha sido cortado de un tajo. La expresión revela un inicio pequeño, insignificante: un tronco cortado en el que alcanza todavía a circular la savia. De esa parte del tronco brotará un vástago, un nuevo comienzo. Dios no se rinde y su promesa llegará a su cumplimiento. Quizá por eso Mateo se refiere a Jesús como "nazoreo", de *netser*, vástago, para mostrar que él es el cumplidor de esta profecía (Mateo 2:23).

Nuestro texto anuncia la llegada del Mesías, justo después de anunciar el avance de Asiria contra Jerusalén. El "retoño" es la expresión de la intervención de Dios cuando todas las esperanzas humanas parecen fallar. Sobre él se posan los vientos del Espíritu, los siete dones del Espíritu Santo (aunque el pasaje solamente traiga seis, una repetición en el texto hebreo gestó esta tradición septenaria). La consecuencia es inmediata: el Mesías juzgará con justicia, eliminará a quienes promueven la injusticia. Su palabra restablecerá la paz.

La paz anunciada se extiende a la entera creación. Los animales salvajes convivirán con los domésticos y un niño aparece jugando con ellos. Es la armonía total recuperada por el Mesías.

El nuevo edén de armonía encuentra su vértice en el Monte del Señor. Lo que en el primer paraíso fue causa de pecado y de separación de Dios, la ambición de la cien-

El **niño** jugará sobre el agujero de la **víbora**;
   la **creatura** meterá la mano en el **escondrijo** de la **serpiente**.
No harán **daño** ni estrago por **todo** mi monte santo,
   porque **así** como las aguas **colman** el mar,
   así está **lleno** el país de la **ciencia** del Señor.
Aquel día la raíz de Jesé **se alzará**
   como bandera de los pueblos,
   la buscarán **todas** las naciones
   y **será gloriosa** su morada.

Para meditar

SALMO RESPONSORIAL   Salmo 71:1–2, 7–8, 12–13, 17

R. Que en sus días florezca la justicia, y la paz abunde eternamente.

Dios mío, confía tu juicio al rey, tu justicia al hijo de reyes: para que rija a tu pueblo con justicia, a tus humildes con rectitud. **R.**

Que en sus días florezca la justicia y la paz hasta que falte la luna; que domine de mar a mar, del Gran Río al confín de la tierra. **R.**

Porque él librará al pobre que clamaba, al afligido que no tenía protector; él se apiadará del pobre y del indigente, y salvará la vida de los pobres. **R.**

Que su nombre sea eterno y su fama dure como el sol; que él sea la bendición de todos los pueblos y lo proclamen dichoso todas las razas de la tierra. **R.**

II LECTURA   Romanos 15:4–9

Lectura de la carta del apóstol san Pablo a los romanos

Hermanos:
Todo lo que en el pasado ha **sido escrito** en los libros santos,
   se escribió para instrucción **nuestra**, a fin de que,
   por la paciencia y el consuelo **que dan las Escrituras**,
   mantengamos la esperanza.

---

cia del bien y del mal, en este segundo y definitivo paraíso se entrega como regalo y se convierte en fuente de gozo y paz, imposibilidad de hacer daño a nada ni a nadie. La imagen del niño y la serpiente es también una evocación del Génesis, pues queda superada la enemistad entre la serpiente y la semilla de la mujer.

II LECTURA   Nuestro texto concluye una amplia sección exhortativa (12:1—15:13) en la que el apóstol Pablo invita a la comunidad de los cristianos de Roma a manifestar que han recibido el Espíritu Santo

cultivando actitudes de amor fraterno y de ayuda a los necesitados. Para vivir buscando siempre el bien del prójimo y su crecimiento en la fe, Pablo propone el ejemplo del mismo Cristo, que no buscó su propia complacencia, sino que aguantó insultos y persecuciones por fidelidad a su Padre.

A propósito de esto, el Apóstol recuerda la función ejemplar de las Escrituras, que, aunque han sido escritas en un tiempo determinado y dirigidas a un público específico, tienen una fuerza que va más allá de las fronteras de tiempos y geografías y se convierten en un mensaje perenne, que

puede ser escuchado y hecho vida por todas las generaciones.

La Biblia es como un espejo en el que podemos vernos reflejados: enseña, aconseja, convence, llama a la conversión. Esta cualidad de la Escritura, de contener un mensaje que trasciende fechas y espacios, la convierte en un factor de consuelo. En ella podemos encontrar siempre ánimo y fuerza para perseverar.

La lectura termina con un llamado a la hospitalidad, a acogernos los unos a los otros sabiendo que Dios rompe todas las fronteras. La experiencia de Pablo,

El deseo de armonía total debe transparentarse en la lectura. Léase como si se estuviera deseando una bendición para los oyentes.

Que Dios, fuente de **toda** paciencia y consuelo,
   les **conceda** a ustedes **vivir** en **perfecta** armonía unos
      con otros,
   conforme al espíritu de Cristo Jesús,
   para que, con un **solo** corazón y una **sola** voz
   alaben a Dios, **Padre** de nuestro Señor **Jesucristo**.

Por lo tanto,
   acójanse los unos a los otros como **Cristo** los acogió a ustedes,
   para **gloria** de Dios.
Quiero decir con esto,
   que Cristo se **puso al servicio** del pueblo judío,
   para **demostrar** la fidelidad de Dios,
   cumpliendo las promesas hechas a los patriarcas
   y que por su **misericordia** los paganos **alaban** a Dios,
   según aquello que dice la Escritura:
   *Por eso te **alabaré y cantaré** himnos a tu **nombre**.*

Es posible que haya en la comunidad muchas personas que no se sienten acogidas. Que experimenten en esta proclamación que el evangelio es esencialmente acogedor.

EVANGELIO   Mateo 3:1–12

Lectura del santo Evangelio según san Mateo

En aquel tiempo,
   comenzó **Juan el Bautista** a predicar
      en el **desierto** de Judea, diciendo
   "**Arrepiéntanse**, porque el Reino de los cielos está cerca.
Juan es aquel de quien el profeta Isaías hablaba, **cuando dijo:**
   *Una voz **clama** en el desierto:*
   ***Preparen** el camino del Señor, **enderecen** sus senderos.*

Juan usaba una túnica de pelo de camello,
   ceñida con un cinturón de cuero,
      y se alimentaba de saltamontes y de miel silvestre.

La proclamación es solemne: el llamado a la conversión debe resonar como dirigido a cada fiel que participa en la Eucaristía.

---

predicador del evangelio a los paganos, le permite ver en la aceptación de los gentiles a la fe, un signo del plan de Dios que ha escogido a Israel con un propósito: llamar a todas las naciones a la salvación. La elección de Israel era un momento pedagógico en un plan más amplio y totalizante: en Cristo, hacer de toda la humanidad un solo pueblo que glorifique a Dios.

Leer la Biblia desde nuestra propia experiencia de emigrantes ha de conducirnos a la práctica de la hospitalidad y la acogida mutua. En Cristo Dios ha hecho de todos los pueblos uno solo, ¿quiénes somos nosotros para elevar muros que separen y barreras que impidan el entendimiento? En consonancia con la primera lectura, este texto de san Pablo nos invita a construir, por la fuerza del Espíritu y animados por el testimonio de las Escrituras, un mundo en el que la diversidad no sea motivo de separación, sino de enriquecimiento.

EVANGELIO La aparición de Juan Bautista nos introduce en el clima del adviento. La tradición cristiana subraya una estrecha relación entre este personaje y el inicio del ministerio salvador de Jesús. El Maestro comienza su predicación después de haber convivido con Juan Bautista.

De muchas maneras queda expresado en el texto que Juan Bautista representa el vínculo de Jesús con la tradición de los profetas. Cuando comienza el llamado del Bautista a la conversión, Mateo cita a Isaías (40:3) e identifica a Juan Bautista con él. La cita de Isaías invita a preparar el camino del Señor para el retorno a Judá de los exiliados en Babilonia, presentado como un nuevo éxodo camino a la Tierra Prometida. Este movimiento de desarraigo es lo que Juan Bautista pide a quienes escuchan su llama-

Las exigencias de Juan son duras. Léelas con firmeza, pero sin que suenen a amenazas: son llamados al arrepentimiento.

Acudían a oírlo los habitantes de Jerusalén,
   de **toda** Judea y **de toda** la región cercana al Jordán;
   confesaban sus pecados y **él** los bautizaba en el río.

Al ver que muchos **fariseos y saduceos**
   iban a que **los bautizara**, les dijo:
"**Raza de víboras**, ¿**quién** les ha dicho que **podrán escapar**
   al castigo que les aguarda?
Hagan ver con obras su **arrepentimiento**
   y no se hagan **ilusiones** pensando que tienen
      por **padre** a Abraham,
   porque **yo les aseguro** que **hasta** de estas piedras **puede** Dios
      sacar **hijos** de Abraham.
Ya el hacha **está puesta** a la raíz de los árboles,
   y todo árbol que no dé fruto, será **cortado y arrojado** al fuego.

Este último párrafo anuncia la llegada del Mesías. Debe ser leído con claridad porque da tono de adviento a todo el conjunto.

Yo los bautizo **con agua**,
   en señal de que ustedes se **han arrepentido**;
   pero el que viene **después** de mí, es **más fuerte** que yo,
   y **yo ni siquiera** soy digno de quitarle las sandalias.
Él los bautizará en el **Espíritu Santo** y su fuego.
Él tiene el bieldo en su mano para **separar** el trigo de la paja.
Guardará el trigo en su granero
   y **quemará** la paja en un fuego que **no se extingue**".

---

da de fuego. No es casual que realice su llamado desde las márgenes del río Jordán, como recordando el paso por el Mar Rojo que cada uno deberá realizar para entrar en el tiempo del Mesías.

Juan viste como los antiguos profetas (ver 2 Reyes 1:8). Las exigencias del Bautista son un eco de la predicación de profetas y sabios de Israel: exige arrepentimiento, como hizo Jeremías (8:6); los invitaba a reconocer sus pecados, a la manera de Nehemías (9); pedía enmienda de sus vidas como prueba de su conversión auténtica, como enseñan los salmos (50:23; 51:15).

La predicación de Juan desafía a los judíos que lo escuchan: no pueden confiarse proclamando "somos hijos de Abrahán", como si eso constituyese una seguridad. Con un juego de palabras (*banim* es la palabra hebrea para "hijos", mientras que *'abanim* es la palabra que corresponde a piedras) Juan demuestra que esa es una seguridad falsa: solo los signos de conversión nos aseguran la pertenencia al pueblo de Dios.

La fuerza del Bautista palidece, frente al Mesías. Juan acepta con humildad que quien viene tras él, Jesús, es mucho más grande que él y que su bautismo de agua es solamente un signo que encontrará su plenitud en el bautismo en el Espíritu Santo y el fuego que el Mesías concederá. La tradición del cuarto evangelio (Juan 1:19–34) mostrará la función precursora del ministerio del Bautista.

INMACULADA CONCEPCIÓN DE LA BIENAVENTURADA VIRGEN MARÍA

Se trata de un texto narrativo lleno de matices. Da la entonación correcta que capture la atención de la asamblea.

I LECTURA Génesis 3:9–15, 20

Lectura del libro del Génesis

Después de que el hombre y la mujer
   comieron del fruto del árbol **prohibido**,
   el Señor Dios **llamó** al hombre y le preguntó:
   "¿Dónde estás?"
Éste le respondió:
   "**Oí** tus pasos en el jardín; y **tuve miedo**,
   porque estoy **desnudo**, y me **escondí**".
Entonces le dijo Dios:
   "¿Y **quién** te ha dicho que estabas **desnudo**?
   ¿**Has comido** acaso del árbol del que te **prohibí** comer?"
Respondió **Adán**:
   "**La mujer** que **me diste** por compañera
      me **ofreció** del fruto del árbol **y comí**".
El Señor Dios dijo a **la mujer**: "
   ¿**Por qué** has hecho esto?"
Repuso la mujer:
   "La serpiente **me engañó** y comí".

Entonces dijo el Señor Dios a la serpiente:
   "Porque has hecho **esto**,
serás **maldita** entre **todos** los animales
   y entre **todas** las bestias salvajes.
Te **arrastrarás** sobre tu vientre **y comerás polvo**
   todos los días de tu vida.

La narración desemboca en este anuncio fundamental de salvación. Léelo pensando que es el anuncio de la victoria de Cristo sobre el mal.

I LECTURA La fiesta de la Inmaculada Concepción tiene un origen muy antiguo. Ya hacia los siglos VII y VIII, en el oriente cristiano, comenzó a celebrarse que María Santísima, aquella que habría de concebir al Verbo hecho carne (Juan 1:14), fue preservada de todo pecado desde su misma concepción. Los testimonios antiguos de esta celebración reflejan la conciencia del esmero con el que Dios había preparado el nacimiento del Mesías. Con el paso del tiempo esta celebración fue extendiéndose por toda la iglesia, pero fue hasta el siglo XIX, el 8 de diciembre de 1854, que el papa Pío IX declaró, como verdad de fe a ser creída por todos los católicos, que la concepción de la Virgen Santísima fue limpia de pecado original.

Esta fiesta está acompañada de la proclamación de un fragmento del Génesis que forma parte de la historia de la caída (Génesis 3:1–24). Su propósito es responder a una de las interrogantes más hondas del espíritu humano: ¿Cuál es el origen del mal? ¿Por qué hay enfermedad y muerte? Si todo fue creado bueno, ¿por qué el trabajo cansa, la maternidad duele, la tierra no es siempre fértil? Se trata de preguntas por el sentido mismo de la vida y por la presencia del mal en la vida y la historia humana.

De un relato lleno de figuras y símbolos, surge un anuncio poderoso: la bondad original de la creación contrasta con la realidad actual de dolor y muerte porque en medio de estas dos realidades se yergue un acto libre de desobediencia de la criatura hacia su Creador. Se trata de una desobediencia que rompió la armonía del principio y dañó la estructura misma de la naturaleza humana. Por eso le llamamos pecado "de origen". Echar la culpa a otros no libra a la persona del enfrentamiento con las consecuencias de su ac-

Pondré **enemistad** entre ti y la mujer,
   entre tu descendencia y **la suya**;
   y su descendencia **te aplastará** la cabeza,
   mientras tú **tratarás** de morder su talón".

El hombre le puso a su mujer el nombre de "**Eva**",
   porque ella fue la madre de **todos** los vivientes.

Para meditar

SALMO RESPONSORIAL Salmo 97:1, 2–3ab, 3cd–4

R. Canten al Señor un cántico nuevo, porque ha hecho maravillas.

Canten al Señor un cántico nuevo,
   porque ha hecho maravillas:
   su diestra le ha dado la victoria,
   su santo brazo. **R.**

El Señor da a conocer su victoria;
   revela a las naciones su justicia:
   se acordó de su misericordia y su fidelidad
   en favor de la casa de Israel. **R.**

Los confines de la tierra han contemplado
   la victoria de nuestro Dios.
Aclama al Señor, tierra entera,
   griten, vitoreen, toquen. **R.**

II LECTURA   Efesios 1:3–6, 11–12

Lectura de la carta del apóstol san Pablo a los efesios

Bendito sea Dios, **Padre** de nuestro Señor **Jesucristo**,
   que nos ha bendecido **en él**
   con **toda** clase de bienes espirituales y celestiales.
Él nos **eligió** en Cristo, **antes** de crear el mundo,
   para que fuéramos **santos**
   e **irreprochables** a sus ojos, por **el amor**,
   y **determinó**, porque **así** lo quiso,
   que, por medio de Jesucristo, **fuéramos** sus hijos,
   para que **alabemos y glorifiquemos** la gracia
   con que nos **ha favorecido** por medio de su Hijo amado.

El himno proclama la gratuidad de la salvación. Debe ser proclamado con un profundo sentido de agradecimiento.

ción. La entrada del miedo y la desnudez confrontan a la pareja humana. Pero, en medio de estas nefastas consecuencias, se levanta la promesa divina: el mal será derrotado por la descendencia de una mujer, en quien la relectura cristiana contempla a María y a Jesús, el fruto de sus entrañas. La aparente victoria de la serpiente es temporal y limitada: el futuro está en las manos de Dios y el bien terminará por vencer gracias al fruto del vientre purísimo de María.

II LECTURA Calificado por muchos especialistas como el párrafo más difícil de traducir en todo el Nuevo Testamento (Efesios 1:3–14), este himno de bendición eleva su alabanza a las tres personas de la Santísima Trinidad: el Padre que nos ha bendecido y elegido, el Hijo que nos otorgó la gracia de ser también nosotros hijos de Dios y el Espíritu Santo que nos sella y es prenda de nuestra herencia (Efesios 1:13–14, omitido en el texto litúrgico). Este himno se compone de tres estrofas claramente marcadas por el autor: las tres terminan con una expresión parecida, *la alabanza de su gloria*. Aunque la liturgia no trae el himno completo, podemos escuchar el final de las dos primeras secciones (vv. 6 y 12).

El anuncio es causa de una gran alegría: el Padre nos ama tanto que nos destinó, desde antes de la creación del mundo, para que llegáramos a la altura de su Hijo unigénito. Cristo nos reveló en sus palabras y obras el proyecto de salvación que Dios tenía para nosotros y nos concedió, por su misterio pascual, plena participación en él. Finalmente, el Espíritu Santo, ha sellado este compromiso y es garantía de nuestra herencia eterna. El himno revela, tanto la participación de las tres personas divinas en

Con Cristo somos **herederos** también nosotros.
Para **esto** estábamos destinados,
    por **decisión** del que lo hace todo **según** su voluntad:
    para que **fuéramos** una alabanza **continua** de su gloria,
nosotros, los que ya antes **esperábamos** en Cristo.

EVANGELIO Lucas 1:26–38

Lectura del santo Evangelio según san Lucas

En aquel tiempo,
    el **ángel** Gabriel fue enviado por Dios
    a una ciudad de Galilea, llamada **Nazaret**,
    a una **virgen** desposada con un varón de la estirpe de David,
    llamado **José.** La virgen se llamaba **María.**

Entró el ángel a donde ella estaba y le dijo:
    "**Alégrate**, **llena** de gracia, el Señor **está** contigo".
Al oír **estas** palabras,
    ella se preocupó **mucho**
    y se preguntaba **qué querría decir** semejante saludo.

El ángel le dijo:
    "**No temas**, María, porque **has hallado** gracia ante Dios.
    Vas **a concebir** y a dar a luz **un hijo**
    y le pondrás por nombre **Jesús.**
Él será **grande** y será llamado **Hijo** del Altísimo;
    el Señor Dios le dará el trono de David, **su padre**,
    y él **reinará** sobre la casa de Jacob **por los siglos**
    y su reinado **no tendrá fin**".

Estamos destinados a la santidad y nuestra herencia es el cielo. Que esta esperanza resuene en la proclamación de este párrafo final.

Resalta la condición narrativa del texto. Es una historia que se cuenta con alegría.

El saludo que sobrecogió de emoción a María debe ser escuchado con la misma emoción por los participantes de la misa. Dale un énfasis especial cuando lo leas.

---

la historia de salvación, como la respuesta generosa que deberemos ofrecer para llegar a ser, un "himno de alabanza a su gloria".

Esta lectura evoca la gratuidad con que Dios hace las cosas, buscando siempre nuestro bien temporal y eterno. En el proyecto de salvación, hacer que seamos "santos e irreprochables a sus ojos, por el amor", el papel de María Santísima es relevante. Aquélla que habría de darnos al autor de la salvación, encuentra un lugar insustituible en la realización de las promesas divinas. Su concepción inmaculada es manifestación de la historia de fidelidad de Dios a su pueblo y

del proyecto de humanización plena que, realizado en Jesucristo, es el ideal que debe guiar la vida de los bautizados y bautizadas. Gracia y compromiso, don y tarea, son dos aspectos de una misma realidad: llamados a ser santos en Cristo, cada discípulo deberá corresponder a la gracia recibida con una vida intachable. Como lo hizo María Santísima, la favorecida de Dios y llena de gracia.

EVANGELIO Lucas y Mateo son los únicos evangelios que tienen relatos de la infancia, aunque con distinta perspectiva. Mientras Mateo sitúa en el cen-

tro la figura de José, Lucas pone en cambio como personaje relevante a María.

Lucas construye su evangelio en dos partes íntimamente relacionadas. Son dos cuadros paralelos, uno referido a Juan Bautista y otro a Jesús. Hay dos anunciaciones, dos relatos de nacimiento, dos himnos de acción de gracias. El relato remarca cuidadosamente la superioridad de Jesús sobre el Bautista. En el primer relato de anunciación, el personaje a quien el ángel se revela es un varón y sacerdote, Zacarías. En el segundo relato, la destinataria es una mujer, María de Nazaret. La pri-

Lee pausadamente la respuesta del ángel a la objeción de María, pues contiene el secreto del nacimiento virginal.

La respuesta de María es la culminación del texto. Haz una breve pausa después de la frase: "María contestó".

María le dijo entonces al ángel:

"¿**Cómo** podrá ser esto, puesto que yo **permanezco virgen**?"

El ángel le contestó:

"El Espíritu Santo **descenderá** sobre ti

y el **poder** del Altísimo te cubrirá con su sombra.

Por eso, **el Santo**, que va a nacer **de ti**,

será llamado **Hijo de Dios**.

Ahí tienes a tu parienta **Isabel**,

que a pesar **de su vejez**, **ha concebido** un hijo

y ya va en el **sexto** mes la que llamaban **estéril**,

porque no hay **nada imposible** para Dios".

María contestó:

"**Yo soy** la esclava del Señor;

cúmplase en mí lo que me has dicho".

Y el ángel **se retiró** de su presencia.

---

mera anunciación tiene como escenografía el templo de Jerusalén, la segunda un pueblo pequeño, una aldea del norte de Palestina, lejana a Jerusalén. Sin embargo, el contraste resultará paradójico: es la periferia, y no el Templo santo, el lugar de la concepción del Mesías.

María está ya deposada con José, pero no ha celebrado aún las nupcias. El saludo del ángel la emociona y desconcierta: es un saludo lleno de alusiones a las Escrituras. El "alégrate" resuena en textos proféticos en los que el Señor anuncia buenas noticias de perdón y misericordia para su pueblo (Joel 2:21; Sofonías 3:14–16); el ángel le llama "favorecida", llena de gracia, como hicieran los profetas con la ciudad de Jerusalén, casa donde Dios habita (Isaías 62:4). El ángel culmina el saludo con la expresión "el Señor está contigo", paráfrasis de aquel Emmanuel contenido en Isaías 7:14–15. No es extraño, pues, el desconcierto de María ante un saludo de tales magnitudes.

La descripción del Hijo que vendrá termina por maravillar aún más a la doncella de Nazaret: será madre del Hijo del Altísimo, el Mesías y rey de Israel. La maternidad de María queda situada bajo la acción del Espíritu Santo. Su virginidad no será ya una objeción, pues Dios mismo, por acción del Espíritu Santo, la fecundará espiritualmente. La respuesta de María muestra una disponibilidad total: su asentimiento libre permite que la acción divina comience una nueva creación. Dios puede ya entrar en el mundo haciéndose uno de nuestra propia familia.

BIENAVENTURADA VIRGEN MARÍA DE GUADALUPE

El oráculo es un anuncio lleno de gozo. Proclámalo alegremente para contagiar a tus oyentes.

La conclusión del párrafo debe tener una sonoridad especial: Mira a la asamblea antes de proclamar las dos últimas líneas y remata con jubilosa firmeza su lectura.

I LECTURA   Zacarías 2:14–17

Lectura del libro del profeta Zacarías

"Canta de gozo y regocíjate, Jerusalén,
  pues vengo a vivir **en medio de ti**, dice el Señor.
Muchas naciones se unirán al Señor en aquel día;
  ellas también serán **mi pueblo**
  y yo habitaré **en medio** de ti
  y sabrás que el Señor de los ejércitos
  me ha enviado **a ti**.
El Señor tomará nuevamente a Judá
  como su **propiedad personal** en la tierra santa
  y Jerusalén volverá a ser la ciudad elegida".

¡Que todos guarden silencio ante el Señor,
  pues **él se levanta** ya de su santa morada!

O bien:

I LECTURA   Apocalipsis 11:19a; 12:1–6a, 10ab

Lectura del libro del Apocalipsis del apóstol san Juan

Se abrió el templo de Dios en el cielo
  y dentro de él se vio el **arca de la alianza**.

I LECTURA   Entre el 520 y 518 a. C., en el reino de Judá, se reunieron algunos oráculos atribuidos a Zacarías. Dividido en dos grandes partes (capítulos 1–8 y 9–14), todavía se discute si habrá sido un solo profeta o dos. Sus temas preferidos fueron el templo y las exigencias éticas que se derivan del culto.

Para el pueblo de Dios, apenas salido de su destierro en Babilonia, la ciudad de Jerusalén y su templo, tenían un hondo significado. La presencia viva de Dios en medio de su pueblo quedaba significada por aquel templo que la generación anterior había visto caer estrepitosamente después de la victoria del imperio babilonio. Un sentimiento de orfandad acompañó a los deportados durante el exilio. Ahora, pasadas dos décadas del retorno de los primeros repatriados, la ciudad estaba casi despoblada y el templo a medio reconstruir. En este momento, el profeta alza la voz para anunciar el retorno de la gloria de Dios en medio de su pueblo. Jerusalén, la hija de Sión, no quedará nunca más desprotegida, porque el Señor la defenderá con una muralla de fuego (Zacarías 2:9), ya que es la niña de sus ojos (Zacarías 2:11).

Esta alegría la aplica la liturgia de la iglesia a la fiesta de Nuestra Señora de Guadalupe. El templo es la casa de Dios, donde él habita, y María, en su vientre purísimo, albergó durante nueve meses al Hijo del Altísimo. La imagen de la Virgen de Guadalupe, por eso, muestra a una mujer embarazada, llevando en sus entrañas la Buena Noticia de la salvación los pueblos originarios de nuestra América. A ellos ofrece su auxilio y amparo la Madre del verdadero Dios por quien se vive.

La visión de la mujer es grandiosa. Que tu voz transmita la admiración que la lectura trata de despertar en el oyente.

Apareció entonces en el cielo una figura prodigiosa:
una mujer envuelta por el sol,
con la luna bajo sus pies
y con una corona de doce estrellas en la cabeza.
Estaba encinta y a punto de dar a luz
y gemía con los dolores del parto.

El dragón es el villano de esta lectura. Lee claramente, manteniendo tono de tensión hasta el momento en que el Mesías nace y es llevado al cielo.

Pero apareció también en el cielo otra figura:
un enorme dragón, color de fuego,
con siete cabezas y diez cuernos,
y una corona en cada una de sus siete cabezas.
Con su cola
barrió la tercera parte de las estrellas del cielo
y las arrojó sobre la tierra.
Después se detuvo delante de la mujer que iba a dar a luz,
para devorar a su hijo, en cuanto éste naciera.
La mujer dio a luz un hijo varón,
destinado a gobernar todas las naciones
con cetro de hierro;
y su hijo fue llevado hasta Dios y hasta su trono.
Y la mujer huyó al desierto, a un lugar preparado por Dios.

El último párrafo expresa la victoria de Dios y de su Mesías. Debe ser leído con gozosa solemnidad.

Entonces oí en el cielo una voz poderosa, que decía:
"Ha sonado la hora de la victoria de nuestro Dios,
de su dominio y de su reinado, y del poder de su Mesías".

Para meditar

SALMO RESPONSORIAL   Judit 13:18bcde, 19

R. Tú eres el orgullo de nuestra raza.

El Altísimo te ha bendecido, hija,
más que a todas las mujeres de la tierra.
Bendito el Señor, creador del cielo y tierra. R.

Que hoy ha glorificado tu nombre de
tal modo,
que tu alabanza estará siempre
en la boca de todos los que se acuerden
de esta obra poderosa de Dios. R.

I LECTURA El Apocalipsis recurre a figuras simbólicas, confrontaciones entre el bien y el mal, la iglesia perseguida por las fuerzas del Maligno, etc. El escenario donde ocurre el acontecimiento que va a narrarse es el cielo, casa de Dios, desde donde Él manifiesta su voluntad y da las claves para la interpretación de los acontecimientos.

La mujer que está a punto de dar a luz, se interpreta en tres distintos niveles. Es símbolo de Israel, que da a luz al Mesías. También es signo de la iglesia, que engendra nuevos discípulos y discípulas para el Reino

(de ahí que los signos bautismales sean signos de nacimiento, como las pilas que figuran redondos vientres maternos). Finalmente, la tradición católica ve en esta mujer la figura de María Santísima, madre de Jesús y madre de la iglesia. Símbolos bíblicos hacen relevante su figura: aparece revestida de sol, como el mismo Dios (Salmo 104:2) y con una corona de doce estrellas en la cabeza, rememorando a las doce tribus de Israel.

El enemigo de esta mujer es el dragón, de reminiscencia bíblica: dragón es el imperio egipcio y también Nabucodonosor, rey

del imperio babilonio (Isaías 51:9; Jeremías 51:34). Rememora también a la serpiente del origen, en hostilidad con la descendencia de la mujer (Génesis 3:10). Triunfa el Mesías que, elevado hasta el trono de Dios (Salmo 110:1), muestra de que la resurrección y la ascensión dan cuenta del poder entregado a Jesucristo. Hay similitud entre la mujer del texto y la imagen del ayate de Juan Diego: madre del Mesías, triunfadora sobre el dragón, María de Guadalupe anuncia la victoria de Dios sobre las fuerzas del mal.

María camina con Jesús en sus entrañas. Proclama con alegría su deseo de llegar ahí donde Dios la necesita.

El centro del mensaje de este texto se encierra en las palabras de Isabel. Proclámalas pausadamente.

EVANGELIO   Lucas 1:39–47

Lectura del santo Evangelio según san Lucas

En aquellos días,
   María se **encaminó presurosa** a un pueblo de las montañas de
      Judea,
         y entrando en la casa de Zacarías, saludó a Isabel.
En cuanto ésta oyó **el saludo de** María,
      la creatura **saltó en su** seno.

Entonces Isabel **quedó llena** del Espíritu Santo,
   y levantando la voz, exclamó:
   "¡**Bendita tú** entre las mujeres
   y **bendito el fruto** de tu vientre!
¿Quién soy yo, para que la madre de mi Señor venga a verme?
Apenas llegó **tu saludo** a mis oídos, el niño saltó **de gozo**
      en mi seno.
Dichosa tú, que has creído,
   porque **se cumplirá** cuanto te fue anunciado de parte
      del Señor".

Entonces dijo María:
   "Mi alma **glorifica** al Señor
   y mi espíritu se llena **de júbilo** *en Dios, mi salvador*".

O bien: *Lucas 1:26–38*

EVANGELIO   El relato de la visitación nos da la oportunidad de atisbar el encuentro de estas dos matriarcas del Nuevo Testamento. Los textos del Antiguo Testamento dan cuenta del dolor que produce en las mujeres la esterilidad. En una sociedad que valora a la mujer solo por su maternidad, no poder tener hijos era un sufrimiento personal y de consecuencias sociales. Son frecuentes los relatos en que Dios mismo vence la esterilidad y bendice a mujeres estériles con un hijo.

Eso es lo que ha ocurrido con Isabel. María ha recibido esta noticia del ángel Gabriel, como una señal de que Dios es capaz de obrar maravillas. María se desplaza desde Nazaret hasta la casa de Zacarías. El encuentro de estas dos mujeres es el encuentro de los dos hijos que cada una lleva en su vientre. Las palabras que intercambian son adelanto de la misión que cada uno de ellos va a desarrollar en la edad adulta. Juan, por medio de Isabel, reconoce que Jesús es el Señor. María, por su parte, canta un himno de agradecimiento ante un Dios que cumple sus promesas y que se compadece de los pobres y marginados.

México, en la fiesta de Guadalupe, toma las palabras de Isabel para saludar la visita de María Santísima a nuestro continente. La mujer de la tilma anuncia la acción salvadora de Dios en los más pobres de nuestras tierras, los pueblos originarios, sojuzgados y esclavizados. La fuerza del evangelio terminará por cumplir lo predicho por María: Derribó a los potentados de sus tronos y engrandeció a los humildes. Junto con el obispo Zumárraga, todos nos inclinamos ante el milagro inscrito en el ayate de Juan Diego.

III DOMINGO DE ADVIENTO

La palabra del profeta es un canto a la alegría. Regocíjate tú también, junto con toda la naturaleza, mientras lees.

I LECTURA   Isaías 35:1–6a, 10

Lectura del libro del profeta Isaías

Esto dice el Señor:
  "**Regocíjate**, yermo sediento.
Que se **alegre** el desierto y se **cubra** de flores,
  que **florezca** como un campo de lirios,
  que se alegre y **dé gritos** de júbilo,
  porque le será dada la **gloria** del Líbano,
  el **esplendor** del Carmelo y del Sarón.

Ellos **verán** la gloria del Señor,
  el **esplendor** de nuestro Dios.
Fortalezcan las manos cansadas,
  afiancen las rodillas vacilantes.
Digan a los de corazón apocado:
  '**¡Ánimo! No teman.**
He aquí que su Dios,
  vengador y justiciero,
  viene **ya** para salvarlos'.

Se **iluminarán** entonces los ojos de los ciegos,
  y los oídos de los sordos se **abrirán.**
Saltará como un ciervo el cojo,
  y la lengua del mudo **cantará.**
Volverán a casa los **rescatados** por el Señor,
  vendrán a Sión con **cánticos** de **júbilo,**
  coronados de **perpetua** alegría;
  serán su escolta el **gozo** y la **dicha,**
  porque la pena y la aflicción **habrán terminado**".

El tiempo de adviento sintoniza con el llamado de Isaías. Mira a la asamblea cuando anuncies que el Señor viene.

Este último párrafo tiene conexión con el evangelio que se proclamará. Enuncia con claridad los verbos.

I LECTURA Los capítulos 34 y 35 son dos caras de una misma moneda. El recolector de los oráculos juntó estos dos capítulos para señalar los dos aspectos de la actuación de Dios: el juicio y la misericordia. Si en el capítulo 34 se escuchan invectivas y anuncios de castigo contra todas las naciones, el capítulo 35, cuyos primeros versículos encontramos en esta lectura, es un anuncio del gozo que inundará a la ciudad santa.

Las resonancias ecológicas están presentes en ambos capítulos. En el capítulo 34 el castigo de los pueblos infieles se refleja en valles marchitos y mares que se convierten en aceite. En nuestro texto la algarabía que despierta la presencia de Dios se derrama para hacer de los desiertos, jardines floridos. La gloria del Señor queda de manifiesto en una nueva primavera.

Se trata del retorno de los exiliados en Babilonia que, como en un nuevo éxodo, emprenden una gozosa peregrinación de retorno. No más penas y aflicciones; el tiempo del sufrimiento ha terminado: cojos, sordos, ciegos y mudos experimentarán la sanación. Este himno de alegría le da un especial tono gozoso a este III domingo de adviento.

Es un cántico para infundir ánimos, por eso habla del fortalecimiento de las rodillas vacilantes. El pueblo cristiano transita por la vía del adviento, camino al encuentro con el Mesías que nace. En su camino se repite el glorioso retorno de los exiliados. Recordemos, en tiempos de crisis climática, que la naturaleza entera tiene que participar del gozo de la Navidad, pero no podrá hacerlo mientras nosotros sigamos transformando los vergeles en páramos secos y agrestes.

Para meditar

R. Ven, Señor, a salvarnos.

El Señor mantiene su fidelidad
   perpetuamente, hace justicia a los
   oprimidos, da pan a los hambrientos.
   El Señor liberta a los cautivos. **R.**

El Señor abre los ojos al ciego, el Señor
   endereza a los que ya se doblan, el Señor
   ama a los justos, el Señor guarda a los
   peregrinos. **R.**

Sustenta al huérfano y a la viuda y trastorna
   el camino de los malvados. El Señor
   reina eternamente; tu Dios, Sión,
   de edad
   en edad. **R.**

II LECTURA   Santiago 5:7–10

Lectura de la carta del apóstol Santiago

Esta lectura es una invitación a la paciencia en la espera del Señor. Cuatro veces se menciona la paciencia: localízalas y dales un énfasis especial

Hermanos:
Sean pacientes hasta la venida del Señor.
Vean cómo el labrador,
   con la **esperanza** de los frutos **preciosos** de la **tierra**,
   aguarda **pacientemente** las lluvias tempraneras y las tardías.
Aguarden **también** ustedes **con paciencia**
   y mantengan **firme** el ánimo,
   porque la venida del Señor **está cerca**.

La espera paciente se manifiesta en la ausencia de murmuración. Dulcifica la frase para que no suene a represión.

No murmuren, hermanos,
   los unos de los otros,
   para que el día del juicio no sean **condenados**.
Miren que el juez ya está a la puerta.
Tomen como **ejemplo** de paciencia
   en el sufrimiento **a los profetas**,
   los cuales hablaron **en nombre** del Señor.

II LECTURA   La carta de Santiago es hermoso testimonio de una de las corrientes más importantes del cristianismo antiguo, la corriente judeocristiana. Atribuida a Santiago en la presentación, representa la línea de pensamiento de "el hermano del Señor", mencionado en Gálatas 1:19; 2:9, 12 y Hechos 12:7 y 15:13 como cabeza visible de la iglesia de Jerusalén, entonces compuesta por cristianos provenientes de la cultura y religión judía.

La carta está llena de alusiones al Antiguo Testamento. Se repiten muchos verbos en imperativo, con intención de aconsejar, a la manera de los antiguos sabios judíos. Santiago invita a la paciencia y a la perseverancia ante la venida del Señor. La expectativa de la llegada de la Parusía era cultivada como un acontecimiento inmediato, como si el Señor fuera a llegar de un momento a otro. La ejemplificación se toma del trabajo de campo en Palestina, con lluvias tempranas y tardías (Deuteronomio 11:14; Oseas 6:3). Una parábola de Jesús, conservada solo por Marcos (4:26–29), usa también un ejemplo del campo para hablar de la paciencia del campesino, que no se queda a esperar que la planta brote, sino que se va a su casa, consciente de que lo que ocurre debajo de la tierra no es asunto suyo, sino de la fuerza misma de la semilla.

Los profetas son también mencionados como ejemplos de paciencia, aunque la alusión directa es a la paciencia en medio de los sufrimientos, quizá haciendo alusión a la extendida tradición que consideraba a todos los profetas como mártires. La enseñanza es, pues, clara: hay que mantenerse firmes, porque la venida del Señor ya está cerca.

EVANGELIO   El evangelio de hoy nos presenta la actuación de Juan

EVANGELIO Mateo 11:2–11

Lectura del santo Evangelio según san Mateo

En aquel tiempo, Juan se encontraba **en la cárcel**,
   y habiendo oído hablar de **las obras** de Cristo,
   le mandó **preguntar** por medio de dos discípulos:
   "¿Eres tú el que **ha de venir** o tenemos que esperar a otro?"

Jesús les respondió:
   "**Vayan** a contar a Juan lo que están **viendo y oyendo**:
   los ciegos **ven**, los cojos **andan**,
   los leprosos **quedan limpios** de la lepra,
   los sordos **oyen**, los muertos **resucitan**
   y **a los pobres** se les anuncia el Evangelio.
Dichoso aquél que no se sienta **defraudado** por mí".

Cuando se fueron los discípulos,
   Jesús se puso a hablar a la gente acerca **de Juan**:
   "¿Qué fueron ustedes a ver **en el desierto**?
¿Una caña **sacudida** por el viento? No.
Pues entonces, ¿**qué** fueron a ver?
¿A un hombre **lujosamente** vestido?
No, ya que los que visten con lujo **habitan** en los palacios.
¿**A qué** fueron, pues?
¿A ver **a un profeta**?
Sí, yo se **lo aseguro**;
   y a uno que es todavía **más** que profeta.
Porque de él **está escrito**:
He aquí que yo envío a mi **mensajero**
   que vaya **delante** *de ti y te prepare el* **camino**.
Yo les aseguro que **no ha surgido** entre los hijos de una mujer
   ninguno más grande que Juan el **Bautista**.
Sin embargo, el **más pequeño** en el **Reino de los cielos**,
   es todavía **más grande** que él".

La última línea de este párrafo da pie a la respuesta de Jesús. Haz un momento breve de silencio después de leerla.

Haz la enumeración de los grupos, subrayando los versos que cambian su situación: ven, andan, quedan limpios.

Hay tres preguntas, dos con respuestas negativas y una positiva. Lee con firmeza los dos *no* y el *sí* final.

El texto concluye con una paradoja. Las cuatro últimas líneas son conclusivas. Léelas pausadamente.

---

el Bautista. Juan se encuentra en la cárcel, prisionero de Herodes. Desde ahí le manda a preguntar a Jesús, por medio de dos discípulos, si es él "el que había de venir". La pregunta le da oportunidad a Jesús para exponer su idea del Reino de Dios.

Jesús propone seis categorías de personas cuyas vidas son transformadas: ciegos, cojos, leprosos, sordos, muertos y pobres. Las cinco primeras categorías remarcan carencias físicas; la última es una categoría social. Lo que la acción de Jesús realiza es una inversión de la realidad: los ciegos ya no lo son más, ahora ven; los cojos ahora andan… las carencias son remediadas. La última categoría resulta escandalosa: el Reino viene a hacer que los pobres dejen de serlo. La doctrina inveterada que sostenía que la riqueza era un premio divino y la pobreza un destino fatal al que los seres humanos debían resignarse, queda aquí en cuestión. Para Jesús, la voluntad del Padre es devolver la dignidad completa a quienes han sido injustamente marginados. Esta es la confirmación que los discípulos de Juan habrán de llevarle al Bautista. La era mesiánica ha comenzado con una oferta de bondad y salvación.

Jesús, después, aclara cuál es la misión de Juan Bautista. Lo compara con Elías (1 Reyes 17–18). Juan es una bisagra entre el Antiguo y el Nuevo Testamento: Juan anuncia al "que ha de venir" (Malaquías 3:1), es un precursor. Hay una doble época en la obra de salvación: la preparación, hasta Juan Bautista, y el cumplimiento mesiánico. Navidad es la irrupción de la era mesiánica. Nada volverá a ser igual.

IV DOMINGO DE ADVIENTO

Esta sección comienza con un reproche y termina con un anuncio de salvación. Que en tu proclamación se noten los dos acentos.

I LECTURA   Isaías 7:10–14

Lectura del libro del profeta Isaías

En **aquellos** tiempos, **el Señor** le habló a Ajaz diciendo:
"**Pide** al Señor, tu Dios,
 una señal de abajo, en **lo profundo**
 o de **arriba**, en lo alto".
Contestó Ajaz:
 "**No** la pediré.
No tentaré al Señor".

Entonces dijo Isaías: "Oye, pues, **casa** de David:
¿No satisfechos con **cansar** a los hombres,
 quieren cansar **también** a mi Dios?
Pues bien, **el Señor mismo** les dará por eso **una señal**:
He aquí que la virgen **concebirá** y dará a luz un hijo
 y le pondrán el nombre de **Emmanuel**,
 que quiere decir **Dios-con-nosotros**".

Para meditar

SALMO RESPONSORIAL   Salmo 23:1–2, 3–4a, 5–6
R. Va a entrar el Señor: Él es el Rey de la Gloria.

Del Señor es la tierra y cuanto la llena, el orbe y todos sus habitantes: él la fundó sobre los mares, él la afianzó sobre los ríos. **R.**

¿Quién puede subir al monte del Señor? ¿Quién puede estar en el recinto Sacro? El hombre de manos inocentes y puro de corazón. **R.**

Ése recibirá la bendición del Señor, le hará justicia el Dios de salvación. Éste es el grupo que busca al Señor, que viene a tu presencia, Dios de Jacob. **R.**

I LECTURA Los capítulos del 7 al 12 de Isaías son conocidos como el "Libro del Emmanuel". El pueblo de Dios está amenazado y la sobrevivencia de la dinastía davídica está en peligro. Asiria es un poderoso imperio que busca expandirse. Le llega a Ajaz, rey de Judá, una propuesta: unirse al rey de Damasco, Rasón, y al rey de Israel, Pécaj para luchar contra el imperio asirio. Ajaz se niega y los reyes de Damasco e Israel lo atacan. Ajaz comete el desastroso error de aliarse con los asirios y consigue su temporal protección. Isaías va a tratar de contrarrestar esta política errónea del rey Ajaz.

El profeta no deja de aconsejar a Ajaz y a Ezequías. En la lectura de hoy, Isaías se entrevista con el rey Ajaz para convencerlo de confiar en Dios. Le aconseja pedir un signo al Señor. Con falsa humildad, Ajaz se resiste, pero Dios mismo le regala la señal que él se rehusó a solicitarle: se trata del nacimiento de un niño, un hijo suyo, cuyo nombre revela la cariñosa solicitud de Dios por su pueblo. El niño significará la presencia de Dios en medio de su pueblo, por lo que llevará el nombre de Emmanuel. El profeta se refiere a la esposa del rey, y al niño Ezequías, que garantizará la continuidad de la dinastía davídica. La reflexión judía va a extender más tarde este significado al Mesías que ha de venir y la lectura cristiana mirará en aquella joven a María, la virgen que concebirá a Jesús.

El nacimiento de este sucesor de Ajaz se convierte en un signo de la intervención de Dios a través de su Mesías. Los cristianos descubren en este oráculo un anuncio del nacimiento virginal de Jesús.

II LECTURA   Romanos 1:1–7

Lectura de la carta del apóstol san Pablo a los romanos

Este primer párrafo es una confesión de fe. Al leerlo te unes a una tradición secular. Siéntete unido a muchas generaciones de cristianos que te preceden.

Yo, **Pablo**, siervo de Cristo Jesús,
    he sido **llamado** por Dios para ser apóstol
    y **elegido** por él para **proclamar** su Evangelio.
Ese Evangelio, que,
    anunciado de antemano
    por los profetas en las **Sagradas Escrituras**,
    se refiere a su Hijo,
    Jesucristo, nuestro Señor,
    que nació,
    en cuanto a su condición **de hombre**,
    del linaje **de David**,
    y en cuanto a su condición de espíritu **santificador**,
    se manifestó con **todo** su poder como **Hijo** de Dios,
    a partir de su **resurrección** de entre los muertos.

Se describe la misión de Pablo, misión de todo cristiano. Haz contacto visual con la asamblea en este párrafo.

Por medio de **Jesucristo**,
Dios me **concedió** la gracia del apostolado,
    a fin de **llevar** a los pueblos **paganos** a la **aceptación** de la fe,
    para **gloria** de su nombre.
Entre ellos, **también** se cuentan ustedes,
    llamados a pertenecer a **Cristo Jesús**.

A **todos** ustedes, los que viven en Roma,
    a quienes Dios **ama** y ha llamado a la **santidad**,
    les deseo **la gracia y la paz** de Dios,
    nuestro **Padre**,
    y de Jesucristo, **el Señor**.

II LECTURA Pablo convierte un saludo inicial en un exordio a los destinatarios. Se refiere al llamado que ha recibido desde el momento en que, derribado en el camino a Damasco, se integró a la misión cristiana: es siervo de Jesús, llamado a ser apóstol y anunciar la Buena Noticia. Esta Buena Noticia (Evangelio) es situada por Pablo en un marco más amplio: estaba ya anunciada en las profecías antiguas. El misterio de Jesús se ha convertido para el Apóstol en el prisma a través del cual ha de leerse todas las Escrituras.

Pablo atestigua con estas palabras que Jesús, del linaje de David, heredero de la promesa mesiánica, no ha realizado su mesianismo a la manera de este mundo (Hechos 1:6), sino de manera infinitamente superior: ha sido sentado a la derecha de Dios por su resurrección y constituido Hijo de Dios con poder. Este Jesús glorificado no está, sin embargo, desligado del profeta itinerante que recorrió los caminos de Palestina. La resurrección es impensable sin el misterio de la encarnación, que la precede. Por eso las resonancias de este anuncio encuentran cabida en el tiempo del adviento.

Ese mismo Hijo de Dios ha elegido a Pablo como apóstol de todas las naciones, para que el mundo entero entre a la dimensión de la fe, como lo ha hecho ya la comunidad de Roma, destinatarios de la carta, a quienes Pablo llama "amados de Dios y llamados a la santidad". La introducción termina con un saludo que encierra una solemne proclamación de fe. La liturgia ha tomado estas palabras como uno de los saludos alternativos del inicio de la celebración eucarística.

EVANGELIO   Mateo 1:18–24

Lectura del santo Evangelio según san Mateo

Se describe la batalla interna de José al conocer el embarazo de María. Transmite en tu lectura el respeto debido a una confidencia.

Cristo vino al mundo de la siguiente manera:
Estando **María**, su madre, **desposada** con José,
y **antes** de que vivieran juntos,
sucedió que ella,
por obra del **Espíritu Santo**,
estaba **esperando** un hijo.
José, su esposo,
que era hombre **justo**,
no queriendo ponerla en **evidencia**,
pensó dejarla **en secreto**.

El ángel le aclara a José el sentido de este misterio. Lee sus palabras con aplomo y certidumbre.

Mientras pensaba **en estas cosas**,
un ángel del Señor le dijo en sueños:
"José, **hijo** de David,
no dudes en recibir en tu casa
a **María**, tu esposa,
porque ella **ha concebido** por obra **del Espíritu Santo**.
Dará a luz un hijo
y **tú** le pondrás el nombre **de Jesús**,
porque **él salvará** a su pueblo de sus pecados".

José es un hombre de fe, modelo para los creyentes. Cierra tu proclamación con la lectura pausada del último párrafo.

Todo esto sucedió para que **se cumpliera** lo que había **dicho** el Señor
    por boca del profeta Isaías:
*He aquí que la virgen **concebirá** y **dará a luz** un hijo,*
*a quien pondrán el nombre de **Emmanuel**,*
*que quiere decir **Dios-con-nosotros**.*

Cuando José **despertó** de aquel sueño,
hizo lo que le **había mandado** el ángel del Señor
y **recibió** a su esposa.

EVANGELIO El evangelio de Mateo comienza con la genealogía. El nacimiento de Jesús queda insertado en la historia humana. No se trata de una genealogía tradicional, exclusivamente masculina. La genealogía de Mateo menciona a cinco mujeres: Tamar, Rajab, Rut, Betsabé y María. Todas ellas involucradas en nacimientos con un cierto grado de irregularidad. Para Mateo, sin embargo, es el nacimiento del Mesías el único verdaderamente extraordinario. La genealogía desemboca, pues, en el relato que hoy se proclama.

El hebreo *'almah* (joven soltera) de la primera lectura, ha pasado al griego *parthenos* (virgen). Nacido en un plano judío, del linaje de David, Mateo quiere añadir que Jesús es Hijo de Dios, no solamente por el prodigio de su resurrección, sino desde su mismo nacimiento. El Mesías ha sido concebido por obra del Espíritu Santo, superando así la simple genealogía física davídica.

El relato deja en claro que el nacimiento de Jesús no es obra de José. María está embarazada antes de la celebración de las nupcias. Por eso José, cumplidor de la Ley de Moisés, discurre interiormente cómo so-

lucionar el asunto. El ángel le revela a José el sentido misterioso de ese nacimiento y lo invita a desempeñar el papel de custodio de la obra de Dios que se está realizando en María. José convierte su corazón y acepta a María y al hijo que espera. Será un amoroso protector, esposo fiel de María y acompañante y educador de Jesús niño. Se convierte así en modelo renovado de padre: aquel que concibe su paternidad no como dominio o poder, sino como servicio amoroso a la familia.

NATIVIDAD DEL SEÑOR, MISA VESPERTINA DE LA VIGILIA

I LECTURA   Isaías 62:1–5

Lectura del libro del profeta Isaías

Por amor a Sión no me callaré
   y por **amor** a Jerusalén no me daré **reposo**,
   hasta que **surja** en ella esplendoroso el justo
   y **brille** su salvación como una antorcha.

Entonces las naciones verán tu justicia,
   y tu gloria **todos** los reyes.
Te llamarán con un nombre **nuevo**,
   pronunciado por **la boca** del Señor.
Serás corona de gloria en la **mano** del Señor
   y **diadema** real en la palma de su mano.

Ya no te llamarán "**Abandonada**",
   ni a tu tierra, "**Desolada**";
   a ti te llamarán "**Mi complacencia**"
   y a tu tierra, "**Desposada**",
   porque el Señor se ha complacido **en ti**
   y se **ha desposado** con tu tierra.

Como un joven se desposa con una doncella,
   se desposará **contigo** tu hacedor;
   como el esposo **se alegra** con la esposa,
   así **se alegrará** tu Dios contigo.

La lectura se puede dividir en dos grandes secciones. El tono jubiloso de la lectura debe llenarte el corazón. Nota que va subiendo en intensidad, para que regules también tu actitud.

Las líneas van por pares; no las separes. Las últimas dos anuncian el tema del párrafo siguiente.

Con auténtico entusiasmo pronuncia este párrafo. Levanta la vista a la asamblea al terminar la línea final y pronuncia la fórmula conclusiva con gusto.

I LECTURA   Toda la esperanza que el camino del Adviento vino alimentando desemboca en esta noche santa del nacimiento de Nuestro Señor. Isaías ha sido nuestro compañero de camino y él nos deja en este portal esplendoroso, con estas dos imágenes deslumbrantes y seductoras: la primera es el surgimiento del esperado de las naciones y la segunda la esperada boda real.

El surgimiento del esperado de las naciones relumbra como una antorcha en la oscuridad de la noche de la injusticia y la iniquidad. Eso que todos los ojos aguardan tiene un nombre simple: el justo. Se trata de alguien que irradia salvación, lo que enseguida precisará en términos de justicia y de gloria, entre otros.

Esto nos hace considerar la atmósfera oscura en la que el profeta anuncia este oráculo preñado de esperanza. Eran los tiempos de la reconstrucción de Jerusalén, tras el retorno de los grupos de soñadores que habían sido exiliados, medio siglo atrás; de entre ellos, muchos habían envejecido en el destierro, otros pocos habían crecido escuchando las historias de sus mayores y un puñado de niños y jóvenes era la flaca perspectiva de futuro. Los retos eran grandes para forjar una nación nueva. La corrupción y la iniquidad parecían más fuertes que el derecho y la justicia. Pero la adversidad no sofoca al profeta, al que se ha bautizado como Isaías Tercero o Tritoisaías; por el contrario, él levanta su voz incansable.

El profeta despliega otra imagen: la boda real. Él habla de la ciudad de Sión como de una mujer que había sido abandonada, pero a la que el justo viene a desposar. El justo es el Señor, que le da un nombre nuevo a la ciudad, es decir, la toma para sí, la hace suya, como un rey oriental a la favorita de sus

Para meditar

SALMO RESPONSORIAL   Salmo 88:4–5, 16–17, 27, 29

R. Cantaré eternamente las misericordias del Señor.

Sellé una alianza con mi elegido,
    jurando a David mi siervo:
"Te fundaré un linaje perpetuo,
    edificaré tu trono para todas las edades".
        R.

Dichoso el pueblo que sabe aclamarte:
    caminará, oh Señor, a la luz de tu rostro;
    tu nombre es su gozo cada día, tu justicia
        es su orgullo. **R.**

Él me invocará: "Tú eres mi padre,
    mi Dios, mi Roca salvadora".
Le mantendré eternamente mi favor
y mi alianza con él será estable. **R.**

II LECTURA   Hechos 13:16–17, 22–25

Lectura del libro de los Hechos de los Apóstoles

Al llegar Pablo a Antioquía de Pisidia,
    se puso **de pie** en la sinagoga
    y haciendo una señal **para que se callaran**, dijo:

"Israelitas y cuantos temen a Dios, **escuchen**:
El Dios del pueblo de Israel **eligió** a nuestros padres,
    engrandeció al pueblo
    cuando éste vivía como **forastero** en Egipto y lo
    sacó de allí con todo su poder.
Les dio por rey a David, de quien hizo **esta alabanza**:
    He hallado a David, hijo de Jesé,
    hombre según mi corazón,
    quien realizará todos mis designios.

Del **linaje** de David, conforme a la promesa,
    Dios hizo nacer para Israel **un salvador,** Jesús.
Juan **preparó** su venida,
    predicando **a todo el pueblo** de Israel
    un bautismo **de penitencia**,
    y hacia **el final** de su vida,

El relato es breve y pinta la efervescencia mesiánica que Pablo y Bernabé despiertan en la sinagoga. Prolonga un tiempo la pausa luego del primer párrafo.

Es el párrafo conclusivo. Prepara la línea final y termina elevando el tono, como si faltara algo todavía por leer.

---

doncellas. La imagen del desposorio se prolonga en el gozo conyugal del esposo con su mujer. Este desposorio real irradia justicia, salvación, gloria, realeza. Jerusalén ahora es una reina; su Hacedor, Dios, le ha cambiado la suerte viniendo a su encuentro, salvándola de la desolación y el abandono.

El nacimiento de Cristo significa para la Iglesia los desposorios entre Cielo y Tierra, pues esto es la Encarnación del Hijo de Dios. En ella se dan cita lo divino y lo humano. Él es quien troca la suerte negra y desolada de la humanidad sofocada por el pecado, en regocijo por la unión de Dios con su pue-

blo. Él es el Justo, el que brinda justicia a las naciones, y por esto nos alegramos todos con su Natividad.

II LECTURA Los judíos habían tenido que emigrar de su tierra desde varios siglos atrás, cuando las invasiones asirias asolaron el país y se vieron dispersos por el mundo. Consigo llevaron sus tradiciones y sus modos de vivir, que tenían como fuente sus Escrituras sagradas. Allí atesoraban la historia añeja de sus antepasados, lo mismo que las palabras proféticas del porvenir con las que alimentaban la espe-

ranza de un futuro diferente; la salvación de Dios los habría de hacer retornar a la tierra de los padres. El cuándo de esa esperanza estaba condicionado al surgimiento de un líder que cumpliera la voluntad de Dios estipulada en la Ley. En esto, era fundamental la familia de David, el rey de Jerusalén, a quien Dios le había prometido que nunca faltaría un sucesor al trono. El rey David, a pesar de los episodios reprobables de su vida, quedó convertido en símbolo de la esperanza del pueblo, pues fue capaz de arrepentirse de sus pecados y someter su voluntad a la de Dios, ganándose toda su

Juan decía:
'Yo **no soy** el que ustedes piensan.
Después de mí
viene uno a quien **no merezco** desatarle las sandalias' ".

EVANGELIO   Mateo 1:1–25

Lectura del santo Evangelio según san Mateo

Genealogía de Jesucristo,
    hijo de David, hijo de Abraham:
Abraham **engendró** a Isaac, Isaac a Jacob,
    Jacob a Judá y **a sus hermanos**;
    Judá **engendró** de Tamar a Fares y a Zará;
    Fares a Esrom, Esrom a Aram, Aram a Aminadab,
    Aminadab a Naasón, Naasón a Salmón,
    Salmón engendró **de Rajab** a Booz;
    Booz engendró de Rut a Obed,
    Obed a Jesé, y Jesé **al rey David**.

David engendró de la mujer de Urías **a Salomón**,
    Salomón a Roboam, Roboam a Abiá, Abiá a Asaf,
    Asaf a Josafat, Josafat a Joram, Joram a Ozías,
    Ozías a Joatam, Joatam a Acaz, Acaz a Ezequías,
    Ezequías a Manasés, Manasés a Amón, Amón a Josías,
    Josías engendró a Jeconías y a sus hermanos,
    durante **el destierro** en Babilonia.

Después del destierro en Babilonia,
    Jeconías **engendró** a Salatiel, Salatiel a Zorobabel,
    Zorobabel a Abiud, Abiud a Eliaquim,
    Eliaquim a Azor, Azor a Sadoc, Sadoc a Aquim,
    Aquim a Eliud, Eliud a Eleazar, Eleazar a Matán,
    Matán a Jacob, y Jacob engendró **a José**,
    el esposo de María, de la cual nació **Jesús**, llamado Cristo.

Ten cuidado en ritmar la lectura para que suene monótona, pero sí repetitiva, porque así es la constancia de Dios.

Puentea bien con la frase que cierra el párrafo previo. El destierro es un parteaguas que la promesa de Dios supera.

---

complacencia (ver 1 Samuel 13:14). De su descendencia habría de surgir el redentor de todo el pueblo de Israel.

Cuando Pablo predica en Antioquía de Pisidia, hace un breve recuento de las tradiciones patrias más cercanas al corazón de aquellos emigrados. Retoma la figura de David para hacer ver que aquella promesa divina Dios la está cumpliendo en la historia de Jesús de Nazaret, de una manera inusitada.

En efecto, la lectura de los Hechos de los Apóstoles abrevia el decurso de los eventos para resaltar que Jesús es el desti-nado por Dios para salvar a su pueblo, Israel, como antaño hizo cuando estaba cautivo en Egipto, de donde lo "sacó con todo su poder". Ahora Dios ha salvado a los suyos de una esclavitud peor que aquélla, la del pecado. Comenzó por el envío del Bautista y su prédica penitencial, pero había algo más. Él apuntaba más lejos, "al que había de venir", Jesús.

La imagen con el que refiere Juan a Jesús es probablemente del campo del contrato matrimonial. Se desataba la sandalia a aquel que había rehusado tomar por esposa a la mujer del hermano difunto para darle descendencia. Con sus palabras, Juan Bautista estaría diciendo que él es indigno de sustituir o reemplazar a Jesús, incluso si Jesús se rehusara a ejercer su derecho nupcial. Esto subraya el papel singular de Jesús como el Novio o Esposo mesiánico del pueblo, al que Dios le ha enviado para redimirlo.

La liturgia nos despierta la expectativa de la inminente manifestación del Redentor, quien cumplirá todos los deseos del corazón divino.

EVANGELIO San Mateo echa por delante esta genealogía que

Este recuento desemboca en Cristo. Apóyate en las negrillas al llegar pronunciar su nombre.

Cambia el ritmo de lectura. Acelera en las partes descriptivas y ralentiza las dialogales.

La revelación del ángel es la parte medular. Apóyate en las negrillas. Baja la velocidad.

Retoma la velocidad de la descripción, pero prepara la salida del relato dejando que la palabra final se quede en la mente de los escuchas.

De modo que **el total** de generaciones
    desde Abraham hasta David, es de **catorce;**
    desde David **hasta la deportación** a Babilonia, es **de catorce,**
    y de la deportación a Babilonia **hasta Cristo**, es de **catorce.**

Cristo vino al mundo de la siguiente manera:
Estando María, su madre, **desposada** con José,
    y **antes** de que vivieran juntos,
    sucedió que ella, **por obra** del Espíritu Santo,
    estaba **esperando** un hijo.
José, su esposo, que era hombre **justo,**
    no queriendo ponerla **en evidencia,**
    pensó dejarla **en secreto.**

Mientras pensaba en estas cosas,
    un ángel del Señor le dijo **en sueños:**
    "José, **hijo** de David,
    no dudes en recibir en tu casa a María, tu esposa,
    porque ella ha concebido **por obra** del Espíritu Santo.
Dará a luz un hijo
    y **tú** le pondrás el nombre de **Jesús,**
    porque él **salvará** a su pueblo de sus pecados".

Todo esto sucedió
    para que **se cumpliera** lo que había **dicho** el Señor
    por boca del profeta **Isaías:**
    He aquí que la virgen concebirá y dará a luz un hijo,
    a quien pondrán el nombre de Emmanuel,
    que quiere decir Dios-con-nosotros.

Cuando José **despertó** de aquel sueño,
    hizo lo que **le había mandado** el ángel del Señor
    y **recibió** a su esposa.
Y sin que él **hubiera tenido** relaciones con ella,
    María dio a luz un hijo
    y él le puso por nombre **Jesús.**

Forma breve: Mateo 1:18–25

engarza una generación con otra, mostrando cómo las promesas de la salvación que Dios hizo a sus fieles, vienen a cumplirse en el nacimiento de Jesús de Nazaret.

Dos grandes columnas sostienen esas promesas fundamentales: Abraham y David.

La promesa hecha a David es la del reinado mesiánico perpetuo. Pero esa promesa se hizo realidad no por la fidelidad de David, sino por la fidelidad de Dios. De hecho, la manera como san Mateo refiere al comienzo de la dinastía davídica acusa la anormalidad; "David engendró de la mujer de Urías". El pecado del rey está denunciado

y, en cierta manera, ha corrompido el mesianismo davídico. Pero incluso bajo ese signo, Dios marcará el derrotero nuevo de la salvación para su pueblo.

Abraham, el padre de la fe de Israel, es el receptor de tres promesas inconmensurables: una tierra inmensa, una descendencia numerosa y una bendición para todos los pueblos de la tierra. Él era anciano y sin descendencia alguna. Pero Dios encontró los caminos para que esas promesas hallaran cauce y desbordaran a su propio pueblo, gracias al hijo de la promesa, Isaac. Dios cumplió su palabra.

Con el nacimiento de Cristo, las promesas de la salvación de Dios adquieren una dimensión nueva y universal. Su realeza mesiánica le viene de una irregularidad que no es fruto del pecado, sino de la santidad de Dios, como en sueño le revela el ángel a José. Y esa santidad será la causa para que redima "a su pueblo de sus pecados".

En el nacimiento del Cristo, la Iglesia, pueblo universal de todos los hijos de Dios", celebra la fidelidad de Dios a la humanidad entera. Jesús es el "Dios con nosotros" que nos alienta a caminar haciendo la voluntad de Dios a cada día.

NATIVIDAD DEL SEÑOR, MISA DE LA NOCHE

I LECTURA   Isaías 9:1–3, 5–6

Lectura del libro del profeta Isaías

Usa un tono amable para lectura didáctica, como si instruyeras a tu hermano menor que te ha preguntado cómo hacer una tarea.

El pueblo que caminaba en tinieblas
   vio una **gran luz**;
   sobre los que **vivían** en tierra de sombras,
   una luz **resplandeció**.

Engrandeciste a tu pueblo
   e hiciste **grande** su alegría.
Se gozan en tu presencia como gozan al **cosechar**,
   como **se alegran** al repartirse el botín.
Porque tú **quebrantaste** su **pesado** yugo,
   la barra que **oprimía** sus hombros y **el cetro** de su tirano,
   como en el **día** de Madián.

Enfatiza "el signo" con el que inicia la exposición final.

Porque un niño **nos ha nacido**, **un hijo** se nos ha dado;
   lleva sobre sus hombros **el signo** del imperio y su nombre será:
   "Consejero **admirable**", "Dios **poderoso**",
   "**Padre** sempiterno", "**Príncipe** de la paz";
   para **extender** el principado con una paz **sin límites**
   sobre el **trono** de David y sobre su reino;
   para **establecerlo** y consolidarlo
   con la **justicia** y el derecho,
   desde **ahora y para siempre**.
El **celo** del Señor lo **realizará**.

I LECTURA   El nacimiento de Cristo es el cumplimiento de las promesas de la salvación de Dios a su pueblo sumido en crisis, un nacimiento que los cristianos entendían anunciado en las palabras de las Escrituras, de modo particular, en los libros de los profetas.

El oráculo profético de Isaías que hemos escuchado está cargado de esperanza. Fue pronunciado en un momento de desánimo generalizado, porque el gran enemigo del norte, el amenazante imperio asirio, estaba expandiéndose y engullía a todos los pequeños reinos que se habían aliado con Egipto o entre sí, para hacerle frente y evitar su yugo y la deportación. Los ejércitos asirios eran incontenibles; al reino de Judá y a su capital, Jerusalén, les aguardaba lo peor. Pero entonces, la palabra de Dios viene al profeta para confortar a la casa real y darle esperanza al reino. Hay una esperanza en este anuncio del príncipe que va a nacer, que se convierte en la causa de la alegría.

Isaías le atribuye al futuro gobernante talentos singulares para gobernar al pueblo. No serán las dotes guerreras las que se necesiten para salvar al pueblo del tirano asirio, sino las de una guía sapiente que refleje el mando de Dios.

El profeta anticipa en el nombre del príncipe cuatro realidades o condiciones de vida que deberá promover o hacerlas lema para gobernar al pueblo. El don del consejo sabio estará en él. No andará, por tanto, como veleta al viento o indeciso sobre el partido a tomar cuando las circunstancias políticas se enturbien. La fuerza de Dios es el derecho y la justicia; ese será el derrotero del proceder en su régimen. La paternidad tiene que ver con una casa segura, que abrigue y alimente a todos sus súbditos. Su

Para meditar

SALMO RESPONSORIAL   Salmo 95:1–2a, 2b–3, 11–12, 13

R. Hoy nos ha nacido el Salvador que es Cristo el Señor.

Canten al Señor un cántico nuevo,
    canten al Señor, toda la tierra;
    canten al Señor, bendigan su nombre. **R.**

Proclamen día tras día su victoria.
Cuenten a los pueblos su gloria,
    sus maravillas a todas las naciones. **R.**

Alégrese el cielo, goce la tierra,
    retumbe el mar y cuanto lo llena;
    vitoreen los campos y cuanto hay en ellos;
    aclamen los árboles del bosque. **R.**

Delante del Señor, que ya llega,
    ya llega a regir la tierra:
    regirá el orbe con justicia
    y los pueblos con fidelidad. **R.**

II LECTURA   Tito 2:11–14

Lectura de la carta del apóstol san Pablo a Tito

Querido hermano:
La **gracia** de Dios se ha **manifestado**
    para salvar a **todos** los hombres
    y nos ha enseñado a **renunciar**
        a la vida sin religión y a los deseos mundanos,
    para que vivamos, ya **desde ahora**,
    de una manera **sobria**, justa y fiel a Dios,
    en espera de la **gloriosa** venida del **gran** Dios y salvador,
    Cristo Jesús, **nuestra** esperanza.
Él se entregó por nosotros para redimirnos
    de todo pecado y purificarnos,
    a fin de convertirnos en **pueblo suyo**,
    fervorosamente entregado a practicar el bien.

EVANGELIO   Lucas 2:1–14

Lectura del santo Evangelio según san Lucas

El párrafo es largo; apóyate en la puntuación.

Por **aquellos** días,
    se **promulgó** un edicto de César Augusto,
    que **ordenaba** un censo de todo el imperio.

---

mente será clara, con la fuerza de Dios, no de los ejércitos. Todas estas cualidades en el gobierno dan como resultante la paz.

El nacimiento de Jesús es la luz que Dios envía a su pueblo para construir la paz y poder disfrutar de sus bienes. Es un natalicio que compromete a todos los cristianos a trabajar por el derecho y la justicia, para que la alegría sea completa.

II LECTURA En este fragmento de la carta a Tito, el autor exhorta al joven líder de la Iglesia a poner sus ojos en la gracia de Dios manifestada en Cristo, para

alejarse de un modo de vida mundano. La gracia de Dios significa salvación para nosotros y reclama una conducta acorde a esa benevolencia extrema que es la entrega redentora de Cristo Jesús. El pastor de la comunidad cristiana debe mirar continuamente la cruz de Cristo.

El autor de esta carta pastoral quiere avivar en sus oyentes la virtud de la religión o la piedad, que consiste en cumplir con las obligaciones debidas Dios, reverenciarlo con el corazón y públicamente llevar una vida digna acorde a su voluntad manifiesta

en Cristo. Esto es lo que puntúa en un par de frases.

La fe cristiana exige una vida de austeridad, de justicia y de fidelidad al amor redentor de Dios. Pero esta exigencia deriva no solo de esa manifestación de la gracia de Dios en Cristo, que es su muerte en cruz por nosotros, sino de su futura manifestación o venida, que también llamamos Parusía. De aquí que esas virtudes de vida sean tan necesarias para poder dedicarse a hacer el bien en todo momento. Así es como todo el pueblo de Dios, junto con el pastor, se dispone a la venida de Nuestro Señor.

El cuadro es tierno, pero muy dramático. Haz contacto visual con la asamblea al final del párrafo.

Este **primer** censo se hizo cuando **Quirino**
    era gobernador de Siria.
Todos iban a empadronarse, **cada uno** en su **propia** ciudad;
    así es que **también** José,
    perteneciente a la casa y familia **de David**,
    se dirigió **desde** la ciudad de **Nazaret**, en Galilea,
    a la ciudad de David, llamada **Belén**, para **empadronarse**,
    juntamente con María, **su esposa**, que estaba encinta.

Mientras estaban ahí, le **llegó** a María el tiempo de **dar a luz**
    y tuvo a su hijo **primogénito**;
    lo **envolvió** en pañales y **lo recostó** en un pesebre,
    porque **no hubo** lugar para ellos en la posada.

En **aquella** región había unos pastores
    que pasaban la noche en el campo,
    vigilando **por turno** sus rebaños.
Un **ángel** del Señor se les apareció
    y **la gloria** de Dios los **envolvió** con su luz
    y **se llenaron** de temor.

Dale un tono alegre al mensaje angélico. Entrégalo sin prisas como un regalo que desenvuelves para la asamblea.

El **ángel** les dijo:
    "**No teman**. Les traigo una **buena** noticia,
    que causará **gran** alegría a **todo** el pueblo:
    hoy les ha nacido, en la ciudad de David, **un salvador**,
    que es el **Mesías, el Señor**.
Esto les servirá **de señal**:
    encontrarán al niño **envuelto** en pañales
    y **recostado** en un pesebre".

De pronto se le unió al ángel **una multitud** del ejército celestial,
    que **alababa** a Dios, diciendo:
    "**¡Gloria** a Dios en el cielo,
    y en la tierra **paz** a los hombres de **buena** voluntad!"

Esta lectura nos obliga a considerar el importe de nuestra fe cristiana en los modos de celebrar el nacimiento de Cristo, que es manifestación también de la gracia de Dios. Pide despojarnos del consumismo mercantilista de la temporada y buscar esa Gracia redentora que purifica y empuja a vivir con justicia, sobriedad y fidelidad a su Evangelio.

EVANGELIO El nacimiento de Jesús en Belén de Judá, el terruño mesiánico por su ligamen con la familia de David, se mira marcado por un censo mandado por Augusto (27 a. C.–14 d. C.). Bajo esa circunstancia ocurre el apurado nacimiento de Jesús, en un pesebre, "porque no hubo lugar para ellos en la posada". En esta frase caben todos los discriminados por cualquier otra razón, incluso en su propia casa.

En cierta manera, san Lucas nos coloca ante dos figuras contrastantes de la realidad humana: la del hombre en la cúspide del poder que dicta mandatos universales y la del indefenso recién nacido, Jesús, y sin siquiera un lugar propio en su tierra. Sin embargo, un ejército de ángeles interpreta el nacimiento del Mesías y Señor del pueblo, como la unión gloriosa entre cielo y tierra: paz para la humanidad.

Los destinatarios del coro del ejército angélico son los pastores, del mismo oficio que la familia davídica en su origen. Allá hay que regresar. Ellos son gentes prácticas, amantes de la libertad y de la paz que no se pierden en especulaciones. Son los hombres de buena voluntad. La señal es clara, el Mesías les pertenece, es uno de ellos. Un Mesías que pide ser nuestro.

NATIVIDAD DEL SEÑOR, MISA DE LA AURORA

El tenor poético de la lectura debe ser acompasado con el ritmo cadencioso de la noticia que viene.

Este es el punto climático del poema. Ve ampliando tu extensión visual en la asamblea, conforme avanzas hasta la línea final.

I LECTURA   Isaías 62:11–12

Lectura del libro del profeta Isaías

Escuchen lo que el Señor hace oír
  hasta el **último** rincón de la tierra:

"**Digan** a la hija de Sión:
  Mira que **ya llega** tu salvador.
El **premio** de su victoria lo acompaña
  y **su recompensa** lo precede.
Tus hijos serán llamados '**Pueblo santo**',
  '**Redimidos** del Señor',
  y **a ti** te llamarán
  'Ciudad **deseada**, Ciudad **no abandonada**'".

Para meditar

SALMO RESPONSORIAL   Salmo 96:1, 6, 11–12

R Hoy brillará una luz sobre nosotros, porque nos ha nacido el Señor.

El Señor reina, la tierra goza,
  se alegran las islas innumerables.
Los cielos pregonan su justicia
  y todos los pueblos contemplan
  su gloria. **R.**

Amanece la luz para el justo,
  y la alegría para los rectos de corazón.
Alégrense, justos con el Señor,
  celebren su santo nombre. **R.**

I LECTURA Estos versos tomados del Trito Isaías para la liturgia matutina de esta fecha, son un verdadero evangelio para todos los pueblos de la tierra. Se trata de un mensaje extraordinario a Jerusalén, la ciudad que está en vías de reconstrucción no solo física, sino comunitaria. El momento no era el mejor porque el desánimo cundía y los pocos que alentaban una comunidad apegada a la justicia de la Ley del Señor miraban sus esfuerzos reducidos a nada.

En esa situación de desmoralizante, el profeta hace oír un mensaje de parte de Dios. Pero este mensaje llega primero a todos los rincones de la tierra y solo entonces a la hija de Sión, Jerusalén. Son los rincones de la tierra, a donde los judíos habían sido obligados a partir, los que ahora portan el anuncio. Esta es una manera de revertir la ignominia que significaba para los judíos el estado de postración y humillación en los que la ciudad de Dios había quedado. Esas gentes que meneaban la cabeza al enterarse de la desgracia de Jerusalén, son las que anuncian buenas nuevas a la ciudad.

El anuncio es de esperanza y regocijo. El profeta lo pinta como una entrada triunfal de un rey victorioso. Tiene dos focos o momentos. El primer foco es en el que salva, Dios. Él llega y esto significa el cambio de suerte más jubiloso. El segundo foco es el séquito: premios y recompensas, como si viniera de una batalla en la que conquistó las riquezas del enemigo. Esas compensaciones son para sus fieles, para los que laboran por la reconstrucción de una nueva sociedad fincada.

La llegada del Señor significa santidad y redención para sus fieles, que, en su propia tierra, necesitan ser rescatados. La ve-

La lectura es un párrafo amplio. Dale tono de anuncio o proclamación, pues no es un relato ni una argumentación, sino didáctica. Apóyate en la puntuación y distingue las tres oraciones principales.

II LECTURA   Tito 3:4–7

Lectura de la carta del apóstol san Pablo a Tito

Hermano:
Al **manifestarse** la bondad de Dios, nuestro salvador,
    y su amor **a los hombres**, él **nos salvó**,
    no porque nosotros hubiéramos hecho algo **digno de merecerlo**,
    sino por **su misericordia.**
Lo hizo mediante **el bautismo**, que nos **regenera** y nos renueva,
    por **la acción** del Espíritu Santo,
    a quien Dios derramó **abundantemente** sobre nosotros,
    por Cristo, nuestro **Salvador.**
Así, **justificados** por su gracia,
    nos convertiremos en **herederos**,
    cuando se realice **la esperanza** de la vida eterna.

EVANGELIO   Lucas 2:15–20

Lectura del santo Evangelio según san Lucas

Cuando los ángeles los dejaron para **volver** al cielo,
    los pastores se dijeron unos a otros:
    "**Vayamos** hasta Belén,
    para ver **eso** que el Señor nos ha **anunciado**".

Se fueron, pues, **a toda prisa**
    y encontraron a María,
    a José **y al niño**, recostado en el pesebre.
Después de verlo,
    contaron lo que se les había dicho
        de aquel niño,
    y cuantos los oían quedaban **maravillados.**

Es un relato gozoso, pero no exento de piedad y reverencia espiritual profundas.

nida del Señor trocará a Jerusalén en un lugar donde todos quieran habitar.

La Navidad celebra la llegada del Señor a vivir con sus fieles. Trae regalos y compensación para todos y cada uno de ellos, para redimirlos y santificarlos.

II LECTURA En esta parte de la carta, el escritor sagrado se concentra en lo que significa la manifestación de la bondad de Dios para el género humano. La bondad divina es gratuita y ha sido motivada por la pura misericordia del Creador. ¿Qué podía hacer el ser humano para ser

salvado de su destino de muerte? La muerte es el precio del pecado. Y el remedio del pecado Dios nos lo ha dado en el bautismo.

El bautismo cristiano es un baño de regeneración, como le llamaban los Padres de la Iglesia. Esto se entiende porque el rito bautismal porta el sentido de participar en la muerte y resurrección del Señor Jesús. La vida nueva de Cristo es la manifestación más poderosa del Espíritu Santo. Al someterse al bautismo, el creyente experimenta la gratuidad de la bondad de Dios y su misericordia, gracias a que recibe el mismo Espíritu que resucitó a Jesús de entre los

muertos. Así es como Dios nos salva, porque su Espíritu nos impulsa a la vida imperecedera.

El nacimiento de Jesús, que celebramos en la Iglesia hoy, se aúna a su misterio pascual pues ambos acontecimientos son manifestación o epifanía de la bondad de Dios con nosotros. Esta bondad es la que tiene que conquistar el corazón humano y hacernos caminar en sintonía con el Espíritu recibido. La Navidad nos da la oportunidad de contemplar y saciarnos de la bondad de Dios.

Ve cerrando con tono elevado la lectura,
como para despertar expectación.

María, por su parte,
    guardaba todas estas cosas y las **meditaba** en su corazón.
Los pastores se **volvieron** a sus campos,
    alabando y **glorificando** a Dios
        por **todo** cuanto habían visto y oído,
    según lo que se les había **anunciado**.

EVANGELIO La breve lectura del evangelio de esta celebración es la continuación del relato escuchado en la misa de la noche. Un ángel del Señor, acompañado por un ejército celestial, les trajo la noticia del nacimiento de Jesús al grupo de pastores que velan sus rebaños en las afueras de Belén. El nacido es el Mesías, les dijo, y les dio un signo preciso para identificarlo: envuelto en pañales y recostado en un pesebre. Ellos entienden que tal noticia viene del Señor y se aprestan a verificar lo anunciado. En efecto, ellos "encontraron a María, a José y al niño recostado en un pesebre". A la línea de los eventos, el evangelista anota las reacciones de los participantes.

Por una parte, los pastores se convierten en nuncios de la Buena Nueva que les trajeron del cielo y son los primeros evangelizadores del Mesías. Ellos han dado crédito a lo que del niño les dijeron y, a su vez, cuentan lo que han visto y oído. Esta es la dinámica de la evangelización: escuchar, verificar y proclamar. Hacen de sus campos, donde pasan la vida entera, un templo de alabanza y glorificación al Dios que viene a salvar a su pueblo, en cumplimiento de sus promesas. Así es como la Buena Nueva dispone los corazones a recibir al Mesías, porque comienza despertando admiración. Otro tanto sucede con la madre de Jesús.

La segunda reacción es la de María, la primera evangelizada. Ella creyó al anuncio primero del ángel cuando le pidió ser la madre del Hijo de Dios y lo recibió en la fe. Nacido el niño, ella recibe la visita de los pastores y escucha lo que cuentan de su hijo. Ella medita y atesora "todas estas cosas". Solo meditando se logra ver la conexión entre lo anticipado y su realización. Ella nos muestra el camino de la fe personal. Por eso es la primera creyente.

NATIVIDAD DEL SEÑOR, MISA DEL DÍA

Proclamar el poema exige resonar con sus palabras. La alegría de tu interior debe contagiar a la asamblea. Alegra tu rostro y tu porte también.

Tras la segunda línea haz una pausa que no viene marcada como parágrafo nuevo. Nota que el tema se diversifica. Ve bajando la velocidad de lectura, pero no la intensidad de la voz.

I LECTURA   Isaías 52:7–10

Lectura del libro del profeta Isaías

¡Qué hermoso es ver correr sobre los montes
  al mensajero que **anuncia** la paz,
  al mensajero que trae **la buena nueva,**
  que **pregona** la salvación,
  que dice a Sión:
  "Tu Dios **es rey**"!

Escucha:
  Tus centinelas **alzan** la voz
  y todos a una gritan alborozados,
  porque ven **con sus propios ojos** al Señor,
  que retorna a Sión.

Prorrumpan en gritos **de alegría**, ruinas de Jerusalén,
  porque el Señor **rescata** a su pueblo, **consuela** a Jerusalén.
Descubre el Señor su santo brazo
  a la vista **de todas** las naciones.
Verá la tierra **entera**
  la salvación que viene de **nuestro** Dios.

I LECTURA Hoy es día de fiesta porque ha nacido el Redentor. Con esta buena noticia se ha despertado todo el pueblo de Dios y la humanidad entera. Estamos alegres y el poema que escuchamos del profeta Isaías nos dice el porqué. El poema primero lleva nuestros ojos al mensajero y luego al mensaje.

El mensajero es un correo de paz que cruza raudo los montes hasta llegar al montecillo del templo de Jerusalén con su anuncio. Su solo paso despierta ya esperanza. La Iglesia lo adopta como imagen del evangelizador. El heraldo trae salvación con su noticia. Esta es algo inaudito que alegra y conforta a quien la escucha: ¡Dios reina!

El reinado de Dios es evidente en el retorno de los exiliados. El regreso de los fieles del Señor deportados al extranjero significa el regreso del Señor a morar en Sión, el lugar donde se le rendirá culto. Sión recupera su soberanía.

Que Yahveh es rey se nota también en el futuro promisorio que aguarda a la ciudad. El poeta arenga a las mismas ruinas a gritar de alegría. Este es el primer paso para la reconstrucción: levantar el ánimo, vestirse de alegría para emprender un camino de ventura, porque Dios viene y, como en la proeza del éxodo, muestra su "santo brazo", que es el celo para repatriar a los suyos. Así las naciones habrán de reconocer que Dios es el soberano de la historia.

La alegría de la Navidad está fundada en la arraigada convicción de que la salvación de Dios se patentiza en el rescate de los suyos. Por eso la Iglesia se alegra. No hay buena noticia más alegre que esta.

II LECTURA La venida de Cristo cobra verdadero sentido solo si percibimos que ha estado preparada a lo

31

Para meditar

SALMO RESPONSORIAL   Salmo 97:1, 2–3ab, 3cd–4, 5–6

R. Los confines de la tierra han contemplado la victoria de nuestro Dios.

Canten al Señor un cántico nuevo,
   porque ha hecho maravillas.
Su diestra le ha dado la victoria,
   su santo brazo. **R.**

El Señor da a conocer su victoria;
   revela a las naciones su justicia:
   se acordó de su misericordia y su fidelidad
   en favor de la casa de Israel. **R.**

Los confines de la tierra han contemplado
   la victoria de nuestro Dios.
Aclamen al Señor, tierra entera,
   griten, vitoreen, toquen. **R.**

Toquen la cítara para el Señor,
   suenen los instrumentos:
   con clarines y al son de trompetas
   aclamen al rey y Señor. **R.**

II LECTURA   Hebreos 1:1–6

Lectura de la carta a los hebreos

La lectura es solemne y un tanto compleja. Guarda el ritmo y la acentuación que permitan dejar clara la idea de cada parágrafo.

En **distintas** ocasiones y **de muchas** maneras
      habló Dios en el pasado a nuestros padres,
   por **boca de los profetas**.
Ahora, **en estos** tiempos,
   nos ha hablado **por medio de su Hijo**,
   a quien constituyó **heredero** de todas las cosas
   y por medio del cual **hizo** el universo.

El Hijo es el **resplandor** de la gloria de Dios,
   la imagen **fiel** de su ser
   y el sostén **de todas las cosas** con su palabra **poderosa**.

Nota que inicia un nuevo desarrollo. Alarga las frases y silabea cuidadosamente.

Él mismo, después de efectuar la **purificación** de los pecados,
   se sentó **a la diestra** de la majestad de Dios, en **las alturas**,
   tanto **más encumbrado** sobre los ángeles,
   cuanto **más excelso** es el nombre que, **como herencia**,
   le corresponde.

largo de las centurias de la historia del pueblo de Dios. Esa venida tiene como propósito hacernos escuchar la voz de Dios, pero ahora por medio de su Hijo. A él, Dios "lo hizo heredero de todo y por medio del cual hizo el universo".

Primeramente, el autor anota que el Hijo ha sido declarado el heredero de todas las cosas. Frente a esto se debe colocar la expectativa de los creyentes en él. Quien quiera tener parte de la herencia eterna, no tiene otra manera de hacerlo que no sea la de adscribirse a él, al Heredero de todo. La herencia

a la que todo cristiano aspira es la vida eterna o salvación (ver Hebreos 1:14; 3:1).

Pero el Hijo es mediador de la creación misma, en todas sus esferas. Esta idea se asocia a la función de la sabiduría, compañera eterna de Dios en la obra de la creación (ver Proverbios 8:28–31). Así, los creyentes son también creaturas de Dios y, por lo tanto, hechura que ha sido mediada por el propio Hijo; algo del Hijo llevan en su propio ser que resuena con él.

La venida del Hijo de Dios no representa una novedad ajena a nosotros, sino algo que nos concierne por un doble capítulo: La

herencia a la que aspiramos por la fe le pertenece a él completamente, sólo en él la recibiremos; pero también, en segundo término, porque la palabra de Dios que hemos escuchado y acogido en el corazón y nos hace vivir, tiene que resonar profundamente con esa Palabra hecha carne que nuestros ojos contemplan hoy.

EVANGELIO Con inmenso regocijo, este día la Iglesia comparte su fe nutrida con este himno que nos hace contemplar a Cristo Jesús. El himno presenta el itinerario o circuito que el Enviado divino ha

Las palabras de las Escrituras deben ser distinguidas del resto. Procura enfatizar esto.

Porque ¿**a cuál** de los ángeles le dijo Dios:
Tú eres mi Hijo; yo te he engendrado hoy?
¿O de qué ángel dijo Dios:
Yo seré para él un padre
y él será para mí un hijo?
Además, en **otro** pasaje,
cuando introduce en el mundo a **su primogénito**, dice:
Adórenlo todos los ángeles de Dios.

EVANGELIO   Juan 1:1–18

Lectura del santo Evangelio según san Juan

El himno es grandioso y remonta al misterio de Dios. Acércate a él con recogimiento interior y asombro, para que entregues a la asamblea tu actitud. Nota el cambio de nivel con el siguiente párrafo.

En el principio **ya existía** aquel que es la Palabra,
y aquel que es **la Palabra** estaba con Dios y **era Dios**.
Ya en el principio él estaba **con Dios**.
Todas las cosas vinieron a la existencia **por él**
y sin él **nada** empezó de cuanto existe.
Él era **la vida**, y la vida era **la luz** de los hombres.
La luz **brilla** en las tinieblas
y las tinieblas **no la recibieron**.

Hubo un hombre **enviado** por Dios, que se llamaba Juan.
Este vino como **testigo**, para dar **testimonio** de la luz,
para que todos creyeran **por medio de él**.
Él no era la luz, sino **testigo** de la luz.

La venida de la luz envuelve cierto drama. Lleva las líneas con cadencia, sin acelerar.

Aquel que es la Palabra era la luz **verdadera**,
que ilumina **a todo hombre** que viene a este mundo.
En el mundo **estaba**;
el mundo había sido hecho **por él**
y, sin embargo, el mundo **no lo conoció**.

cumplido. De esta manera, él nos revela su identidad profunda y la obra de revelación que ha llevado a cabo.

El primer parágrafo del himno descubre la identidad profunda de la Palabra; ella pertenece al ámbito divino y es mediadora de la creación. Dos términos la caracterizan en relación con la humanidad: vida y luz. También se insinúa aquí una especie de lucha en la que las tinieblas no han podido sofocar a la luz. Por oposición, cabe deducir que el instrumento de las tinieblas es la mentira y su consecuencia la muerte, aunque ninguna de ellas se menciona aquí.

El siguiente parágrafo nos muestra al testigo de la Palabra, Juan Bautista. Él forma parte del entramado de la salvación del pueblo de Dios. Su testimonio en favor de la luz está sellado con lo que sabemos del destino de Juan; no solo predicó, sino que pagó con su vida su fidelidad a la luz por denunciar la mentira y la tiniebla. Es preciso mirar a Juan para comenzar a entender lo que vida y luz significan para la vida humana.

El tercer momento habla de la venida de la Palabra como luz para la humanidad. Provocará reacciones encontradas, pues unos la reciben y otros, los suyos, la rechazan. Re-

cibir la luz significa vincularse a Dios como hijo suyo. Es un vínculo que no sigue los caminos consabidos en el judaísmo para entrar en alianza con Dios, sino uno que tiene que ver con la recepción de su Palabra, asociada a un nacimiento nuevo: creer en su nombre. Los creyentes saben cómo es esto. Es como nacer de Dios, en vida y luz.

El siguiente momento dice que la Palabra-Luz no es una idea o un ente imperceptible a los sentidos, sino que se hizo carne, es decir, se volvió humanidad. La "carne" refiere a la humanidad en su condición frágil y vulnerable; esto devino la Palabra. Solo

Subraya los efectos positivos de la recepción de la luz. Alarga esas frases.

Vino a los suyos y los suyos **no lo recibieron**;
    pero **a todos** los que lo recibieron
    les **concedió** poder llegar a ser **hijos** de Dios,
    a los que **creen** en su nombre,
    los cuales **no nacieron** de la sangre,
    ni del deseo de la carne, ni por voluntad **del hombre**,
    sino que nacieron **de Dios**.

Es la parte culminante de la confesión de fe. Identifica el núcleo y haz una pausa contemplativa y reverente en la línea de la Encarnación.

Y aquel que es la Palabra **se hizo hombre**
    y **habitó** entre nosotros.
Hemos visto **su gloria**,
    gloria que le corresponde como a **Unigénito** del Padre,
    lleno de gracia y **de verdad**.

Juan el Bautista **dio testimonio** de él, clamando:
    "**A éste** me refería cuando dije:
    'El que viene **después** de mí, tiene **precedencia** sobre mí,
    porque **ya existía** antes que yo' ".

Se acerca el final, pero no disminuyas la intensidad. Vocaliza muy bien cada palabra y consigue que se despierte el anhelo de participar en las gracias que el Verbo nos trajo.

De su plenitud hemos recibido **todos** gracia sobre gracia.
Porque **la ley** fue dada por medio de Moisés,
    mientras que la gracia y la verdad vinieron **por Jesucristo**.
A Dios **nadie** lo ha visto **jamás**.
    El Hijo **unigénito**, que está en el seno del Padre,
    es quien lo **ha revelado**.

Forma breve: Juan 1:1–5, 9–14

que enseguida encontramos un par de frases inauditas. Esa carne del Lógos o Verbo de Dios ha dejado ver la gloria de Dios. Es una imagen paradójica, pues la gloria de Dios habla de su trascendencia, de lo inaccesible y que está más allá del horizonte nuestro. La carne del Verbo rezuma la gloria del Unigénito; ninguno como él. Esta fe es la que celebran los creyentes. De esa gloria singular derivan gracia y verdad. Estos ingredientes equivalen en la tradición bíblica a la benevolencia o misericordia de Dios y a su fidelidad inquebrantable.

En Jesús de Nazaret, los creyentes percibimos la gloria de Dios, su entrañable misericordia hacia la humanidad que habita en tinieblas y su permanente fidelidad a sus promesas de salvación. Jesús es el cumplimiento cabal de ese Dios fiel y compasivo.

La Navidad significa para nosotros la invitación de Dios a ver su gloria en una imagen frágil e impotente, que ha querido "acampar entre nosotros", para que viéndola nos transforme en hijos de la luz y verdad.

LA SAGRADA FAMILIA DE JESÚS, MARÍA Y JOSÉ

El tono es didáctico pero no impositivo. Nota cómo el pensamiento corre en dos momentos. Es importante darle el ritmo propio a cada idea.

I LECTURA   Eclesiástico 3:2–6, 12–14

Lectura del libro del Eclesiástico (Sirácide)

El Señor **honra** al padre en **los hijos**
    y **respalda** la autoridad de la madre **sobre** ellos.
El que **honra** a su padre queda **limpio** de pecado;
    y **acumula** tesoros, el que **respeta** a su madre.

Quien **honra** a su padre,
    encontrará **alegría** en sus hijos
    y su oración **será escuchada**;
    el que **enaltece** a su padre, tendrá **larga vida**
    y el que **obedece** al Señor, **es consuelo** de su madre.

El tono cambia a la segunda persona de singular. Haz una inflexión en la voz, como si aconsejaras a un muchacho o muchacha de preparatoria o high school.

Hijo, **cuida** de tu padre **en la vejez**
    y en su vida **no** le causes tristeza;
    aunque chochee, **ten** paciencia con él
    y **no** lo menosprecies por estar tú en **pleno** vigor.
El bien hecho al padre **no quedará** en el olvido
    y **se tomará a cuenta** de tus pecados.

Lectura alternativa: Génesis 1:5, 1–6

I LECTURA El Sirácide es un escrito de sabiduría hebrea traducido al griego por el nieto de Jesús ben Sirac, su autor, quien había emigrado a Egipto hacia el 132 a. C.

Las expresiones de sabiduría se encuentran en culturas de todas las latitudes y épocas y adquieren formas diversas. Pensemos, por ejemplo, en los refranes nuestros, o en las canciones populares, o en historias de familia que tienen fines didácticos, enseñan lo que hay que evitar y lo que hay que procurar para vivir bien. La sabiduría se ocupa de explorar los asuntos torales de la vida humana, de sus relaciones y de su sentido; nada se escapa a la consideración del sabio, porque todo debe pasar por la criba del entendimiento humano. Esa exploración busca asir los hilos sustantivos para llevar una vida plena y feliz.

En el trozo que escuchamos hoy, el autor trata sobre el mandamiento de honrar a los padres, que es el primero en el orden, luego de establecer los deberes para con Dios. Honrar a los padres es el modo inmediato de santificación o comunión con la divinidad. La virtud de la religión o piedad, tanto en el ámbito hebreo como en el griego, establece que una vida es plena y feliz solo si se atiene al cumplimiento celoso de los deberes hacia los padres. Esto lo encomia los versos que la liturgia ha seleccionado para hoy.

En la fiesta de la Sagrada Familia que la Iglesia celebra en el último domingo del año civil, nos obligamos a considerar nuestros vínculos familiares, los de la sangre y los de la fe también. Tengamos en cuenta que, en la familia de Jesús, María y José, familia de fe, hay un sitio para cada creyente, sin que importe su procedencia. Todos formamos la familia de Dios.

Para meditar

SALMO RESPONSORIAL   Salmo 104:1b–2, 3–4, 5–6, 8–9

R. El Señor se acuerda de su alianza eternamente.

Den a conocer las hazañas del Señor
    a los pueblos; cántenle al son de
    instrumentos, hablen de sus
    maravillas. **R.**

Gloríense de su nombre santo, que se
    alegren los que buscan al Señor.
    Recurran al Señor y a su poder, busquen
    continuamente su rostro. **R.**

Recuerden las maravillas que hizo, sus
    prodigios, las sentencias de su boca.
    ¡Estirpe de Abraham, su siervo; hijos de
    Jacob, su elegido! **R.**

Se acuerda de su alianza eternamente, de
    la palabra dada, por mil generaciones;
    de la alianza sellada con Abraham, del
    juramento hecho a Isaac. **R.**

II LECTURA   Colosenses 3:12–21

Lectura de la carta del apóstol san Pablo a los colosenses

Hermanos:
Puesto que Dios los ha elegido a **ustedes**,
    los ha consagrado **a él** y les ha dado **su amor**,
    sean **compasivos**, magnánimos, **humildes**, afables y **pacientes**.
Sopórtense **mutuamente**
    y **perdónense** cuando tengan quejas contra otro,
    como el Señor **los ha perdonado** a ustedes.
Y sobre **todas** estas virtudes, tengan **amor**,
    que es el vínculo de la **perfecta** unión.

Que en sus corazones **reine** la paz de Cristo,
    esa paz a la que han sido **llamados**,
    como miembros de un **solo** cuerpo.
Finalmente, sean **agradecidos**.

Que la palabra de Cristo **habite** en ustedes con **toda** su riqueza.
Enséñense y aconséjense **unos a otros** lo mejor que sepan.
Con el corazón **lleno** de gratitud, **alaben** a Dios
    con salmos, himnos y **cánticos espirituales**;
    y **todo** lo que digan
    y todo lo que hagan,
    háganlo en el nombre del **Señor Jesús**,
    dándole gracias a **Dios Padre**, por medio **de Cristo**.

Dirige tu proclamación como si Pablo mismo hablara a la asamblea. Sé enfático en lo que Dios ha hecho por cada uno de los creyentes.

Nota que hay un cambio de registro. Haz contacto visual con la asamblea en esta parte.

II LECTURA   En las cartas paulinas y deútero-paulinas, después de una exposición de ideas doctrinales o conceptuales que hablan de la comprensión de la fe en Cristo Jesús, encontramos usualmente una parte de consejos o exhortaciones a vivir conforme a esos principios o ideas; se da una ligazón indisoluble entre el creer y el hacer cristiano, pues de otra manera, se cae en una falacia o incoherencia insostenible. La lectura de hoy está tomada de una sección en la que el autor incita a los fieles a poner en los hechos aquello que los constituye en unidad, la uni-

dad del cuerpo eclesial o cuerpo de Cristo, diríamos ahora. La diversidad de fieles no es dispersión, sino que todos colaboran para constituir un solo cuerpo.

En el fragmento de hoy, el autor comienza subrayando lo que los creyentes han recibido de parte de Dios: su amor. Este amor se manifiesta en la paz de Cristo y esta la han acogido al recibir su palabra. De estos datos fundamentales penden todas las virtudes cristianas que se mencionan, y que no son sino muestras de que el amor de Dios está activo en la comunidad cristiana; esa es su finalidad: crear una sólida comunión entre

los creyentes. Esta comunidad de pensamiento y de vida comienza en la familia.

Siguiendo el curso de la lectura, las relaciones familiares se fundan en el respeto mutuo, en el amor, en la obediencia y en la educación, conforme a los cánones patriarcales de la época. Pero estos pilares son válidos para hoy día, porque no minan la dignidad humana. Formar una comunidad de vida, que eso es la familia, siempre exige ceder y ser flexible unos con otros, en búsqueda de la "perfecta unión", que es el amor. Sin amor entre los miembros, no hay familia cristiana, sino un club de conveniencia

Después de cada uno de los sectores apelados haz la pausa de la coma respectiva. No bajes la velocidad de lectura. No dejes el ambón antes de recibir la aclamación de la asamblea.

Mujeres,
    respeten la autoridad de sus maridos,
        como lo quiere el Señor.
Maridos,
    amen a sus esposas **y no sean** rudos con ellas.
Hijos,
    obedezcan **en todo** a sus padres,
    porque eso es **agradable** al Señor.
Padres,
    no exijan **demasiado** a sus hijos,
        para que **no se depriman.**

Forma breve: Colosenses 3:12–17

EVANGELIO   Mt 2:13–15, 19–23

Lectura del santo evangelio según san Mateo

Señala los diferentes momentos del relato y modifica la velocidad en cada uno de ellos. Nota el tono dramático del episodio; la asamblea empatizará por su propia experiencia.

Después de que los magos **partieron de** Belén,
    el ángel del Señor se le apareció **en sueños** a José y le dijo:
"**Levántate,** toma al niño y a su madre, y **huye a Egipto.**
Quédate allá **hasta que yo** te avise,
    porque Herodes va a **buscar al niño** para matarlo".

José se levantó
    y **esa misma noche** tomó al niño y a su madre
    y partió para Egipto,
    donde permaneció **hasta la muerte** de Herodes.
Así **se cumplió** lo que dijo el Señor
    por medio del profeta:
De Egipto llamé a mi hijo.

Enfatiza la primera línea y alarga las frases del mensaje angélico. Luego recupera la velocidad normal.

Después de muerto Herodes,
    el ángel del Señor se le apareció **en sueños** a José y le dijo:
"Levántate, toma al niño y a su madre
    y regresa a la tierra de Israel,

---

social. Si el amor rige, no tiene cabida abuso alguno, porque esto aniquila la verdad del Evangelio y arruina la paz de Cristo.

Nuestras familias cristianas están llamadas a vivir no en la uniformidad, sino en la unidad que resulta del auténtico espíritu de Cristo resucitado. El mejor culto que podemos rendir es una vida familiar donde se derrame el amor de Dios entre todos sus miembros.

EVANGELIO El relato de nuestro evangelio tiene por protagonista a José, el padre putativo de Jesús, y está

organizado básicamente en dos cuadros que guardan entre sí bastantes simetrías notables al marcar los movimientos de José: el de emigración, su salida a Egipto, y el de inmigración, su ingreso en tierra de Israel. Cada cuadro mantiene la dinámica de una revelación en sueños a José y de la ejecución puntual de las indicaciones recibidas, así como una cita de cumplimiento escriturario que interpreta lo sucedido.

Que la divinidad revela su voluntad en sueños es un rasgo que el judaísmo comparte con las religiones griegas y egipcias; en la Biblia, esto es muy relevante en la his-

toria del patriarca José, cuyos sueños lo llevaron a Egipto para escapar de la envidia de sus hermanos y, providencialmente para salvar a Israel, en las personas de Jacob, su padre y sus hijos con todo y sus familias que sumaban setenta, según cuenta el Génesis (Génesis 46:27). Ahora, en el relato de Mateo, Egipto, el símbolo de la esclavitud judía, queda convertido en tierra de refugio y salvación, en tanto que la tierra de Israel representa el país que amenaza la vida del Cristo y su familia. Para sobrevivir, José obedece las mociones que en sueños recibe de parte de Dios.

Marca cierta sorpresa al pronunciar el "pero" que le da un curso nuevo al movimiento de José.

porque **ya murieron**
los que intentaban **quitarle la vida** al niño".

Se levantó José,
   tomó al niño y a su madre **y regresó** a tierra de Israel.
Pero, habiendo oído decir que **Arquelao**
   reinaba en Judea **en lugar de su padre**, Herodes,
      tuvo miedo de ir allá,
      y advertido **en sueños**, se retiró a Galilea
      y se fue a vivir en una población llamada **Nazaret**.
Así se cumplió lo que habían dicho los profetas:
   Se le llamará nazareno.

La obediencia de José es puntual a las indicaciones del ángel. En cada ocasión José "toma al niño y a su madre" y hace todo para salvarles la vida; nunca pronuncia una palabra. Su familia es primero. Así tenga que emigrar al país de la esclavitud con los suyos o irse a establecer a una serranía galilea, donde no cuenta con el apoyo y cobijo de su familia tribal, José nunca antepone su bienestar ni retrasa el cumplimiento de cada orden divina. José es padre y esposo tan silencioso como solícito, desde que "recibió consigo a su mujer" y al niño como propios y los hace su familia (Mateo 1:24, 26).

El cumplimiento escriturario es el hilo con el que se va tejiendo la coherencia de los eventos para evidenciar la salvación de Dios; nos muestran el sentido profundo de la acción de Dios. La primera referencia, las palabras del profeta Oseas (11:1), deja ver en el pueblo de Israel la figura o anticipo del Mesías. El oído cristiano, además, identifica en ese "hijo" al Mesías de Dios, pues sabe que ese Niño ha sido engendrado del Espíritu Santo (Mateo 1:20). La segunda referencia refiere a otro "extrañamiento", pues Nazaret, no Belén, va a identificar el mesianismo de Jesús (y de sus discípulos,

ver Hechos 24:5). La salvación de Dios desborda los cauces consabidos.

Al celebrar a la Sagrada Familia, las Escrituras nos solicitan apertura de mente y corazón para hacer propia la salvación de Dios. La familia se forma solo en la aceptación mutua de todos y cada uno de sus miembros, como hizo José. Somos pueblo mesiánico y esto están llamadas a ser nuestras familias, mesiánicas, mediante la recepción de Jesús, María y José que buscan refugio entre nosotros.

SOLEMNIDAD DE SANTA MARÍA, MADRE DE DIOS

La solemnidad de la bendición no debe restarle calidez ni intimidad.

I LECTURA   Números 6:22–27

Lectura del libro de los Números

En **aquel** tiempo, el Señor **habló** a Moisés y le dijo:
   "Di a Aarón y a sus hijos:
   'De **esta manera** bendecirán a los israelitas:
El Señor te bendiga y te proteja,
   haga **resplandecer** su rostro sobre ti
   y te conceda su favor.
Que el Señor te mire con **benevolencia**
   y te conceda la paz'.

Baja la velocidad conforme se acerca el final.

Así invocarán mi nombre sobre los israelitas
   y yo los bendeciré".

Para meditar

SALMO RESPONSORIAL   Salmo 66:2–3, 5, 6, 8

R. El Señor tenga piedad y nos bendiga.

El Señor tenga piedad y nos bendiga,
   ilumine su rostro sobre nosotros:
   conozca la tierra tus caminos,
   todos los pueblos tu salvación. **R.**

Que canten de alegría las naciones,
   porque riges la tierra con justicia,
   riges los pueblos con rectitud
   y gobiernas las naciones de la tierra. **R.**

Oh Dios, que te alaben los pueblos,
   que todos los pueblos te alaben.
Que Dios nos bendiga;
   que le teman hasta los confines
      del orbe. **R.**

I LECTURA Iniciamos el año civil con la bendición de Dios, al conmemorar con toda la Iglesia la maternidad divina de la Santísima Virgen María. La maternidad divina de María es esa participación suya en la Encarnación del Hijo de Dios, que la Iglesia confiesa desde sus orígenes y que se plasma en esta liturgia que toma su primera lectura del libro de Números.

La bendición que los sacerdotes habían de pronunciar sobre los miembros del pueblo de Dios es muy simple y poderos, la cual va de menos a más, en frases pareadas que se extienden hasta alcanzar la totalidad o plenitud.

La bendición comienza por invocar la protección de Dios para su fiel. Esto nos coloca de frente a la fragilidad humana. La vida es frágil y quebradiza. No depende de la propia voluntad o industria la vida; esta requiere cuidados y protección, incluso de parte de otros. La bendición reconoce que la vida es de Dios y a él se la debemos.

Enseguida encontramos una bella metáfora: el rostro resplandeciente de Dios. Verlo es el anhelo de todo fiel. La luz del rostro de Dios es la guía de los pasos del fiel para distinguir el bien del mal, la justicia de la injusticia, la verdad de la mentira. Este rostro es el que el fiel sube a buscar en las peregrinaciones que emprende hacia el templo y es la que adopta formas de "lámpara", "palabra" y "ley" en múltiples salmos. Esta iluminación se manifiesta en que Dios agracia a su fiel. Ser o estar agraciado es ser bueno, agradable, deseado.

La doble invocación final solicita primero la presencia de Dios para su fiel, es decir que no lo rechace ni lo traiga a juicio y enseguida que esto se convierta en bienestar

La lectura es breve pero muy profunda. Sin prisas, apóyate en la puntuación.

II LECTURA   Gálatas 4:4–7

Lectura de la carta del apóstol san Pablo a los gálatas

Hermanos:
Al llegar la **plenitud** de los tiempos,
    envió Dios a su Hijo, nacido de **una mujer**,
    nacido **bajo la ley**,
    para **rescatar** a los que **estábamos** bajo la ley,
    a fin de hacernos **hijos suyos**.

Haz una pausa tras la primera línea y luego prosigue con profundo entusiasmo filial.

Puesto que **ya son ustedes hijos**,
Dios envió a sus corazones **el Espíritu** de su Hijo,
    que clama "**¡Abbá!**", es decir, ¡Padre!
Así que ya no **eres siervo**, sino hijo;
    y siendo hijo,
    eres también **heredero** por voluntad de **Dios**.

EVANGELIO   Lucas 2:16–21

Lectura del santo Evangelio según san Lucas

Es un cuadro muy entrañable para todos, pero no engoles la voz. Mantén la naturalidad al proclamar.

En **aquel** tiempo,
    los pastores fueron a **toda prisa** hacia Belén
    y encontraron a **María**, a José y al **niño**,
    recostado en el pesebre.
Después de verlo,
    contaron lo que se les **había dicho** de aquel niño
    y **cuantos** los oían, quedaban **maravillados**.
María, por su parte, guardaba **todas** estas cosas
    y las meditaba **en su corazón**.

---

total, el *shalom* bíblico, que se traduce como paz, equivalente a la salud total.

La bendición viene de Dios, el sacerdote es el medio o instrumento para que esa bendición se haga actual, presente a cada miembro del pueblo de la alianza. El hombre pleno es el resultante de la bendición de Dios y esto es lo que estamos llamados a ser desde el comienzo del año.

II LECTURA   Pablo comparte con los cristianos de Galacia su visión de la historia bajo el prisma de la salvación marcada con un antes y un después. El "antes" es la situación de sometimiento a los "elementos del mundo" que los gálatas experimentaron en su idolatría. Pablo refiere a esto porque ha sabido que algunos predicadores judeocristianos quieren obligar a los gálatas a circuncidarse, adoptar dietas y calendarios propios del judaísmo y someterlos a la Ley mosaica. El "después" es la condición actual de libertad aportada a la humanidad por Cristo. Su venida es lo que marca "la plenitud de los tiempos".

La plenitud del tiempo de la salvación ha quedado marcada con el nacimiento del Hijo de Dios del vientre de una mujer viviendo bajo la Ley. Esta condición es lo hace del hijo un humano en toda la extensión de la palabra. Fue María la que hizo posible la cabal humanización del Hijo de Dios, por así decirlo. Más todavía, en su condición de sometimiento el Hijo obrará la redención, porque solo desde la solidaridad con la humanidad se vuelve posible la liberación. Los teólogos suelen decir que solo y todo lo asumido por el Verbo fue redimido. Pues bien, ese asumir lo redimible cobró la posibilidad al nacer de María Virgen. Pronto los creyentes entendieron que ella era no solo madre

Imprime alegría y gozo a estas líneas, pero sin exagerar. Recuerda que la asamblea nota el cambio en tu expresión facial.

Los pastores se volvieron a sus campos,
alabando y **glorificando** a Dios
por todo cuanto habían **visto y oído**,
según lo que se les **había anunciado**.

Cumplidos los **ocho** días, **circuncidaron** al niño
y le pusieron el nombre **de Jesús**,
aquel mismo que había dicho el ángel,
antes de que el niño fuera concebido.

de la humanidad de Hijo, sino que la proclamaron también Madre del Encarnado.

Celebrar a María, Madre de Dios, es un llamado que el Espíritu nos hace para vivir la plenitud humana, redimida y agraciada que Dios nos otorga. Solo desde allí, por el Espíritu que clama "¡Padre!", podremos reconocer en esa mujer a la Madre de Dios.

EVANGELIO La maternidad, como la paternidad, no son eventos sino experiencias relacionales de vida. Hoy, la maternidad de María Virgen ocupa el cen-tro de nuestra celebración y, por lo mismo, de la escena evangélica de la liturgia.

Escuchamos el episodio de la visita de los pastores al recién nacido que sigue al anuncio del nacimiento del Mesías que el ángel les anunció. Acuden a Belén y encuentran la señal que se les había dado: un niño envuelto en pañales y recostado en un pesebre. Es una señal de reconocimiento mesiáni-co, gracias a la imagen con la que Isaías había denunciado la ligereza y miopía del pueblo, que no reconoce a su Señor (ver Isaías 2:3). Los pastores, por el contrario, sí lo reconocen y muestra de ello es que cuentan lo que saben y despiertan la admiración de cuantos los escuchan; entre ellos, de José y María, los padres del Mesías de Dios. María es madre del Mesías, e igualmente madre de Dios.

Celebrar la maternidad de María nos dispone no solo a reconocer la maternidad mesiánica en Belén, sino también la mayor gracia otorgada por Dios a la humanidad en una mujer, alumbrar al Hijo de Dios. Su figura contemplativa nos invita no solo a acla-marla sino a imitarla en la escucha de lo que se cuenta de ese Dios envuelto en pañales, pues por ese inofensivo medio, Dios realiza la redención de su pueblo.

EPIFANÍA DEL SEÑOR

I LECTURA   Isaías 60:1–6

Lectura del libro del profeta Isaías

El tono debe ser entusiasta y alentador, pero no jocoso ni ligero. Lleva el ritmo de las frases y nota los apelativos a la ciudad.

Levántate y resplandece, **Jerusalén**,
    porque **ha llegado** tu luz
    y **la gloria** del Señor alborea sobre ti.
Mira: las tinieblas **cubren** la tierra
    y **espesa** niebla **envuelve** a los pueblos;
    pero sobre ti **resplandece** el Señor
    y **en ti** se manifiesta su gloria.
Caminarán los pueblos **a tu luz**
    y los reyes, **al resplandor** de tu aurora.

Haz contacto visual con la asamblea al pronunciar la segunda línea. Esta asamblea son los congregados por la luz del Señor.

Levanta los ojos y mira **alrededor**:
    todos se reúnen **y vienen** a ti;
    tus hijos llegan **de lejos**, a tus hijas las traen **en brazos**.
Entonces verás esto **radiante** de alegría;
    tu corazón **se alegrará**, y se ensanchará,
    cuando se **vuelquen** sobre ti los **tesoros** del mar
    y te traigan **las riquezas** de los pueblos.

Eleva un poco el tono de voz. Ve ascendiendo y termina con entusiasmo la lectura.

Te **inundará** una multitud de camellos y dromedarios,
    procedentes de **Madián** y de **Efá**.
Vendrán **todos** los de Sabá
    trayendo **incienso y oro**
    y proclamando **las alabanzas** del Señor.

I LECTURA Cobijado con la figura de Isaías, el poema pronunciado un par de siglos después de muerto el gran profeta, anima a la restauración de Jerusalén, en una época en la que era evidente la postración nacional por las limitaciones que apretaban por todos los flancos. El poema, sin embargo, despliega una visión esplendorosa que debe estimular a los más decaídos. Resaltan los motivos visuales ("mira", "levanta los ojos").

El profeta anima a la ciudad; le habla como si fuera una mujer dormida. Tras enunciar el motivo dominante, podemos distinguir dos momentos en la descripción.

El contraste es muy vivo en el primer momento; el poeta contrapone luz y oscuridad. La oscuridad es dueña de la tierra, el dominio se nota en la niebla espesa que impide ver a los pueblos. Sin embargo, hay una novedad. Jerusalén reluce como un sol glorioso con la llegada del Señor; este es el motivo dominante. Dios es la luz de Jerusalén; la ciudad tiene que levantarse porque un día nuevo despunta. Esta luz será como un faro para todos los habitantes de la tierra; con esta promesa de Dios cierra el cuadro.

El segundo momento es la realización de la promesa, pero el foco es el tan anhelado retorno de los hijos y las hijas dispersos a su casa. La ciudad es su casa. Es un regreso tan anhelado como grandioso. La casa paterna se puebla de familia y la algarabía es irrefrenable. Hay una fiesta que se adueña de las plazas y las calles. Los reyes de lugares famosos por exóticos se dan cita en esta fiesta. Es una fiesta de bodas. Las célebres caravanas mercantes de los países del sur que andaban por otras rutas, ahora ponen pie en Jerusalén. Vienen cargadas de riquezas incontables. Estas imágenes des-

Para meditar

SALMO RESPONSORIAL   Salmo 71:1–2, 7–8, 10–11, 12–13

R. Se postrarán ante ti, Señor, todos los pueblos de la tierra.

Dios mío, confía tu juicio al rey, tu justicia
al hijo de reyes: para que rija a tu
pueblo con justicia, a tus humildes con
rectitud. **R.**

Que en sus días florezca la justicia y la paz
hasta que falte la luna; que domine de
mar a mar, del Gran Río al confín de
la tierra. **R.**

Que los reyes de Tarsis y de las islas le
paguen tributo; que los reyes de Sabá
y de Arabia le ofrezcan sus dones, que
se postren ante él todos los reyes, y que
todos los pueblos le sirvan. **R.**

Porque él librará al pobre que clamaba,
al afligido que no tenía protector;
él se apiadará del pobre y del indigente,
y salvará la vida de los pobres. **R.**

II LECTURA   Efesios 3:2–3a, 5–6

Lectura de la carta del apóstol san Pablo a los efesios

Hermanos:
Han oído hablar de la **distribución** de la **gracia** de Dios,
    que se me ha **confiado** en favor de ustedes.
Por revelación se me **dio a conocer** este misterio,
    que no **había sido** manifestado a los hombres en otros tiempos,
    pero que ha sido revelado **ahora** por el Espíritu
    a sus **santos** apóstoles y profetas:
    es decir, que por el Evangelio,
    también los paganos son **coherederos** de **la misma** herencia,
    miembros del **mismo** cuerpo
    y **partícipes** de **la misma** promesa en Jesucristo.

Adopta un tono confidencial, lo que se comunica no es algo público.

Haz contacto visual con la asamblea en las tres frases finales. Sigue las negrillas.

bordantes se concretan en una frase muy explícita: proclaman las alabanzas del Señor.

La Epifanía es la fiesta de todos los pueblos porque miran la luz y el esplendor del Señor que despunta en la vida del pueblo. Esa luz es concreta, como el hacer y el pensar de los hijos de Dios. Ellos deslumbran por su moral y sus costumbres y atraen a las naciones. No es necesario hablar siquiera para que los extranjeros se den cuenta de dónde viene esa luz. Ser hijos de Dios es lo mismo que ser hijos de la luz. Esta es nuestra profunda vocación y nuestra gozosa tarea.

II LECTURA "Epifanía" es palabra griega que quiere decir "aparición" o "manifestación". Refiere a algo que siendo invisible se hace patente al ojo y a los sentidos humanos. Esto, en el mundo antiguo, con frecuencia refería al mundo de los dioses que dotaban a algún fiel o elegido con poderes o gracias para manifestar que una fuerza divina o un poder extraordinario lo dirigía. Reyes y gobernantes, de modo particular, se hacían llamar con títulos de esa naturaleza. Hoy celebramos en la Iglesia la fiesta de la aparición o manifestación de la mayor gracia de Dios entre nosotros.

La segunda lectura de nuestra liturgia habla como de un descubrimiento, de una revelación, de quitar el velo para ver lo que esconde; es la fiesta de la visión completa y para todos; se acabaron los secretos.

La palabra *misterio* designa algo que no se puede percibir con la claridad de la lógica racional. Ese misterio, dice la carta, solo ahora ha quedado descubierto. Lo que marca la diferencia es lo acontecido en Cristo Jesús y el rechazo del pueblo judío. Esta reacción judía es clave para entender la situación nueva de los paganos. Ahora, gracias a la resurrección de Cristo los paganos,

Es una historia sabrosa y ligera. No la lastres con una solemnidad innecesaria. Conserva un ritmo veloz, pero sin precipitaciones.

EVANGELIO   Mateo 2:1–12

Lectura del santo Evangelio según san Mateo

Jesús nació en **Belén de Judá**, en tiempos del rey Herodes.
Unos **magos** de Oriente
    llegaron entonces a Jerusalén
  y **preguntaron**:
    "¿**Dónde** está el rey de los judíos que **acaba** de nacer?
Porque **vimos surgir** su estrella
  y **hemos venido** a adorarlo".

Al enterarse **de esto**,
  el rey Herodes se **sobresaltó**
  y **toda** Jerusalén con él.
Convocó entonces a los sumos sacerdotes
    y a los escribas del pueblo
  y les preguntó **dónde** tenía que nacer el Mesías.
Ellos le contestaron:
"**En Belén de Judá**, porque **así** lo ha escrito el profeta:
Y tú, **Belén,** tierra de Judá,
  no eres **en manera alguna** la menor
  entre las ciudades **ilustres** de Judá, pues **de ti** saldrá un jefe,
  que será el pastor de mi pueblo, Israel".

Antes de atacar este párrafo, alarga la pausa tras las palabras de las Escrituras. Contrasta bien entre la apertura del párrafo previo y el sigilo tramposo del rey.

Entonces Herodes llamó **en secreto** a los magos,
  para que le **precisaran** el tiempo
    en que se les había aparecido la estrella
  y los mandó a Belén, **diciéndoles**:
"**Vayan** a averiguar **cuidadosamente qué hay** de ese niño,
  y cuando lo encuentren, **avísenme**
    para que yo **también** vaya a adorarlo".

Después de oír al rey, los magos se pusieron **en camino**,
  y **de pronto** la estrella que habían visto surgir,
  comenzó a guiarlos,
    hasta que se detuvo **encima** de donde estaba el niño.

---

los no judíos, participan en la misma herencia del pueblo de la alianza mosaica. Pero la vía es novedosa: la recepción del Evangelio de Cristo Jesús.

El misterio revelado es algo inaudito, porque la exclusividad de Israel ha dejado su marca en cada página de las Escrituras, aunque aquí y allá se alude y hasta explicita que los extranjeros habrán de añadirse al pueblo escogido en la etapa final de la historia, cuando Dios visite a su pueblo. Los paganos, que siempre quedaban en segundo término, ahora están en la misma condición de herederos que los propios judíos.

El que quita el velo es el Espíritu Santo que ha hecho que los apóstoles y profetas cristianos caigan en la cuenta de esta decisión divina. Esto sucede gracias al Evangelio, es decir, a que hay un modo nuevo para acceder a la salvación: la fe en Cristo Jesús. Es el Espíritu Santo el que consigue esta condición de igualdad para los no judíos.

La Iglesia celebra la revelación o manifestación de Dios a la humanidad, que consiste en exhibir o mostrar la salvación que es el evangelio de Cristo Jesús. Este Evangelio que coloca a todos los creyentes en condición de equidad no pasa de ser una buena declaración de intenciones si no se hace realidad en la vida y estructura de la propia Iglesia. El Espíritu Santo nos da los medios y nos mueve a superar la inequidad que consiste en excluir de la herencia a aquellos a quienes, por la obra de Cristo, les pertenece.

EVANGELIO El relato de la visita de los Magos de Oriente al recién nacido Rey de los Judíos nos coloca frente al mesianismo davídico de Jesús. Esto lo subraya repetidamente el evangelista, no solo en la pregunta de los misteriosos visi-

Baja la velocidad, como dando la oportunidad a que la asamblea contemple los dones de los Magos; descúbrelos delante de todos.

Al ver **de nuevo** la estrella, se llenaron de **inmensa** alegría.
Entraron en la casa y **vieron** al niño con **María**, su madre,
     y **postrándose**, lo adoraron.
Después, abriendo sus cofres, le ofrecieron regalos:
     oro, incienso y mirra.
Advertidos durante el sueño de que **no volvieran** a Herodes,
     regresaron a su tierra por **otro** camino.

tantes, sino también por la reunión de letrados que motiva, las palabras de la profecía de Miqueas y el destino de la búsqueda de los extranjeros, Belén.

Como en los tiempos davídicos, Dios voltea sus ojos a lo pequeño, a lo periférico, a lo prescindible, para sacar de allí al caudillo de su pueblo. Pero esto tan significativo queda oculto a los propios judíos, a los que no les falta conocimiento de las Escrituras ni de sus tradiciones patrias, sino disposición para andar a donde no hay oropeles ni fausto de palacios. Brilla, sí, una estrella que es guía para los extranjeros que buscan la salud de Dios. La estrella tiene su tipo bíblico en la profecía de Balán, un profeta de Oriente, quizá de Aram, que anuncia el poder creciente del pueblo de Dios bajo la figura de un astro que surge para todos (Números 24:17). Ese profeta pasaba por ser el padre de todos los magos y adivinos, es decir, de la gente sabia, que le rinden tributo a Jesús.

El niño recién nacido es de un pueblo de pastores y representa el modo diferente como Dios va realizando su obra de salvación. No es a la manera herodiana o imperial como su reinado se establece entre los hombres, sino en la sencillez de una casa familiar, pastoril y rústica. En esa casa se dan cita la sabiduría de los cielos y los buscadores incansables de la verdad de la vida. Allí resplandece la gloria de Dios, en un Infante que pastoreará a su pueblo, pero que ya congrega los dones de todos. En él Dios manifiesta su reino de paz.

BAUTISMO DEL SEÑOR

El párrafo describe a alguien con la fuerza de Dios. La fuerza está en las palabras, no en el tono de la proclamación. Adopta una postura amable, nada de rigor ni solemnidad postiza.

II LECTURA   Isaías 42:1–4, 6–7

Lectura del libro del profeta Isaías

Esto dice el Señor:
   "**Miren** a mi siervo, a quien **sostengo**,
   a mi **elegido**, en quien tengo **mis complacencias**.
En él he puesto mi espíritu
   para que **haga brillar** la justicia sobre las naciones.

No gritará, **no clamará**, **no hará oír** su voz por las calles;
   no romperá la caña **resquebrajada**,
   ni apagará la mecha que aún humea.
Promoverá con firmeza la justicia,
   no **titubeará** ni se doblegará
   hasta **haber establecido** el derecho sobre la tierra
   y hasta que las islas **escuchen** su enseñanza.

Yo, el Señor,
   fiel a mi designio de salvación,
   te llamé, te tomé de la mano, **te he formado**
   y te he constituido **alianza** de un pueblo,
   luz de las naciones,
   para que **abras** los ojos de los ciegos,
   saques a los cautivos de la prisión
   y de la mazmorra a los que **habitan** en tinieblas".

Hay un cambio en el discurso. Dale calidez a estas líneas que despiertan esperanza de todo el auditorio.

I LECTURA En el libro de Isaías, en sus capítulos 40–55, se han identificado cuatro poemas donde emerge una figura misteriosa, identificada como el Siervo de Yahveh. No se sabe a ciencia cierta a quién se refiera el poeta. Hoy escuchamos líneas del primero de esos cánticos. La lectura litúrgica centra toda su atención en la figura mesiánica, dejando de lado un verso que identifica al que habla, Dios, el Hacedor de cielos y tierra, que es el fundamento de la segunda parte del breve poema.

Las dos estrofas iniciales presentan al Siervo como aquel que va a establecer el derecho sobre la tierra entera. Esta será una situación universal tan novedosa como deseada, porque lo que rige entre las naciones es el abuso del más fuerte y la violencia. Pero el Siervo empleará una vía distinta para gobernar las relaciones internacionales y también las de los particulares.

La fuente del derecho que el Siervo promoverá y propagará es el Espíritu de Dios, el Creador. El método del Elegido no va con la algarabía ni con el "borrón y cuenta nueva", sino con el respeto a los quebranta-dos, el alentar a los decaídos y la enseñanza que vuelve dócil la mente y el corazón humanos; allí hay que implantar la justicia y el derecho para que se extienda hasta las islas remotas. La justicia entonces, como el cielo, cubrirá la faz de la tierra. Estamos ante una creación nueva, que complace a Dios.

II LECTURA El discurso de Pedro en la casa de un militar romano, Cornelio, viene después de sendas visiones sincronizadas por la hora de la oración, tanto del propio Cornelio como de Pedro, en las cuales se les revela lo que han de hacer.

Para meditar

SALMO RESPONSORIAL   Salmo 28:1a y 2, 3ac–4, 3b y 9c–10

R. El Señor bendice a su pueblo con la paz.

Hijos de Dios, aclamen al Señor, aclamen la gloria del nombre del Señor, póstrense ante el Señor en el atrio sagrado. **R.**

La voz del Señor sobre las aguas, el Señor sobre las aguas torrenciales. La voz del Señor es potente, la voz del Señor es magnífica. **R.**

El Dios de la gloria ha tronado. En su templo, un grito unánime: ¡Gloria! El Señor se sienta por encima del aguacero, el Señor se sienta como rey eterno. **R.**

II LECTURA   Hechos 10:34–38

Lectura del libro de los Hechos de los Apóstoles

El relato es breve y sustancioso. Haz notar dónde comienza Pedro a hablar, como alargando la frase introductoria de sus palabras y haciendo una pausa que evidencie la diferencia.

En aquellos días,
    Pedro se dirigió a **Cornelio** y a los que estaban en su casa,
        con **estas** palabras:
"Ahora caigo en la cuenta de que Dios
    no hace distinción de personas,
    sino que **acepta** al que lo teme y practica la justicia,
    sea de la nación que fuere.
Él **envió** su palabra a los hijos de Israel,
    para **anunciarles** la paz por medio de Jesucristo,
        Señor de todos.

Haz contacto visual con la asamblea, como si se tratara de los oyentes de Pedro. Ralentiza las líneas finales, al mencionar a Jesús de Nazaret.

Ya saben ustedes lo sucedido **en toda Judea**,
    que tuvo principio **en Galilea**,
    después del bautismo **predicado** por Juan:
    cómo Dios **ungió** con el **poder** del Espíritu Santo
        a **Jesús de Nazaret**
    y cómo éste pasó haciendo el bien,
    sanando a **todos** los oprimidos por el diablo,
    porque Dios **estaba con él**".

Cornelio debe hacer venir a Pedro a su casa y Pedro debe aceptar que la pureza de las personas depende de su actitud ante Dios. El Espíritu de Dios va venciendo todas las dificultades que el Evangelio encuentra para poder llegar a los no judíos. Cornelio y su casa son los primeros paganos en aceptar el Evangelio de Cristo Jesús, en la perspectiva de los Hechos de los Apóstoles.

Pedro comienza por colocar a los presentes en condiciones de igualdad. La superioridad de los judíos con respecto a los paganos ante Dios, queda abolida por dos condiciones: el temor de Dios y practicar la

justicia. No son las diferencias étnicas las que prevalecen ante el único Dios, sino la actitud y las obras de la persona humana. Dios no discrimina ni privilegia.

El resumen apretado que Pedro hace de la vida de Jesús toca los puntos neurálgicos de la condición cristiana. El Evangelio de Jesús tiene raíces en tierras de Galilea y Judea; hay un punto en el que comienza la misión: la unción de Jesús por el Espíritu Santo. El Espíritu Santo es la fuerza de Dios y esto lo puntualiza el párrafo siguiente.

La obra de Jesús se resume en "hacer el bien" y en liberar a los oprimidos por

el diablo. Y, hay que decirlo, ese mismo Espíritu es el que recibe el cristiano al ser bautizado. Por eso el quehacer del cristiano no puede ser diferente al de Cristo. Nuestra tarea es convertirnos en eco de esa Buena Nueva de Dios para la humanidad: hacer el bien con la fuerza de Dios que libera de todo mal y opresión. Para esto nos debe servir el bautismo.

EVANGELIO El párrafo del evangelio se compone de dos cuadros; el primero se centra en Juan Bautista y el segundo en Jesús de Nazaret.

Las palabras de Juan deben sonar firmes y decididas. Sube de nivel en el tono para la segunda parte de su declaración.

EVANGELIO   Mateo 3:13–17

Lectura del santo Evangelio según san Mateo

En aquel tiempo,
    Jesús llegó de Galilea al río **Jordán**
    y le pidió a Juan que **lo bautizara**.
Pero **Juan** se resistía, **diciendo**:
"**Yo soy** quien debe ser **bautizado** por ti,
    ¿y tú vienes a que yo te bautice?"
Jesús le respondió:
"**Haz** ahora lo que te digo, porque **es necesario**
    que **así** cumplamos **todo** lo que Dios quiere".
Entonces Juan **accedió** a bautizarlo.

Al **salir** Jesús del agua, una vez **bautizado**,
    se le **abrieron** los cielos y vio al Espíritu de Dios,
    que **descendía** sobre él en forma de **paloma**
    y **oyó** una voz que decía, desde **el cielo**:
"**Éste** es mi Hijo **muy amado**, en quien tengo
    mis **complacencias**".

Crea expectativa como alargando las sílabas de las frases introductorias. Amplifica la visión, alarga el fraseo, como si al describir el evento lo miraras.

Juan era un personaje que despertaba las expectativas más grandes entre sus contemporáneos; su estilo de vida y su pasión por la justicia y la verdad eran las señales más claras de que debía ser el santo mesías de Dios. Por eso, la necesidad de referir "al que viene detrás de mí". San Marcos parea las frases. El más poderoso es alguien ante quien Juan no puede estar siquiera. Entendamos que el poder o autoridad de las personas dictaba la distancia a la que los demás debían estar. El poder del que se trata es la santidad del Cristo. Esa imponente santidad se concretiza en lo que hará:

bautizar con Espíritu Santo. Este bautismo es un esclarecimiento de las Escrituras, porque cuantos se acerquen a ellas notarán de quién hablan y despejarán toda duda sobre quién es el Mesías.

El segundo cuadro enfoca a Jesús. Llega al Jordán y, una vez bautizado por Juan, tiene una visión que le descubre lo que ha de hacer en adelante: complacer a Dios con la fuerza del Espíritu Santo. Esta fuerza no es un rigor que se impone o que avasalla, sino una alianza pacífica, más como Noé para salir del arca, que como la epifanía volcánica del Sinaí.

Las expectativas sobre la era mesiánica eran muy variadas y grandiosas y Jesús de Nazaret las cumplió de una manera inusitada. Otro tanto nos corresponde a los cristianos, a los ungidos por el Espíritu de Dios, en estos tiempos complejos: vivir complaciendo a Dios con la fuerza que nos otorga la fe en el Hijo amado. No olvidemos que pertenecemos a la comunidad de los ungidos por el Espíritu Santo; seamos consecuentes con esto.

II DOMINGO ORDINARIO

I LECTURA Isaías 49:3, 5–6

Lectura del libro del profeta Isaías

El **Señor** me dijo:
"**Tú eres** mi siervo, **Israel**;
  en ti **manifestaré** mi gloria".

Ahora habla el Señor,
  el que **me formó** desde el seno materno,
  para que fuera su servidor,
  para **hacer** que Jacob **volviera** a él
  y **congregar** a Israel en **torno** suyo
  —tanto **así** me honró el **Señor**
  y **mi Dios fue mi fuerza**—.
Ahora, pues, dice el Señor:
"**Es poco** que seas mi siervo sólo
  para restablecer a las tribus de Jacob
  y reunir a los **sobrevivientes** de Israel;
  te voy a **convertir** en **luz** de las naciones,
  para que mi salvación **llegue**
  hasta los **últimos** rincones de la tierra".

Este comienzo exige un tono mesurado y sereno. Deja ver la conciencia del Siervo en tu propio tono de voz.

Dale un crescendo a estas líneas finales. Ve alargando las frases para que correspondan a la misión que se destina al pueblo.

I LECTURA El Siervo de Yahveh es un personaje de identidad desconocida. *Siervo* tiene el sentido de "esclavo" o "servidor". En aquel mundo del Medio Oriente de los siglos séptimo y sexto antes de Cristo, la esclavitud no tenía la coloración tan inhumana que obtuvo en la colonización de las Américas por parte de las potencias europeas cristianizadas, ni el tinte discriminatorio y racista perpetuado en este país. El esclavo o siervo era alguien al servicio de un señor o alguien superior, digamos un rey. Los diplomáticos o embajadores eran llamados "esclavos"

o "siervos" porque no se representaban a sí mismos, sino a quien los enviaba con una misión específica a cumplir.

La primera declaratoria encierra un ambicioso programa para el pueblo de Dios: convertirse en el espacio donde Dios haga visible su gloria a las naciones de la tierra, algo inconcebible dada la pequeñez del esclavo.

La reintegración de los israelitas dispersos por las naciones de la tierra debido a la invasión babilónica y a la deportación que le siguió había sido una obra titánica. Con todo, la restauración estaba en

camino y el proyecto de nación se iba apuntalando. Pero la palabra del Señor impulsa a más: hacer de Israel la cima del derecho y la justicia.

La salvación de Dios tiene por camino la justicia. La justicia es la luz de Dios y la vocación única del pueblo de Dios, la Iglesia. Al retomar el camino del Tiempo Ordinario del año litúrgico, es necesario despertar en nosotros la vocación cristiana que no es otra que la del Siervo de Dios. Contamos con la fuerza de Dios, su Espíritu, para proseguir la tarea que Dios nos llama a cumplir

Para meditar

SALMO RESPONSORIAL   Salmo 39:2 y 4ab, 7–8a, 8b–9, 10

R. Aquí estoy, Señor, para hacer tu voluntad.

Yo esperaba con ansia al Señor: él se inclinó
y escuchó mi grito; me puso en la boca
un cántico nuevo, un himno a nuestro
Dios. **R.**

Tú no quieres sacrificios ni ofrendas, y, en
cambio, me abriste el oído; no pides
sacrificio expiatorio, entonces yo digo:

"Aquí estoy". **R.**

Como está escrito en mi libro: "para hacer tu
voluntad". Dios mío, lo quiero, y llevo tu
ley en las entrañas. **R.**

He proclamado tu salvación ante la gran
asamblea; no he cerrado los labios,
Señor, tú lo sabes. **R.**

II LECTURA   1 Corintios 1:1–3

Lectura de la primera carta del apóstol san Pablo a los corintios

Yo, Pablo, **apóstol** de Jesucristo por **voluntad** de Dios,
   y **Sóstenes**, mi colaborador,
   saludamos a la comunidad cristiana que está en Corinto.
A **todos** ustedes,
   a quienes Dios **santificó** en Cristo Jesús
   y que son su pueblo santo,
   así como a **todos** aquellos que en **cualquier** lugar
     invocan el nombre de Cristo Jesús,
Señor nuestro y Señor de ellos,
   les deseo la gracia y la paz de **parte** de Dios, nuestro **Padre**,
   y de Cristo Jesús, **el Señor.**

Con calidez y firmeza, avanza en estas líneas tan sobrias como profundas. Al llegar al saludo haz contacto visual con la asamblea. El saludo de Pablo resuena en el saludo litúrgico de nuestras asambleas.

---

cada día: darle gloria mediante el ejercicio del derecho y la justicia.

II LECTURA La relación del equipo evangelizador, Pablo a su cabeza, con la comunidad cristiana de Corinto fue muy viva, profunda y, por decir lo menos, turbulenta. Aquella comunidad estaba compuesta en su mayoría por personas de origen pagano. Esto significaba que no tenían la base cultural de los usos y costumbres del judaísmo, que se traducía en una ética surgida de los valores de la Ley. Por otro lado, los cristianos de Corinto eran pocos y social-

mente irrelevantes, además de que mantenían ciertas concepciones que lastraban su fe en Cristo Jesús. Por eso recurren al Apóstol en busca de buen juicio y claridad. Todo esto nos ha valido heredar una rica correspondencia de esa comunidad.

Como toda carta, el escrito comienza con un saludo y mencionando a los remitentes, Pablo y Sóstenes, y al destinatario, la iglesia corintia. Lo que vendrá a continuación procede de dos evangelizadores, lo que asegura un mayor peso y autoridad a los contenidos. La iglesia, por su parte, no es un grupo o asociación de los que abundaban

por todas partes, en aquellas sociedades grecorromanas, sino una comunidad convocada por Cristo Jesús. En el texto griego hay una triple asociación que no es fácil pasar a nuestra bella lengua. Pablo recurre a "llamar" (*kalein*), para despertar la conciencia de sus escuchas. Él, por su parte, es "llamado" o "elegido", los corintios son "llamados" o "elegidos", y reunidos forman una congregación (*ekklesia*). La relación entre ellos se establece a ese nivel: todos han sido elegidos por Dios. Dicha elección se traduce en un proceso de santificación, que todos los cristianos han experimentado y que reviven

No es fácil seguir la lectura. Nota las citas dentro de las palabras del Bautista; dales el tono adecuado, para que se perciban bien.

Pausa en los "Yo no lo conocía, pero…". La asamblea percibirá el contraste que guardan.

EVANGELIO   Juan 1:29–34

Lectura del santo Evangelio según san Juan

En **aquel** tiempo,
    vio Juan el Bautista a **Jesús**, que venía hacia él, y **exclamó:**
"Éste es el **Cordero de Dios,**
    el que quita el **pecado del mundo.**
Éste es **aquél** de quien yo he dicho:
    'El que viene **después** de mí,
    tiene **precedencia** sobre mí,
    porque **ya existía** antes que yo'.
Yo no lo **conocía,**
    pero he venido a **bautizar** con **agua,**
    para que él sea dado a **conocer** a Israel".

Entonces Juan dio **este testimonio:**
    "Vi al Espíritu **descender** del cielo
    en forma de **paloma** y
    posarse sobre él.
Yo no lo **conocía,**
    pero el que me envió a **bautizar** con **agua** me dijo:
    '**Aquél** sobre quien veas que **baja**
    y se posa el **Espíritu Sant**o,
    ése es el que ha de **bautizar** con el **Espíritu Santo'.**
Pues bien, yo lo vi
    y doy **testimonio** de que éste es el **Hijo de Dios".**

cuando se congregan. Esta es la realidad profunda de cada bautizado: elegidos y santos. Entendemos que es un proceso a desarrollar, pero Dios ha puesto ya los fundamentos de esa santificación: la fe en Cristo Jesús.

EVANGELIO Juan Bautista es el primer testigo del Mesías de Dios en el evangelio de san Juan. Su testimonio sobre Jesús, sin embargo, no nace de su propia iniciativa, sino de ser fiel y consecuente a la indicación recibida "del que me envió a bautizar". El Bautista apunta que

Jesús tiene precedencia sobre él, "porque existía antes que yo". Esta frase se entiende como referida al Lógos de Dios, de quien habló el evangelista al comienzo de su evangelio. Pero esa precedencia tiene que darse a conocer y esta manifestación se da con el descenso y permanencia del Espíritu de Dios sobre Jesús.

Bautizar con el Espíritu Santo es lo distintivo del Mesías. A lo largo del evangelio Jesús va a dispensar ese Espíritu como un modo nuevo de entender las Escrituras, porque las refiere a su propia persona. Esa es la novedad.

Al comienzo del año litúrgico, es preciso que los actuales discípulos de Jesús permitamos al Cordero de Dios que nos libre del pecado del mundo, la incredulidad, e igualmente a llenarnos del Espíritu que nos guía por las Escrituras para ir descubriendo al Mesías de Dios.

III DOMINGO ORDINARIO

Es un anuncio alegre, pero sin alharaca. Es la certeza de que el futuro cambiará para bien, porque Dios opera en ese sentido.

I LECTURA   Isaías 8:23—9:3

Lectura del libro del profeta Isaías

En otro tiempo el Señor **humilló**
　　al país de **Zabulón** y al país de **Neftalí**;
　　pero en el **futuro** llenará de **gloria** el camino del mar,
　　más allá del **Jordán**, en la región de los **paganos**.

El pueblo que caminaba en **tinieblas**
　　　vio una **gran luz**.
Sobre los que vivían en **tierra de sombras**,
　　una luz **resplandeció**.

Engrandeciste a tu **pueblo**
　　e hiciste **grande** su **alegría**.
Se gozan en tu **presencia** como gozan al **cosechar**,
　　como se **alegran** al repartirse el botín.

Porque tú **quebrantaste** su pesado yugo,
　　la barra que **oprimía** sus hombros
　　y el cetro de su **tirano**,
　　como en el día de **Madián**.

Cambia el discurso de indirecto a directo. El poeta le habla a Dios, como en una alabanza agradecida. Ese es el tono a adoptar.

I LECTURA El profeta anuncia un futuro luminoso frente a una realidad sombría, causada por la humillación de las dos tribus del norte mencionadas y asentadas en tierras galileas. Cayeron bajo la bota del imperio asirio que se expandía, quitándole dominio a Egipto. Las anexiones fueron un golpe terrible, trajeron un tiempo oscuro, porque los invasores despojaron a los pobladores de cosechas y de cuanto de valor tenían y hasta los hicieron botín de guerra para llevarlos al destierro, deportados. Aquello ocurrió en el 732 a. C., en la campaña de Teglatfalasar III. Judá debió

pagar un pesadísimo tributo para mantenerse en pie. En aquel horizonte sombrío, el profeta anuncia un futuro distinto.

El futuro anunciado es como una luz que surge por la misma ruta que alejó a sus hombres vigorosos y sus esperanzas. Era el famoso Camino del Mar por el que transitaban caravanas incontables y ejércitos poderosos entre Mesopotamia y Egipto. En Galilea, justamente, se bifurcaba para adentrarse hasta cruzar el Jordán y alargarse para alcanzar Damasco y más allá los pueblos del Oriente, Mesopotamia. Ahora, dice el profeta, los galileos van a celebrar una

fiesta en presencia de Dios, como al cosechar o al repartirse el botín de guerra. Aquí se corta la lectura litúrgica, pero la causa es el nacimiento de un niño. Ese nacimiento significa la ruptura del pesado yugo asirio. Parece una desproporción. Sin embargo, esa es la brizna de esperanza para sobrevivir. Ese futuro rey es la alegría del pueblo, su esperanza.

En medio de la pesadez que nos circunda, Dios siembra una esperanza pequeña, pero real y liberadora. Esa esperanza es capaz de romper cualquier yugo opresor, porque tiene el aliento de Dios. Esa luz es Cristo

Para meditar

SALMO RESPONSORIAL   Salmo 26:1, 4, 13–14

R. El Señor es mi luz y mi salvación.

El Señor es mi luz y mi salvación, ¿a quién
   temeré? El Señor es la defensa de mi
   vida, ¿quién me hará temblar? **R.**

Una cosa pido al Señor, eso buscaré: habitar
   en la casa del Señor por los días de
   mi vida; gozar de la dulzura del Señor
   contemplando su templo. **R.**

Espero gozar de la dicha del Señor en el
   país de la vida. Espera en el Señor,
   sé valiente, ten ánimo, espera en
   el Señor. **R.**

II LECTURA   1 Corintios 1:10–13, 17

Lectura de la primera carta del apóstol san Pablo a los corintios

El tono debe ser paternal, firme y cálido, no de represión ni autoritarismo.

Hermanos:
Los **exhorto**, en nombre de nuestro Señor **Jesucristo**,
   a que todos vivan en **concordia**
   y no haya **divisiones** entre ustedes,
   a que estén **perfectamente unidos**
      en un mismo **sentir** y en un mismo **pensar**.

Nota que el asunto a tratar es difícil, pero apóyate en la puntuación para dar el acento justo.

Me he enterado, **hermanos**,
   por algunos **servidores** de **Cloe**,
   de que hay **discordia** entre ustedes.
Les digo **esto**, porque **cada uno** de ustedes
   ha tomado partido, **diciendo**:
   "Yo soy de **Pablo**", "Yo de **Apolo**",
   "Yo de **Pedro**", "Yo de **Cristo**".
¿Acaso **Cristo** está dividido?
¿Es que Pablo fue **crucificado** por ustedes?
¿O han sido **bautizados** ustedes en nombre de **Pablo**?

Avanza sin bajar el tono. Dale un final elevado a la lectura, como anunciando un "continuará".

Por lo demás, no me envió Cristo a **bautizar**,
   sino a **predicar** el **Evangelio**,
   y eso, no con **sabiduría** de palabras,
   para no hacer **ineficaz** la **cruz** de **Cristo**.

Jesús, a quien fuimos unidos desde nuestro bautismo. Y esa luz nadie la puede apagar.

II LECTURA Pablo ha recibido en Éfeso, informaciones de problemas muy serios que desgarran la identidad cristiana de la Iglesia en Corinto; uno de ellos es el partidismo intraeclesial.

   Era lógico que los corintios sintieran simpatía por los evangelizadores que visitaban los grupos cristianos. Pablo insiste en que esos predicadores no son sino servidores del Evangelio y que no es de ellos

de donde deriva la redención; Cristo es el único redentor.

   Pablo deja ver quizá un motivo detrás del partidismo eclesial, en una especie de antítesis entre bautizar y predicar. Bautizar pudiera ser un quehacer que daba más prestigio o autoridad al que lo administraba. La visibilidad del evento público y la propia experiencia del bautizado creaban vínculos con el administrador. Pero lo sustancial no es el vínculo con el administrador, ni con el predicador. Se predica y se bautiza en nombre de Cristo Jesús, a quien queda unido el creyente. Más todavía, retuerce Pablo, es el

sentido de la cruz de Cristo lo que debe sellar la alianza del cristiano y nada más.

   Hoy en día, la cruz de Cristo parece diluida entre los propios predicadores cristianos, más afanados quizá en entretener o exponer brillantes o novedosas ideas. La cruz de Cristo es tan central a nuestra fe, que toda prédica y cualquier acción pastoral tiene en ella su medida. Solo la cruz de Cristo puede mantener la unidad de la comunidad cristiana; y todos y cada uno de sus miembros hemos de tomar parte.

Nota los muchos nombres que hay en los párrafos iniciales. Frasea con cuidado; a la asamblea le gusta poder identificar de qué se trata la narración.

Este par de líneas es crucial. Baja la velocidad y haz contacto visual al anunciar el núcleo de la prédica de Jesús.

Distingue la secuencia de las tres líneas que resumen el quehacer de Jesús y procura alargar la última.

EVANGELIO　Mateo 4:12–23

Lectura del santo Evangelio según san Mateo

Al enterarse **Jesús** de que **Juan** había sido **arrestado**,
　se retiró a **Galilea**, y dejando el pueblo de **Nazaret**,
　se fue a vivir a **Cafarnaúm**, junto al lago,
　en territorio de **Zabulón** y **Neftalí**,
　para que **así** se **cumpliera** lo que había
　　anunciado el profeta **Isaías**:

　*Tierra de **Zabulón** y **Neftalí**, camino del mar,*
　*al otro lado del **Jordán**, **Galilea** de los **paganos**.*
　*El pueblo que caminaba en **tinieblas** vio una **gran luz**.*
　*Sobre los que vivían en **tierra de sombras** una **luz** resplandeció.*

Desde entonces comenzó Jesús a **predicar**, diciendo:
　"**Conviértanse,** porque ya está **cerca** el **Reino** de los **cielos**".

Una vez que **Jesús** caminaba por la ribera del mar de **Galilea**,
　vio a dos hermanos, **Simón**, llamado después **Pedro**, y **Andrés**,
　los cuales estaban echando las **redes** al **mar**,
　porque eran **pescadores**.
Jesús les **dijo**:
　"**Síganme**
　y los haré **pescadores de hombres**".
Ellos **inmediatamente** dejaron las redes y lo **siguieron**.
Pasando **más adelante**, vio a **otros** dos hermanos,
　Santiago y **Juan**, hijos de **Zebedeo**,
　que estaban con su **padre** en la **barca**,
　remendando las redes, y los llamó **también**.
Ellos, dejando **enseguida** la barca y a su padre, lo **siguieron**.

Andaba por **toda** Galilea, **enseñando** en las **sinagogas**
　y proclamando la **buena nueva** del **Reino de Dios**
　y **curando** a la gente de **toda enfermedad** y **dolencia**.

Forma breve: Mateo 4:12–17

EVANGELIO La luz que anunciaba Isaías, san Mateo la mira en Jesús que se viene a vivir a Cafarnaum, un pueblo ribereño del lago de Galilea. Es una luz de esperanza para los habitantes de Galilea, a los que se les infunde esperanza. La luz mesiánica se va a ir propagando mediante la predicación de Jesús, que consiste en un anuncio simple: vivir delante de Dios.

El anuncio es recibido por unos pocos que deciden aprender a vivir como Jesús; se hacen discípulos suyos. Para ellos, el reinado de Dios se convierte en la prioridad de la vida. Jesús va a mostrarles cómo ese Reino de Dios halla asiento entre los hombres: curando toda enfermedad y dolencia. Los necesitados son primero. Así es como la humanidad experimenta la presencia de Dios. Junto con esto, viene la enseñanza que le da inteligencia o coherencia a lo que acontece.

El Reino de Dios es la medida de todo afán impulsado por los discípulos de Cristo, congregados en la Iglesia. Cada comunidad cristiana tiene que plantearse cómo hacer realidad el Reino de Dios en el barrio y en la ciudad. Hay que pedirlo continuamente al Padre nuestro, sí, para salir a las periferias, a los empobrecidos, a los enfermos y marginados, con el Evangelio entre las manos, como hizo Jesús; somos sus discípulos.

PRESENTACIÓN DEL SEÑOR

PRIMERA LECTURA   Malaquías 3:1–4

Lectura del libro del profeta Malaquías

Esto dice el Señor:
"He aquí que **yo envío** a mi mensajero.
Él preparará el camino delante de mí.
De improviso **entrará en el santuario** el Señor,
    a quien ustedes buscan,
    el **mensajero de la alianza** a quien ustedes desean.
Miren:
    Ya va entrando,
    dice el Señor de los ejércitos.

¿Quién **podrá soportar** el día de su venida?
¿Quién **quedará en pie** cuando aparezca?
Será como **fuego de fundición**,
    como la lejía de los lavanderos.
Se sentará como un **fundidor que refina** la plata;
    como a la plata y al oro,
    refinará a los hijos de Leví
    y así podrán ellos ofrecer, como es debido,
    las ofrendas al Señor.
Entonces agradará al Señor **la ofrenda** de Judá y de Jerusalén,
    como en los días pasados, como en los **años antiguos**".

Nota los momentos de la venida que se anuncia. Distingue el tono en tu proclamación.

Enfatiza el "Miren". Páusate al término de la línea. Luego respeta el tono de las preguntas.

El tono es duro, de purgación. Luego baja la velocidad poco a poco.

Las rúbricas del día prescriben hacer una procesión desde un sitio oportuno hasta el recinto donde será celebrada la misa. Los fieles se congregan en el lugar designado llevando velas en sus manos, que serán encendidas mientras se entona un canto adecuado e inicia la celebración. Luego se procede a la procesión. Los ministros litúrgicos, incluidos lectores y cantores, deberán tener esto en cuenta para proceder oportunamente.

I LECTURA Ya desde el siglo IV se celebraba esta fiesta llamada "Fiesta del Encuentro" en la tradición oriental y "Fiesta de la Presentación" en la tradición romana. El sentido de la fiesta es el encuentro o presentación oficial de Jesús ante su pueblo, simbolizado en la persona de Simeón. Se trata de un acto de abajamiento de Jesús porque se somete a la Ley de Moisés (Lev 12).

El libro de Malaquías recoge oráculos pronunciados en un ambiente de desánimo generalizado y de apatía religiosa, poco antes de la reforma de Esdras y Nehemías (años 480–430). El oráculo anuncia la llegada de un mensajero de Dios, anhelado por el pueblo, llegando al templo. Desde tiempos antiguos este oráculo se interpretó en línea mesiánica. El Mesías, en su entrada triunfal, realiza una labor de purificación de la decaída fe del pueblo. Los símbolos usados: fuego de fundidor, lejía de lavandero, son elementos que limpian y purifican. Las ofrendas del pueblo, que eran la expresión de un concepto de salvación ligado solamente al cumplimiento o incumplimiento de mandamientos externos, quedarán ahora redimidas como se refina el oro o la plata.

Este mensajero es Jesús, el mediador de la nueva alianza. Él ha transformado una

Para meditar

SALMO RESPONSORIAL   Salmo 24 (23):7, 8, 9, 10

R. (10b) El Señor Dios de los ejércitos; él es rey de la gloria.

¡Portones!, alcen los dinteles,
   que se alcen las antiguas compuertas:
   va a entrar el Rey de la gloria. **R.**

¿Quién ese Rey de la gloria?
   El Señor, Dios de los ejércitos.

Él es el Rey de la gloria. **R.**
   ¡Portones!, alcen los dinteles,
   que se alcen las antiguas compuertas:
   va a entrar el Rey de la gloria. **R.**

¿Quién ese Rey de la gloria?
   El Señor, Dios de los ejércitos.
   Él es el Rey de la gloria. **R.**

SEGUNDA LECTURA   Hebreos 2:14–18

Lectura de la carta a los hebreos

Hermanos:

Es un texto argumentativo. Subraya las frases de enlace y las que indican finalidad.

Todos los hijos de una familia tienen **la misma sangre**;
   por eso, Jesús quiso ser de **nuestra misma sangre**,
   para destruir con su muerte **al diablo**,
   que mediante **la muerte**, dominaba a los hombres,
   y para liberar a aquellos que, por temor **a la muerte**,
   vivían como **esclavos toda su vida**.

No aceleres. Vocaliza cada frase de esta sección.

Pues como bien saben,
Jesús **no vino a ayudar a los ángeles**,
   sino a los descendientes de Abraham;
   por eso tuvo que hacerse semejante **a sus hermanos en todo**,
   a fin de llegar a ser sumo sacerdote, **misericordioso con ellos
   y fiel en las relaciones** que median entre Dios y los hombres,
   y **expiar así los pecados** del pueblo.

Las dos frases finales deben sonar a conclusión.

Como él mismo fue probado por **medio del sufrimiento**,
   puede ahora ayudar a los que están **sometidos a la prueba**.

---

religión de cumplimiento externo y la ha convertido en una religión que brota del corazón y que puede convertir nuestra vida toda en una ofrenda agradable al Padre. La presentación del niño Jesús en el templo y su proclamación como gloria de Israel y luz de todas las naciones, nos introduce en el campo de una nueva alianza, inscrita no en piedra, sino en nuestros corazones.

II LECTURA En la Carta a los Hebreos, el autor quiere demostrar que Jesús cumple y lleva a plenitud las dos cualidades propias del ejercicio del sacerdocio:

ser digno de confianza ante Dios y, al mismo tiempo, llevar sobre sí las miserias de sus hermanos. El sacerdote es, por esto, un puente que une en su propia persona a Dios y a los seres humanos: por un lado, está acreditado delante de Dios, pero por el otro, puede ser compasivo con sus propios hermanos, pues comparte su debilidad.

La sección que leemos hoy se centra en la segunda cualidad del sacerdote: su identificación con sus hermanos y hermanas. Por eso el pasaje inicia subrayando que Jesús, a quien la carta llama "pionero de la salvación", compartió con los seres huma-

nos la misma carne y la misma sangre. Solamente así podía liberarlos de la esclavitud del pecado y del miedo a la muerte.

En relación con la fiesta de la Presentación del Señor, este texto nos remite al misterio de la encarnación del Señor, a su abajamiento a la condición humana (Filipenses 2:11–16). Jesús, el Hijo de Dios, se somete a las prescripciones de la legislación mosaica, no porque tuviera necesidad de hacerlo, sino como signo de su humildad. Al asumir a fondo nuestra naturaleza caída, Jesús se convierte en causa de nuestra salvación, en luz que nos muestra el camino al

EVANGELIO   Lucas 2:22–40

Lectura del santo Evangelio según san Lucas

Es un relato muy simple y bastante conocido. Deben destacar las referencias a las Escrituras.

Transcurrido el tiempo de la **purificación de María**, según la ley de Moisés,
ella y José llevaron **al niño a Jerusalén**
para **presentarlo al Señor**, de acuerdo con lo escrito en la ley:
Todo primogénito varón será **consagrado al Señor**,
y también **para ofrecer**, como dice la ley,
un par de tórtolas o dos pichones.

Inicia un hilo nuevo. Marca el nombre del protagonista cada vez que aparezca.

Vivía en Jerusalén un hombre **llamado Simeón**,
varón justo y temeroso de Dios, que **aguardaba el consuelo** de Israel;
en él **moraba el Espíritu Santo**, el cual le había revelado
que no moriría sin **haber visto antes** al Mesías del Señor.
Movido por el Espíritu, **fue al templo**,
y cuando José y María **entraban con el niño** Jesús
para cumplir con lo prescrito por la ley,
Simeón **lo tomó en brazos** y bendijo a Dios, diciendo:

Esta es una auténtica oración. Dale esa tonalidad.

Infunde solemnidad a las palabras proféticas de Simeón.

"Señor, ya puedes dejar **morir en paz** a tu siervo,
según lo que **me habías prometido**,
porque **mis ojos han visto** a tu Salvador,
al que has **preparado para bien de todos** los pueblos;
luz que alumbra a las naciones
y gloria de tu pueblo, Israel".

Enfatiza ese hilo que la profetisa Ana va a desarrollar.

El padre y la madre del niño **estaban admirados** de semejantes palabras.
Simeón los bendijo, y a María, la madre de Jesús, le anunció:
"Este niño ha sido puesto **para ruina y resurgimiento** de muchos en Israel,

---

Padre y en promesa y garantía de lo que nosotros podemos llegar a alcanzar si caminamos por sus mismas sendas. Discípulos de Aquél que es la luz de las naciones, estamos llamados también nosotros a ser luz para nuestros hermanos, misioneros del evangelio, anunciadores de un mundo nuevo.

EVANGELIO Celebramos la Presentación de Jesús en el templo, que en términos bíblicos se hace como un rito que implica dos sacrificios, uno por la purificación de la parturienta y otro como rescate del primogénito (ver Éxodo 13:2, 12, 15).

San Lucas tiene especial cuidado en señalar que los padres de Jesús, María y José, cumplen todas las estipulaciones de la Ley mosaica. En su peregrinación al templo, ellos se encuentran con dos ancianos, que son figuras proféticas. Simeón, es como el representante de la esperanza de Israel que aguarda el consuelo del pueblo, la llegada del Mesías. La imagen es conmovedora. Con el Niño en brazos, Simeón pronuncia unas palabras que dejan ver que la espera del Mesías está colmada. Igualmente habla de lo que el Niño significa para las naciones, para Israel y para su propia madre.

El Niño, en palabras de Simeón, es la luz de las naciones y gloria de Israel, a tono con las profecías de Isaías. Esta condición luminosa implica la salvación de Dios mediante un liderazgo universal bajo su ley (ver Isaías 9:1). La luz no es otra que el ejercicio del derecho y de la justicia divina en favor de los pobres y marginados.

Esta salvación no se alcanzará sin un costo para el propio Israel. El Niño será signo de contradicción y piedra de tropiezo para muchos. La vía por la que Dios llevará a cabo su designio de salud, no es una clamorosa en la que todos aplauden, sino una

Alarga la pausa del punto. Luego termina con tono elevado, como si la proclamación fuera a proseguir.

como **signo que provocará contradicción**,
para que **queden al descubierto los pensamientos** de todos
    los corazones.
Y a ti, una espada **te atravesará** el alma".

Había también **una profetisa**, Ana, hija de Fanuel, de la tribu de
    Aser.
Era una mujer **muy anciana**.
De joven, había vivido siete años casada
    y tenía ya ochenta y cuatro años de edad.
No se apartaba del **templo ni de día ni de noche**,
    sirviendo a Dios con ayunos y oraciones.
Ana se acercó en aquel momento, **dando gracias a Dios**
    y hablando del niño a todos los que aguardaban **la liberación**
        de Israel.

Y cuando cumplieron **todo lo que prescribía** la ley del Señor,
    se volvieron a Galilea, a su ciudad **de Nazaret**.
El niño iba **creciendo** y fortaleciéndose,
    se llenaba de **sabiduría** y la **gracia de Dios** estaba con él.

Forma breve: Lucas 2:22–32

que implica un discernimiento profundo de los eventos mesiánicos. Para su madre, igualmente, el Niño representará un sufrimiento inconmensurable. La ruta mesiánica está trazada.

Ana, mujer con una vida de piedad perfecta (setenta y siete años de soltería y siete de casada), viuda y anciana, se inserta en la línea de las profetisas de Israel, como Débora y Julda. Mira en Jesús al liberador del pueblo. La gente movida por el Espíritu de Dios no puede sino reconocer al Mesías.

V DOMINGO ORDINARIO

I LECTURA Isaías 58:7–10

Lectura del libro del profeta Isaías

Esto dice el **Señor**:
  "**Comparte** tu **pan** con el **hambriento**,
  abre tu **casa** al **pobre sin techo**,
  viste al **desnudo**
  y no des la **espalda** a tu **propio hermano**.

Entonces **surgirá** tu luz como la **aurora**
  y **cicatrizarán** de prisa tus heridas;
  te **abrirá** camino la **justicia**
  y la **gloria del Señor** cerrará tu **marcha**.

Entonces clamarás al **Señor** y él te **responderá**;
  lo llamarás, y él **te dirá**: 'Aquí **estoy**'.

Cuando renuncies a **oprimir** a los demás
  y **destierres** de ti el gesto **amenazador**
  y la palabra **ofensiva**;
  cuando **compartas** tu pan con el **hambriento**
  y **sacies** la necesidad del **humillado**,
  brillará tu luz en las tinieblas
  y tu oscuridad **será** como el mediodía".

El tono debe ser solemne: subraya los verbos "comparte", "abre", "viste".

Ten presente en éste y el último párrafo, la mención de la luz, que conecta esta lectura con el evangelio.

La opresión termina cuando sometemos al opresor que llevamos dentro. Lee pausadamente las acciones que nos convierten en luz.

I LECTURA   Los capítulos 56–66 de Isaías son una colección de oráculos heterogéneos, de autores posteriores a Isaías, pero marcados por los temas y el estilo de su maestro. El capítulo 58 tiene como tema el ayuno agradable al Señor. El autor pone en evidencia la tensión que existe entre la celebración de actos de culto y la práctica de la justicia social. Ante el desencanto que provocó la vuelta del destierro, el profeta conmina al pueblo a no escudarse en el cumplimiento externo de actos de piedad, sino a redefinir lo que "le agrada" a Dios.

Al hacerlo, el profeta denuncia las condiciones de la religión judía del momento y pone el dedo en la llaga de una de las mayores tentaciones de todo tipo de religión: al abandono de las obras de misericordia y su sustitución por un culto desencarnado.

La Ley de Moisés prescribía solamente un ayuno obligatorio al año (Levítico 23:26–32), pero hubo grupos específicos que extendieron esta práctica a distintos días del año. Recordemos que en la parábola del fariseo y el publicano (Lucas 18:9–14), el fariseo menciona que ayunaba "dos veces por semana".

Destaca en nuestro pasaje la comparación de la luz. El amor es luminoso. La práctica de la justicia y la misericordia, hace del creyente una lámpara que ilumina en medio de la oscuridad. Miremos con atención que el texto no reprueba los actos de piedad en sí mismos. Por el contrario: el ayuno adquiere su pleno sentido cuando se convierte en servicio a los desamparados. Es necesario que las obras de piedad sean interiorizadas y conectadas con el aspecto social de nuestra vida de creyentes.

Para meditar

SALMO RESPONSORIAL Salmo 111:4–5, 6–7, 8a y 9

R. El justo brilla en las tinieblas como una luz.

En las tinieblas brilla como una luz el que es justo, clemente y compasivo. Dichoso el que se apiada y presta y administra rectamente sus asuntos. **R.**

El justo jamás vacilará, su recuerdo será perpetuo. No temerá las malas noticias, su corazón está firme en el Señor. **R.**

Su corazón está seguro, sin temor, reparte limosna a los pobres, su caridad es constante, sin falta, y alzará la frente con dignidad. **R.**

II LECTURA   1 Corintios 2:1–5

Lectura de la primera carta del apóstol san Pablo a los corintios

Hermanos:
Cuando **llegué** a la ciudad de ustedes
     para **anunciarles** el Evangelio,
   no busqué hacerlo mediante la **elocuencia** del lenguaje
     o la **sabiduría humana**,
   sino que **resolví** no hablarles sino de **Jesucristo**,
   más aún, de Jesucristo **crucificado**.

Me presenté ante ustedes **débil** y **temblando de miedo**.
Cuando les **hablé** y les **prediqué** el Evangelio,
   no quise convencerlos con palabras de hombre sabio;
   al contrario, los **convencí** por medio del **Espíritu**
     y del **poder de Dios**,
   a fin de que la fe de ustedes **dependiera** del **poder** de **Dios**
   y **no** de la sabiduría de los **hombres**.

Remarca el contraste entre la sabiduría humana y la sabiduría de Dios. Lee lentamente la última frase del párrafo.

La primera y la última frase del párrafo han de ser proclamadas con fuerza para subrayar que la fe depende de Dios y no de los hombres.

II LECTURA Hechos de los Apóstoles (17:16–34) nos cuenta el momento en que Pablo llegó a Atenas. En su proyecto evangelizador, llegar a Atenas significaba culminar el plan previsto por el Espíritu Santo: desde Jerusalén, Judea y Samaría, llegar hasta los confines de la tierra (Hechos 1:8). Atenas era uno de esos confines. Pablo preparó admirablemente su predicación en el areópago, investigó sobre las costumbres griegas, leyó a sus poetas y pronunció un discurso admirable (vv. 22–31). El resultado, sin embargo, fue muy pobre: al oír hablar de la resurrección de los muertos,

la gente ya no quiso escucharlo. Hechos apenas si menciona un puñado de personas, entre ellas Dionisio y Damaris, que se adhirieron a Pablo. Su visita a Atenas había sido un rotundo fracaso.

Saliendo de Atenas, Pablo va a Corinto (Hechos 18:1). Así comprendemos el fragmento que hoy escuchamos: Pablo llega a Corinto humilde y consciente de su debilidad. Después de Atenas ya sabe que la tarea de tocar los corazones no la realiza el predicador, sino que es obra de Dios. Confiar demasiado en los medios y la preparación del predicador, nubla la acción de la gracia.

Pablo presenta una paradoja: la sabiduría de Dios se manifiesta en Cristo crucificado. Nada más desconcertante: no es por el prestigio del conocimiento que Dios realiza la salvación, sino por la entrega generosa de Jesucristo a los pobres y marginados, lo que le vale su ejecución violenta. La sabiduría de Dios no es equivalente a la sabiduría del mundo. El anuncio del evangelio no es la propagación de una doctrina, sino la transmisión de una experiencia.

EVANGELIO El corolario de las bienaventuranzas son estas compa-

EVANGELIO   Mateo 5:13–16

Lectura del santo Evangelio según san Mateo

En **aquel** tiempo, Jesús dijo a sus **discípulos**:
"Ustedes son la **sal de la tierra**.
Si la sal se vuelve **insípida**, ¿con qué se le devolverá el **sabor**?
Ya no sirve para **nada** y se **tira** a la calle para que la pise la gente.

Ustedes son la **luz del mundo**.
No se puede **ocultar** una ciudad construida
    en **lo alto** de un monte;
    y cuando se **enciende** una vela,
    no se esconde **debajo** de una olla,
    sino que se pone sobre un **candelero**,
    para que **alumbre** a **todos** los de la casa.

Que de **igual** manera **brille** la luz de ustedes ante los hombres,
    para que viendo las **buenas obras** que ustedes hacen,
    den **gloria** a su **Padre**, que está en los cielos".

Vas a anunciar las mismas palabras de Cristo. Siente como si tu proclamación fuera la de Jesús mismo dirigiéndose a la asamblea.

Refuerza estas palabras, dirigidas a estimular el testimonio de los cristianos.

La palabra *ustedes* se menciona dos veces en el párrafo. Dirige la mirada a la asamblea cuando las pronuncies

---

raciones: los discípulos son sal, luz, lámpara. Sal que da sabor y que preserva de la corrupción; luz que ilumina y muestra el camino; lámpara que protege y difunde la luz. Los discípulos tienen aquí una referencia al testimonio que deben ofrecer ante el mundo.

Sal y luz tienen, sin embargo, claras limitaciones. La sal puede perder el sabor y la luz puede ponerse bajo una olla. Su efecto queda así neutralizado. Jesús quiere advertir a los discípulos acerca de los riesgos de la misión evangelizadora. Vivir según el espíritu de las bienaventuran-

zas implica un testimonio claro y socialmente perceptible.

La ciudad puesta en lo alto de un monte y la lámpara que cuelga en la sala para que todos gocen de su luz significa que el discípulo deberá brillar. No es el camino del Maestro un camino de perfección individual, ni predicó Jesús el aislamiento de los puros frente a los pecadores. La senda de Jesús pasa por la construcción de una comunidad fraterna, una familia de hermanos y hermanas.

La dimensión social del evangelio es un ingrediente indispensable de nuestro segui-

miento de Jesús. Es la oportunidad para que el mundo caiga en la cuenta que se puede vivir de otra manera, bajo otros criterios que no sean los del lucro, del consumo y del abuso sobre los otros, sino los del amor, la justicia y la fraternidad. La iglesia está llamada a ofrecer ese testimonio social y público. Sin ello, no es más que un club social o una religión desencarnada. Sí, la iglesia está llamada a ser signo de ese otro mundo posible con el que todos soñamos.

VI DOMINGO ORDINARIO

La lectura está dirigida en segunda persona. No te olvides de fijar los ojos en la asamblea en algunos momentos, para que se sienta interpelada.

I LECTURA   Eclesiástico 15:16–21

Lectura del libro del Eclesiástico (Sirácide)

Si tú lo **quieres**, puedes guardar los **mandamientos**;
    permanecer **fiel** a ellos es cosa **tuya**.
El **Señor** ha puesto delante de ti **fuego** y **agua**;
    extiende la **mano** a lo que **quieras**.
Delante del **hombre** están la **muerte** y la **vida**;
    le será dado lo que él **escoja**.

Es **infinita** la **sabiduría** del **Señor**;
    es **inmenso** su **poder** y él lo ve **todo**.
Los **ojos** del **Señor** ven con **agrado**
    a quienes lo **temen**;
    el **Señor** conoce a **todas** las **obras** del **hombre**.
A **nadie** le ha **mandado** ser **impío**
    y a **nadie** le ha dado **permiso** de **pecar**.

La predilección de Dios por quienes cumplen su voluntad queda aquí expresada. Lee el párrafo con convencimiento.

Para meditar

SALMO RESPONSORIAL   Salmo 118:1–2, 4–5, 17–18, 33–34
R. Dichosos los que caminan en la voluntad del Señor.

Dichoso el que con vida intachable camina
    en la voluntad del Señor; dichoso el que
    guardando sus preceptos lo busca de
    todo corazón. **R.**

Tú promulgas tus decretos para que se
    observen exactamente; ¡ojalá esté firme
    mi camino para cumplir tus consignas!
    R.

Haz bien a tu siervo: viviré y cumpliré tus
    palabras; ábreme los ojos y contemplaré
    las maravillas de tu voluntad. **R.**

Muéstrame, Señor, el camino de tus leyes
    y lo seguiré puntualmente; enséñame
    a cumplir tu voluntad y a guardarla de
    todo corazón. **R.**

I LECTURA El libro de Ben Sirá fue un libro muy leído por la iglesia antigua. Aunque los judíos no lo admitieron en su lista oficial, porque solamente se conservaba en traducción griega y el original hebreo se había perdido; los cristianos, en cambio, lo recibieron y lo leyeron con mucha frecuencia. De ahí que terminara por ser conocido bajo el nombre de Eclesiástico. Es un ejemplo acabado de la sabiduría profesional. En el prólogo griego, el traductor advierte que Jesús Ben Sirá se dedicaba de tiempo completo al estudio de la sabiduría.

El libro siempre aborda los problemas desde varios puntos de vista. Sabe que las cosas nunca son en blanco y negro. En el pasaje que escuchamos, arrancado de la unidad 15:11–20, el autor pregunta por el origen del pecado… ¿lo inventó Dios o lo hicimos nosotros? El autor expresa una objeción que proclama que es Dios quien lo ha incitado al mal: "Es él quien me ha extraviado" (15:12). Enseguida, el maestro va a desarrollar una exposición en la que defiende la libertad humana y el libre albedrío frente a la pretensión de echarle la culpa a Dios de nuestras caídas.

La capacidad de decidir es, quizá, el mayor don recibido por el ser humano. Pero también su mayor riesgo. Del correcto uso de la libertad dependerá en gran medida nuestra felicidad o infelicidad. El ejercicio de la libertad tiene consecuencias. Por eso debe reconocerse que, aunque libre, el ser humano no es señor absoluto de su vida. Dios ha manifestado su voluntad y en su Palabra encontramos una ayuda en el camino de nuestra realización. Dios conoce la intimidad del ser humano y lo quiere en el camino de la felicidad.

II LECTURA   1 Corintios 2:6–10

Lectura de la primera carta del apóstol san Pablo a los corintios

Hermanos:
Es **cierto** que a los **adultos** en la fe les predicamos la **sabiduría**,
    pero no la sabiduría de este **mundo**
     ni la de aquellos que **dominan al mundo**,
     los cuales van a quedar **aniquilados**.
Por el contrario, predicamos una sabiduría **divina**, **misteriosa**,
    que ha permanecido **oculta**
    y que fue **prevista** por **Dios** desde antes de los **siglos**,
    para conducirnos a la **gloria**.
Ninguno de los que **dominan** este mundo la **conoció**,
    porque, de haberla **conocido**, nunca hubieran **crucificado**
     al **Señor** de la **gloria**.

Pero lo que **nosotros** predicamos es, como dice la **Escritura**,
    que *lo que Dios ha preparado para los que lo aman,*
    ni el ojo lo ha visto, ni el oído l o ha escuchado,
    ni la mente del hombre pudo siquiera haberlo imaginado.
A nosotros, **en cambio**, Dios nos lo ha **revelado**
    por el **Espíritu** que conoce **perfectamente** todo,
    hasta lo más **profundo** de **Dios**.

El pasaje es complejo. Haz una lectura pausada y va leyendo línea por línea, respetando los signos de puntuación.

Remarca la denominación "El Señor de la Gloria". Es una proclamación de la divinidad de Jesús.

La gratitud a Dios por habernos revelado su plan de salvación debe resonar en las tres últimas líneas del pasaje.

II LECTURA Pablo subraya el tipo de sabiduría de la cual es portador: no la sabiduría de los que mandan en este mundo, sino otra sabiduría venida de Dios. Esta sabiduría es misteriosa, no en el sentido de que no pueda ser conocida, sino una vía que nos conduce al conocimiento del misterio, es decir, el designio de Dios realizado en la vida de Jesús, entregada por hacer el bien y en su muerte y resurrección. Por eso dice que la finalidad de esa sabiduría es conducirnos a todos a la gloria.

Los corintios conforman una comunidad que Pablo pondera como madura en la fe, adultos en el conocimiento de Cristo. No sabemos si la denominación de "adultos en la fe" está dicha como alabanza o encierra, además, una cierta ironía, como si los corintios se dieran por maduros y no lo fueran aún. Lo cierto es que desconocer o no aceptar la sabiduría de Dios manifestada en Jesús fue el error grave que derivó en su ajusticiamiento. Los príncipes de este mundo a los que se refiere el texto son, sí, las autoridades religiosas y políticas que se confabularon contra Jesús y su proyecto de vida, pero son también un signo de cómo actúan las fuerzas del mal.

Los discípulos de Jesús, a diferencia de quienes no lo reconocieron y terminaron matándolo, sí han aceptado la sabiduría del evangelio. Y esto, porque han recibido esta revelación gracias al Espíritu Santo que han recibido. Sobrecoge escuchar a Pablo afirmando que los cristianos hemos penetrado un misterio escondido desde todos los siglos: hacer de toda la humanidad un solo pueblo de hermanos y de hermanas.

¡Qué grande responsabilidad la de quienes hemos conocido al Señor! La fuerza del Espíritu nos compromete a profundizar siempre en su evangelio y a convertirnos en

El evangelio inicia con el anuncio de una nueva justicia. Proclama esta primera frase con solemnidad.

La llamada a librarnos de enojos y rencores está dirigida a nosotros. Dirige tu mirada a la asamblea mientras la lees.

La conclusión del pasaje sintetiza su mensaje y nos invitan a darle valor a la palabra. Lee las últimas dos líneas lentamente.

EVANGELIO   Mateo 5:17–37

Lectura del santo Evangelio según san Mateo

En aquel tiempo, Jesús dijo a sus discípulos:
"No crean que he venido a abolir la ley o los profetas;
no he venido a abolirlos, sino a darles plenitud.
Yo les aseguro que antes se acabarán el cielo y la tierra,
que deje de cumplirse hasta la más pequeña letra
o coma de la ley.
Por lo tanto, el que quebrante uno de estos preceptos menores
y enseñe eso a los hombres,
será el menor en el Reino de los cielos;
pero el que los cumpla y los enseñe,
será grande en el Reino de los cielos.
Les aseguro que si su justicia no es mayor
que la de los escribas y fariseos,
ciertamente no entrarán ustedes en el Reino de los cielos.

Han oído que se dijo a los antiguos:
No matarás y el que mate será llevado ante el tribunal.
Pero yo les digo:
Todo el que se enoje con su hermano,
será llevado también ante el tribunal;
el que insulte a su hermano,
será llevado ante el tribunal supremo,
y el que lo desprecie,
será llevado al fuego del lugar de castigo.

Por lo tanto, si cuando vas a poner tu ofrenda sobre el altar,
te acuerdas allí mismo de que tu hermano tiene alguna queja
contra ti,
deja tu ofrenda junto al altar
y ve primero a reconciliarte con tu hermano,
y vuelve luego a presentar tu ofrenda.

---

transmisores de la sabiduría divina que hemos recibido.

EVANGELIO Continuamos con el hilo del Evangelio de san Mateo. Si miramos hacia atrás, ya en el cuadro del bautismo de Jesús a manos de Juan, Jesús declaró que vino para "cumplir toda justicia". Esa justicia no se entiende con sentido justiciero, sino como el establecimiento del derecho de Dios en medio de su pueblo, un pueblo ansioso de renovación. Por eso, Jesús se aboca a llamar junto a sí a un grupo de doce discípulos, como un símbolo del

nuevo pueblo de Dios donde rige esa justicia. Es una justicia que beneficia a los más desfavorecidos, a aquellos que eran imputados de impuros y vivían excluidos. Por esa razón, Jesús va a sanar a todos los enfermos y a curar a los endemoniados. Esto es fundamental para comprender el mensaje profundamente transformador que las palabras del Sermón de la Montaña implican.

El sermón de la montaña plantea un nuevo orden, un modo nuevo de relacionarnos con Dios y con los hermanos, un nuevo espíritu o, en palabras de Mateo, una nueva justicia.

La mecánica de Jesús consiste en mencionar el mandamiento de la Ley de Moisés y profundizar en su significado. No se trata de la destrucción de la Ley antigua, sino de mostrar las exigencias de fondo, la potencialidad a la que apuntan ya los mandamientos. Es una reinterpretación de la Ley mosaica.

Nuestro pasaje alude a tres mandamientos: la prohibición del homicidio, del adulterio y los juramentos. Jesús va a la raíz del problema y apunta hacia un nuevo modo de actuar. El mandamiento antiguo se interioriza y toca las fibras más hondas de la

Arréglate pronto con tu adversario,
   mientras vas con él por el camino;
   no sea que te entregue al juez,
   el juez al policía
   y te metan a la cárcel.
Te aseguro que no saldrás de allí hasta que hayas pagado el
   último centavo.

También han oído que se dijo a los antiguos:
   No cometerás adulterio.
Pero yo les digo que quien mire con malos deseos a una mujer,
   ya cometió adulterio con ella en su corazón.
Por eso, si tu ojo derecho es para ti ocasión de pecado,
   arráncatelo y tíralo lejos,
   porque más te vale perder una parte de tu cuerpo
   y no que todo él sea arrojado al lugar de castigo.
Y si tu mano derecha es para ti ocasión de pecado,
   córtatela y arrójala lejos de ti,
   porque más te vale perder una parte de tu cuerpo
   y no que todo él sea arrojado al lugar de castigo.

También se dijo antes:
   El que se divorcie,
   que le dé a su mujer un certificado de divorcio;
   pero yo les digo que el que se divorcia,
   salvo el caso de que vivan en unión ilegítima,
   expone a su mujer al adulterio,
   y el que se casa con una divorciada comete adulterio.

Han oído que se dijo a los antiguos:
   No jurarás en falso
   y le cumplirás al Señor
      lo que le hayas prometido con juramento.
Pero yo les digo:
   No juren de ninguna manera,
      ni por el cielo,
      que es el trono de Dios;

persona. No se trata solamente de no matar: el discípulo deberá evitar toda palabra ofensiva, todo enojo y mal sentimiento que conduzca o pueda desembocar en violencia. La violencia que genera el asesinato comienza a gestarse en estos sentimientos negativos que se albergan en el corazón.

Tampoco es suficiente no cometer adulterio: es preciso desterrar del corazón los deseos por alguien distinto al propio cónyuge. La exigencia de Jesús implica que aquellos que comparten sus vidas amen de tal manera que no les quede espacio en el corazón, en ese mismo nivel de afecto, para

otras personas. Finalmente, Jesús se niega a clasificar los juramentos y los perjurios. Entre los cristianos deberá instalarse la sinceridad plena, de tal manera que los juramentos resulten inútiles y la palabra recupere su valor sin tener que encontrar un elemento externo que la garantice.

Miremos esto desde otro ángulo: vivimos una inundación de palabras. Hay tantas palabras escritas, habladas, transmitidas por todos los medios y hasta en forma de imágenes, que la palabra ha sufrido una auténtica devaluación. Hemos incluso perdido el sentido de la verdad, porque unas pala-

bras buscan destruir otras, o sobreponerse a las ya pronunciadas o escritas. Hay un encarnizado afán de cada individuo por tener palabras propias y que sean reconocidas por los demás. "Encontrar su propia voz" parece ser el reto de la gente que no quiere ser como las demás. Muchas veces, esa voz se hace oír al precio de ahogar otras. Hay una verdadera guerra de palabras. Por eso, el mundo parece que se ha venido a inundar de palabras "nuevas" o que gritan supuestas novedades. En medio de esa estridencia creciente, la palabra de un creyente particular parece no contar, porque apenas si

ni por la tierra,
porque es donde él pone los pies;
ni por Jerusalén,
que es la ciudad del gran Rey.

Tampoco jures por tu cabeza,
porque no puedes hacer blanco o negro uno solo de tus
cabellos.
Digan simplemente sí,
cuando es sí;
y no,
cuando es no.
Lo que se diga de más,
viene del maligno".

Forma breve: Mateo 5:20–22, 27–28, 33–37

consigue articularla y difícilmente trae algo novedoso. Con todo, lo que Jesús exige es que la palabra de su discípulo sea absolutamente confiable, que no engañe a nadie con ella. La palabra que no está respaldada, que no es auténtica o fidedigna termina dañando a la comunidad, tanto como la dañan el homicidio, la ofensa al prójimo, el adulterio, el repudio o los falsos votos.

La comunidad discipular se funda en la confianza, pero si se quebranta o rompe una vez, jamás se recupera. Nada puede conferirle verdad a la palabra, si no la posee. Usar el nombre de Dios para darle fuerza a la palabra implica una osadía en la que Jesús nos previene de cometer, pues somos criaturas que no disponen ni de su propio cabello. El ser fidedignos corresponde a cada persona en relación con las demás; por esto, se hace indispensable la prudencia y el tacto al momento de pronunciar las palabras que no queremos que hieran a nadie, sino que construyan la solidaridad y la unidad fraterna, sí, pero también con Dios. La palabra lisa del discípulo es el verdadero bastión de la vida comunitaria, tal como el Sermón del Monte nos la propone.

VII DOMINGO ORDINARIO

I LECTURA Levítico 19:1–2, 17–18

Lectura del libro del Levítico

Prepara la tercera línea porque de ella pende el resto de la lectura.

En aquellos días, dijo el **Señor** a **Moisés:**
  "**Habla** a la **asamblea** de los **hijos de Israel** y **diles:**
  'Sean **santos**, porque **yo**, el **Señor**, soy **santo**.

Acentúa las frases positivas, y alarga la línea final.

No **odies** a tu **hermano** ni en lo **secreto** de tu **corazón.**
Trata de **corregirlo,** para que no cargues **tú** con su **pecado.**
No te **vengues** ni guardes **rencor** a los **hijos** de tu **pueblo.**
Ama a tu **prójimo** como a ti mismo. Yo soy el **Señor**' ".

Para meditar

SALMO RESPONSORIAL Salmo 102:1–2, 3–4, 8 y 10, 12–13
R. El Señor es compasivo y misericordioso.

Bendice, alma mía, al Señor, y todo mi ser a su santo nombre. Bendice, alma mía, al Señor, y no olvides sus beneficios. **R.**

Él perdona todas tus culpas, y cura todas tus enfermedades; él rescata tu vida de la fosa y te colma de gracia y de ternura. **R.**

El Señor es compasivo y misericordioso, lento a la ira y rico en clemencia. No nos trata como merecen nuestros pecados ni nos paga según nuestras culpas. **R.**

Como dista el oriente del ocaso, así aleja de nosotros nuestros delitos; como un padre siente ternura por sus hijos, siente el Señor ternura por sus fieles. **R.**

I LECTURA El libro del Levítico es el corazón de la Torah o Pentateuco; es el libro de la santidad. Los primeros dos libros, el Génesis y el Éxodo cuentan la historia de los orígenes del mundo y del pueblo elegido. La historia no es lineal, porque la maldad se apoderó del corazón humano y la violencia amenazaba con extirpar toda vida. Dios sofocó la maldad creciente y selló con Noé, una alianza por la vida pacífica. Por su parte, el pueblo también se vio al borde de perecer y casi se extingue en la esclavitud. Pero Dios lo liberó para sellar la alianza de santidad en el Sinaí,

santidad personificada en la edificación de un santuario. Números y Deuteronomio miran hacia los eventos fundadores del pueblo para asentar las instituciones que garantizan la santidad de vida de todos los israelitas. El Levítico, el tercero de los cinco libros, muestra cómo se ha de realizar esa santidad que dimana del santuario a todos los ámbitos de la vida. De la santidad cotidiana tratan precisamente los preceptos de los capítulos 18 a 20 del libro.

Dos notas del precepto de santidad destacan en la lectura entresacada del capítulo 19; son dos caras de la misma moneda. Una consiste en desterrar toda animadversión y violencia del corazón del fiel en todos los participantes de la misma alianza, lo que los hace pueblo de Dios. La otra es la corrección fraterna que evita males mayores a todos. Ambas notas son fruto del amor al prójimo, prescrito por el Dios santo. Así nos muestra la liturgia que, por el amor y la vida pacífica, pasa la santidad del Dios único y verdadero. Jesús ampliará este precepto de manera notable.

II LECTURA San Pablo confronta el divisionismo que impera en la

Nota dónde termina la interrogación para que la acentúes correctamente. Eleva la voz al final. Marca la pausa previa al segundo parágrafo.

No precipites la lectura. Mantén el ritmo marcado en la puntuación.

En las tres primeras líneas, eleva el tono y acelera el ritmo de lectura, como en un arrebato, luego baja el ritmo para la frase final.

II LECTURA   1 Corintios 3:16–23

Lectura de la primera carta del apóstol san Pablo a los corintios

Hermanos:
¿No saben **ustedes** que son el **templo** de **Dios**
    y que el **Espíritu** de Dios **habita** en **ustedes**?
Quien **destruye** el **templo** de **Dios**, será **destruido** por **Dios**,
    porque el **templo** de **Dios** es **santo** y **ustedes** son ese **templo**.

Que **nadie** se **engañe**:
    si **alguno** de ustedes se tiene a sí mismo por **sabio** según
        los **criterios** de este **mundo**,
    que se haga **ignorante** para llegar a ser **verdaderamente sabio**.
Porque la **sabiduría** de este mundo es **ignorancia** de **Dios**, como
        dice la **Escritura**:
    Dios hace que los sabios caigan en la trampa
        de su propia astucia.
También dice:
    El Señor conoce los pensamientos de los sabios y los tiene
        por vanos.

Así pues, que **nadie** se **gloríe** de **pertenecer** a ningún **hombre**,
    ya que **todo** les pertenece a **ustedes**:
    Pablo, Apolo y **Pedro**, el **mundo**, la **vida** y la **muerte**,
    lo **presente** y lo **futuro**: **todo** es de **ustedes**;
    ustedes son de **Cristo**, y **Cristo** es de **Dios**.

---

comunidad cristiana de Corinto. Los miembros de la comunidad han perdido de vista su identidad fundamental, y se adhieren a caudillismos o liderazgos que ponen en riesgo su integridad y hasta su existencia misma. Podemos observar dos ingredientes palpitantes en este trozo del discurso paulino.

Recordemos que el mundo grecorromano enaltecía la retórica de maestros, filósofos y predicadores. Ellos habían hecho campaña también en Corinto, y por eso Pablo reacciona. Las palabras de Pablo obligan a mirar la propia dignidad cristiana que

ha sido adquirida en el bautismo. El bautizado es templo de Dios y habitación del Espíritu Santo, afirma el Apóstol. Esto se echa por la borda cuando se abdica el propio discernimiento para abrazar una sabiduría o retórica que llena los oídos del creyente, y acaba sustituyendo al Espíritu de Dios. Ese es el peligro que los bautizados deben erradicar.

El segundo elemento deriva también de la condición bautismal. El bautizado pertenece a Cristo y a Dios, a nadie más. Al aceptar el Evangelio de Cristo Jesús ha aceptado también su señorío; este es

el sentido del bautismo cristiano. No es algo transitorio ni pasajero, sino una marca que se lleva de por vida. Esa pertenencia absoluta no admite división ni partes. La integridad de la vida del creyente le pertenece a uno solo, por eso el partidismo en la comunidad cristiana no tiene ningún sentido ni función.

EVANGELIO Proseguimos con la lectura del Discurso del Monte que se extiende por los capítulos 5, 6 y 7 del evangelio de san Mateo. En él, Jesús anuncia los criterios del reino, para que sus dis-

EVANGELIO   Mateo 5:38–48

Lectura del santo Evangelio según san Mateo

En aquel tiempo, **Jesús** dijo a sus **discípulos**:
  "**Ustedes** han oído que se dijo: *Ojo por ojo, diente por diente*;
  pero **yo** les digo que no hagan **resistencia** al hombre **malo**.
Si alguno te **golpea** en la mejilla **derecha**, preséntale **también**
    la **izquierda**;
  al que te quiera **demandar** en **juicio** para **quitarte** la **túnica**,
  cédele también el **manto**.
Si alguno te **obliga** a caminar **mil** pasos en su servicio,
  camina con él **dos mil**.
Al que te **pide, dale**;
  y al que **quiere** que le **prestes**,
  no le **vuelvas** la **espalda**.

Han oído **ustedes** que se dijo: *Ama a tu prójimo*
    y odia a tu enemigo;
  yo, **en cambio**, les digo:
  Amen a sus **enemigos**, hagan el **bien** a los que los **odian**
  y **rueguen** por los que los **persiguen** y **calumnian**,
  para que sean **hijos** de su **Padre** celestial,
  que hace **salir** su **sol** sobre los **buenos** y los **malos**,
  y **manda** su **lluvia** sobre los **justos** y los **injustos**.

Porque si **ustedes** aman a los que los aman, ¿qué
    recompensa merecen?
¿No hacen **eso** mismo los **publicanos**?
Y si saludan tan **sólo** a sus **hermanos**,
    ¿qué hacen de **extraordinario**?
¿No hacen **eso** mismo los **paganos**?
Ustedes, pues, sean **perfectos**,
    como su **Padre** celestial es **perfecto**".

Con firmeza y reverencia enfatiza el "pero yo les digo" de Jesús.

Acentúa el lenguaje del amor y las actitudes del Padre celestial.

Separa cada interrogación, pero sin dramatizar. Ralentiza un tanto las frases conclusivas.

---

cípulos hagan la experiencia de Dios en sus propias personas y en sus comunidades. Es un camino nuevo, el Evangelio, que hay que recorrer como discípulo, es decir, como aprendiz de Jesús, muerto y resucitado. Sin este prisma, la vida cristiana queda en frustración y vacío.

En las seis antítesis de esta sección del Discurso, se muestran el tipo de relación que han de promover los cristianos, movidos por una justicia superior a la de los escribas y fariseos (ver Mateo 5,20). La superioridad no estriba en que la doctrina sea mejor que la enseñada por otros maestros, sino por la práctica de Jesús. Él es el modelo o ejemplo a imitar.

El discípulo no solo debe buscar desarticular la violencia del violento, sino ser benévolo con él. Tampoco cabe restringir el mandato del amor a los correligionarios, porque el cristiano ha de extenderlo a los propios enemigos. Este exceso de bondad no tiene otra fuente que la filiación divina de la que el cristiano ha sido investido. Es la misma bondad de Dios, la que el seguidor de Jesús reproduce y disemina. El camino del reino, la experiencia de Dios, es lo que hace al discípulo perfecto, es decir, íntegro, verdadero hijo del Padre celestial.

MIÉRCOLES DE CENIZA

La llamada a la conversión: "vuélvanse a mí" debe sonar contundente. Da tono a todo el texto.

No hay definición de Dios más hermosa que ésta. Lee pausadamente las características divinas que menciona el pasaje.

I LECTURA Joel 2:12–18

Lectura del libro del profeta Joel

Esto dice el **Señor**:
   "**Todavía** es tiempo.
   Vuélvanse a mí de todo corazón,
   con ayunos, con **lágrimas** y **llanto**;
   enluten su **corazón** y **no** sus **vestidos**.

Vuélvanse al Señor Dios nuestro,
   porque es **compasivo** y **misericordioso**,
   lento a la **cólera**, **rico** en **clemencia**,
   y **se conmueve** ante la desgracia.

Quizá se arrepienta, **se compadezca** de nosotros
   y nos deje una **bendición**,
   que haga posibles las **ofrendas** y **libaciones**
   al Señor, nuestro Dios.

Toquen la trompeta en Sión, **promulguen** un ayuno,
   convoquen la asamblea, **reúnan** al pueblo,
   santifiquen la reunión, **junten** a los ancianos,
   convoquen a los niños, aun a los niños de pecho.
Que el recién casado **deje su alcoba**
   y su tálamo la recién casada.

Dirige tu mirada a la asamblea en este párrafo, para que todos se sientan llamados.

I LECTURA El Miércoles de Ceniza marca el inicio del tiempo de Cuaresma que abarca hasta antes de la Misa de la Cena del Señor. El tiempo cuaresmal sirve de preparación a celebrar los misterios de la pasión, muerte y resurrección de Jesucristo. Los fieles, en este tiempo especial, no solamente hacen penitencia buscando profundizar su proceso de conversión, como reviviendo su iniciación en los sacramentos del Bautismo, Confirmación y Eucaristía, que les han permitido llegar a ser adultos en la fe. Atendamos las lecturas.

Del profeta Joel sabemos bastante poco. No contamos con elementos para datar su actividad profética, aunque la mención del destierro, al que se refiere como un hecho histórico, lo coloca en una fecha tardía. El punto de partida del libro es singular: se trata de una plaga de langosta que el profeta gusta de referir como una catástrofe nacional. Entre los campesinos, se conocen bien los efectos devastadores de plagas de este tipo. Aquella cultura judía era agrícola.

Líneas antes de nuestro pasaje, Joel describe la plaga con imágenes militares, como si los insectos constituyeran un ejército que arrasa pueblos y ciudades. La invasión de los insectos se convierte en símbolo del castigo de Dios a su pueblo por sus infidelidades. Entonces resuena la llamada del profeta: ahora es el día del Señor, tiempo para el arrepentimiento. El pueblo debe convertirse (*volverse* a Dios es el verbo clave) para que actúe la misericordia del Señor.

La conversión a la que invita el profeta abarca a todo el pueblo en su conjunto, niños y jóvenes, solteros y casados, sacerdotes y fieles. La invitación es urgente. El Señor a quien hay que convertirse es el

Entre el **vestíbulo** y el **altar lloren** los sacerdotes,
    ministros del Señor, diciendo:
        '**Perdona**, Señor, **perdona** a tu pueblo.
No entregues tu heredad a la **burla** de las naciones.
Que no digan los paganos: ¿**Dónde está** el Dios de Israel?' "

Y el Señor **se llenó** de celo por su tierra
    y tuvo **piedad** de su **pueblo**.

Los renglones finales son la conclusión perfecta de toda la lectura. Léelos pausadamente.

Para meditar

SALMO RESPONSORIAL   Salmo 50:2–3, 5–6a, 12–13, 14, y 17
R. Misericordia, Señor, hemos pecado.

Misericordia, Dios mío, por tu bondad,
    por tu inmensa compasión borra mi
    culpa; lava del todo mi delito, / limpia mi
    pecado. **R.**

Pues yo reconozco mi culpa, / tengo siempre
    presente mi pecado: / contra ti, contra
    ti solo pequé. / Cometí la maldad que
    aborreces. **R.**

Oh Dios, crea en mí un corazón puro,
    renuévame por dentro con espíritu
    firme; no me arrojes lejos de tu rostro, /
    no me quites tu santo espíritu. **R.**

Devuélveme la alegría de tu salvación,
    afiánzame con espíritu generoso. /
    Señor, me abrirás los labios, / y mi boca
    proclamará tu alabanza. **R.**

II LECTURA   2 Corintios 5:20—6:2

Lectura de la segunda carta del apóstol san Pablo a los corintios

Hermanos:
    Somos embajadores de **Cristo**,
    y por nuestro medio, es como si **Dios mismo** los exhorta
        a ustedes.
En nombre de **Cristo** les pedimos que **se reconcilien** con Dios.
Al que nunca cometió **pecado**,
    Dios lo hizo "pecado" por **nosotros**,
    para que, **unidos** a él recibamos la **salvación** de Dios
    y nos volvamos **justos** y **santos**.

Eres embajador de Cristo y te toca llamar a la reconciliación. Lee este párrafo con tono amable, de manera que todos se sientan invitados.

mismo que se ha manifestado a Moisés: un Dios compasivo y clemente, paciente y misericordioso (Éxodo 34:6). La frase final de la lectura revela una súplica nacida del corazón y una constatación del modo en el que Dios ha actuado siempre: con perdón y misericordia. Hoy, Joel nos llama a disponernos al arrepentimiento y podamos, al término de la Cuaresma, celebrar la misericordia divina, manifiesta en el misterio pascual de Cristo.

II LECTURA Pablo se asume como embajador de Cristo y

extiende esta cualidad a todos los cristianos. Desde esta condición hace un llamado resonante: déjense reconciliar con Dios. La reconciliación es un término que Pablo toma del ámbito político: es el proceso que se emplea para acercar entre sí partes que estaban alejadas y hasta opuestas. Dado que reconciliación en griego es un término contrario a la enemistad, es claro que la meta de la reconciliación es el restablecimiento de la paz integral entre las personas y los pueblos, el *shalom* bíblico que implica plenitud de vida y de convivencia. Esto es lo básico.

Pablo refiere el término reconciliación a la acción de Cristo. En efecto, la misión de Jesús fue la de reconciliar a los seres humanos con Dios. Eso significa el paso de una situación a otra distinta, una inversión: la situación de separación o de adversidad termina por convertirse en concordia y armonía. Pablo está convencido que la reconciliación tiene su origen en la voluntad divina; por eso el llamado no es a reconciliarse, como si de una decisión humana se tratara, sino a dejarse reconciliar con Dios.

Para explicar la reconciliación realizada en Cristo, Pablo utiliza un lenguaje audaz y

Cierra la lectura leyendo con convencimiento los tres últimos renglones. Si es posible, dirige la mirada a la comunidad.

Como **colaboradores** que somos de Dios,
   los exhortamos a **no echar** su gracia en saco roto.
Porque **el Señor** dice:
   En el tiempo favorable te **escuché**
   y en el día de la salvación **te socorrí.**
Pues bien,
   ahora es el tiempo favorable;
   ahora es el día de la **salvación.**

EVANGELIO   Mateo 6:1–6, 16–18

Lectura del santo Evangelio según san Mateo

El primer párrafo ofrece la orientación de todo el pasaje. Léelo con convencimiento.

En aquel tiempo, Jesús dijo a sus **discípulos:**
   "Tengan cuidado de **no practicar** sus obras de piedad
   delante de los hombres para que los **vean.**
De lo contrario, **no tendrán** recompensa con su Padre celestial.

Por lo tanto, cuando des **limosna,**
   no lo anuncies con **trompeta,**
   como hacen los **hipócritas** en las sinagogas y por las calles,
   para que los **alaben** los hombres.
Yo les aseguro que **ya recibieron** su recompensa.

El aforismo recogido por Jesús de las manos izquierda y derecha tiene un poderoso mensaje. Mira a la asamblea cuando lo proclames.

Tú, **en cambio,** cuando des limosna,
   que no sepa tu mano **izquierda** lo que hace la **derecha,**
   para que tu limosna quede **en secreto;**
   y tu Padre, que ve lo secreto, **te recompensará.**

Cuando ustedes hagan **oración,**
   no sean como los **hipócritas,**
   a quienes **les gusta** orar de pie
   en las **sinagogas** y en las esquinas de las **plazas,**
   para que los vea la **gente.**
Yo les aseguro que **ya recibieron** su recompensa.

---

hasta arriesgado. La frase "Al que nunca cometió pecado, Dios lo hizo pecado por nosotros" es de una audacia inesperada. En el ámbito político y social, la resolución de los diferendos pasa por el reconocimiento de que una parte tiene la razón y la justicia y la otra parte tiene la culpa y el pecado. La audacia de Pablo consiste en colocar en esta ecuación a Jesús, el inocente, del lado del pecado. El resultado es sorprendente: nosotros quedamos, por esa acción de Cristo, en la parte inocente sin merecerlo.

   Pablo llama la atención sobre el momento actual de salvación. Dicen los sabios orientales que es inútil vivir en el pasado, que ya se fue, o en el futuro, que no ha llegado aún. La única realidad se encuentra en el presente. Pablo nos recuerda que no hay otro tiempo favorable fuera de este y que no debemos desaprovechar este momento de salvación. Por eso recomienda que la gracia de Cristo no sea desperdiciada o, como se expresa coloquialmente, echada en saco roto.

EVANGELIO En el marco del Sermón de la montaña (caps. 5–7) y después de las antítesis con las que Jesús corrige algunos mandamientos de la Ley de Moisés y los lleva a su plenitud, su discurso se dirige ahora a comentar tres prácticas tradicionales de la piedad judía: limosna, oración y ayuno. Insiste el Maestro en atender más a la intención del corazón, que al hecho en sí mismo. Es en la interioridad del discípulo donde se juega su auténtica fidelidad al mensaje del Maestro. La "nueva justicia" que Jesús exige a sus discípulos implica empeñarse en crecer y madurar en la relación con el Padre del cielo y no buscar su interés personal o su vanagloria. Aunque Jesús habla de recompensa, es claro que

Dale calidez a tu tono cuando hables de la oración en secreto. Como si hablaras al oído de algún amigo.

Tú, **en cambio**, cuando vayas a orar,
entra en tu cuarto, **cierra** la puerta y **ora** ante tu Padre,
que está allí, en **lo secreto**;
y tu Padre, que ve lo secreto, **te recompensará**.

Cuando ustedes ayunen, **no pongan** cara triste,
como esos **hipócritas** que **descuidan** la apariencia de su rostro,
para que la gente **note** que están ayunando.
Yo les aseguro que **ya recibieron** su recompensa.
Tú, **en cambio**, cuando ayunes,
perfúmate la cabeza y **lávate** la cara,
para que **no sepa** la gente que estás **ayunando**,
sino tu Padre, que está en **lo secreto**;
y tu Padre, que ve lo secreto, **te recompensará**".

rechaza la doctrina del mérito propia de los fariseos. En la perspectiva de Jesús, la recompensa es también obra de la gracia y no del merecimiento.

Hay quienes han querido encontrar cierta contradicción entre estas instrucciones de Jesús de hacer las obras de piedad en secreto y la descripción del testimonio cristiano como "una ciudad puesta en lo alto de un monte". No hay contradicción alguna porque se trata de cosas distintas: en el comentario sobre las prácticas de piedad la insistencia cae sobre la finalidad de lo que se hace y sobre la intención de lo que se

hace: "para que los vea la gente". En el caso del símil de la ciudad en el monte, el acento está en la consecuencia del testimonio cristiano: quienes queden impactados por el ejemplo de los discípulos terminarán "glorificando al Padre del cielo".

Las tres prácticas mencionadas por Jesús tienen hondas raíces en los textos del Antiguo Testamento. Son prácticas recomendadas por las Escrituras y por la predicación de los sabios judíos. La limosna es, por poner un ejemplo, tópico repetido y muy valorado en el libro de Tobías, al punto que es considerada como capaz de conseguir el

perdón de multitud de pecados (Daniel 4:24; Eclesiástico 3:30). La instrucción de Jesús sobre la oración, con mucho la más larga de las tres, previene a los discípulos sobre la posibilidad de convertirla en un espectáculo en el que el orante busca solamente su propia gloria. Finalmente, el ayuno es también una oportunidad para encontrarse con Dios "en lo secreto".

I DOMINGO DE CUARESMA

El relato tiene su propio atractivo narrativo. Una lectura puntual, sosegada, capturará la atención de la asamblea.

I LECTURA Génesis 2:7–9; 3:1–7

Lectura del libro del Génesis

Después de haber creado el **cielo** y la **tierra**,
   el Señor Dios **tomó** polvo del suelo y con él **formó** al hombre;
   le **sopló** en las narices un **aliento de vida**,
   y el hombre **comenzó** a vivir.
Después **plantó** el Señor **un jardín** al oriente del Edén
   y **allí** puso al hombre que **había formado**.
El Señor Dios **hizo brotar** del suelo **toda** clase de árboles,
   de **hermoso** aspecto y **sabrosos** frutos,
   y **además**, en medio del jardín,
    el **árbol de la vida** y el **árbol del conocimiento**
    del **bien** y del **mal**.

La intensidad dramática del relato crecerá en esta sección. Haz una breve pausa antes de la lectura del párrafo.

La serpiente
   era el **más astuto** de los animales del campo
    que había creado el Señor Dios, dijo **a la mujer:**
"¿Es cierto Dios **les ha prohibido** comer **de todos**
   los árboles del jardín?"

Las palabras de Eva desnudan la mentira de la serpiente tentadora. Proclámalas con seguridad.

La mujer respondió:
"**Podemos** comer del fruto de **todos** los árboles del huerto,
   pero del árbol que está **en el centro** del jardín, dijo Dios:
'No **comerán** de él **ni lo tocarán**, porque de lo contrario,
   habrán de morir'".

I LECTURA El texto de la primera lectura está tomado de una unidad más amplia que incluye, además de un relato de creación del hombre y la mujer, el relato de la primera desobediencia a Dios por parte de los seres humanos y las consecuencias que dicho pecado ha traído para todo el género humano.

Estamos ante un relato de carácter mítico. Entendemos aquí por mito el esfuerzo de reflexión creativa que realiza un pueblo o grupo humano para ofrecer razones que sustenten su manera de ver el mundo y den respuesta a preguntas fundamentales que

la humanidad se hace desde sus inicios: ¿quiénes somos? ¿de dónde venimos? ¿por qué tenemos que morir? ¿por qué nos enfermamos o nos cansamos? ¿cuál es el sentido de nuestra vida? Casi todas las culturas que alcanzan un cierto grado de evolución civilizatoria, se plantean estas preguntas y tratan de darles respuesta a través de narraciones simbólicas que, fuera del marco histórico temporal, ofrecen referencias trascendentes a las acciones humanas. Israel, en su madurez como pueblo y desde su perspectiva monoteísta, se planteó estas preguntas fundamentales. La respuesta de

los sabios judíos es este relato que, afirmando a Dios como creador, centra después su atención en el desafío de la libertad. La creación de Adán (nombre tomado del hebreo *adamah*, tierra) lo muestra cercano al espacio vital que Dios le ofrece: un jardín exuberante para que el ser humano trabajara en él. Ya desde el inicio, el jardín del Edén fue lugar del ejercicio de la libertad: no es Dios quien dará alimento al ser humano; será él quien encuentre, en el trabajo responsable, la fuente de su sobrevivencia y de su realización. Un único límite le recuerda su realidad de criatura: la prohibición de

La serpiente **replicó** a la mujer:
"**De ningún modo. No morirán.**
Bien sabe Dios
  qué **el día** que coman de los frutos de **ese** árbol,
  se les **abrirán** a ustedes los ojos
  y **serán como Dios**, que conoce **el bien y el mal**".

La mujer **vio** que el árbol **era bueno** para **comer**,
  agradable a la vista y **codiciable**,
    además, para alcanzar la sabiduría.
Tomó, pues, de su fruto, **comió** y le dio **a su marido**,
  el cual **también** comió.
Entonces se les **abrieron** los ojos **a los dos**
  y se dieron cuenta de que **estaban desnudos.**
Entrelazaron unas hojas de higuera
  y se las ciñeron para cubrirse.

El desenlace se avecina. Que tu tono denote el carácter reflexivo que precede a la acción de desobediencia.

El descubrimiento de la desnudez marca un momento clave: dirige los ojos a la asamblea al leerlo.

Para meditar

SALMO RESPONSORIAL   Salmo 50:3–4, 5–6ab, 12–13, 14 y 17
R. Misericordia, Señor, hemos pecado.

Misericordia, Dios mío, por tu bondad; por tu inmensa compasión borra mi culpa. Lava del todo mi delito, limpia mi pecado. **R.**

Pues yo reconozco mi culpa, tengo siempre presente mi pecado. Contra ti, contra ti solo pequé, cometí la maldad que aborreces. **R.**

Oh Dios, crea en mí un corazón puro, renuévame por dentro con espíritu firme; no me arrojes lejos de tu rostro, no me quites tu santo espíritu. **R.**

Devuélveme la alegría de tu salvación, afiánzame con espíritu generoso. Señor, me abrirás los labios, y mi boca proclamará tu alabanza. **R.**

---

comer del árbol de la ciencia del bien y del mal que resume, en el campo simbólico, la totalidad de todo el saber, reservado al Creador. El pasaje nos refiere la razón positiva del mandato: preservar al ser humano de la muerte.

La serpiente astuta hace su aparición mintiendo: Dios no les ha prohibido comer de todos los árboles, como sugiere en su conversación con la mujer, sino solamente de un árbol en medio de un bosque exuberante. La seducción se despliega para sembrar la desconfianza entre Creador y criatura. La propuesta es ya no depender de

Dios, robarle el conocimiento, obtener la total autonomía. En el conjunto del relato, la acción libre de Eva y de Adán de comer del árbol prohibido altera su relación con Dios y tiene una consecuencia inesperada: abrirán los ojos, pero no para ser iguales a Dios, sino para descubrirse desnudos. Lo que era antes un signo de felicidad e inocencia, se transforma ahora en ocasión de vergüenza.

II LECTURA En la exposición de su evangelio (Romanos 1:16—11:36), Pablo parte de la necesidad que todos,

tanto judíos como no judíos, tenemos de la salvación realizada en Cristo. En este marco se sitúa la comparación entre Adán y Cristo, dos modelos de relación con Dios radicalmente contrapuestos y que Pablo ya había tratado con anterioridad en 1 Corintios 15. Esta contraposición se enmarca en la unidad más amplia de 5:1—8:39.

Adán es, por un lado, la personificación de la desobediencia, que tiene como consecuencia una carga de pecado y de muerte. Frente a él se sitúa Cristo, cuya entrega hasta el final, en obediencia a la voluntad del Padre, se convierte para quienes lo siguen

II LECTURA   Romanos 5:12–19

Lectura de la carta del apóstol san Pablo a los romanos

Hermanos:
Así como por **un solo hombre** entró el pecado en el mundo
  y por el pecado **entró la muerte**,
  así la muerte **pasó a todos** los hombres,
      porque **todos pecaron**.

Antes de la ley de Moisés **ya existía** el pecado en el mundo
  y, si bien es cierto que el pecado **no se castiga** cuando
      no hay ley,
  sin embargo, **la muerte reinó** desde Adán hasta Moisés,
  aun sobre aquellos que no pecaron como pecó Adán,
  cuando desobedeció un mandato directo de Dios.
Por lo demás, Adán **era figura** de Cristo, el que había de venir.

Ahora bien, el don de Dios **supera con mucho** al delito.
Pues si por el delito de uno solo hombre **todos fueron castigados**
  con la muerte, por el don de un solo hombre, Jesucristo,
  se ha desbordado **sobre todos la abundancia** de la vida
  y la gracia de Dios.
Tampoco pueden compararse **los efectos** del pecado de Adán
  con **los efectos** de la gracia de Dios.
Porque ciertamente, la sentencia vino a causa de un solo pecado
  y fue **sentencia de condenación**,
  pero **el don de la gracia** vino a causa de muchos pecados
  y nos conduce a la justificación.

En efecto, si por el pecado de un solo hombre
  estableció la muerte su reinado,
  con mucha mayor razón **reinarán en la vida**
  por un solo hombre, Jesucristo,
  aquellos que reciben la **gracia sobreabundante**
  que los hace justos.

En un texto de tanta complejidad, es preciso realizar una lectura clara, guiada por el apego a la puntuación. Ensaya varias veces la lectura en voz alta antes de proclamarla.

En la comparación, Jesucristo supera a Adán. Subraya las consecuencias positivas de la acción de Cristo.

El párrafo final resume el sentido de la entera exposición. Léelo pausadamente.

---

en causa de gracia y salvación. Y aunque la reflexión cristiana ha recurrido a este pasaje para explicar la naturaleza y alcances del pecado original, el acento paulino se halla sobre la acción salvadora de Jesús.

A través del ejercicio desacertado de su libertad, el ser humano, representado de manera simbólica en Adán, se hace responsable de haber perdido la buena relación con Dios y haber introducido la muerte. Para evitar, sin embargo, que la comparación de Adán con Cristo lleve a engaño al lector al colocarlos en el mismo plano, el Apóstol centra su atención, no en el mal introducido por Adán, sino en la redención operada por Cristo. Explayarse en el pecado de Adán tiene sentido solo como oportunidad para resaltar la reparación abundante de esa herida de origen a través de la entrega de Cristo, cuya consecuencia es la sobreabundancia de la gracia. La eficacia de la acción salvadora de Jesús es superior en grado infinito al pecado de origen que dañó de manera radical y universal la relación entre Creador y criatura.

Queda subrayada en el pasaje la solidaridad universal del género humano: participantes del efecto mortal del pecado de Adán, de la misma manera, también de manera universal, la gracia que otorga la salvación de Jesucristo produce, por la fe, una nueva humanidad, un nuevo tipo de relaciones con Dios y los demás. Esta transformación implica, desde luego, la adhesión libre del ser humano a la persona y el mensaje de Jesús. La gracia es, sí, un don, pero también un reto, llamada al compromiso. A esto se refería el obispo de Hipona, san Agustín, cuando afirmaba: "Dios, que te creó sin ti, no te salvará sin ti".

Este tiempo cuaresmal es propicio para reorientar la vida hacia el proyecto

En resumen, así como por el pecado **de un solo hombre** Adán,
vino la **condenación** para todos,
así por la justicia de **un solo hombre**, Jesucristo,
ha venido para todos la **justificación que da la vida**.
Y así como por la **desobediencia de uno**,
todos fueron hechos pecadores,
así por la obediencia de uno solo, **todos serán hechos justos**.

Forma breve: Romanos 5:12, 17–19

EVANGELIO   Mateo 4:1–11

Lectura del santo Evangelio según san Mateo

En **aquel** tiempo,
Jesús fue conducido por el Espíritu al **desierto**,
para ser **tentado** por el demonio.
Pasó **cuarenta** días y cuarenta noches sin **comer**
y, al final, tuvo **hambre**.
Entonces se le acercó el **tentador** y le dijo:
"Si tú **eres** el Hijo de Dios,
manda que **estas piedras** se conviertan **en panes**".
Jesús le respondió:
"**Está** escrito: *No **sólo** de pan vive el hombre,
sino también **de toda** palabra que **sale** de la boca de Dios*".

Entonces el diablo lo llevó a la **ciudad santa**,
lo puso en la parte **más alta** del templo y le dijo:
"Si **eres** el Hijo de Dios, **échate** para abajo, porque **está** escrito:
*Mandará a sus ángeles que **te cuiden**
y ellos te tomarán **en sus manos**,
para que no **tropiece** tu pie en piedra **alguna***".
Jesús le contestó: "**También** está escrito:
No tentarás al Señor, tu Dios".

Las tres tentaciones están bien remarcadas en el texto: las dos primeras comienzan con la palabra entonces*. Haz un breve silencio antes del inicio de cada tentación.*

También el tentador usa la Escritura. Lee de manera que se note la contraposición de Jesús en el uso de la Palabra de Dios.

---

planteado por Jesucristo. La fe, que es capaz de unirnos a Cristo con la misma o mayor fuerza que nuestra unión con Adán, implica seguimiento de su persona, adhesión a su mensaje y a su propuesta de vida. La Cuaresma se convierte en camino hacia una vida plena.

EVANGELIO La lectura del relato de las tentaciones caracteriza el primer domingo cuaresmal. La versión de Mateo se esmera en presentar a Jesús en relación con Moisés: los cuarenta años en que el pueblo caminó desde la salida de Egipto hasta llegar a la Tierra Prometida, quedan resumidos en estos cuarenta días de oración que Jesús pasó en el desierto. Como Moisés, Jesús también ayuna cuarenta días y cuarenta noches (Deuteronomio 9:18). Un nuevo éxodo se dibuja en el relato: es el Mesías que con su obediencia abre el camino de la salvación.

Las tres tentaciones son variantes de una misma seducción del enemigo porque esconden la intención de que Jesús abandone la obediencia a su Padre. Es la misma tentación que acompañará a Jesús durante toda su vida y se repetirá en el momento dramático de la cruz (Mateo 27:40–43). Las tres tentaciones son resistidas por el Mesías. Una cita bíblica del Deuteronomio acompaña a cada una de sus respuestas al tentador, como mostrando que su fuerza proviene de su apego a la Palabra de Dios.

Aunque muchas veces miramos el relato tratando de encontrar tentaciones de tipo moral, la fuerza de la imagen reside más bien en que Jesús se enfrenta a una decisión radical. El relato es también una advertencia a los discípulos para que resistan las seducciones del mal y no

Luego lo llevó el diablo a un monte **muy alto**
    y desde ahí **le hizo ver** la grandeza de **todos** los reinos
        del mundo y le dijo:
"Te daré todo esto, si te postras y **me adoras**".
Pero **Jesús** le replicó: "**Retírate**, Satanás, porque está escrito:
Adorarás al Señor, tu Dios, y a *él sólo* servirás".

Entonces lo dejó el **diablo**
    y se acercaron los ángeles **para servirle**.

La frase final expresa el descanso después de la batalla. Haz una breve pausa antes de leer los dos últimos renglones.

abandonen nunca el camino de Jesús, su opción fundamental.

La propuesta satánica apunta hacia un mesianismo fácil, de éxito. El precio, sin embargo, es altísimo: se trata de poner al Creador al servicio de los intereses de la criatura. Un nuevo revestimiento de la propuesta de la serpiente del Génesis. Jesús tiene que decidir entre su propio interés y la voluntad de su Padre. Tiene que optar entre imponer su poder de Mesías o tomar la senda del servicio desinteresado a los más necesitados. En este sentido, esta triple tentación es signo de la lucha interior que Jesús debió librar durante toda su vida contra un mesianismo triunfalista.

El lugar de las tres tentaciones es también significativo. La primera ocurre en el desierto. Ahí Jesús tendrá que vencer la propuesta de poner a Dios al servicio de su hambre, de la búsqueda de su propio interés. Jesús multiplicará el pan para luchar contra el hambre de la multitud, pero guardará en el corazón siempre la convicción de que el horizonte del Reino es mucho más que bienes materiales. La segunda tentación es en el templo: Jesús es invitado a poner a Dios al servicio de su gloria personal, a ser un Mesías triunfador. La tercera tentación es en lo alto de una montaña, con los reinos de este mundo a sus pies. Jesús deberá triunfar también sobre la invitación a usar el poder para dominar y no para servir.

II DOMINGO DE CUARESMA

I LECTURA   Génesis 12:1–4a

Lectura del libro del Génesis

En **aquellos** días, dijo el Señor a **Abram**:
"**Deja** tu país, a tu parentela y la casa de tu padre,
   para **ir** a la tierra que yo **te mostraré**.
Haré nacer de ti **un gran** pueblo y te **bendeciré**.
Engrandeceré tu nombre y **tú mismo** serás una bendición.
Bendeciré a los que te bendigan,
   maldeciré a los que te maldigan.
En ti serán bendecidos **todos** los pueblos de la tierra".
Abram **partió**, como se lo había **ordenado** el Señor.

SALMO RESPONSORIAL   Salmo 32:4–5, 18–19, 20 y 22

R. Que tu misericordia, Señor, venga sobre nosotros, como lo esperamos de ti.

La palabra del Señor es sincera y todas sus acciones son leales; él ama la justicia y el derecho, y su misericordia llena la tierra. **R.**

Los ojos del Señor están puestos en sus fieles, en los que esperan en su misericordia, para librar sus vidas de la muerte y reanimarlos en tiempo de hambre. **R.**

Nosotros aguardamos al Señor: él es nuestro auxilio y escudo; que tu misericordia, Señor, venga sobre nosotros, como lo esperamos de ti. **R.**

El llamado de Dios tiene como destino la entrega de una bendición. Subraya los términos relacionados con ella.

La frase final es la respuesta de fe de Abram. Léela con aplomo.

Para meditar

I LECTURA La historia de Abrahán (Génesis 12:1—25:18) nos presenta a este patriarca, de cuya respuesta generosa al llamado divino terminará surgiendo el pueblo de Dios. Su figura coloca un acto absoluto de fe en el inicio mismo de la historia de la salvación. Abrahán inicia los relatos patriarcales, una vez que el pasaje de la torre de Babel ha cerrado los relatos de los orígenes.

Un triple mandato de renuncia (deja tu país, tu parentela y la casa de tu padre) remarca lo absoluto del acto de fe exigido a este hombre. La promesa que acicatea la respuesta de Abrahán es doble: una tierra desconocida para habitarla y un pueblo numeroso como descendencia, que habitará en esa tierra y será motivo de bendición para todos los pueblos. Hay en el mandato un riesgo que asumir: Abrahán deberá dejar sus seguridades para confiarse en el Dios que le sale al paso. Entre la promesa y la realización se extenderá la tensión de la espera.

Abrahán no contesta con palabras. El texto es elocuente: "partió como se lo dijo el Señor". Ninguna pregunta, ningún reclamo de seguridad, ningún chantaje de cumplimiento anticipado. En la fe de Abrahán despunta la fe de todo un pueblo, Israel, que nacerá de sus entrañas. Israel será a su vez un botón de muestra de la bendición que Dios derramará sobre la humanidad entera. La culminación de esa bendición será la llegada del Mesías.

La sola respuesta de Abrahán en este pasaje habría sido suficiente para merecer el apelativo por el cual se le conoce: padre de nuestra fe. No hay mejor modelo de obediencia en la fe para comenzar el camino de la cuaresma que este santo patriarca.

II LECTURA   2 Timoteo 1:8b–10

Lectura de la segunda carta del apóstol san Pablo a Timoteo

Pablo se dirige con cariño a Timoteo. Impregna de afecto sincero tu proclamación.

Querido **hermano**:
Comparte conmigo los **sufrimientos**
    por la **predicación** del Evangelio,
    sostenido por la fuerza de Dios.
Pues **Dios** es quien nos **ha salvado**
    y nos **ha llamado** a que le consagremos **nuestra vida**,
    no porque lo **merecieran** nuestras buenas obras,
    sino porque **así** lo dispuso él **gratuitamente**.

Proclama con tono agradecido este párrafo. En Cristo, Dios nos ha regalado vida eterna.

Este **don**,
    que Dios **ya** nos ha concedido por medio **de Cristo Jesús**
        desde **toda** la eternidad,
    ahora se ha manifestado con la venida **del mismo Cristo Jesús**,
    nuestro salvador, que **destruyó** la muerte
        y ha hecho **brillar** la luz de la vida y de la **inmortalidad**,
    por **medio** del **Evangelio**.

EVANGELIO   Mateo 17:1–9

Lectura del santo Evangelio según san Mateo

El relato sobrecoge en su majestuosidad. Que tu lectura despierte la reverencia de los oyentes.

En **aquel** tiempo,
    Jesús tomó consigo a Pedro, a Santiago y a Juan,
    el hermano de éste,
    y los **hizo subir** a solas con él a un monte **elevado**.
Ahí se **transfiguró** en su presencia:
    su rostro se puso **resplandeciente** como el sol
        y sus vestiduras se volvieron **blancas** como la nieve.

II LECTURA Las cartas pastorales (a Timoteo y Tito) son escritos que recogen la herencia pastoral del apóstol Pablo. No son solamente las comunidades el objeto de la preocupación del Apóstol, sino también aquellas personas que han trabajado a su lado, sus colaboradores más íntimos, entre los que destaca Timoteo, a quien tiene por destinatario los consejos reunidos en dos cartas que llevan su nombre.

Los versículos de la primera lectura son parte de una recomendación que Pablo le dirige a Timoteo (2 Timoteo 1:6–14): mantenerse fiel al llamado a una vida santa que Dios le ha hecho. Esta vocación a la santidad ha de caracterizar al cristiano. El tema de la salvación por la gracia y no por las obras, tan distintivo de la predicación paulina, está aquí presente. El llamado de Dios a la santidad es gratuito: no lo ganamos con nuestras acciones ni lo merecemos por nuestros méritos. Es una manifestación de la obra de la gracia en nosotros.

Toda la historia de la salvación ha tenido esta finalidad: que vivamos una vida consagrada a Aquel que nos ha salvado. Esta consagración, que tiene su origen en el amor eterno de Dios por nosotros, se realiza en el bautismo y ha de desplegarse a lo largo de nuestra vida cotidiana. El santo crisma, colocado en la cabeza del bautizando, es signo visible de esa consagración que nos convierte en propiedad de Dios. Todas las demás consagraciones que podamos realizar en nuestra vida no son más que un desarrollo ulterior de esta consagración original. La cuaresma, tiempo que nos prepara a la pascua, es un tiempo para renovar la fuerza de nuestra consagración bautismal.

EVANGELIO El segundo domingo de cuaresma se lee el relato

La teofanía proclama la filiación divina de Jesús. Dirige la mirada a la asamblea cuando leas la frase que emerge de la nube.

De pronto aparecieron ante ellos **Moisés y Elías**,
    conversando con Jesús.

Entonces Pedro le dijo a Jesús:
"Señor, ¡**qué bueno** sería quedarnos **aquí!**
Si quieres, haremos aquí **tres chozas**,
    una para ti, otra **para Moisés** y otra **para Elías"**.

Cuando **aún** estaba hablando, una nube **luminosa** los cubrió
    y de ella **salió** una voz que decía:
"Éste es mi Hijo **muy amado**,
    en quien **tengo puestas** mis complacencias; **escúchenlo"**.
Al oír esto, los discípulos cayeron **rostro en tierra**,
    llenos de un **gran temor**.
Jesús se acercó a ellos, **los tocó** y les dijo:
"Levántense y no teman".
Alzando entonces los **ojos**, **ya no vieron a nadie** más que a Jesús.

Mientras bajaban del monte, Jesús **les ordenó**:
"No le cuenten a nadie lo que han **visto**,
    hasta que el Hijo del hombre **haya resucitado**
       de entre los **muertos"**.

---

de la Transfiguración. En este ciclo escuchamos la versión de Mateo. Ya el pasaje anterior (16:21–28) le había servido a Jesús para anunciar su pasión e ir llevando así a los discípulos a la comprensión de que el camino a la resurrección pasa por el sufrimiento. A la transfiguración va a suceder un nuevo anuncio de pasión (17:22–23).

El centro del relato es Jesús en medio de Moisés y Elías. Las notas llamativas (vestiduras blancas, luminosidad resplandeciente) son elementos que nos hablan de lo significativo de este momento: Jesús, a quien la voz de Dios se refiere como a "mi

hijo muy amado" es la culminación de la Ley y los Profetas. La entera revelación veterotestamentaria encuentra en Jesús su plenitud definitiva. El monte Sinaí (Moisés) y el monte Carmelo (Elías) palidecen ante el monte de la Transfiguración, una montaña alta, como aquella de la tercera tentación, que resplandece con la gloria de Dios y no con las riquezas de este mundo.

La transfiguración ofrece a los discípulos temerosos una anticipación del destino glorioso del Mesías. De la nube, signo de la presencia de Dios que acompaña al pueblo por el desierto, surge una voz que atestigua

que Jesús es el Hijo amado del Padre, culmen de sus complacencias. Es una palabra de consuelo para los discípulos, todavía estremecidos por el anuncio de la pasión, que deberán seguir el mismo camino que su Maestro. La comprensión de los discípulos es todavía insuficiente. Tendrán que madurar. La cuaresma es tiempo propicio para avanzar en nuestro proceso de maduración en la fe.

III DOMINGO DE CUARESMA

La queja de los hebreos contra Dios tiene tono de reproche. Que se note en tu proclamación

La respuesta de Dios es una orden salvadora que hace caso omiso del reproche. Su preocupación es la sed del pueblo y su bienestar. Que esto se note en tu lectura.

La lectura se cierra con este párrafo: es la llamada de Dios a no ser rebeldes. Que la asamblea se sienta interpelada.

I LECTURA — Éxodo 17:3–7

Lectura del libro del Éxodo

En **aquellos** días, el pueblo, **torturado** por la **sed**,
    fue a **protestar** contra Moisés, diciéndole:
"¿Nos has hecho **salir** de Egipto
    para **hacernos morir de sed** a nosotros,
    a nuestros hijos y a nuestro ganado?"
Moisés **clamó** al Señor y le dijo:
"¿**Qué** puedo hacer con **este pueblo**?
Sólo falta que me apedreen".
Respondió el Señor a Moisés:
"**Preséntate** al pueblo, llevando contigo a algunos
        de los ancianos de Israel,
    toma en tu mano el cayado con que **golpeaste** el Nilo **y vete**.
Yo **estaré** ante ti, sobre la peña, en Horeb.
Golpea la peña y **saldrá** de ella agua para que beba el pueblo".

Así lo hizo Moisés a la vista de los ancianos de Israel
    y puso por nombre a aquel lugar **Masá y Meribá**,
    por la **rebelión** de los hijos de Israel
    y porque habían **tentado** al Señor, diciendo:
"¿**Está o no está** el Señor en **medio** de **nosotros**?"

I LECTURA | En el inicio de su peregrinar por el desierto, los hebreos, que han sido sacados de la casa de la esclavitud por la fuerza de Dios que ha vencido al Faraón egipcio, enfrentan hambre y sed. El esquema que el libro del Éxodo sigue para la resolución de ambos problemas, hambre y sed, es parecido: se presenta la necesidad y el pueblo se queja; la queja del pueblo se convierte en protesta contra Dios: "nos ha sacado de Egipto para matarnos de hambre y de sed". A la protesta le sigue la oración de Moisés y la respuesta de Dios.

Nuestro texto relata el episodio de la sed. Las murmuraciones de los que caminan por el desierto son una prueba de lo difícil que le resultará a Israel acostumbrarse a vivir en libertad, con todos los desafíos que la libertad representa. La indicación geográfica de los dos primeros versículos, omitida en la lectura litúrgica, refiere que las protestas comienzan cuando el pueblo acampa en Refidim, ya cerca del Sinaí. En Refidim, en medio del desierto, no hay agua suficiente.

Como ha ocurrido con el maná y las codornices (Éxodo 16), que han satisfecho el hambre de los que huyen, también en esta ocasión los hebreos experimentarán la providencia de Dios. Una vieja leyenda judía sostiene que no son los hebreos los que encontraron la peña de la que habría de salir el agua, sino que esta piedra acompañó a Israel en el desierto, iba siguiendo al pueblo (1 Corintios 10:4). Es la tercera vez que el Señor deberá mostrar su amoroso cuidado por el pueblo: lo ha hecho endulzando las aguas amargas de Mará, dando al pueblo maná y codornices para saciar su hambre y, ahora, haciendo brotar agua de la roca.

Dios le pide a Moisés que use el mismo bastón con que había golpeado el Nilo, para

Para meditar

SALMO RESPONSORIAL   Salmo 94:1–2, 6–7, 8–9

R. Ojalá escuchen hoy su voz: "No endurezcan el corazón".

Vengan, aclamemos al Señor, demos vítores
a la Roca que nos salva; entremos a su
presencia dándole gracias, vitoreándolo
al son de instrumentos. **R.**

Entren, postrémonos por tierra, bendiciendo
al Señor, creador nuestro. Porque él es
nuestro Dios y nosotros su pueblo, el
rebaño que él guía. **R.**

Ojalá escuchen hoy su voz: "No endurezcan
el corazón como en Meribá, como el
día de Masá en el desierto, cuando los
padres de ustedes me pusieron a prueba
y me tentaron, aunque habían visto
mis obras". **R.**

II LECTURA   Romanos 5:1–2, 5–8

Lectura de la carta del apóstol san Pablo a los romanos

Hermanos:
Ya que hemos sido **justificados** por la **fe**,
   mantengámonos en paz con Dios,
   por mediación de nuestro **Señor Jesucristo**.
Por él hemos obtenido, con la **fe**,
   la **entrada** al mundo de la **gracia**, en la cual **nos encontramos**;
   por él, podemos gloriarnos de tener la esperanza de **participar**
      en la **gloria de Dios**.

La esperanza **no defrauda**,
   porque Dios **ha infundido** su amor en **nuestros** corazones
   por medio del **Espíritu Santo**, que **él mismo** nos ha dado.
En efecto, cuando **todavía** no teníamos fuerzas
   para **salir** del pecado,
   Cristo **murió** por los pecadores en el tiempo **señalado**.

Difícilmente habrá **alguien** que quiera morir **por un justo**,
   aunque puede haber alguno que **esté dispuesto** a morir
   por una persona **sumamente** buena.
Y la prueba de que Dios **nos ama**
   está en que Cristo murió por **nosotros**,
      cuando **aún** éramos **pecadores**.

La paz con Dios es fruto de la acción salvadora de Cristo. Leamos este párrafo con un acento de agradecimiento por la gratuidad de la salvación.

Que la esperanza no defrauda debe ser una convicción del cristiano. Recuerda antes de proclamar este párrafo algún hecho de tu vida donde hayas experimentado esta certeza.

Remarca en tu tono el contraste entre una salvación por merecimiento, morir por un justo, y una salvación gratuita, morir por un pecador.

---

convertir el agua en sangre en la primera plaga (Éxodo 7:19ss.). El mismo instrumento que dio muerte, ahora será causa de vida. Los egipcios se negaron a escuchar el llamado de Dios a través de Moisés, el caudillo. Ahora los hebreos serán testigos de este portento para que cesen en sus murmuraciones y le hagan caso al Señor. Los nombres con los que el lugar será recordado, sin embargo, no conmemorarán tanto la hazaña del Señor o la intervención de Moisés, sino la cerrazón del pueblo que no deja de pleitear (pleito, en hebreo, se dice *Meribah*) y de

poner a prueba (tentar, en hebreo, se dice *Massah*) a Dios pidiéndole signos.

San Pablo hace referencia a este pasaje en la primera carta a los Corintios. Ahí, revela que, en realidad, la roca era Cristo y el agua que Dios dio de beber a los israelitas en el desierto era una figura del bautismo que nos salva.

II LECTURA El capítulo 5 de la carta a los Romanos abre una nueva exposición que va hasta 8:39. Pablo va a explicar en qué consiste la salvación que los discípulos de Jesús hemos recibido. Los que

han aceptado a Jesucristo y han sido justificados por el misterio pascual, experimentan ahora el amor de Dios y reciben el don del Espíritu, como prenda segura de su salvación. La esperanza cristiana, nos dice Pablo, no falla cuando se apoya en la fe y se alimenta de la caridad.

El Espíritu Santo es el actor principal de este pasaje. Don del Padre, promesa mesiánica, el Espíritu Santo no es solamente una fuerza exterior que realiza prodigios, sino, sobre todo, principio de vida nueva en el interior de cada cristiano. A eso se refiere la tradición cristiana cuando, entre las tareas

EVANGELIO   Juan 4:5–42

Lectura del santo Evangelio según san Juan

En **aquel** tiempo, llegó **Jesús** a un pueblo de **Samaria**,
        llamado **Sicar**,
    cerca del campo que dio Jacob a su hijo **José**.
Ahí estaba el pozo de Jacob.
Jesús, que venía **cansado** del camino,
    se **sentó** sin más en el brocal del pozo.
Era **cerca** del mediodía.

Entonces llegó una **mujer de Samaria** a **sacar agua** y Jesús le dijo:
"**Dame** de beber".
(Sus discípulos habían ido al pueblo a **comprar** comida).
La samaritana le contestó:
"**¿Cómo** es que tú, **siendo judío**, me pides de beber **a mí**,
        que soy **samaritana**?"
(Porque los judíos **no tratan** a los samaritanos).
Jesús le dijo: "Si **conocieras** el don de Dios
    y **quién** es el que te pide de beber,
        tú le pedirías **a él**, y él te daría **agua viva**".

La mujer le respondió:
"**Señor**, **ni siquiera** tienes **con qué** sacar agua
        y el pozo es **profundo**,
    ¿**cómo** vas a darme **agua viva**?
¿**Acaso** eres tú **más** que nuestro padre Jacob,
    que nos dio **este pozo**, del que bebieron él,
        sus hijos y sus ganados?"
Jesús le contestó:
"El que bebe de esta agua **vuelve** a tener sed.
Pero el que beba del agua que yo le daré, **nunca más** tendrá sed;
        el agua **que yo le daré** se convertirá **dentro de él** en un
            manantial **capaz** de dar la **vida eterna**".

El relato es extenso. Mantén el interés de la asamblea aligerando, sin correr, las secciones narrativas y centrándote en los diálogos.

Hay explicaciones entre paréntesis. Léelas de manera que no distraiga de la continuación del diálogo.

La respuesta de Jesús es una de las cumbres del relato. Léela más lentamente.

---

del Espíritu Santo, se le menciona como el escultor, en el corazón de los fieles, de la imagen del Hijo de Dios.

Un viejo relato cuenta que Miguel Ángel Buonarroti regresó a su pueblo natal, Caprese, después de ser ya un escultor famoso. Ofreció, en homenaje a sus raíces, una clase del arte escultórico. El día convenido invitó al pueblo a reunirse en la plaza. La enseñanza del arte de la escultura sería de orden práctico: la gente vio entrar sobre una madera con ruedas, un bulto gigante cubierto con una sábana. Miguel Ángel, antes de descubrir el bulto anunció:

les mostraré mi obra maestra. Grande fue la sorpresa de la multitud: al caer la sábana se encontraron con un gigante peñasco de mármol informe. Los murmullos de desaprobación callaron cuando el genio se dirigió a ellos levantando la voz y dijo: "es la imagen del rey David… sólo falta que yo le quite a la piedra lo que le sobra". Y comenzó a esculpir la roca. Difícilmente se encontrará una figura mejor de lo que el Espíritu Santo realiza en el corazón de cada cristiano. Así lo reconoce un viejo canto religioso popular: "Espíritu Divino, excelso creador, enciende en nuestros pechos el fuego de tu

amor: con toques de tu gracia y rayos de tu luz, modela en nuestras almas la imagen de Jesús".

Este Espíritu Santo, espíritu de Cristo, es el que nos convierte en hijas e hijos de Dios, habitando en nosotros y regenerándonos. Así, ingresamos al orden nuevo de la gracia.

EVANGELIO Pocos textos de Juan dejan ver su maestría en el arte de narrar y de introducir elementos simbólicos en el relato, como en este pasaje del encuentro de Jesús con la mujer samari-

El deseo de la samaritana tiene un significado simbólico. Es deseo del Espíritu, aun cuando ella no lo sepa. Procura que eso se sienta en la lectura.

La adoración en espíritu y en verdad, que declara caducos todos los templos, es una enseñanza fundamental del pasaje.

La respuesta de Jesús "soy yo" debe sonar segura y majestuosa.

La mujer le dijo:
"Señor, **dame** de esa agua para que **no vuelva** a tener sed
    ni tenga que venir **hasta aquí** a sacarla".
Él le dijo: "Ve a llamar a tu marido y **vuelve**".
La mujer le contestó: "No **tengo** marido".
Jesús le dijo: "**Tienes** razón en decir: 'No **tengo** marido'.
Has tenido **cinco**, y el de ahora **no es** tu marido.
En eso has dicho **la verdad**".

La mujer le dijo: "**Señor**, ya veo que eres **profeta**.
Nuestros padres dieron culto **en este monte**
    y ustedes dicen que el sitio donde **se debe dar culto**
        está en **Jerusalén**".
Jesús le dijo: "**Créeme**, mujer, que se **acerca** la hora
    en que **ni en este** monte **ni en Jerusalén** adorarán al Padre.
Ustedes adoran **lo que no conocen**;
    nosotros adoramos **lo que conocemos**.
Porque la salvación **viene** de los judíos.
Pero se **acerca** la hora, **y ya está aquí**,
    en que los que quieran dar culto **verdadero**
    adorarán al Padre **en espíritu y en verdad**,
    porque **así** es como el Padre **quiere** que se le dé culto.
Dios **es espíritu**, y los que lo adoran **deben hacerlo**
    en **espíritu** y en **verdad**".

La mujer le dijo: "**Ya sé** que va a venir el Mesías
    (**es decir**, Cristo).
Cuando venga, él nos dará **razón de todo**".
Jesús le dijo: "**Soy yo**, el que habla contigo".

En esto llegaron los discípulos
    y **se sorprendieron** de que estuviera conversando
        con **una mujer**;
    sin embargo, **ninguno** le dijo:
        '¿**Qué** le preguntas o **de qué** hablas con ella?'

tana. El evangelio, largo en dimensiones, está sembrado de audaces significados que no son visibles a una primera lectura. La figura de Jesús aparece coronada de distintas identidades superpuestas: como los patriarcas, Jesús realiza este diálogo de amor en el brocal de un pozo; es también un nuevo Moisés, que ofrece agua viva; es un profeta que denuncia la conducta de la samaritana y adivina su forma de vivir; es el Mesías, esperado tanto por judíos como por samaritanos; finalmente, es el salvador del mundo, tal como lo reconocen los paisanos de la samaritana cuando lo conocen.

También la samaritana sufre muchos cambios a lo largo de la conversación. La colocación de ambos personajes en el brocal del pozo recuerda la antigua práctica de encontrar pareja, que ocurre con frecuencia en las historias patriarcales. En situación similar aparecen Rebeca (Génesis 24), Raquel (Génesis 29) y Séfora (Éxodo 2:15–22). Hay por tanto en el relato, un trasfondo simbólico amoroso, esponsal. Si además de esto, leemos el pasaje bajo el trasfondo de Oseas 2, la samaritana resulta ser la personificación de la ciudad de Samaría, la ciudad infiel a Dios, pero amorosamente perseguida por

Dios que la lleva al desierto para cortejarla de nuevo aún después de su traición. La samaritana es también la representación simbólica de la enemistad de los judíos con lo que fuera el Reino del Norte y testimonio del progresivo alejamiento entre los dos pueblos. Del agua natural, la conversación con Jesús va llevando a esta mujer de salto en salto en el nivel simbólico, de suerte que el agua termina refiriéndose al don del Espíritu y la mujer, enemiga racial y de dudosa moralidad, se convierte en discípula y apóstol.

Vayamos, pues, recorriendo el pasaje para subrayar sus contenidos fundamenta-

Entonces la mujer **dejó** su cántaro,
    se fue al pueblo y **comenzó** a decir a la gente:
"**Vengan** a ver a un hombre que me ha dicho **todo**
    lo que he hecho.
¿No será éste el **Mesías**?"
Salieron del pueblo y se **pusieron en camino**
    hacia donde él estaba.

La invitación de la mujer tiene sentido misionero y debe leerse con cierta urgencia.

Mientras tanto, sus discípulos **le insistían**: "Maestro, come".
Él les dijo:
    "Yo **tengo** por comida un alimento que ustedes **no conocen**".
Los discípulos comentaban **entre sí**:
"¿Le **habrá** traído alguien **de comer**?"
Jesús les dijo:
"Mi **alimento** es **hacer** la voluntad del que **me envió**
    y llevar a **término** su obra.
¿Acaso no dicen ustedes que **todavía** faltan **cuatro** meses
    para la **siega**?
Pues bien, **yo** les digo:

Los campos listos para la siega son una figura de la necesidad que el mundo tiene del evangelio. Que la asamblea perciba esto en tu lectura.

Levanten los ojos y **contemplen** los campos,
    que **ya están** dorados para la **siega**.
Ya el segador **recibe** su jornal y **almacena** frutos
    para la **vida eterna**.
De **este modo** se alegran **por igual** el sembrador y el segador.
Aquí se cumple el dicho:
'**Uno** es el que siembra y **otro** el que cosecha'.
Yo los **envié** a cosecharlo que **no habían** trabajado.
Otros trabajaron y **ustedes** recogieron su fruto".

les. El encuentro con Jesús es doblemente escandaloso: se trata de una conversación pública con una mujer desconocida, lo que iba en demérito del honor del varón. Pero, además, se trata de una samaritana, es decir, una mujer perteneciente a un pueblo hacia el que los judíos sentían una profunda animadversión. La historia era larga y no hay espacio para contarla, pero con la deportación de los habitantes y la destrucción de Samaría, en el año 722, los asirios trajeron a la región gentes de otras culturas y naciones que se mezclaron con los pocos habitantes que habían permanecido en el

territorio y terminaron por apartarlos del culto a Yahvé y mezclaron su sangre y sus cultos. Hubo mas ofensas posteriores, a manos de los judíos, lo que enemistó de manera definitiva a los dos pueblos.

En la primera sección del relato (4:1–26) la conversación fluye entre Jesús y la samaritana dejando en claro que Jesús es la culminación del Antiguo Testamento. La superioridad de Jesús es doble: es más grande que el patriarca Jacob, que les habría dejado ese pozo, pero, sobre todo, el agua que Jesús ofrece supera en cualidades al agua física del pozo, porque el agua que

Jesús regala, es el agua viva, don de Dios, símbolo del Espíritu y de la vida eterna. Jesús mismo es el agua prometida, de suerte que conocer el don de Dios se identifica con conocer al mismo Jesús.

La segunda sección (4:20–26) introduce la discusión sobre el lugar de culto que le es agradable a Dios. La rivalidad entre judíos y samaritanos venía acicateada justamente porque los samaritanos se habían separado del culto en Jerusalén y habían construido un templo alternativo en la cumbre del monte Garizim. Jesús resuelve el problema presentándose ante la samaritana como el

El párrafo final culmina el proceso de transmisión de la fe. Es la conclusión de todo el pasaje y son palabras con las que la asamblea deberá identificarse.

Muchos samaritanos de aquel poblado
　　creyeron en Jesús por el testimonio de la mujer:
'Me dijo **todo** lo que he hecho'.
Cuando los samaritanos llegaron a donde él estaba,
　le rogaban que se **quedara** con ellos, y se quedó allí **dos días**.
Muchos más **creyeron en él** al oír su palabra.
Y decían a la mujer:
"Ya **no** creemos por lo que **tú** nos has contado,
　pues **nosotros mismos** lo hemos oído
　y **sabemos** que él es, de veras, el **salvador** del **mundo**".

Forma breve: Juan 4:5–15, 19–26, 39, 40–42

Mesías, el único y verdadero lugar de culto agradable a Dios. Los dos templos quedan así relegados al pasado ante Jesús, nuevo templo donde Dios habita.

　El relato concluye con la tercera parte (4:27–42) en la que Jesús conversa con sus discípulos mientras la samaritana transmite su experiencia a sus paisanos y amigos. El ciclo de la evangelización se completa cuando el relato pone a los paisanos de la samaritana afirmando que ya no creen por el testimonio de la mujer, sino porque ellos mismos han reconocido en Jesús al salvador del mundo.

　No es casual que este rico relato haya sido leído en claves distintas. Recordemos que el libro de los Hechos de los Apóstoles nos refiere en 8:1ss, que fue la región de los samaritanos la primera en haber sido evangelizada por aquellos que huían de la persecución de Jerusalén. Para los cristianos de la primera generación, el relato del encuentro de Jesús con la samaritana vio a confirmar que la aceptación del mesianismo de Jesús entre ese pueblo despreciado por los judíos, era señal del inicio del tiempo nuevo del Mesías.

　Este pasaje presenta simbólicamente el camino de conversión cristiana, como si de una catequesis para la iniciación cristiana se tratara. En efecto, el paso de la comprensión de la mujer, que parte del agua física y que no comprende del todo las afirmaciones de Jesús, al entendimiento pleno de que Jesús es el Mesías y el compartir misionero con sus paisanos y vecinos, ilustra bien las etapas del catecumenado que se estableció en la iglesia en siglos posteriores.

IV DOMINGO DE CUARESMA

El relato es atractivo en sí mismo. Haz la lectura ágil y vivaz.

I LECTURA   1 Samuel 16:1b, 6–7, 10–13a

Lectura del primer libro de Samuel

En **aquellos** días, dijo el Señor a **Samuel**:
"Ve a la casa de Jesé, en **Belén**,
    porque de entre sus **hijos** me he escogido **un rey**.
Llena, pues, tu cuerno de aceite **para ungirlo** y **vete**".

Cuando llegó Samuel a Belén y **vio** a Eliab,
    el hijo mayor de Jesé, **pensó:**
"**Éste es, sin duda**, el que voy a **ungir** como rey".
Pero el Señor le dijo:
"No te dejes **impresionar** por su aspecto ni por su **gran estatura**,
    pues yo lo **he descartado**,
    porque **yo no juzgo** como juzga el hombre.
El hombre se fija **en las apariencias**,
    pero el Señor se fija **en los corazones**".

Así fueron pasando ante Samuel **siete** de los hijos de Jesé;
    pero Samuel dijo: "**Ninguno** de éstos es el **elegido** del Señor".
Luego le preguntó a Jesé: "¿Son **éstos todos** tus hijos?"
Él respondió:
    "Falta el **más pequeño**, que está cuidando el rebaño".
Samuel le dijo: "**Hazlo venir**,
    porque **no** nos sentaremos a comer **hasta** que llegue".
Y **Jesé** lo mandó llamar.

Esta frase le da sentido a todo el pasaje. David será elegido por el corazón de Dios y no por su apariencia. Dale énfasis a la frase en tu lectura.

La respuesta de Jesé enfatiza que David es el más pequeño de los hijos. Dios siempre pone sus ojos en los pequeños.

I LECTURA | Del capítulo 16 del primer libro de Samuel hasta 2 Samuel 5:12, encontramos materiales de una saga conocida como la ascensión al trono del rey David. En ellos se mezclan los datos históricos y las leyendas, para darnos una imagen cálida de quien sería rey de Israel y sucesor del rey Saúl.

David es uno de los grandes personajes que definen el devenir de Israel. Su genio militar únicamente es sobrepasado por su habilidad política. Personaje multifacético, es guerrero y es pastor, es músico y es capitán. Y porque su impronta sobre la forma-

ción de Israel como nación independiente fue muy honda, muy pronto se reunieron materiales diversos sobre su persona y creció la exaltación de su figura y la idealización de su persona. Así que no resulta fácil determinar cuáles de los datos son históricos y cuáles corresponden más bien al proceso de memoria colectiva elogiosa y con proclividad a la fantasía.

Un mensaje religioso queda, sin embargo, claro: la elección de David y su subida al trono es parte del proyecto divino de salvación para Israel. Justamente nuestro texto, que narra la elección de David mientras Saúl

es todavía rey, unido al texto de la profecía de Natán, en la que se reafirma la elección de Dios sobre la descendencia de David, testimonian la salvación de Dios.

El pasaje que hoy leemos como primera lectura es la primera aparición de David en el libro sagrado. Saúl ha sido descalificado por Dios ya en el capítulo 15. De manera adelantada, Samuel es enviado para ungir al que recibiría el beneplácito de Dios para ocupar el trono que Saúl dejará en el futuro. David es todavía un jovencito. A diferencia de Saúl, cuya elección fue obra de los israe-

El muchacho era rubio, de ojos vivos y buena presencia.
Entonces el Señor dijo a Samuel:
"Levántate y **úngelo**, porque **éste es**".
Tomó Samuel el cuerno con el **aceite**
    y lo **ungió** delante de sus **hermanos**.

La orden del Señor es taxativa y cambia para siempre la historia de esa familia. Lee la frase con tono de autoridad.

Para meditar

SALMO RESPONSORIAL   Salmo 22:1–3a, 3b–4, 5, 6
R. El Señor es mi pastor, nada me falta.

El Señor es mi pastor, nada me falta: en verdes praderas me hace recostar; me conduce hacia fuentes tranquilas y repara mis fuerzas. **R.**

Me guía por el sendero justo, por el honor de su nombre. Aunque camine por cañadas oscuras, nada temo, porque tú vas conmigo: tu vara y tu cayado me sosiegan. **R.**

Preparas una mesa ante mí, enfrente de mis enemigos; me unges la cabeza con perfume, y mi copa rebosa. **R.**

Tu bondad y tu misericordia me acompañan todos los días de mi vida, y habitaré en la casa del Señor por años sin término. **R.**

II LECTURA   Efesios 5:8–14

Lectura de la carta del apóstol san Pablo a los efesios

Hermanos:
En **otro** tiempo ustedes fueron **tinieblas**,
    pero **ahora**, unidos al Señor, son **luz**.
Vivan, por lo tanto, como **hijos de la luz**.
Los **frutos** de la luz son la **bondad**, la **santidad** y la **verdad**.
Busquen lo que es **agradable** al Señor
    y **no** tomen parte en las obras **estériles** de los
        que son **tinieblas**.

Al **contrario**, repruébenlas **abiertamente**;
    porque, si bien las cosas que ellos hacen **en secreto**
    da rubor **aun mencionarlas**,
    al ser reprobadas **abiertamente**, todo queda **en claro**,
    porque **todo** lo que es iluminado **por la luz** se convierte en luz.

Toda la lectura se sitúa en una lucha entre luz y tinieblas. La asamblea debe reconocerse a sí misma entre los hijos de la luz.

Lee de manera que los oyentes descubran la reprobación de las obras de la oscuridad como un remedio medicinal y no como crítica malsana.

---

litas, Dios asume ya la tradición monárquica y dispone todo para seleccionar al rey.

La aparición anticipada de Eliab, el hijo mayor de Jesé, permite al escritor sagrado recordar, en contraposición a las costumbres del modelo patriarcal de familia propio de esos tiempos, una de las constantes en la intervención divina: la elección del más pequeño por encima de sus hermanos mayores. La buena presencia de Eliab y su alta estatura queda descartada. La enseñanza sapiencial del relato queda evidenciada: Dios, a diferencia de los hombres, no se fija en las apariencias, sino en los corazones.

II LECTURA Éfeso fue uno de los epicentros evangelizadores del Apóstol, además de ser el lugar desde el cual escribió varias de sus cartas más importantes (1 Corintios, Gálatas y Filipenses).

La comunidad cristiana de Éfeso, fundada por Pablo, estaba formada por creyentes de procedencia pagana. Aunque puede decirse que fue Pablo el que hizo nacer y crecer esa comunidad, es también cierto que a su llegada se encontró ya con algunos discípulos que habían abrazado la fe en

Jesús Mesías, aunque solamente hubieran recibido el bautismo de Juan.

Los principales especialistas consideran la carta a los Efesios como escrita por algún discípulo de Pablo. Los temas de la carta son propios de cristianos de la segunda generación: la venida del Señor ya no se espera de manera inmediata, la iglesia se entiende como única y universal, más allá de las comunidades concretas y, finalmente, la disputa entre cristianos procedentes del judaísmo y del paganismo en la comunidad, tan frecuente en Pablo, parece ser cosa del

Por eso se dice:
Despierta, *tú que duermes*;
    levántate de entre los muertos **y Cristo** *será tu* **luz**.

EVANGELIO   Juan 9:1–41

Lectura del santo Evangelio según san Juan

En **aquel** tiempo, Jesús vio al pasar a un **ciego de nacimiento**,
    y sus discípulos **le preguntaron**:
"Maestro, ¿**quién** pecó para que **éste** naciera ciego,
    él o sus **padres**?"
Jesús respondió: "**Ni él** pecó, **ni tampoco** sus padres.
Nació así para que **en él** se manifestaran las **obras de Dios**.
Es **necesario** que yo haga las obras del que **me envió**,
    mientras es de **día**,
    porque luego **llega** la noche y ya **nadie** puede trabajar.
Mientras esté en el **mundo**, yo soy la **luz** del mundo".

Dicho esto, **escupió** en el suelo, hizo **lodo** con la saliva,
    se lo puso en **los ojos** al ciego y le dijo:
"Ve a **lavarte** en la piscina de **Siloé**" (que significa '**Enviado**').
Él **fue**, se **lavó** y **volvió** con vista.

Entonces los vecinos y los que lo habían visto antes
    pidiendo limosna, preguntaban:
"¿No es **éste** el que se sentaba a pedir **limosna**?"
Unos decían: "Es el **mismo**".
Otros: "No es **él**, sino que se le **parece**".
Pero él decía: "**Yo soy**".
Y le preguntaban: "**Entonces**, ¿**cómo** se te abrieron los ojos?"
Él les **respondió**: "El hombre que se llama **Jesús** hizo **lodo**,
    me lo puso en los **ojos** y me dijo: 'Ve a **Siloé y lávate**'.

El relato es prolongado. Una lectura ágil es necesaria, pero no hay que correr: varía los ritmos entre las secciones narrativas y las conversaciones que deberán subrayarse.

Que tu lectura exprese la extrañeza de los vecinos.

---

pasado. Los destinatarios de la carta son, sin duda, de origen pagano en su totalidad.

En el pasaje que hoy escuchamos, el autor invita a los miembros de la comunidad a tener una conducta digna del nombre que han recibido. Pablo invita a la renovación interior y a un nuevo modelo de conducta que practique la verdad y la mansedumbre, que rechace la mentira y el enojo, que incentive el trato respetuoso y la compasión.

En este marco el autor utiliza la contraposición entre luz y tinieblas. No es la primera ni la única vez que Pablo usa estos símbolos (Romanos 2:19; 13:12; 2 Corintios 4:6). Luz y tinieblas aparecen como dos potencias capaces de dominar al discípulo. Para invitar a los cristianos a compartir la misma naturaleza iluminadora de Jesús, Pablo los llama a la congruencia: antes eran tinieblas, pero ahora son luz. Deben vivir, por tanto, como hijos de la luz. El resplandor de los cristianos, que garantiza su función misionera, es el ejercicio de las virtudes: bondad, rectitud, verdad. La luz pone al descubierto una vida dedicada al bien; la oscuridad cubre con su secreto las obras del mal.

Al final del pasaje, Pablo cita un texto que quizá pertenezca a un antiguo canto cristiano de alabanza, parte probablemente de una liturgia bautismal. Es un llamado a despertar del sueño. El autor supone que este canto es conocido por la comunidad, al grado que no se siente en la necesidad de revelar su origen. Esta cita cierra con broche de oro un párrafo dedicado a la reflexión sobre luz y tinieblas: quien duerme en la muerte está llamado a levantarse para contemplar la luz (Álzate y resplandece porque viene tu luz… Isaías 51:17), pero esta vez la luz es Cristo mismo.

Entonces **fui**, **me lavé** y comencé a **ver**".
Le preguntaron: "¿En **dónde** está él?" Les contestó: "**No lo sé**".

Llevaron **entonces** ante los fariseos al que había sido **ciego**.
Era **sábado** el día en que Jesús **hizo lodo** y le **abrió los ojos**.
También los **fariseos** le preguntaron
        cómo había adquirido la **vista**.
Él les contestó: "Me puso **lodo** en los ojos, me lavé y **veo**".
Algunos de los **fariseos** comentaban:
"Ese hombre **no** viene de Dios, porque **no guarda el sábado**".
Otros replicaban:
"¿Cómo puede un **pecador** hacer semejantes **prodigios**?"
Y había **división** entre ellos.
Entonces **volvieron** a preguntarle al **ciego**:
"Y **tú**, ¿qué piensas del que te **abrió los ojos**?"
Él les contestó: "Que es un **profeta**".

Pero los judíos **no creyeron** que aquel hombre,
        que había sido **ciego**,
    hubiera recobrado la **vista**.
Llamaron, pues, a sus **padres** y les **preguntaron**:
"¿Es **éste** su hijo, del que ustedes dicen que **nació ciego**?
¿Cómo es que **ahora** ve?"
Sus padres contestaron: "Sabemos que **éste** es nuestro hijo
        y que **nació ciego**.
Cómo es que **ahora** ve o quién le haya dado la vista,
        no lo sabemos.
Pregúntenselo **a él**; ya tiene edad **suficiente**
        y responderá **por sí mismo**".
Los **padres** del que había sido ciego dijeron **esto**
        por **miedo** a los judíos,
    porque **éstos** ya habían convenido en **expulsar** de la sinagoga
    a quien reconociera a **Jesús** como el **Mesías**.
Por eso sus padres dijeron: '**Ya** tiene edad; pregúntenle **a él**'.

Los fariseos obran de mala voluntad. Su incapacidad de creer que el que era ciego ahora ve, refleja su incredulidad en el Mesías.

EVANGELIO El evangelio de Juan quiere despertar en el destinatario la fe en el Jesús que anuncia; lo hace presentando la fe y el seguimiento de Jesús como un desafío radical para toda persona. Ante Jesús, todos tenemos que definirnos. El desafío, como hemos dicho, es radical porque la definición es absoluta: o se está a favor o en contra; o se cree en él y se le entrega la vida, o se le rechaza. No hay medias tintas.

El cuarto evangelio alienta una clara dimensión simbólica. Aunque subraya desde sus primeras líneas el misterio de la encarnación (1:14) y se refiere a Jesús usando verbos como tocar, palpar, masticar, la realidad más honda del evangelio solo se despliega en sus simbolismos. En el mundo simbólico del Antiguo Testamento, san Juan se mueve como pez en el agua: luz, bodas, vino, agua, comida, pastor, palabra… son solamente algunos de sus símbolos preferidos que Jesús refiere a su propia persona.

Sabemos que el quehacer de Jesús se despliega en el marco de las grandes fiestas del templo. En los capítulos 5 a 10, está caracterizado por la participación de Jesús en cuatro fiestas judías: Pentecostés, Pascua, la fiesta de las Tiendas y la Dedicación del templo. En cada una de estas fiestas Jesús realiza un signo y mantiene disputas con sus enemigos. El texto que se proclama en este IV Domingo de Cuaresma tiene como marco la fiesta de las Tiendas (chozas) o de los Tabernáculos, en hebreo *Sukkot*. Habiendo sido originalmente una fiesta agrícola que acompañaba la cosecha, en tiempos de Jesús había adquirido un significado religioso como conmemoración de la peregrinación de los hebreos por el desierto al salir de Egipto.

La respuesta del que era ciego es desafiante, como burlándose de las razones de los fariseos. Que se note en el tono de tu anuncio.

Llamaron **de nuevo** al que había sido **ciego** y le dijeron:
"Da gloria a **Dios**.
Nosotros sabemos que **ese hombre** es pecador".
Contestó él: "Si es pecador, **yo no lo sé**;
    sólo sé que yo era ciego y **ahora** veo".
Le preguntaron **otra vez**: "¿Qué te hizo? ¿**Cómo** te abrió los ojos?"
Les contestó: "**Ya** se lo dije a ustedes y **no** me han dado **crédito**.
¿Para qué quieren oírlo **otra vez**?
¿Acaso **también** ustedes quieren hacerse discípulos **suyos**?"
Entonces ellos lo **llenaron** de **insultos** y le dijeron:
"Discípulo de **ése** lo serás **tú**.

La expresión de los fariseos está cargada de rabia discriminatoria. Léela con propiedad.

Nosotros somos discípulos de **Moisés**.
Nosotros **sabemos** que **a Moisés** le habló Dios.
Pero **ése**, no sabemos de **dónde** viene".

Replicó **aquel** hombre:
"Es **curioso** que ustedes no sepan de **dónde** viene
    y, sin embargo, me ha **abierto** los ojos.
Sabemos que Dios no escucha a los **pecadores**,
    pero al que lo **teme** y **hace su voluntad**, a ése **sí** lo escucha.
Jamás se había oído decir que alguien
        abriera los ojos a un **ciego de nacimiento**.
Si **éste** no viniera de Dios, no tendría **ningún poder**".
Le **replicaron**:
"Tú eres **puro pecado** desde que naciste,
    ¿cómo pretendes darnos **lecciones**?"
Y lo echaron **fuera**.

Este párrafo es el punto más alto del relato, porque describe el encuentro de Jesús con el que era ciego y la proclamación de mesianismo de Jesús. Debe proclamarse con solemnidad.

Supo **Jesús** que lo habían echado fuera,
    y cuando lo **encontró**, le dijo:
"¿Crees **tú** en el **Hijo del hombre**?"
Él contestó: "¿Y **quién** es, Señor, para que **yo crea** en él?"
Jesús le dijo: "**Ya** lo has **visto**;
    el que está hablando contigo, **ése** es".

Entre los ritos que acompañaban la fiesta, nos interesa la procesión a la piscina de Siloé, de donde se llevaba agua para pedir por la fertilidad de la tierra. El agua se convirtió, como vimos el domingo pasado, en un símbolo del Espíritu. Otro rito era el del encendido de grandes antorchas en el patio de las mujeres del templo, en recuerdo de la columna de fuego que iluminaba el peregrinar por el desierto. Agua y luz eran componentes esenciales de la fiesta.

En este marco Jesús, después de una áspera discusión con los fariseos que terminó con un intento de exterminarlo a pedra-

das, abandona el templo para escapar de sus perseguidores. Entonces se encuentra con un ciego de nacimiento, al que cura. La curación, realizada con una técnica que usaba saliva y lodo, implica una visita a la piscina de Siloé (la misma de la peregrinación festiva) y se cuenta en unos pocos versículos (9:1–7); el resto del capítulo cuenta las consecuencias del milagro que Jesús realiza, tanto para el ciego curado como para su familia y para los enemigos de Jesús. Contado casi como drama para ser representado, el relato va presentando las actitudes interiores de los protagonistas: los

discípulos, que anclados en la teoría de la retribución, no entienden la naturaleza de las enfermedades que se traen de nacimiento; la inquietud en los vecinos del ciego que pedía limosna en el templo y que después lo ven curado; la acusación farisea que, sin negar el prodigio, quieren desviar la discusión hacia la observancia del sábado; el temor de los padres que no quieren problemas y que parecen no alegrarse de la curación de su hijo. Jesús, en cambio, parece ceder el protagonismo a un gozoso ciego que, con fina ironía, se enfrasca en diálogos con los judíos incrédulos.

En la sección final Jesús es un sabio que saca las conclusiones de lo vivido. Las dos líneas finales son una advertencia también para la asamblea. Haz contacto visual con la audiencia.

Él dijo: "**Creo**, Señor".
Y postrándose, lo **adoró**.

Entonces le dijo Jesús:
"Yo **he venido** a este mundo para que se **definan** los campos:
   para que **los ciegos vean**, y los que ven **queden ciegos**".
Al oír esto, algunos **fariseos** que estaban con él le **preguntaron**:
"¿Entonces, **también nosotros** estamos ciegos?"
Jesús les contestó: "Si **estuvieran ciegos, no tendrían** pecado;
   pero como **dicen** que ven, **siguen** en su **pecado**".

Forma breve: Juan 9:1, 6–9, 13–17, 34–38

La teoría de la retribución (los sanos son bendecidos por Dios; los enfermos algo deberán estar pagando) es superada por Jesús. El sentido último de salud y enfermedad no es el premio o el castigo de Dios, sino su glorificación. Y la gloria de Dios, nos dirá después san Ireneo, es la vida plena de todas las personas. Por detrás del milagro se insinúa la dimensión simbólica de luz y tinieblas. Los diálogos del curado nos revelan cómo la recuperación de la vista física es solo un signo de su proceso de iluminación interior, patente en los títulos que dicen quién es Jesús: un hombre (9:11), un profeta (9:17), alguien que viene de Dios (9:33) y, finalmente, la proclamación de mesianidad: Señor (9:38).

Por otro lado, se dibuja el endurecimiento de los enemigos de Jesús. Se niegan a creer (9:16) y se dividen entre ellos en su interpretación del hecho milagroso; dos descalificaciones se presentan como certezas (nosotros sabemos que es pecador...) y el proceso deriva en una andanada de insultos contra el ciego, y concluye con su expulsión.

Estos dos procesos le permiten al autor del evangelio concluir con dos momentos claves: la postración del ciego de nacimiento ante Jesús, a quien ve por primera vez y le proclama su adhesión; y las palabras sentenciosas de Jesús: él ha venido para que los que no ven recobren la vista y para que los que creen ver, presuntuosos, queden ciegos.

La pascua cristiana es una fiesta bautismal, con sus signos de agua y luz. La curación del ciego de nacimiento tiene también un mensaje para quienes, trasladados de las tinieblas a la luz admirable de la salvación por el bautismo, queremos vivir y permanecer como hijos de la luz.

V DOMINGO DE CUARESMA

Le lectura es breve, el mensaje contundente. Dios restaura a su pueblo y nos regala un corazón nuevo. Resuene en tu lectura un sentimiento de gozo agradecido.

I LECTURA   Ezequiel 37:12–14

Lectura del libro del profeta Ezequiel

Esto dice el Señor Dios:
"Pueblo mío, **yo mismo abriré** sus sepulcros,
    los **haré salir** de ellos y los **conduciré** de nuevo
        a la tierra de **Israel**.

Cuando **abra** sus sepulcros y los **saque** de ellos, **pueblo mío**,
    ustedes **dirán** que **yo soy** el Señor.

Entonces les **infundiré** a ustedes mi espíritu y **vivirán**,
    los **estableceré** en su tierra
    y ustedes **sabrán** que yo, el Señor, lo **dije** y lo **cumplí**".

Para meditar

SALMO RESPONSORIAL   Salmo 129:1–2, 3–4, 5–7ab, 7cd–8

R. Del Señor viene la misericordia, la redención copiosa.

Desde lo hondo a ti grito, Señor: Señor, escucha mi voz; estén tus oídos atentos a la voz de mi súplica. **R.**

Si llevas cuentas de los delitos, Señor, ¿quién podrá resistir? Pero de ti procede el perdón, y así infundes respeto. R.

Mi alma espera en el Señor, espera en su palabra; mi alma aguarda al Señor, más que el centinela la aurora. Aguarde Israel al Señor, como el centinela la aurora. **R.**

Porque del Señor viene la misericordia, la redención copiosa; y él redimirá a Israel de todos sus delitos. **R.**

I LECTURA El profeta Ezequiel ejerció su ministerio profético en el reino del Sur, Judá, poco tiempo antes del primer destierro de judíos a Babilonia y, probablemente, acompañó después a los desterrados en aquel país extranjero al que fueron expulsados, en el año 587. Ezequiel es un sacerdote, por lo que la honra del templo le es particularmente importante.

Después de una larga sección de amenazas dirigidas contra el pueblo de Israel y contra las naciones, el libro de Ezequiel inicia una sección de consuelo y de promesas de reivindicación de parte de Dios (33–39).

De esa parte está tomada la lectura que hoy nos corresponde.

Para Ezequiel, la actuación de Dios responde a la alta estima que él tiene por su honra ante las naciones. A esta actuación, de castigo primero a causa de los pecados e infidelidades del pueblo y de gratuita salvación después, debido a la misericordia divina, debe responder una purificación y renovación interior de parte del pueblo.

La situación del pueblo es terrible. Los israelitas han quedado sin la Tierra Prometida, sin templo y sin sacrificios, es decir, sin la continua relación que el pueblo tenía con

el Dios de las promesas. No hay experiencia mayor de orfandad que la del destierro. En ese momento resuena la predicación de Ezequiel llamando al pueblo a la renovación total y anunciando una intervención renovadora de parte de Dios.

Nuestra lectura transmite dicha convicción a través de una visión en la que el profeta es llevado a una vega en la que hay muchos huesos amontonados.

Dios se le comunica a Ezequiel mediante visiones y sueños. En esta ocasión, lo hace pasar a través de los huesos secos que llenan el lugar. La visión tiene un significado:

II LECTURA   Romanos 8:8–11

Lectura de la carta del apóstol san Pablo a los romanos

La lectura está dividida en tres partes bien diferenciadas. Esta primera sección es una advertencia cariñosa.

Hermanos:
Los que viven en forma **desordenada** y **egoísta**
 no pueden **agradar** a Dios.
Pero ustedes **no llevan** esa clase de vida,
 sino una vida **conforme al Espíritu**,
 puesto que el Espíritu de Dios habita **verdaderamente**
  en **ustedes**.

Quien **no tiene** el Espíritu de Cristo, **no es** de Cristo.
En cambio, si Cristo **vive** en ustedes,
 aunque su cuerpo **siga sujeto** a la muerte a causa del **pecado**,
 su espíritu **vive** a causa de la actividad **salvadora** de Dios.

La consecuencia de vivir en el Espíritu es vida eterna. Lee con claridad y seguridad la promesa de la resurrección.

Si el **Espíritu** del Padre, que resucitó a Jesús de entre los
  muertos, habita en **ustedes**,
 entonces el **Padre**, que resucitó a Jesús de entre los muertos,
 también les dará **vida** a sus cuerpos mortales,
 por obra de su **Espíritu**, que habita en **ustedes**.

---

los huesos representan al pueblo de Israel y la acción restauradora de Dios anuncia ya la entrega del Espíritu Santo. Camino a la pascua nosotros reconocemos hoy que aquella promesa alcanzará su cumplimiento pleno en el pentecostés cristiano.

II LECTURA La comunidad cristiana de Roma no fue fundada por Pablo. El Apóstol les dirige esta carta para avisarles de un posible viaje a España, con una escala en Roma (Romanos 15:22–32), por lo que quiere solicitarles hospedaje. Esta carta termina convirtiéndose en la más

larga y de mayor contenido teológico que haya escrito el Apóstol de los Gentiles.

Siendo una de las cumbres más altas del pensamiento paulino, la carta a los Romanos tiene como argumento central la salvación que Dios ofrece gratuitamente por la fe en Cristo. En esto se relaciona íntimamente con la carta a los Gálatas, escrita poco tiempo antes.

Toda la obra de Dios realizada en favor del pueblo de Israel y que Pablo reconoce como un diseño magnífico de misericordia, ha llegado a su plenitud en la persona de Jesús, a quien hemos de adherirnos sin con-

diciones como el Mesías salvador. Con Jesús, una nueva economía de salvación ha dado comienzo. Ya nada puede seguir siendo igual.

Después de un largo desarrollo, Pablo expone en el capítulo 8 en qué consiste vivir guiados por el Espíritu. Las expresiones *carne* y *espíritu*, más que referirse a dos componentes de la persona humana, se refieren a dos maneras de vivir, dos formas de conducirse: o nos dejamos dominar por la carne o vivimos según el espíritu. La carne representa el principio instintivo, con su principio de debilidad y caducidad. El Espí-

EVANGELIO   Juan 11:1–45

Lectura del santo Evangelio según san Juan

La lectura es muy extensa. No podemos garantizar una buena proclamación si la lectura no se prepara de antemano mirando la distribución de sus partes.

En **aquel** tiempo, se encontraba enfermo **Lázaro**, en **Betania**,
    el pueblo de **María** y de su hermana **Marta**.
María era la que una vez **ungió** al Señor con **perfume**
    y le **enjugó los pies** con su **cabellera**.
El **enfermo** era su hermano **Lázaro**.
Por eso las dos hermanas le mandaron decir a **Jesús:**
"**Señor**, el amigo a quien tanto quieres está **enfermo**".

Al oír esto, **Jesús** dijo:
"Esta enfermedad **no acabará** en la muerte,
    sino que servirá para la **gloria de Dios**,
    para que el **Hijo de Dios** sea **glorificado** por ella".

Deja que tu voz manifieste el hondo afecto que unía a Jesús con esta familia de hermanos.

Jesús amaba a **Marta**, a su **hermana** y a **Lázaro**.
Sin embargo, cuando se enteró de que **Lázaro** estaba **enfermo**,
    se detuvo **dos días más** en el lugar en que se hallaba.
Después dijo a sus discípulos: "Vayamos **otra vez** a Judea".
Los **discípulos** le dijeron:
"**Maestro**, hace poco que los judíos querían **apedrearte**,
        ¿y tú vas a **volver** allá?"
Jesús les contestó: "¿**Acaso** no tiene doce horas el día?
El que camina de **día** no tropieza,
    porque ve la **luz** de este mundo;
    en cambio, el que camina de **noche** tropieza,
        porque le **falta** la luz".

En este diálogo, Jesús revela a sus discípulos la muerte de Lázaro e insinúa el prodigio que va a obrar. Marca la diferencia cuando leas las palabras de Jesús y las de los discípulos.

Dijo esto y **luego** añadió:
"**Lázaro**, nuestro amigo, se ha **dormido**;
    pero yo voy **ahora** a despertarlo".
Entonces le dijeron sus discípulos:
"**Señor**, si duerme, es que va a **sanar**".

ritu es, por contraposición, un principio de vida plena, de una nueva existencia. Es fruto de la obra salvífica de Dios realizada en la entrega de Jesucristo, su muerte y su resurrección. Dejarse guiar por el Espíritu conduce a la vida. Vivir según la carne lleva irremediablemente a la muerte.

A tono con la primera lectura, Pablo reafirma la fuerza vivificadora del Espíritu Santo, que no solo nos hace renacer interiormente, sino que extiende su fuerza a nuestros cuerpos mortales y se convierte en prenda de nuestra resurrección después de la muerte. Es el Espíritu también la fuer-

za que nos permite vivir en comunidad y superar nuestras divisiones, capacitándonos para una vida generosa y entregada al servicio de los hermanos. No hay auténtica vida cristiana si no nos dejamos conducir por el Espíritu.

EVANGELIO El autor distribuye siete milagros de Jesús en la primera parte del evangelio, en el "libro de los signos" (cap. 2–12). El primero es la transformación del vino en las bodas de Caná, y el último milagro, que leemos hoy: la resurrección de Lázaro. San Juan llama signos o

señales a los milagros. Este nombre nos obliga a fijarnos en la dimensión simbólica de lo hecho por Jesús. Más allá del portento en sí mismo, cada uno de estos milagros insinúa una realidad espiritual más honda.

El marco festivo en que el signo es realizado es la fiesta de la Dedicación del templo, en invierno (Juan 10:22). Esta fiesta, llamada *Januká* por los judíos, celebra la purificación del templo, con la re-consagración del altar, después de que los Macabeos triunfaron sobre el ejército griego y se libraron de su yugo. El inicio de la revuelta armada, una especie de guerra de guerrillas

Acelera, sin correr, esta sección narrativa. Da especial énfasis en la lectura al diálogo de Jesús con Marta.

Jesús hablaba de la **muerte**,
    pero ellos **creyeron** que hablaba del **sueño natural**.
Entonces Jesús les dijo **abiertamente**:
"Lázaro **ha muerto**, y me alegro por ustedes
        de **no** haber estado ahí,
    para que crean.
Ahora, vamos allá".
Entonces **Tomás**, por sobrenombre el **Gemelo**,
    dijo a los **demás** discípulos:
"Vayamos **también nosotros**, para **morir** con él".

Cuando llegó **Jesús**, Lázaro llevaba **ya cuatro días** en el sepulcro.
Betania quedaba **cerca** de Jerusalén,
como a unos **dos kilómetros y medio**,
    y **muchos** judíos habían ido a ver a **Marta** y a **María**
    para **consolarlas** por la muerte de su hermano.
Apenas oyó Marta que Jesús llegaba, **salió** a su encuentro;
    pero María **se quedó** en casa.
Le dijo **Marta** a Jesús:
"**Señor**, si hubieras estado aquí, no habría **muerto** mi hermano.
Pero **aún ahora** estoy **segura** de que Dios
    te **concederá** cuanto le **pidas**".
Jesús le dijo: "Tu hermano **resucitará**".
Marta respondió:
"**Ya sé** que resucitará en la resurrección del **último día**".
Jesús le dijo: "**Yo soy** la resurrección y la vida.
El que **cree** en mí, aunque haya muerto, **vivirá**;
    y todo aquel que está vivo y **cree en mí**,
        no morirá para siempre.
¿Crees **tú** esto?"
Ella le contestó:
"**Sí, Señor**. Creo **firmemente** que tú eres el **Mesías**,
    el **Hijo de Dios**,
    el que tenía que **venir** al mundo".

La proclamación de fe de Marta cierra con broche de oro esta sección. Proclámala de manera solemne.

lanzada contra los griegos, tuvo su origen, precisamente, en la profanación del templo (2 Macabeos 5:11–23), cuando Antíoco Epífanes saqueó el santuario de Jerusalén y mandó colocar una estatua de Júpiter Olímpico. Esta profanación motivó el recrudecimiento de la revuelta judía contra los griegos, que los llevó al triunfo. Por eso, una vez expulsados los griegos del territorio, Judas Macabeo mandó purificar el templo (1 Macabeos 6).

Actualmente, durante la fiesta, que dura ocho días, se va encendiendo cada día la vela de una lámpara de ocho brazos, en recuerdo de un milagro conservado por la tradición judía, que sostiene que el candelabro del Templo pudo encenderse todos los días durante la purificación, con solo un poco de aceite, que en condiciones normales habría dado para un solo encendido. Es posible que estos contenidos estén relacionados con el origen probable de la fiesta: un ritual de agradecimiento por la cosecha de los olivos, que se celebraba encendiendo lámparas con el aceite recién recolectado.

El relato de la resurrección de Lázaro es, con mucho, el más importante de los signos realizados por Jesús en este evangelio. Se trata del triunfo de Jesús sobre aquella realidad que Pablo llamará "el último enemigo en ser vencido": la muerte. La resurrección física de Lázaro es solamente un signo de aquella otra resurrección, la de Jesús, que conquistará la vida eterna para todos. La resurrección de Lázaro es un eslabón en una cadena de revelación más amplia, dado que él fue resucitado para regresar a esta vida. Pero el prodigio realizado por Jesús ya apunta al misterio central: Jesús es la resurrección y la vida.

El milagro de resucitar a Lázaro apunta a horizontes diversos. Por una parte, es la

Después de decir **estas palabras**,
    fue a buscar a su hermana **María** y le dijo en **voz baja**:
"**Ya vino** el Maestro y **te llama**".
Al oír **esto**, María **se levantó** en el acto
    y **salió** hacia donde estaba **Jesús**,
    porque **él** no había llegado aún al pueblo,
    sino que estaba en el lugar donde **Marta** lo había **encontrado**.
Los **judíos** que estaban con María en la casa, **consolándola**,
    viendo que ella **se levantaba** y salía **de prisa**,
    pensaron que iba al sepulcro para **llorar** ahí y la **siguieron**.

Cuando llegó **María** adonde estaba Jesús, al verlo,
    se echó a sus pies y le dijo:
"**Señor**, si hubieras estado aquí, no habría **muerto** mi **hermano**".
Jesús, al verla **llorar** y al ver llorar a los judíos
    que la **acompañaban**,
    se conmovió hasta **lo más hondo** y preguntó:
"**¿Dónde** lo han puesto?"
Le contestaron: "**Ven**, Señor, y lo **verás**".
Jesús se puso a **llorar** y los judíos **comentaban**:
"De veras ¡**cuánto lo amaba**!"
Algunos decían:
    "¿No podía **éste**, que abrió los **ojos** al **ciego de nacimiento**,
    hacer que Lázaro **no muriera**?"

Jesús, **profundamente** conmovido **todavía**,
    se detuvo ante el **sepulcro**, que era una **cueva**,
    sellada con una **losa**.
Entonces dijo Jesús: "**Quiten** la losa".
Pero **Marta**, la hermana del que había muerto, **le replicó**:
"**Señor**, ya huele mal, porque lleva **cuatro días**".
Le dijo Jesús: "¿No te he dicho que **si crees**,
    verás la **gloria de Dios**?"
Entonces **quitaron** la piedra.

El diálogo con María permite a Jesús mostrar sus sentimientos humanos de dolor. Manifiesta en tu tono la tristeza de Jesús.

En este segundo diálogo con Marta, las palabras de Jesús invitan a la fe. Léelas como invitación y no como reproche.

manifestación de un rasgo muy humano de Jesús: su amistad con aquella familia de tres hermanos. Lázaro es denominado en el texto: "el amigo a quien tanto quieres". Muestra también de manera explícita el impacto que significa ver morir a alguien a quien uno ama. Sorprende, al lector actual y también a los mismos testigos de la escena, ver a Jesús llorando ante la tumba de su amigo. Pero, al mismo tiempo, el relato tiene como propósito centrar la atención en Jesús, de manera que los testigos fueran conducidos a la aceptación de su mesianidad a través de este signo.

La construcción del relato es acuciosa. Primero es un retraso deliberado por parte de Jesús: se detiene en el lugar en que se encuentra dos días, a pesar de haber recibido ya la noticia de la enfermedad de Lázaro. Una vez que ha muerto, Jesús decide ir a Betania, lugar de residencia de la familia de Lázaro, a pesar de la advertencia de sus discípulos del peligro que para él representaba volver a Judea. Una vez que arriba, de nuevo, la llegada de Jesús ante el cadáver es desplazada por los diálogos de Jesús con las dos hermanas del difunto. Finalmente, llegado ante la tumba del amigo, todavía se

entretiene en una oración. Tales retrasos crean un sentido de suspenso que hace atractiva la narración y dan oportunidad a Jesús de ir llevando la atención de los oyentes (y la de quienes leemos el texto) hacia el aspecto más importante del prodigio que está por realizar: Jesús es la resurrección y la vida. En el diálogo con las dos mujeres, Jesús desarrolla su revelación a partir de malos entendidos por parte de las hermanas, que son aclarados, como lo hiciera también con la samaritana.

Ya desde el inicio del relato Jesús, con un lenguaje ambiguo, afirma que la enfer-

Transmite la devoción de Jesús al leer la oración que pronuncia ante el sepulcro. Deja un momento de silencio al terminarla, antes de continuar.

Eleva la voz y, con autoridad, lee la orden de Jesús.

Jesús **levantó** los ojos a lo alto y **dijo**:
"**Padre**, te doy **gracias** porque me has **escuchado**.
Yo **ya sabía** que tú siempre me **escuchas**;
　　pero lo he dicho a causa de esta **muchedumbre** que me rodea,
　　para que **crean** que tú me has **enviado**".
Luego **gritó** con voz potente: "¡**Lázaro, sal de ahí!**"
Y salió el **muerto**, atados con **vendas** las **manos** y los **pies**,
　　y la **cara** envuelta en un **sudario**.
Jesús les dijo: "**Desátenlo**, para que pueda **andar**".

Muchos de los judíos que habían ido a casa de **Marta** y **María**,
　　al **ver** lo que había hecho Jesús, **creyeron en él**.

Forma breve: Juan 11:3–7, 17, 20–27, 33b–45

medad de Lázaro no acabaría en muerte. Esta enfermedad, dice Jesús, servirá para dar gloria a Dios. Lázaro, es cierto, morirá, pero Jesús ha de volverlo a la vida. Comienza a dibujarse el contraste muerte-vida, que se desarrollará a lo largo del pasaje. Las acciones de Jesús, particularmente estas señales milagrosas, llevan a la glorificación de Dios.

Los versículos 17–27, que contienen el diálogo de Jesús con Marta, adelantan la revelación definitiva: Yo soy la resurrección y la vida. Jesús ha declarado que su misión es, precisamente, traer vida y vida en abun-

dancia a todas las personas (Juan 10:10). Ahora realizará un signo que expresa la unidad con su Padre, dador de la vida.

La resurrección de Lázaro es también la ocasión para que las hermanas de Lázaro y los discípulos, crezcan en la fe. De manera particular la fe de Marta alcanza una madurez que la convierte en un modelo. El encuentro con María, en cambio, apunta al dolor humano por la separación del ser querido. Los versículos 28–37 terminan con una pregunta de los judíos que abre la puerta a la acción milagrosa de Jesús. Una vez realizada la resurrección, las reacciones

serán contradictorias: muchos creen en Jesús, pero los sacerdotes y fariseos convocan a una reunión del sanedrín en la que se toma la decisión de matar a Jesús (Juan 11:45–53).

DOMINGO DE RAMOS DE LA PASIÓN DEL SEÑOR

La historia acompaña la bendición de las palmas. El relato tiene acción y reflexión. Procura que ese desnivel se note en la lectura. Cerciórate de que todos puedan escuchar la proclamación, pues de otro modo, no se entenderá el rito de las palmas.

Frasea pausadamente las acciones, para que la asamblea note lo inverosímil del cuadro. Luego pon entusiasmo en las aclamaciones al Mesías.

EVANGELIO   Mateo 21:1–11

Lectura del santo Evangelio según san Mateo

Cuando se aproximaban ya a **Jerusalén**,
   al llegar a **Betfagé**, junto al **monte de los Olivos**,
   envió Jesús a **dos de sus discípulos**, diciéndoles:
"**Vayan** al pueblo que **ven** allí enfrente;
   al entrar, **encontrarán** amarrada una **burra**
     y un **burrito** con ella;
   desátenlos y **tráiganmelos**.
Si **alguien** les pregunta algo,
   díganle que el Señor **los necesita** y enseguida los devolverá".

Esto sucedió para que **se cumplieran** las palabras del profeta:
Díganle a la hija de Sión: He aquí que tu rey viene a ti, apacible
   y montado en un burro,
en un burrito, hijo de animal de yugo.

Fueron, pues, los discípulos e **hicieron** lo que Jesús
   les había **encargado**
   y trajeron consigo la **burra** y el **burrito**.
Luego pusieron sobre ellos sus **mantos** y Jesús **se sentó** encima.
La gente, **muy numerosa**, extendía sus **mantos** por el **camino**;
   algunos cortaban **ramas** de los árboles y **las tendían** a su paso.
Los que iban delante de él y los que lo seguían **gritaban**:
"¡Hosanna! ¡Viva el Hijo de David!
¡Bendito el que viene en nombre del Señor! ¡Hosanna en el cielo!"

EVANGELIO Este domingo comenzamos por recordar la entrada mesiánica de Jesús en Jerusalén, en medio de la algarabía de los discípulos y los peregrinos que subían al templo con ocasión de la fiesta anual de la Pascua. A ellos unimos nuestro corazón para recibir con palmas en las manos y con aclamaciones "al que viene en nombre del Señor". Las palmas son símbolo de victoria y señorío; así se recibía a los guerreros que luego de la batalla, entraban a tomar posesión de su ciudad. Jerusalén es la ciudad del Mesías de Dios, que viene a

liberarla de toda opresión; esto es lo que evidencia el júbilo de la gente.

Pero esta semana guarda un motivo muy importante también. A lo largo del año, muchas personas han estado buscando a Dios y se han estado preparando para unirse a Cristo. Esta semana culminarán ese camino de preparación cuando queden unidas a él en las aguas bautismales, y sean convertidas en discípulos y discípulas de Cristo Jesús. De modo especial, oramos por todos ellos, para que su fe se fortalezca y sigan al Rey de Reyes con entusiasmo permanente.

San Mateo hace notar muy bien que Jesús es el legítimo heredero del trono davídico de tres maneras principalmente.

Primera. San Mateo refiere explícitamente al carácter profético de las Escrituras que anticipaban puntualmente esa acción que Jesús deliberadamente emprende.

El evangelista une dos textos proféticos: la línea del mensaje que apela a la ciudad procede de Isaías (62:11) y el mensaje mismo del profeta Zacarías (9:9). El cumplimiento escriturario significa que aquella expectación que las profecías habían despertado queda satisfecha y no hay más que

Al entrar Jesús en Jerusalén, **toda la ciudad** se conmovió.
Unos decían: "¿Quién es **éste**?"
Y la **gente** respondía:
   "**Éste** es el **profeta Jesús**, de **Nazaret** de **Galilea**".

I LECTURA   Isaías 50:4–7

Lectura del libro del profeta Isaías

En aquel entonces, dijo **Isaías**:
"El **Señor** me ha dado una **lengua experta**,
   para que pueda **confortar** al abatido
   con **palabras de aliento**.

Mañana tras mañana, el Señor **despierta** mi oído,
   para que **escuche** yo, como **discípulo**.
El Señor Dios me ha hecho oír **sus palabras**
   y yo no he opuesto **resistencia**
   ni me he **echado** para **atrás**.

Ofrecí la **espalda** a los que me **golpeaban**,
   la mejilla a los que me tiraban de la barba.
No aparté mi rostro de los **insultos** y **salivazos**.

Pero el **Señor** me **ayuda**,
   por eso no quedaré **confundido**,
   por eso **endureció** mi rostro como **roca**
   y sé que no quedaré **avergonzado**".

Aprópiate del discurso y pronúncialo con profunda convicción.

Alarga las palabras en negrillas, para acentuar esta parte.

Nota el contraste con lo previo. Llévalo con serena firmeza hasta el final.

---

aguardar, porque Dios ha cumplido ya. Por eso, las escrituras le abren los ojos, a la capital de David, "la hija de Sión", para que pueda reconocer a "su rey". Las aclamaciones de la multitud vienen del Salmo 118:26 son inequívocas.

La segunda manera de validar la modalidad del mesianismo de Jesús la da el contenido del propio mensaje profético: Jesús es un rey de paz, pacífico y manso. Jesús entra en su ciudad no por la fuerza sino con alabanzas y aclamaciones de los salmos de peregrinación que culminaban en presencia de Dios. La ruta indicada es la de la no vio-lencia, en un mundo que se jacta de su poder de destrucción y sometimiento. Por lo mismo es relevante el siguiente acento.

San Mateo adopta una pintura muy curiosa en su descripción. Él pinta la escena como si Jesús fuera montado sobre burra y pollino. Al figurar la acción el resultado es como si hubieran hecho una especie de peana o soporte con los mantos tendidos sobre los animales aparejados que avanzan sobre los mantos colocados sobre el camino. Es una escena surrealista. Pero lo sustancial es que en lo plástico de la escena resuena el tema del "sometimiento" o yugo.

En efecto, el yugo ligero del Mesías (ver Mateo 11:29–30) es contrapuesto al peso de la Ley.

La ciudad se conmociona, como a la llegada de los extranjeros de Oriente (Mateo 2:1–11), y pregunta por la identidad de Jesús. Esa pregunta debe hacer eco en los días siguientes, cuando otros acontecimientos la vayan respondiendo. Por lo pronto, los que acompañan a Jesús lo identifican como "el profeta Jesús, de Nazaret de Galilea". Hay que disponer corazón, ojos y oídos para "el que viene en nombre del Señor". Pero la

Para meditar

SALMO RESPONSORIAL   Salmo 21:8–9, 17–18a, 19–20, 23–24

R. Dios mío, Dios mío, ¿por qué me has abandonado?

Al verme se burlan de mí, hacen visajes,
   menean la cabeza: "Acudió al Señor,
   que lo ponga a salvo; que lo libre si
   tanto lo quiere". **R.**

Me acorrala una jauría de mastines, me
   cerca una banda de malhechores: me
   taladran las manos y los pies, puedo
   contar mis huesos. **R.**

Se reparten mi ropa, echan a suerte mi
   túnica. Pero tú, Señor, no te quedes
   lejos; fuerza mía, ven corriendo a
   ayudarme. **R.**

Contaré tu fama a mis hermanos, en
   medio de la asamblea te alabaré. Fieles
   del Señor, alábenlo, linaje de Jacob,
   glorifíquenlo, témanle, linaje de
   Israel. **R.**

II LECTURA   Filipenses 2:6–11

Lectura de la carta del apóstol san Pablo a los filipenses

Acompaña la primera estrofa bajando el tono y la velocidad hasta llegar a la palabra *muerte*. Haz una pausa de tres tiempos antes de emprender la siguiente estrofa.

Cristo, siendo **Dios**,
   no consideró que debía **aferrarse**
   a las **prerrogativas** de su condición **divina**,
   sino que, por el **contrario**, **se anonadó** a sí mismo,
   tomando la condición de **siervo**,
   y se hizo **semejante** a los hombres.
Así, hecho uno de ellos, **se humilló** a sí mismo
   y por **obediencia** aceptó **incluso** la muerte,
   y una **muerte** de **cruz**.

Nota la graduación ascendente. Subraya los "todos" y ve elevando un poco la voz hasta llegar a la frase final.

Por eso Dios **lo exaltó** sobre **todas** las cosas
   y **le otorgó** el nombre que está sobre **todo** nombre,
   para que, **al nombre de Jesús**, **todos** doblen la rodilla
   en el **cielo**, en la **tierra** y en los **abismos**,
   y **todos** reconozcan **públicamente** que **Jesucristo** es el **Señor**,
   para **gloria** de **Dios Padre**.

---

respuesta profunda irá completándose a correr de los días.

I LECTURA Los poemas o cánticos del Siervo son cuatro piezas literarias exquisitas de la segunda parte del libro, bautizada como Libro de la Consolación. Su mensaje vertebral consiste en anunciar al pueblo de Dios desterrado, que los días del castigo han pasado y que su liberación está ya a la puerta. Es un libro de consuelo. Los cánticos del Siervo sufriente son como un compendio del escarmiento recibido y del alivio que ya se experimenta.

El Siervo es una figura enigmática, que permanece esquiva a la investigación de los estudiosos, porque no la han podido identificar con alguien particular; unos creen que se trata de un rey, un profeta o alguien que representa a la nación; otros que es un personaje imaginario o un discípulo del profeta; otros más asumen que sería un líder o representante del pueblo con la encomienda de encabezar la restauración nacional. Como quiera que sea, cuando los cristianos leyeron estos poemas, no dudaron en descubrir a Cristo entre sus líneas, pues sus rasgos correspondían a lo que él

padeció a manos de los hombres, por nuestra salud.

El canto tercero del Siervo de Dios habla de la experiencia personal del profeta. Dos aspectos de la misión se pueden distinguir en lo que escuchamos.

El primer aspecto del quehacer profético es el del aprendizaje o escucha de la palabra. El poeta habla de su resuelta disposición al aprendizaje. Es un aprendizaje penoso, a golpes. Era una práctica pedagógica más extendida de lo que imaginamos, la cual distaba de estar impedida por los sistemas educativos. Por fortuna, esas con-

EVANGELIO   Mateo 26:14—27:66

Pasión de nuestro Señor Jesucristo según san Mateo

Se recomienda hacer esta amplia lectura entre varios lectores, debidamente preparados. El dramatismo de las acciones debe ser siempre acompasado con reverencia y sentido de lo sacro. Nada de protagonismos individuales; la Palabra de Dios es la protagonista.

En **aquel** tiempo, uno de los **Doce**, llamado **Judas Iscariote**,
    fue a ver a los **sumos sacerdotes** y les dijo:
"¿**Cuánto** me dan si les entregó a **Jesús**?"
Ellos quedaron en darle **treinta monedas de plata**.
Y desde ese momento **andaba buscando**
    una **oportunidad** para **entregárselo**.

El **primer día** de la **fiesta** de los panes **Ázimos**,
    los discípulos **se acercaron** a Jesús y le **preguntaron**:
"¿**Dónde** quieres que te preparemos la **cena de Pascua**?"
Él respondió:
"**Vayan** a la ciudad, a casa de Fulano, y **díganle**:
'El **Maestro** dice: Mi **hora** está ya **cerca**.
Voy a celebrar la **Pascua** con mis **discípulos** en tu **casa**'".
Ellos **hicieron** lo que Jesús les había **ordenado**
    y **prepararon** la cena de **Pascua**.

Comienza una escena íntima y cálida. Baja el tono y la velocidad de lectura.

Al **atardecer**, se sentó a la mesa con los **Doce**,
    y mientras **cenaban**, les dijo:
"Yo les **aseguro** que uno de ustedes va a **entregarme**".
Ellos se pusieron **muy tristes**
    y comenzaron a preguntarle **uno por uno**:
"¿Acaso **soy yo**, Señor?"
Él respondió:
"El que **moja** su **pan** en el **mismo** plato que yo,
    ése va a entregarme.
Porque el **Hijo del Hombre** va a **morir**, como está **escrito** de él;
    pero ¡**ay de aquel** por quien el Hijo del hombre
      va a ser **entregado**!
¡**Más** le valiera a ese hombre **no haber nacido**!"

cepciones han cambiado radicalmente. Pero lo que retrata el Deuteroisaías tiene ese trasfondo de la educación de escuelas y palacios, que es donde niños y jóvenes aprendían a leer y escribir. Por eso se entienden las frases de que el profeta no ha rehuido el castigo del maestro, en este caso de Dios.

El segundo aspecto del quehacer profético tiene que ver con la entrega de la palabra aprendida. Esa palabra está destinada a los desanimados, a aquellas gentes que no confían en la liberación que viene de Dios. Esto lo anota la primera estrofa la lectura, "confortar al abatido". Pero hay más. A la

palabra de aliento del profeta se reacciona con ofensas. El poeta no dice de dónde vengan. El Siervo no desiste, sino que se aferra a la fidelidad de la palabra; lo resiste todo, convencido de la verdad anunciada.

II LECTURA Los cristianos de las primeras generaciones dejaron duradero testimonio de su fe no solo en las historias repetidas y escritas de Jesús y sus discípulos, o en las descripciones de los ideales de vida de las diversas comunidades, sino también en sus oraciones, confesiones de fe e himnos que, de generación en

generación, nos inspiran y seguimos recitando hasta hoy. Los himnos o cánticos acuñan la experiencia de la fe cristiana de manera que se puedan quedar fácilmente en la mente de los creyentes y repetirlos en cualquier momento. Este himno, que Pablo cita, cuenta el itinerario o ciclo del misterio de salvación realizado por Cristo. El ciclo inicia antes del nacimiento de Jesús, en lo que se llama su preexistencia; se pasa luego a contemplar la fase de la encarnación y culmina en la etapa glorificativa. El recorrido termina en el punto donde empezó, pero

Palabras y gestos de Jesús deben quedar marcados por la reverencia y austeridad de la narración.

Entonces preguntó **Judas,** el que lo iba a entregar:
"¿Acaso **soy yo,** Maestro?"
Jesús le respondió: "**Tú lo has dicho**".

Durante la cena, Jesús **tomó un pan,** y pronunciada la **bendición,**
  lo **partió** y lo dio a sus **discípulos,** diciendo:
"**Tomen y coman.** Este es mi **Cuerpo**".
Luego tomó en sus manos una **copa de vino,**
  y pronunciada la **acción de gracias,**
  la **pasó** a sus discípulos, diciendo:
"**Beban** todos de ella, porque ésta es mi **Sangre,**
  Sangre de la **nueva alianza,**
  que será **derramada** por todos,
  para el **perdón** de los pecados.
Les digo que **ya no beberé** más del fruto de la vid,
  hasta el día en que beba con ustedes el **vino nuevo**
  en el **Reino** de mi Padre".

Después de haber cantado el **himno,**
  salieron hacia el **monte de los Olivos.**

Pasa tu mirada por el auditorio al decir las palabras de las Escrituras.

Entonces **Jesús** les dijo:
"**Todos** ustedes se van a **escandalizar** de mí esta noche,
  porque está **escrito:**
Heriré al pastor y *se dispersarán* las ovejas del rebaño.
Pero **después** de que yo **resucite,** iré **delante** de ustedes a **Galilea**".
Entonces Pedro le replicó: "Aunque **todos** se escandalicen de ti,
  yo **nunca** me escandalizaré".
Jesús le dijo:
"**Yo te aseguro** que esta misma noche,
  antes de que el gallo cante, me habrás negado **tres veces**".

Dale contundencia a las palabras de Pedro.

Pedro le replicó:
"Aunque tenga que **morir** contigo, **no te negaré**".
Y lo mismo dijeron **todos** los discípulos.

algo fundamental para nuestra salud ocurre entre el comienzo y el final.

El himno contempla los dos momentos del itinerario de Cristo: uno descendente y otro ascendente que hablan del misterio de su paso o pascua. El primero es el abajamiento o humillación. Cristo no se aferró a su condición divina para hacerla valer como una prerrogativa, por demás válida, para ser tratado con los honores y dignidades correspondientes. El Cristo se vació a sí mismo, como despojándose de lo que por derecho le compete, para adoptar las formas y maneras de los humanos: se hizo hombre. Es el misterio de la encarnación del Hijo de Dios, que el himno pone en términos vaciamiento de lo divino para poder experimentar lo humano. La distancia entre una condición y otra, no se hace como un despliegue de poder o de fuerza, sino de humillación y obediencia.

En cierta manera, esta obediencia de Cristo evoca y contrapone la desobediencia del primer hombre, Adán, que quiso ser como Dios, es decir, arrogarse una condición que no le competía por su natural. Al pretender transgredir sus condiciones naturales, resultó la muerte, el peor de los destinos. Para revertir ese camino de muerte, Cristo Jesús emprende el camino contrario, el del abajamiento y humillación. No simplemente abrazó la condición humana, sino que adoptó la experiencia de lo ínfimo de la escala humana: la de esclavo (*doúlos*). Esta segunda degradación tiene la marca de la obediencia incondicional al amo o señor, porque un esclavo no tiene voluntad propia. Nadie escoge ser esclavo. Natural del humano es decidir por propia voluntad. Pero Jesús no solo decidió ser esclavo, sino llevar al extremo su obediencia, hasta la muerte. Hay muertes honorables, que muestran la

Todo lo de Getsemaní es exterior. Las palabras de Jesús han de ser dichas con cierta gravedad.

El cuadro es una enseñanza a los discípulos, no un reproche iracundo.

Acelera la velocidad en las acciones de la aprensión.

Entonces Jesús fue con ellos a un lugar llamado **Getsemaní**,
 y dijo a los **discípulos**:
  "**Quédense** aquí mientras yo voy a orar **más allá**".
Se llevó consigo a **Pedro** y a los dos **hijos de Zebedeo**
 y comenzó a sentir **tristeza** y **angustia**. Entonces les dijo:
"Mi alma está llena de una **tristeza mortal**.
Quédense aquí y velen **conmigo**".
Avanzó unos pasos más,
 se postró rostro en tierra y **comenzó a orar**, diciendo:
"**Padre** mío, si es **posible**, que **pase** de mí este **cáliz**;
 pero que no se haga como **yo quiero**, sino como **quieres tú**".

Volvió entonces a donde estaban los **discípulos**
 y los encontró **dormidos**.
Dijo a **Pedro**:
"¿No han podido velar conmigo **ni una hora**?
Velen y oren, para no caer en la **tentación**,
 porque el **espíritu** está **pronto**, pero la **carne** es **débil**".
Y alejándose **de nuevo**, se puso a **orar**, diciendo:
"**Padre** mío, si este **cáliz** no puede pasar sin que yo lo **beba**,
 hágase tu voluntad".
Después **volvió** y **encontró** a sus discípulos **otra vez** dormidos,
 porque tenían los ojos **cargados** de sueño.
Los dejó y se fue a orar de nuevo por **tercera vez**,
 repitiendo las **mismas palabras**.
Después de esto, **volvió** a donde estaban los **discípulos** y les dijo:
"**Duerman** ya y **descansen**. He aquí que **llega la hora**
 y el **Hijo del hombre** va a ser **entregado** en manos
  de los **pecadores**.
¡Levántense! ¡Vamos! Ya está **aquí** el que me va a **entregar**".

Todavía estaba hablando **Jesús**, cuando llegó **Judas**,
 uno de los **Doce**,
  seguido de una chusma **numerosa** con **espadas** y **palos**,
   enviada por los **sumos sacerdotes** y los **ancianos** del pueblo.
El que lo iba a entregar les había dado **esta señal**:

heroicidad de quien la padece. No es el caso en la muerte de Jesús, que padeció la muerte más deleznable de todas: muerte de cruz. La humillación no podía ser peor. La *kénosis*, es la palabra griega de vaciamiento, no podía ser mayor. De la gloria de Dios a la una muerte infame, hay un abismo inconcebible a la inteligencia humana. Cristo, sin embargo, lo salvó con su obediencia extrema. Esto le valió su exaltación.

Dios exalta a Cristo; le da un nombre. Es un nombre superior a todo, porque Dios se lo da; es una gracia que encierra todo. Jesús significa "salud de Dios". Ante ese

nombre, toda rodilla se dobla en cualquier esfera de la existencia, cielos, tierra y abismos, porque Dios lo establece "Señor". Así es como Dios eleva a Jesús, haciéndolo Señor, al que toda la creación ha de someterse. El sometimiento de todas las cosas, sin embargo, no le resulta a Jesús en gloria propia, sino en gloria a Dios, Padre de todos. Así se consuma el misterio de la pascua de Cristo. Su paso es el ejemplo a seguir para todos los filipenses y para todo creyente.

EVANGELIO | La historia de la pasión y muerte de Jesús fue proba-

blemente lo primero que comenzó a contarse de la vida de Jesús de Nazaret, junto con el hallazgo de la tumba vacía. La confabulación de las autoridades religiosas con las romanas para quitarlo de en medio, y la manera como lo lograron, ejecutándolo en una cruz, forman el cañamazo que sostiene la secuencia de los diversos episodios. Por otra parte, al repetir los eventos, estos comenzaron a adquirir una hondura que pronto rebasó la superficie de lo sucedido. ¿Cómo es que el Mesías, maestro y profeta justo, hubiera padecido una suerte tan desgraciada? Entonces comenzó a actuar la

Este gesto de Pilatos es relevante y la asamblea lo recuerda con viveza.

"**Aquel** a quien yo le dé un **beso, ése** es. **Apréhendanlo**".
Al **instante** se acercó a Jesús y le dijo:
"¡Buenas noches, **Maestro**!". Y lo **besó**.
Jesús le dijo: "Amigo, ¿es **esto** a lo que has venido?"
Entonces **se acercaron** a Jesús, **le echaron** mano y **lo apresaron**.

Uno de los que estaban con Jesús **sacó la espada**,
    hirió a un **criado** del sumo sacerdote y **le cortó** una **oreja**.
Le dijo entonces Jesús:
"**Vuelve** la espada a su lugar, pues **quien** usa la **espada**,
    a espada **morirá**.
¿No **crees** que si yo se lo **pidiera** a mi **Padre**,
    él pondría **ahora mismo** a mi disposición
    más de **doce legiones** de ángeles?
Pero, ¿**cómo** se cumplirían entonces las **Escrituras**,
    que dicen que **así** debe suceder?"
Enseguida dijo Jesús a aquella **chusma**:
"¿Han salido ustedes a **apresarme** como a un **bandido**,
    con **espadas** y **palos**?
Todos los días yo **enseñaba**, sentado en el **templo**,
    y no me **aprehendieron**.
Pero **todo esto** ha sucedido
    para que **se cumplieran** las predicciones de los **profetas**".
Entonces **todos los discípulos** lo **abandonaron** y **huyeron**.

Los que **aprehendieron** a Jesús
    lo **llevaron** a la **casa** del sumo sacerdote **Caifás**,
    donde los **escribas** y los **ancianos** estaban **reunidos**.
Pedro los fue siguiendo de **lejos**
    hasta el **palacio** del **sumo sacerdote**.
Entró y se **sentó** con los **criados** para ver en **qué paraba aquello**.

Los sumos sacerdotes y **todo el sanedrín**
    andaban buscando un **falso testimonio** contra Jesús,
    con ánimo de **darle muerte**; pero no lo **encontraron**,
    aunque se **presentaron** muchos **testigos falsos**.

Endurece el tono de tu voz y haz como cortante esta sección de la lectura.

Dale relevancia al letrero haciendo una pausa de dos tiempos antes de la frase.

memoria de lo hecho y dicho por Jesús y a entrelazarse con las palabras de las Escrituras sagradas que el pueblo de Dios conocía desde la sinagoga. Así, lo acontecido en Jesús de Nazaret vino a comprenderse como el designio de salud que Dios había dispuesto desde antiguo para la humanidad. Pronto se forjó el relato cristiano de la pasión de Nuestro Señor. No es improbable que ese relato fuera recitado, o leído incluso, en las reuniones de los creyentes con ocasión de la Cena del Señor, o en la celebración cristiana de la pascua.

El foco de la historia de la pasión, no es meramente la figura de Jesús, sino sus efectos benéficos o redentores para los cristianos. Estos efectos se extienden de una generación a la siguiente no solo de manera auricular, es decir, contando en una reunión lo ocurrido bajo la luz de las palabras de los profetas, sino participando en una comida sacramental que une al creyente con su Señor en una alianza sellada en las aguas bautismales. En ellas, el creyente muere simbólicamente, al ser sumergido y resucita, al emerger para vivir dedicado a su Señor, como Pablo articula en la carta a los

Romanos. Los sacramentos cristianos del Bautismo y la Eucaristía vinculan al fiel a Cristo muerto y resucitado de una manera vital. Por esta razón, ellos están en primer plano durante las celebraciones de esta semana, pues sustentan el misterio de nuestra fe.

La pasión de Jesús ocupa el lugar prominente en los cuatro evangelios canónicos de la Iglesia; el proceso judicial y la inhumana ejecución del profeta galileo representan el punto climático de la historia de Jesús de Nazaret. Allí comenzó a reflejarse quién era

Apóyate en las negrillas y en las marcas de la puntuación. Recuerda la pausa al término del parágrafo.

Al fin llegaron dos, que dijeron:
"**Éste** dijo: 'Puedo **derribar** el templo de Dios
    y reconstruirlo en **tres días**'".
Entonces el **sumo sacerdote** se levantó y le dijo:
"¿No respondes **nada** a lo que **éstos** atestiguan en **contra tuya?**"
Como Jesús **callaba**, el **sumo sacerdote** le dijo:
"Te **conjuro** por el Dios **vivo**
    que nos digas si **tú** eres el **Mesías**, el Hijo de Dios".
Jesús le respondió: "**Tú** lo has dicho.
Además, yo les **declaro**
    que **pronto** verán al **Hijo del hombre**,
        sentado a la derecha de Dios,
        venir sobre las nubes del cielo".

Alarga las frases de las líneas iniciales.

Entonces, el sumo sacerdote **rasgó** sus vestiduras y **exclamó:**
"¡Ha **blasfemado**! ¿Qué **necesidad** tenemos **ya** de **testigos?**
Ustedes mismos han oído la blasfemia. ¿**Qué les parece?**"
Ellos respondieron: "Es reo de **muerte**".
Luego comenzaron a **escupirle** en la **cara** y a darle **bofetadas.**
Otros lo **golpeaban**, diciendo:
"**Adivina quién** es el que te ha **pegado**".

Entretanto, **Pedro** estaba **fuera**, sentado en el **patio.**
Una **criada** se le **acercó** y le **dijo:**
"**Tú también** estabas con **Jesús**, el galileo".
Pero él lo **negó** ante **todos**, diciendo:
"**No sé** de qué me estás hablando".
Ya se iba hacia el **zaguán**,
    cuando lo vio **otra criada** y dijo a los que estaban ahí:
"**También ése** andaba con **Jesús**, el nazareno".
Él de nuevo lo **negó** con **juramento:**
"**No conozco** a ese hombre".
Poco después se acercaron a **Pedro**
    los que estaban ahí y le dijeron:
"No cabe duda de que **tú también** eres de ellos,
    pues **hasta** tu **modo de hablar** te delata".

ese profeta enviado por Dios, así como la causa que lo condujo a la cruz.

La trama de la pasión del Mesías inicia con un complot urdido por las autoridades religiosas, sacerdotes y ancianos, capitaneados por Caifás, el pontífice en funciones. Se trata de un grupo que administra el templo de Jerusalén y su aparato litúrgico, académico y económico. El motivo de la conspiración contra Jesús son sus enseñanzas mesianistas y la reciente irrupción que protagonizó en el recinto santo, donde dejó manifiesta su pretensión profética y mesiánica. En la presentación de san Mateo resal-

ta la conciencia puntual de Jesús que anuncia no solo su muerte, sino el modo como va a ser ejecutado. Luego tuvo lugar la cena en Betania, en la casa de Simón el leproso (Mateo 26:6–13). El relato de la pasión que escuchamos hoy toma el hilo cuando uno de los discípulos de Jesús participa en la conspiración.

La traición de Judas Iscariote es el contrapunto a lo sucedido en la casa de Simón, donde una mujer hace una "obra buena" con Jesús: lo unge para su sepultura. Gracias a esa obra buena, que es exuberante, la mujer queda integrada al Evangelio, por la

propia palabra del Maestro. La unción con perfumes previene el mal olor de la muerte. Por eso el dispendio cobra sentido. La muerte no tendrá la palabra final. Del otro lado de esta perspectiva, pero no sin complementarla, Judas trueca a su maestro por el precio de un esclavo. Sin embargo, el Vendido es quien mantiene la dirección de los eventos que se dirigen a su ejecución.

La cena pascual. La cena pascual requería de una meticulosa preparación para iniciar el año nuevo con la Semana de los Ázimos.

Pausa antes de la línea final del parágrafo, para que esta resalte.

Entonces él comenzó a echar **maldiciones**
    y a jurar que **no conocía** a aquel hombre.
Y en aquel momento **cantó el gallo**.
Entonces se acordó Pedro de que **Jesús** había dicho:
"**Antes** de que **cante** el **gallo**, me habrás negado **tres veces**".
Y **saliendo** de ahí se soltó a llorar **amargamente**.

Llegada la **mañana**,
    todos los **sumos sacerdotes** y los **ancianos** del pueblo
    celebraron consejo **contra Jesús** para **darle muerte**.
Después de **atarlo**, lo llevaron ante el procurador, **Poncio Pilato**,
    y se lo **entregaron**.

Entonces **Judas**, el que lo había **entregado**,
    viendo que Jesús había sido **condenado a muerte**,
    devolvió **arrepentido** las **treinta monedas** de plata
    a los **sumos sacerdotes** y a los **ancianos**, diciendo:
"**Pequé**, entregando la sangre de un **inocente**".
Ellos dijeron:
    "¿Y a nosotros **qué** nos importa? Allá **tú**".
Entonces Judas **arrojó** las monedas de plata en el templo,
    se **fue** y se **ahorcó**.

Los **sumos sacerdotes** tomaron las **monedas de plata**, y dijeron:
"No es **lícito juntarlas** con el dinero de las **limosnas**,
    porque son **precio de sangre**".
Después de deliberar, **compraron** con ellas el **campo del alfarero**,
    para **sepultar** ahí a los **extranjeros**.
Por eso aquel campo se llama **hasta el día de hoy**
        "**Campo de sangre**".
Así **se cumplió** lo que dijo el profeta **Jeremías**:
*Tomaron las **treinta monedas** de plata en que fue **tasado**
    aquel a quien **pusieron precio** algunos hijos de **Israel**,
    y las dieron por el **campo del alfarero**,
    según lo que me ordenó el **Señor**.*

De la cena comienza por contarse el anuncio de Jesús de *la traición* de uno de los propios discípulos; como si la traición formara parte de la cena. La traición detona "la salida" de Jesús, "el Hijo del hombre". Jesús ha anunciado su partida en tres ocasiones ya, como su destino de dolor y de gloria. Ahora añade del traidor que "más le valdría no haber nacido". En esa frase se transparenta la aversión al dolor y a la muerte que Jesús experimenta ante la cercanía de su hora.

Enseguida se enfocan *los gestos* de Jesús cuando ya cenan. Jesús le da relevan-cia a un pan ázimo y a una de las copas de vino. Sobre el pan, pronuncia una bendición. El gesto de Jesús ocurre cuando ya comen. Además, partir el pan y repartirlo tiene el sentido de todo banquete griego y judío: que todos los comensales gozan del mismo manjar, es decir, tienen la misma condición y comunión. Recordemos que aquella sociedad era sumamente clasista y que se reunían a comer los iguales. Lo que Jesús hace es un gesto que afianza la igualdad discipular, pero con una base diferente, expresada en sus palabras.

El pan bendecido, partido y repartido, dice Jesús, "es mi cuerpo", pero antes les pide que lo reciban para comer. ¿Cabría hacer algo más con un trozo de pan? Cualquier otra opción queda eliminada por el comer. Sin recepción no hay comida. Comer sustenta la vida. El grupo discipular cena con / en Jesús. Pero algo más está implícito en lo dicho: él se les da en ese trozo de pan. Él lo dice. Por eso, el sentido inmediato es que el cuerpo de Jesús recibido funda la vida, la unidad y la igualdad de todo el pueblo discipular y escatológico de Dios,

Inicia una nueva escena. Haz notar la diferencia entre descripción y diálogo.

Jesús compareció ante el procurador, **Poncio Pilato,**
    quien le preguntó:
"¿Eres **tú** el rey de los **judíos**?"
Jesús respondió: "**Tú** lo has dicho".
Pero **nada** respondió a las **acusaciones** que le hacían
    los **sumos sacerdotes** y los **ancianos.**
Entonces le dijo **Pilato:**
"¿No oyes **todo** lo que dicen **contra ti**?"
Pero él **nada** respondió,
    hasta el punto de que el **procurador** se quedó **muy extrañado.**
Con ocasión de la fiesta de la **Pascua,**
    el procurador solía **conceder** a la multitud
    la **libertad** del preso que **quisieran.**
Tenían entonces un **preso famoso,** llamado **Barrabás.**
Dijo, pues, Pilato a los **ahí reunidos:**
"¿A **quién** quieren que le deje en **libertad:**
    a **Barrabás** o a **Jesús,** que se dice el **Mesías**?"
Pilato sabía que se lo habían entregado **por envidia.**

Estando él sentado en el tribunal, **su mujer** mandó decirle:
"**No te metas** con ese hombre justo,
    porque **hoy** he sufrido mucho en sueños **por su causa**".

Mientras tanto, los **sumos sacerdotes** y los **ancianos**
    convencieron a la **muchedumbre**
    de que pidieran la **libertad** de Barrabás y la **muerte** de Jesús.
Así, cuando el procurador les **preguntó:**
"¿A **cuál** de los dos quieren que les **suelte**?"
Ellos respondieron: "A **Barrabás**".
Pilato les dijo:
"¿Y qué voy a hacer con **Jesús,** que se dice el **Mesías**?"
Respondieron todos: "**Crucifícalo**".
Pilato preguntó: Pero, ¿qué **mal** ha hecho?"
Mas ellos seguían **gritando cada vez** con más fuerza:
     "**¡Crucifícalo!**"

que es la comunidad de creyentes. No es otro su fundamento.

Lo hecho con el pan es paralelo a lo que Jesús hace con la copa: tomar, dar gracias, distribuir; se deja ver lo ritual. La copa se ronda entre todos, lo indica Jesús. No hay espectadores. Tiene sentido similar al del pan partido: "es mi sangre de la alianza, derramada por muchos para el perdón de los pecados". "Los muchos", "los numerosos" eran, entre otras, designaciones que los propios esenios empleaban para referirse a los miembros de la propia comunidad. La copa a beber es el medio para entrar en una alianza diferente a la del Sinaí.

La alianza nueva tiene un marco nuevo de relación con Dios, el perdón. El nuevo pueblo de Dios es un pueblo de perdonados en la sangre derramada del Mesías violentado.

El *voto de abstención* de Jesús empuja o impulsa las últimas realidades o las cosas nuevas, las del Reino de Dios. El Mesías entra en ayuno por el Reino del Padre. Sus discípulos, los que beben de la copa de la alianza, están constreñidos a beber con Jesús el vino nuevo en el Reino del Padre.

Ese deber u obligación contractual, porque eso es la alianza, se desahoga en la fidelidad a eso que está significado en el comer el cuerpo y beber la copa de la alianza. Jesús no come ni bebe "su cena", sino que ayuna hasta que la experiencia del Reino, las cosas nuevas, sea una realidad plena. Todos los discípulos de Jesús tienden a esa reunión definitiva en la que todos los humanos, todos los perdonados, participarán de ese vino nuevo.

El paso al Huerto de los Olivos marca el comienzo de los eventos de la aprensión y

Dale un tono acusatorio a las palabras de Pilato.

Entonces **Pilato**,
    viendo que **nada** conseguía y que **crecía** el **tumulto**
    pidió agua y **se lavó las manos** ante el pueblo, diciendo:
"Yo no me hago **responsable** de la **muerte** de este hombre **justo**.
Allá ustedes".
Todo el pueblo respondió:
"¡Que su **sangre caiga** sobre **nosotros** y sobre **nuestros hijos**!"
Entonces Pilato **puso en libertad** a **Barrabás**.
En cambio a Jesús lo hizo **azotar** y lo **entregó**
    para que lo **crucificaran**.

Los **soldados** del procurador **llevaron** a Jesús al **pretorio**
    y **reunieron** alrededor de él a **todo el batallón**.
Lo **desnudaron** y le echaron encima un **manto de púrpura**,
    trenzaron una **corona de espinas** y se la pusieron **en la cabeza**;
    le pusieron una **caña** en su mano derecha,
    y **arrodillándose** ante él, **se burlaban** diciendo:
"¡Viva el **rey** de los **judíos**!",
    y le **escupían**.
Luego, **quitándole** la caña, **golpeaban** con ella en la **cabeza**.
Después de que **se burlaron** de él, le **quitaron** el manto,
    le **pusieron sus ropas** y lo llevaron a **crucificar**.

Al salir, encontraron a un hombre de **Cirene**, llamado **Simón**,
    y **lo obligaron** a llevar la **cruz**.
Al llegar a un lugar llamado **Gólgota**,
    es decir, "**Lugar de la Calavera**",
    le dieron a **beber** a Jesús **vino** mezclado con **hiel**;
    él lo **probó**, pero **no lo quiso beber**.
Los que lo crucificaron **se repartieron** sus vestidos,
    echando suertes,
    y se quedaron sentados **para custodiarlo**.
Sobre su cabeza pusieron **por escrito** la **causa de su condena**:
'**Éste** es Jesús, el **rey** de los **judíos**'.
Juntamente con él, crucificaron a **dos ladrones**,
    uno a su **derecha** y el **otro** a su **izquierda**.

consecuente ejecución del Mesías. El *escándalo* da la pauta a la secuencia de eventos.

Jesús anuncia el asalto inminente al grupo, con palabras del profeta Ezequiel 13:7 y en términos de una dispersión o escándalo discipular. Es justo lo contrario de lo que acaban de suceder en la cena. Las protestas de los discípulos son comprensibles: aseguran una fidelidad inquebrantable al Maestro, que solo hará más vergonzante sus reacciones. El escándalo será remediado cuando Jesús resucitado los guíe de nuevo a Galilea. Él comanda todo.

Jesús va a *orar* a un recinto, Getsemaní. Separa a tres discípulos, que serán columnas de la Iglesia después, para que velen con él. Fallan en ser solidarios hasta en la oración. Jesús pide que pase la copa del sufrimiento que se avecina; la violencia lo aterra, pero se somete y deja todo en las manos de su Padre. Enseguida lo asalta una turba armada para apresarlo, comandada por uno de los que recién comieron y bebieron con él. Se suscita una escaramuza de pelea, pero Jesús la reprueba. No tolera la violencia, ni siquiera en su propia defensa. Ante esto, se consuma el escándalo, de ma-

nera que las palabras proféticas de la Escritura, y de Jesús, cobran cauce.

La *audiencia judicial* con las autoridades judías da con una causa legal para ejecutar a Jesús en las palabras testimoniadas contra el templo. Jesús calla ante la distorsión de sus palabras, pero no silencia su identidad mesiánica, anunciando una visión a sus juzgadores. En ella, los papeles quedan invertidos: ellos serán juzgados por él (ver Daniel 7). Esto resulta intolerable a los que tienen el poder y comienzan a agredir al Cristo con insultos y violencias; lo han declarado reo de blasfemia.

Eleva un poco el tono de voz en las burlas de la gente. Nota que el drama sube, pero baja la velocidad en las palabras de Jesús.

Los que pasaban por ahí,
    lo insultaban moviendo la cabeza y **gritándole**:
"**Tú**, que destruyes el templo y en tres días **lo reedificas**,
    sálvate a ti mismo; si eres el Hijo de Dios, **baja** de la cruz".
También se burlaban de él los **sumos sacerdotes**,
    los **escribas** y los **ancianos**, diciendo:
"Ha salvado a otros y no puede salvarse **a sí mismo**.
Si es el rey de Israel, que **baje** de la cruz y **creeremos** en él.
Ha puesto su **confianza** en **Dios**,
    que Dios lo salve **ahora** si es que **de verdad** lo ama,
        pues él ha dicho: '**Soy el Hijo de Dios**'".
Hasta los ladrones que estaban crucificados a su lado
    lo injuriaban.

Desde el **mediodía** hasta las **tres de la tarde**,
    se oscureció **toda** aquella tierra.
Y alrededor de las **tres**, Jesús exclamó **con fuerte voz**:
"*Elí, Elí, ¿lemá sabactaní?*",
    que quiere decir: "**Dios mío, Dios mío**,
        ¿por qué me has **abandonado**?"
Algunos de los presentes, al oírlo, decían: "Está llamando a **Elías**".

Enseguida uno de ellos fue corriendo a tomar una **esponja**,
    la **empapó** en vinagre y sujetándola a una caña,
        le **ofreció de beber**.
Pero **otros** le dijeron:
"**Déjalo. Veamos** a ver si viene Elías a **salvarlo**".
Entonces Jesús, dando de nuevo un **fuerte** grito, **expiró**.

[Aquí todos se arrodillan y guardan silencio por unos instantes.]

Las *negaciones* del discípulo Pedro continúan el tópico del cobarde escándalo; no parece haber manera de sostener el vínculo con el Maestro galileo bajo circunstancias adversas. En la negrura de la infidelidad, sin embargo, se va roturando el conocimiento de quien es Jesús para el discípulo. En esa medida también la identidad del discípulo va aflorando. Cuando el creyente confronta su propia flaqueza, su incapacidad de ser fiel, entonces se abre la posibilidad de conocer al Maestro y seguirlo.

La entrega de Jesús ya sentenciado a la autoridad romana para que lo ejecute causa el arrepentimiento de Judas que quiere dar marcha atrás. En la devolución del dinero, san Mateo deja ver dos cosas; que el beneficio salvífico de la sangre de Jesús no deriva de la santidad del templo, pues más bien procede de la alianza sellada en la sangre de Jesús; asimismo, que esa sangre beneficia a los extranjeros, es decir, a todos los excluidos de la alianza mosaica.

En *la comparecencia* ante Pilato brilla la conveniencia de la autoridad corrupta, que se lava las manos por recomendación de su mujer. En aquél que debiera promover el derecho resalta el interés por complacer a la gente, así sea al precio de una vida judía y, de parte judía, el interés por exhibir su fidelidad a los romanos. Prefieren la libertad de Barrabás a la vida de Jesús. La crucifixión que solicitan las autoridades era el castigo a los esclavos rebeldes al Imperio Romano.

La crucifixión era un procedimiento tan cruel como inhumano; buscaba sofocar cualquier intento de insurrección entre los súbditos del imperio. Las burlas de los soldados van deshumanizando al Mesías de los judíos y lo preparan a la cruz.

Simón de Cirene se ve obligado a ayudarle con la cruz a Jesús. No se dice por qué

Aumenta la velocidad de lectura de un párrafo a otro en esta parte.

Entonces el **velo** del templo **se rasgó** en dos partes,
　　de **arriba a abajo,**
　　la **tierra tembló** y las **rocas se partieron.**
Se abrieron los **sepulcros**
　　y resucitaron **muchos justos** que habían **muerto,**
　　y **después** de la resurrección de **Jesús,**
　　entraron en la ciudad santa y se aparecieron a **mucha gente.**
Por su parte, el **oficial** y los que estaban con él
　　custodiando a Jesús,
　　al ver el **terremoto** y las cosas que ocurrían,
　　se llenaron de un **gran temor** y dijeron:
"Verdaderamente **éste** era Hijo de Dios".

Estaban **también** allí,
　　mirando desde lejos, **muchas de las mujeres**
　　que habían **seguido** a Jesús desde Galilea **para servirlo.**
Entre ellas estaban **María Magdalena,**
　　María, la madre de **Santiago** y de **José,**
　　y la madre de los **hijos de Zebedeo.**

Al atardecer, vino un **hombre rico** de **Arimatea,** llamado **José,**
　　que se había hecho **también** discípulo de Jesús.
Se presentó a **Pilato** y le pidió el **cuerpo de Jesús,**
　　y Pilato **dio orden** de que se lo **entregaran.**
José **tomó** el cuerpo, **lo envolvió** en una sábana limpia
　　y **lo depositó** en un sepulcro **nuevo,**
　　que había hecho excavar en la roca para **sí mismo.**
Hizo rodar una **gran piedra** hasta la entrada del sepulcro
　　y **se retiró.**
Estaban ahí **María Magdalena** y la **otra María,**
　　sentadas frente al **sepulcro.**

---

hicieron esto los soldados del procurador. Ellos comandan las acciones desde las burlas en el pretorio hasta la ejecución en cruz. Ellos hacen de las pertenencias del ejecutado su botín. Lo ejecutan en una colinilla de las afueras de la ciudad amurallada, el Gólgota. Estaría cerca de una de las puertas de la ciudad y por allí pasarían las gentes que acudían a celebrar la pascua. Los soldados sentados, exhiben al Crucificado a los ojos de todo el mundo. Todos deben enterarse de lo que ha pasado con él; por eso el letrero sobre su cabeza y los ajusticiados a un lado y otro. Las burlas no cesan: caminantes, autoridades religiosas y los propios bandidos lo injurian. En esas puyas hirientes se asoma la verdad de la salvación.

El Crucificado ha puesto su confianza en Dios. Y Dios lo salvará, no bajándolo de la cruz sino con una proeza insospechadamente mayor: haciendo subir a su Hijo del Sheol. Pero eso vendrá después. Hoy es el día de la calamidad y de la oscuridad más densas.

Los *fenómenos* que acompañan a la muerte de Jesús son tremendos. Es el templo, presente de principio a fin de la pasión del Cristo, el referente primario de la identidad y misión del Mesías. El velo del templo indicaba la separación entre el lugar donde Dios habita y el mundo exterior. El sumo sacerdote en funciones entraba una sola vez hasta donde el arca de la alianza había estado, para derramar sobre una placa que le estaba adosada, la sangre de una víctima sacrificada en favor del pueblo; era el rito de la expiación. Aquel perdón le daba a Israel vida nueva. La rotura de la cortina interior del templo da a luz una era nueva: la escatológica. Los eventos que siguen son los que se esperaban para la llegada del Día de Yahveh, al que había de anunciar un terremoto

Este cuadro culmina la lectura. Haz contacto visual con la asamblea al mencionar la resurrección.

Al **otro día**, el siguiente de la **preparación** de la **Pascua**,
   los **sumos sacerdotes** y los **fariseos**
      se reunieron **ante Pilato** y le dijeron:
"**Señor**, nos hemos **acordado** de que ese **impostor**,
      estando **aún en vida**, dijo:
      'A los tres días **resucitaré**'.
Manda, pues, **asegurar** el sepulcro hasta el **tercer día**;
   no sea que vengan sus discípulos, **lo roben** y digan al pueblo:
   '**Resucitó** de entre los muertos',
   porque esta **última impostura** sería **peor** que la **primera**".
Pilato les dijo: "**Tomen** un pelotón de **soldados**,
   seguren el sepulcro como **ustedes quieran**".
Ellos fueron y **aseguraron** el sepulcro,
   poniendo un **sello** sobre la puerta y dejaron **ahí** la guardia.

Forma breve: Mateo 27:11–54

sin precedentes, por eso la apertura de los sepulcros, la resurrección de los justos y su entrada y apariciones a los habitantes de la ciudad, una vez que Jesús resucitó.

   La *confesión* del oficial romano y de los otros que están con él, llega a la vista de las señales prodigiosas que todos contemplan. Es una confesión común, pero no es una confesión discipular. No hay mención de discípulos todavía. Esa congregación al pie del Crucificado está constituida por los soldados de Pilatos, los sumos sacerdotes y quizá algunos que pasaran por allí. "Verdaderamente, éste era Hijo de Dios". Los lec-

tores cristianos debían entender aquello de una manera muy diferente a la de los personajes de la narración. Pero la comprensión debía conjuntarse en la identidad mesiánica de Jesús.

JUEVES SANTO, MISA VESPERTINA DE LA CENA DEL SEÑOR

I LECTURA Éxodo 12:1–8, 11–14

Lectura del libro del Éxodo

El tono es solemne, pero no rígido. Haz contacto visual con la asamblea antes de iniciar el discurso directo, allí donde abren las comillas.

En **aquellos** días, el Señor les dijo a **Moisés** y a **Aarón**
    en tierra de **Egipto**:
"**Este mes** será para ustedes el **primero** de **todos** los meses
    y el **principio** del año.
Díganle a **toda** la comunidad de Israel:
'El día **diez** de este mes, tomará cada uno un cordero por
        familia, uno por **casa**.
Si la familia es **demasiado pequeña** para comérselo,
    que se junte **con los vecinos**
    y elija un cordero adecuado **al número** de personas
    y a la cantidad que **cada cual** pueda comer.
Será un animal **sin defecto**, macho, de un año, cordero o cabrito.

Apóyate en la puntuación para que cada oración cobre sentido. No te precipites al leer.

Lo guardarán hasta el día **catorce** del mes,
    cuando **toda la comunidad** de los hijos de Israel
        lo inmolará **al atardecer**.
Tomarán la sangre y rociarán **las dos jambas**
    y el **dintel de la puerta** de la casa
    donde vayan a comer el **cordero**.
Esa noche comerán la **carne, asada** a fuego;
    comerán **panes sin levadura** y **hierbas amargas**.
Comerán **así**:
    con la **cintura ceñida**, las **sandalias** en los **pies**,
    un **bastón** en la **mano** y a **toda prisa**,
    porque es la **Pascua**, es decir, el **paso del Señor**.

I LECTURA La celebración más importante del pueblo de Dios es la de su propio nacimiento. Antes del éxodo, no hay pueblo, propiamente hablando, sino un clan familiar que se ha multiplicado generosamente. Fue la experiencia común de la esclavitud la que va a modelar una solidaridad diferente a la sanguínea. A partir de allí va a generarse una historia de salvación particular, donde se revela una vocación profunda a la libertad y un modo de vivir con dignidad entre las demás naciones de la tierra. La fiesta de pascua coagula esa identidad profunda que el pueblo recibe de Dios.

La celebración consistía en una cena familiar, en la que el plato principal era el cordero y lo particular era el modo como se había de comer. Las normativas de la pascua en el libro del Éxodo, vienen en el marco de la gran lucha que Dios sostiene con el faraón y los dioses de Egipto, para sacar a su pueblo de la esclavitud. Antes de estas normas, Dios ha azotado a Egipto con nueve plagas ya, que solo han servido para que el faraón se endurezca en su necedad de retener a los esclavos hebreos. Así, con la décima plaga, Dios va a resquebrajar la voluntad del faraón y, por esa brecha, abrirá el camino a la libertad.

II LECTURA Esta descripción de la Cena del Señor es la más antigua de las que se han conservado en las escrituras del Nuevo Testamento; fue escrita por san Pablo. Él se vio en la necesidad de describir cómo se hace y en qué consiste ese rito tan distintivamente cristiano, porque supo que entre los corintios se están dando abusos y es necesario pararlos. Él hace todo cuanto puede para que esa iglesia recobre la memoria y mire de dónde le viene su ori-

Subraya la primera persona de singular y las acciones que Dios ejecuta.

Yo pasaré esa noche por la tierra de **Egipto**
    y **heriré** a **todos los primogénitos** del país de Egipto,
    desde los hombres **hasta** los ganados.
Castigaré a **todos los dioses** de Egipto, **yo,** el Señor.
La **sangre** les servirá de **señal** en las casas donde **habitan ustedes**.
Cuando yo vea la sangre, **pasaré de largo**
    y **no habrá** entre ustedes **plaga exterminadora**,
    cuando **hiera yo** la tierra de **Egipto**.

Ese día será para ustedes un **memorial**
    y lo celebrarán como **fiesta** en **honor del Señor**.
De generación en generación **celebrarán** esta festividad,
    como **institución perpetua**'''".

Para meditar

SALMO RESPONSORIAL   Salmo 115:12–13, 15–16, 17–18

R. El cáliz de la bendición es comunión con la sangre de Cristo.

¿Cómo pagaré al Señor
    todo el bien que me ha hecho?
Alzaré la copa de la salvación,
invocando su nombre. **R.**

Mucho le cuesta al Señor
    la muerte de sus fieles.
Señor, yo soy tu siervo,
siervo tuyo, hijo de tu esclava;
rompiste mis cadenas. **R.**

Te ofreceré un sacrificio de alabanza,
    invocando tu nombre, Señor.
Cumpliré al Señor mis votos,
    en presencia de todo el pueblo. **R.**

II LECTURA   1 Corintios 11:23–26

Lectura de la primera carta del apóstol san Pablo a los corintios

Hermanos:
Yo **recibí** del Señor **lo mismo** que les he **trasmitido**:
    que el **Señor Jesús**, la noche en que iba a ser **entregado**,
    tomó pan en sus manos,
    y pronunciando la **acción de gracias**, lo **partió** y **dijo**:
"Esto es mi **cuerpo**, que se entrega por **ustedes**.
Hagan **esto** en **memoria mía**".

El relato es el tesoro de la tradición cristiana. Proclámalo con veneración y gozo profundos.

gen y su vocación o destino. Todo esto sintetizado en los gestos de una cena singular.

Los cristianos se reúnen para hacer la memoria del Señor Jesús en una cena. Es una memoria que se desdobla en dos gestos paralelos. El primer gesto es sobre el pan. El pan que se come es el cuerpo de Jesús. Hacer la memoria conjunta del cuerpo del Señor es recalar en un cuerpo entregado. Bien cabe entender esto como el don que Jesús hace de su vida en favor nuestro, que implica la connotación de un cuerpo entregado o traicionado hasta la deshumanización. Los relatos de los evangelios nos

enteran que la traición del cuerpo de Jesús vino del lado discipular. La comunidad cristiana debe recuperar ese doble sentido implícito en el compartir el pan, porque hacer la memoria del cuerpo de Cristo es el modo cristiano de humanización, es decir, de recuperar la imagen de Dios en cada comensal.

El segundo gesto del memorial cristiano se hace sobre una copa de vino. Esa es una copa de alianza sellada con sangre; así eran sellados los pactos en la antigüedad, con sangre de una víctima que se sacrificaba para indicar que el compromiso que se adquiría era al precio de una vida. En este

caso el precio es la vida misma de Jesús, el Mesías. En la alianza se conjuntan voluntades para un único propósito. Los que beben de la misma copa de la alianza se unen a la misma causa a la que Jesús entregó su vida: el Reino de Dios. Otro tanto se compromete a hacer el cristiano.

Con esto en mente, comer y beber haciendo la memoria de Jesús proclama que él está por venir. Con esto se dice que él vive y que Dios lo ha instituido autoridad suprema de cielo y tierra; su venida es aguarda con ansia y esperanza, porque trae la justicia definitiva para todos. En síntesis,

Marca la pausa, pero no la alargues demasiado. Estas palabras van dirigidas a los corintios; has, sin embargo, contacto visual con la asamblea para que se note aludida también.

Lo **mismo** hizo con el cáliz **después** de cenar, diciendo:
"Este **cáliz** es la **nueva alianza** que se sella con mi **sangre**.
Hagan **esto** en **memoria mía** siempre que **beban** de él".

Por eso,
    cada vez que ustedes comen de **este pan** y beben de **este cáliz**,
    proclaman la muerte del Señor, **hasta que vuelva**.

EVANGELIO   Juan 13:1–15

Lectura del santo Evangelio según san Juan

El párrafo inicial da un tono solemne a la descripción. Frasea muy bien estas líneas para que la asamblea note que no es algo trivial lo que escucha.

Antes de la fiesta de la **Pascua**,
    sabiendo Jesús que había **llegado** la hora
    de pasar de este mundo al **Padre**
    y habiendo amado a los **suyos**, que estaban en el **mundo**,
    los amó **hasta el extremo**.

En el transcurso de la **cena**,
    cuando ya el **diablo** había puesto en el corazón
      de **Judas Iscariote**, hijo de **Simón**,
    la idea de **entregarlo**,

Alarga las frases que hablan de la conciencia de Jesús y del control de lo que viene.

Jesús, **consciente** de que el Padre había puesto en sus manos
      todas las cosas
    y **sabiendo** que había **salido** de Dios y a Dios **volvía**,
    se levantó de la mesa, **se quitó** el manto
    y tomando una **toalla**, se la **ciñó**;
    luego **echó agua** en una **jofaina**
    y se puso a **lavarles los pies** a los **discípulos**
    y a **secárselos** con la **toalla** que se había **ceñido**.

Cuando llegó a **Simón Pedro**, éste le dijo:
"Señor, ¿me vas a lavar tú **a mí** los pies?"
Jesús le replicó:
"Lo que estoy haciendo tú no lo entiendes **ahora**,
    pero lo comprenderás **más tarde**".

la Cena del Señor encapsula el Evangelio de Dios para la humanidad.

Pablo no es un inventor de lo que describe; él se encadena a la generación previa de cristianos que ha recibido del Señor lo que transmite. Entregar y recibir son términos que usan los rabinos para referir a una tradición. Pablo no dice de quién recibió el rito, ni cómo ni cuándo, pero se infiere que lo aprendió cuando comenzó a profesar la fe cristiana, quizá en Damasco mismo, o un poco después en Antioquía, donde pasó varios años enseñando. De cualquier mane-

ra, él refiere claramente el origen del rito al Señor Jesús.

Hoy como ayer, los cristianos regeneran su compromiso en la alianza del Reino cuando celebran la Eucaristía. De ese memorial procede la fuerza para desarraigar cualquier abuso en la comunidad eclesial, lo cual requiere recuperar lo que es: Cuerpo de Cristo.

EVANGELIO El evangelio de san Juan inicia a contar la gran noche de la entrega de Jesús con un acto suyo extraordinario: el lavatorio de los pies a sus

discípulos. Es una acción que pertenece a la vida cotidiana, pero que tiene una relevancia sustantiva porque adquiere su sentido del marco pascual. Es un gesto "nuevo" que se inserta en la novedad de la pascua, que era el inicio del año, pero, ante todo, porque con él, Jesús inaugura lo nuevo: su paso de este mundo al Padre.

El paso de Jesús se cumple mediante su muerte en cruz, por eso, el evangelista hace referencia a la traición que Judas ya ha perpetrado. Aun cuando la crucifixión es una muerte ignominiosa a los ojos del mundo, por tratarse de la ejecución de un

El intercambio entre Pedro y Jesús es vivaz y hay que hacer que se note. El señorío de Jesús debe ser preponderante.

Pedro le dijo: "Tú **no** me lavarás los pies **jamás**".
Jesús le contestó: "Si no te lavo, **no tendrás parte** conmigo".
Entonces le dijo Simón Pedro:
"En **ese caso**, Señor, **no sólo** los pies,
  sino **también** las **manos** y la **cabeza**".
Jesús le dijo:
"El que se ha **bañado** no **necesita** lavarse más que los **pies**,
  porque **todo él** está limpio.
Y **ustedes** están **limpios**, aunque no **todos**".
Como **sabía** quién lo iba a entregar, **por eso** dijo:
'**No todos** están **limpios**'.

Cuando **acabó** de lavarles los **pies**,
  se puso **otra vez** el manto, **volvió** a la mesa y les **dijo**:
"¿**Comprenden** lo que acabo de hacer con **ustedes**?
Ustedes me llaman **Maestro** y **Señor**, y dicen bien, porque **lo soy**.
Pues si **yo**, que soy el **Maestro** y el Señor, **les he lavado los pies**,
  también ustedes deben lavarse los pies **los unos a los otros**.
Les he dado **ejemplo**,
  para que lo que yo he hecho **con ustedes**,
  también ustedes lo **hagan**".

Marca las dos menciones del mandato del Señor; nota que son la punta del relato. Ve bajando la velocidad, pero eleva el tono hacia las dos líneas finales.

criminal, a los ojos del creyente representa la hora de la gloria del Hijo, pues elevado en cruz, Jesús dejará patente a los ojos del mundo su fidelidad incondicional al Padre. Ese marco de la entrega culminante es lo que le da a la acción de Jesús su sentido más profundo.

El Maestro y Señor se hizo aprendiz y esclavo de los suyos. No por otra razón sino para que ellos, sus discípulos, se laven los pies unos a otros. Con esto se dice que Jesús implanta la igualdad fundamental e inalterable entre todos los suyos. Él se ha puesto como rasero para todo discípulo,

pues salvó la distancia insalvable y ellos puedan participar en la alianza sellada con su abajamiento soberano. Es Jesús el único que puede "lavar" a los creyentes para que "tengan parte con él". Este es el vínculo fundamental del discipulado. Y en la alianza, al discípulo le compete lavar los pies de sus compañeros, por fidelidad a Jesús; será el modo de comulgar con él.

El lavatorio de los pies es el signo profético de la entrega de Jesús por los suyos, como la fracción del pan y la copa de la alianza. Ambas acciones salvíficas tienen profundo sentido simbólico y sacramental

porque comunican la vida de Dios a quien participa en ellas; son expresión del amor de Dios por la humanidad. En este Jueves Santo, nos corresponde recibir el amor del abajamiento de Jesús y refrescar nuestro compromiso del amor discipular y recíproco. Todo esto porque él ya ha entrado en el santuario celeste.

VIERNES SANTO
DE LA PASIÓN DEL SEÑOR

El tono del poema es grave y solemne. No aligeres el ritmo y apóyate en la puntuación de cada línea.

Sostén las preguntas ante la asamblea, haciéndoles su propio espacio. Luego comienza con un volumen de voz bajo que va creciendo en el párrafo.

Estas líneas expresan el sentido del dolor; dales fuerza y serenidad.

I LECTURA   Isaías 52:13—53:12

Lectura del libro del profeta Isaías

He aquí que mi siervo **prosperará**,
    será **engrandecido** y **exaltado**,
    será puesto en **alto**.
Muchos se horrorizaron al verlo,
    porque estaba **desfigurado** su semblante,
    que no tenía ya aspecto de **hombre**;
    pero **muchos** pueblos se llenaron de **asombro**.
Ante **él** los **reyes** cerrarán la **boca**,
    porque **verán** lo que **nunca** se les había contado
    y **comprenderán** lo que **nunca** se habían imaginado.

¿**Quién** habrá de **creer** lo que hemos anunciado?
¿A **quién** se le revelará el **poder** del Señor?
Creció en su **presencia** como planta **débil**,
    como una **raíz** en el **desierto**.
No tenía **gracia** ni **belleza**.
No vimos en él **ningún** aspecto atrayente;
    despreciado y **rechazado** por los hombres,
    varón de **dolores**, habituado al **sufrimiento**;
    como uno del cual **se aparta** la mirada,
    despreciado y **desestimado**.

Él soportó nuestros **sufrimientos**
    y aguantó nuestros **dolores**;
    nosotros lo tuvimos por **leproso**,
    herido por Dios y **humillado**,

Lo que celebramos en la fecha de hoy tiene amplias resonancias entre los fieles cristianos de América Latina, porque da cauce a sus experiencias de dolor más fragorosas y profundas. Se le conoce como "el viernes de dolores"; así le llamamos como para amarrar a esta fecha todos los padecimientos del año. Hoy nos volcamos a las calles para rezar el Viacrucis y sacar al sol el sufrimiento escondido y callado de cada día, de cada persona, sea o no cristiana. El dolor se ve, pero también se oye, se huele, se prueba y se siente. El dolor avasalla y dicta límites, no cabe duda; pero al sacarlo al sol, al volcarlo

en la calle, rompemos su oscuridad y pesar. Desde la calle, en la figura del Crucificado, dejamos que las imágenes del sufrimiento nos entren por los ojos, para "colectivizarlo", no por voyerismo, sino para crear la solidaridad y fortalecer la resistencia entre todos. La fuerza viene de la cruz.

Es Viernes Santo. El dolor y el sufrimiento que se han metido a nuestra casa y abaten a nuestra familia, ciertamente nos descoyuntan y hacen añicos nuestro frágil bienestar, pero dejan también sembrada la oportunidad a la solidaridad interior y a la reintegración personal. El dolor causa deso-

lación y desintegra a la persona, es una condición que urge al restablecimiento. Sí, sabemos que el dolor propio tiene carácter de absoluto porque traspasa el corazón, sin embargo, es capaz de iniciar una restauración que guarda se vuelve recíproca. De una parte, aunque el doliente quede casi incapacitado para articular su propia necesidad, solo puede ayudarlo alguien próximo que se mueva a tender la mano para apoyarlo y acogerlo en su condición. De allí se impulsa el dinamismo de la mutua humanización, de la restauración de la imagen de Dios en cada persona. Allí se instaura la gracia y la

Marca la pausa antes de iniciar el párrafo. Memoriza la primera línea y al pronunciarla haz contacto visual con la asamblea.

traspasado por **nuestras** rebeliones,
triturado por **nuestros** crímenes.
Él soportó el **castigo** que nos trae la **paz**.
Por sus **llagas** hemos sido **curados**.

Todos andábamos **errantes** como ovejas,
cada uno siguiendo su camino,
y el **Señor** cargó sobre él **todos** nuestros crímenes.
Cuando lo **maltrataban**, se **humillaba** y **no** abría la **boca**,
como un **cordero** llevado a degollar;
como **oveja** ante el esquilador,
enmudecía y **no** abría la **boca**.

Dale énfasis a la pregunta de la segunda línea haciendo una pausa mínima ante de proseguir.

Inicuamente y **contra toda justicia** se lo llevaron.
¿**Quién** se preocupó de su **suerte**?
Lo **arrancaron** de la tierra de los **vivos**,
lo hirieron de **muerte** por los **pecados** de mi **pueblo**,
le dieron **sepultura** con los **malhechores** a la hora de su **muerte**,
aunque **no** había cometido **crímenes**, ni hubo **engaño**
en su **boca**.

El **Señor** quiso triturarlo con el **sufrimiento**.
Cuando entregue **su vida** como expiación,
verá a sus **descendientes**, prolongará sus **años**
y por medio de **él** prosperarán los **designios** del **Señor**.
Por las **fatigas** de su **alma**, verá la **luz** y se **saciará**;
con sus **sufrimientos** justificará mi siervo a **muchos**,
cargando con los **crímenes** de ellos.

Ve haciendo un *crescendo* en el tono de la voz en las primeras líneas, no en la velocidad de la lectura. Luego ve bajando para salir del poema.

Por eso le daré una parte entre los **grandes**,
y con los **fuertes** repartirá **despojos**,
ya que **indefenso** se entregó a la **muerte**
y fue contado entre los **malhechores**,
cuando tomó sobre sí las **culpas de todos**
e **intercedió** por los **pecadores**.

santificación; es decir, de asimilarnos a Dios, que es lo que sucede al contemplar a Cristo crucificado. A esto nos conduce la liturgia de este día: a mirar la cruz y a tocar al Crucificado para que nos santifique.

I LECTURA El cuarto canto o poema del Siervo comienza con la presentación del mismo por boca de Dios; lo presenta a todos los pueblos de la tierra, aunque sus primeros oyentes es la comunidad exiliada. "Siervo" es un esclavo, es decir, alguien en quien el amo o señor pone toda su confianza. En palacio, los reyes y

gobernantes disponían de esclavos para sus encargos personales. Así se designaban también los embajadores de un soberano, cuando se presentaban en una corte extranjera. En el poema isaiano, se trata de una figura enaltecida en el futuro de la que se desconoce su identidad precisa. En algunas frases se adivina alguien con rasgos proféticos, de líder de la comunidad; en otras se nota lo corporativo o comunitario, como si el propio pueblo fuera el Siervo. Con el individuo va el pueblo, como su representante.

La presentación del Señor traza el camino de la vida del Siervo. El Siervo termi-

nará engrandecido, pero antes debe pasar por un trámite tan desgraciado en el que queda desfigurado al punto de perder sus rasgos humanos; queda irreconocible, horroriza. Para las mentalidades de la época, una desgracia así, indicaba el abandono del protector o la muerte del amo. En este caso, la muerte del Dios de Israel, vencido por los poderosos babilonios. El trasfondo de estas frases es quizá la suerte aciaga del propio pueblo que está en el exilio, desfigurado, sin régimen propio. Por eso, la reacción de estupor que suscita su misterioso engrandecimiento sucesivo. Los reyes de la

Para meditar

SALMO RESPONSORIAL   Salmo 30:2 y 6, 12–13, 15–16, 17 y 25

R. Padre, a tus manos encomiendo mi espíritu.

A ti, Señor, me acojo:
   no quede yo nunca defraudado;
   tú que eres justo, ponme a salvo.
En tus manos encomiendo mi espíritu:
   tú, el Dios leal, me librarás. **R.**

Soy la burla de todos mis enemigos,
   la irrisión de mis vecinos,
   el espanto de mis conocidos;
   me ven por la calle y escapan de mí.
Me han olvidado como a un muerto,
   me han desechado como a un
      cacharro inútil. **R.**

Pero yo confío en ti,
   Señor, te digo: "Tú eres mi Dios".
En tu mano están mis azares;
   líbrame de los enemigos que me
      persiguen. **R.**

Haz brillar tu rostro sobre tu siervo,
   sálvame por tu misericordia.
Sean fuertes y valientes de corazón,
   los que esperan en el Señor. **R.**

II LECTURA   Hebreos 4:14–16; 5:7–9

Lectura de la carta a los hebreos

La descripción del sacerdocio de Cristo no es fácil de seguir. Frasea con cuidado y exhorta en la parte final de este párrafo.

Hermanos:
Jesús, el **Hijo de Dios**, es nuestro **sumo sacerdote**,
   que ha entrado en el **cielo**.
Mantengamos **firme** la profesión de **nuestra fe**.
En **efecto**,
   no tenemos un **sumo sacerdote**
   que no sea capaz de **compadecerse** de nuestros **sufrimientos**,
   puesto que **él mismo** ha pasado
   por las **mismas pruebas** que nosotros, **excepto el pecado**.
Acerquémonos, por tanto,
   con **plena confianza** al trono de la **gracia**,
   para recibir **misericordia**,
   hallar la **gracia** y obtener **ayuda** en el momento **oportuno**.

Eleva la voz en la palabra *Cristo*.

Precisamente por eso, **Cristo**, durante su vida **mortal**,
   ofreció **oraciones** y **súplicas**, con fuertes **voces** y **lágrimas**,
   a **aquel** que podía librarlo de la **muerte**,
      y fue **escuchado** por su **piedad**.

tierra se quedarán sin palabras al contemplar algo inaudito.

En el poema sigue una amplia parte dominada por el "nosotros", en la que se pueden distinguir dos voces, la del coro y la del guía o narrador. Esta parte inicia con un par de preguntas que dan la clave de todo lo que sigue. Se trata de un anuncio inverosímil o increíble, en el que hay que discernir la fuerza que lo provoca. Lo que se plantea es como un enigma que debe subyugar la mente del oyente.

La descripción del Siervo parece aludir a la historia del pueblo; en su figura se fun-

den rasgos colectivos y personales. El pueblo creció "en el desierto", agreste, sin atractivo ni gracia alguna delante de los otros pueblos. De allí le viene su fortaleza para soportar las desgracias que sobre él se abatieron. Las culpas "del coro" son las de todos los oyentes. Pero los sufrimientos del Siervo tienen un propósito expiatorio, vicario en favor del pueblo. Esta purificación por medio del sufrimiento es el sentido profundo de las desgracias caídas sobre el pueblo. No es el abandono de Dios, ni su muerte la causa de los sufrimientos del Siervo, sino los delitos de sus conciudadanos. Su expia-

ción es lo que trae paz y salud a la comunidad exiliada.

El que recita el poema o guía descubre la inocencia del Siervo y lo injustificado de sus padecimientos. En tres líneas cubre todo el curso de su vida; si un par de párrafos antes habló de su nacimiento en el desierto, ahora alude a la deportación y a su destino en términos de sepultura. Eso significaba la deportación: la muerte del pueblo. Se reconocen los propios pecados y se confiesan en esas imágenes del rebaño sin pastor, cada oveja por su rumbo. Lo que viene enseguida, sin embargo, es una anticipación

Con serena parsimonia avanza, pero alarga en las palabras en negrillas.

A pesar de que era el **Hijo**, aprendió a **obedecer** padeciendo,
y llegado a su **perfección**, se convirtió en la **causa**
de la **salvación eterna**
para **todos** los que lo **obedecen**.

EVANGELIO   Juan 18:1—19:42

Pasión de nuestro Señor Jesucristo según san Juan

La lectura es muy amplia, por lo que hay que atender que las secciones tomen cierto tono propio. Se recomienda que sean varios lectores bien preparados y que el narrador principal diferencie cada sección.

En **aquel** tiempo,
Jesús fue con sus **discípulos** al otro lado del torrente **Cedrón**,
donde había un **huerto**,
y entraron allí **él** y sus **discípulos**.
Judas, el **traidor**, conocía **también** el sitio,
porque **Jesús** se reunía **a menudo** allí con sus **discípulos**.

Entonces **Judas** tomó un batallón de **soldados**
y **guardias** de los **sumos sacerdotes** y de los **fariseos**
y entró en el huerto con **linternas**, **antorchas** y **armas**.

El diálogo es dramático y muy dinámico. Haz una pausa muy breve tras la primera línea. Luego marca las batutas del diálogo y acomoda tu tono y velocidad a lo que se describe.

Jesús, sabiendo **todo** lo que iba a suceder, se **adelantó** y les **dijo**:
"¿A **quién** buscan?"
Le contestaron: "A **Jesús, el nazareno**".
Les dijo Jesús: "**Yo soy**".
Estaba **también** con ellos **Judas**, el **traidor**.
Al decirles "**Yo soy**", retrocedieron y **cayeron a tierra**.
Jesús les **volvió** a preguntar: "¿A **quién** buscan?"
Ellos dijeron: "A **Jesús, el nazareno**".
Jesús contestó:
"Les he dicho que **soy yo**.
Si me buscan **a mí**, dejen que **éstos** se vayan".
Así **se cumplió** lo que Jesús había **dicho**:
'No he perdido a **ninguno** de los que me diste'.

Este párrafo es muy dinámico, pero no aceleres la velocidad de lectura; vocaliza particularmente bien la intervención de Jesús.

Entonces **Simón Pedro**, que llevaba una **espada**,
la sacó e **hirió** a un **criado** del sumo sacerdote
y **le cortó la oreja** derecha.

---

de la vida, que en el poema tiene como condición la entrega de la vida.

El movimiento final del poema habla de la restauración del Siervo, en términos de glorificación por parte de Dios, ¿de quién más? La entrega de su vida representa su sacrificio expiatorio del que deriva no solo vida nueva para el Siervo, sino para todos los desfavorecidos. Los reos de delitos, los malhechores y pecadores, son beneficiados con la entrega de su vida y su glorificación. Los "muchos" agraciados con el perdón envuelven a todos los pecadores.

Los designios del Señor se ven cumplidos en el Siervo de sus complacencias. En ese Siervo, la comunidad cristiana identifica a Jesús, cuya pasión, muerte y resurrección lee anticipadas en este poema. Él es nuestra paz y nuestra salud. A este Varón de dolores hay que contemplar, como nos invita la liturgia en este día, para tener vida verdadera.

II LECTURA El autor de la Carta a los Hebreos despliega para sus escuchas el significado de la muerte y resurrección de Cristo Jesús. Se vale de una imagen conocida de ellos, pues procedían del medio judío, el sumo sacerdote. Él era el representante del pueblo ante Dios y, en cierta manera, de Dios ante el pueblo. Se le daba el título de pontífice, lo que equivale, en términos latinos, a un artífice o fabricante de puentes. Se entendía que entre Dios y la humanidad hay una distancia insalvable, que solo alguien especial, una persona que goza de especiales características, puede franquear. Ese alguien era el sumo sacerdote judío, un puente de vital importancia.

Una vez al año entraba el sumo sacerdote al santuario para derramar la sangre de la víctima sacrificada en el altar sobre la

Este criado se llamaba **Malco**.
Dijo **entonces** Jesús a Pedro:
"**Mete** la espada en la **vaina**.
¿No voy a beber el **cáliz** que me ha dado mi **Padre**?"

El **batallón**, su **comandante** y los **criados** de los judíos
      apresaron a Jesús,
   lo **ataron** y lo llevaron **primero** ante **Anás**,
   porque era suegro de **Caifás**, sumo sacerdote **aquel año**.
Caifás era el que había dado a los judíos **este consejo**:
'Conviene que muera **un solo hombre** por el pueblo'.

Acelera un tanto en esta parte y en el diálogo de Pedro haz que se note una graduación en sus intervenciones, haciéndolas más enfáticas.

Simón Pedro y **otro** discípulo **iban siguiendo** a Jesús.
Este discípulo era **conocido** del sumo sacerdote
   y **entró** con Jesús en el **palacio** del sumo sacerdote,
      mientras Pedro **se quedaba fuera**, junto a la puerta.
Salió el otro discípulo, el **conocido** del sumo sacerdote,
   habló con la portera e **hizo entrar** a Pedro.
La portera dijo **entonces** a Pedro:
"¿No eres **tú también** uno de los discípulos de **ese** hombre?"
Él le dijo: "**No lo soy**".
Los **criados** y los **guardias** habían encendido un **brasero**,
   porque hacía **frío**, y se **calentaban**.
También **Pedro** estaba con ellos de pie, **calentándose**.

El **sumo sacerdote** interrogó a **Jesús**
   acerca de sus **discípulos** y de su **doctrina**.
Jesús le contestó:
"Yo he hablado **abiertamente** al mundo
   y he enseñado **continuamente** en la sinagoga y en el templo,
      donde se reúnen **todos** los judíos,
   y no he dicho **nada** a escondidas.
¿**Por qué** me interrogas **a mí**?
Interroga a los que me han **oído**, sobre lo que les he hablado.
Ellos saben lo que he dicho".

Distingue entre la inaceptable reacción del guardia y el digno reclamo de Jesús.

Apenas dijo esto, uno de los guardias
      le dio una **bofetada** a Jesús, diciéndole:

piedra donde había reposado el arca de la alianza; así se hacía la expiación por los pecados del pueblo delante de Dios. Era el gran Día de la Expiación, cuando Dios perdonaba los pecados de su pueblo. Aquel perdón renovaba la vida del pueblo y les confería a los fieles la gracia indispensable para suplicar ayuda y remedio a sus necesidades. Ese perdón es donde se apoya la fe. Este pensamiento es el que aparece al comienzo del fragmento de la lectura de hoy.

Nuestro sumo sacerdote es Jesús, cuya resurrección lo ha introducido en el cielo, el santuario auténtico, donde permanece para siempre. Pero esa distancia respecto a nosotros, no solamente lo ha unido a Dios, sino también a nosotros y por un doble capítulo, según expresa la carta.

Primeramente, porque él es capaz de compadecerse de nosotros. Esta compasión deriva de su carne, ahora glorificada. La gloria no borra la carne de Jesús, quien sabe "en carne propia" lo que es el sufrimiento, porque fue perseguido y fue ajusticiado por la causa de Dios. Esto lo solidariza con los creyentes. Ahora, en esta situación de aprieto por la que están pasando, deben saber que no están solos, sino que tienen un intercesor poderosísimo en el santuario celeste mismo. De allí que la confianza para solicitar la gracia para perseverar debe ser total.

El segundo capítulo que acerca a Jesús a nosotros es el de su obediencia total, patente en abrazar la muerte de cruz. El trasfondo de esta parte es la oración de Jesús suplicando al Padre en Getsemaní que pase de él aquel trance insufrible. El autor dice que Dios lo escuchó y lo libró de la muerte. La resurrección es la respuesta de Dios a los suplicantes clamores y lágrimas de su Hijo. Al librarlo, Dios "lo perfeccionó" y por eso

"¿**Así** contestas al **sumo sacerdote**?"
Jesús le respondió:
"Si he faltado al hablar, **demuestra** en qué he fallado;
    pero si he hablado como **se debe**, ¿**por qué** me pegas?"
Entonces **Anás** lo envió atado a **Caifás**, el sumo sacerdote.

Simón Pedro estaba de pie, **calentándose**, y le dijeron:
"¿No eres **tú también** uno de sus discípulos?"
Él lo negó diciendo: "**No lo soy**".
Uno de los **criados** del sumo sacerdote,
    pariente de aquel a quien Pedro le había **cortado** la **oreja**, le dijo:
    "¿Qué no te vi yo **con él** en el **huerto**?"
Pedro **volvió a negarlo** y enseguida **cantó un gallo**.

Llevaron a Jesús de casa de Caifás **al pretorio**.
Era **muy de mañana** y ellos **no entraron** en el palacio
    para no incurrir en **impureza**
    y poder así **comer** la cena de Pascua.

Salió entonces **Pilato** a donde estaban ellos y les dijo:
"¿**De qué** acusan a ese hombre?"
Le contestaron: "Si **éste** no fuera un **malhechor**,
    no te lo hubiéramos **traído**".
Pilato les dijo: " Pues **llévenselo** y júzguenlo **según su ley**".
Los **judíos** le respondieron:
"No estamos **autorizados** para dar muerte a **nadie**".
Así **se cumplió** lo que había dicho **Jesús**,
    indicando **de qué muerte** iba a morir.

Entró **otra vez** Pilato en el pretorio, **llamó** a Jesús y le **dijo**:
"¿Eres **tú** el **rey** de los **judíos**?"
Jesús le contestó: "¿Eso lo preguntas **por tu cuenta**
    o te lo han dicho **otros**?"
Pilato le respondió: "¿**Acaso** soy yo judío?
Tu **pueblo** y los **sumos sacerdotes** te han entregado **a mí**.
¿**Qué** es lo que has hecho?"
Jesús le contestó:
"Mi Reino **no es** de este mundo.

Aumenta un poco el tono cada vez que intervienen los judíos y nota el desconcierto de Pilato.

La conversación tiene la marca de un interrogatorio. Alarga las intervenciones de Jesús.

ahora es "causa de salvación eterna" para todo creyente.

El autor considera que la perfección filial se alcanza mediante la obediencia extrema. La obediencia no es otra cosa que someter la voluntad propia a la de Dios. Cuando el creyente alinea, como Cristo, su voluntad al querer de Dios, se encamina a la perfección y se beneficia de la gracia de la salud eterna.

En la veneración de la cruz, la Iglesia contempla no únicamente la compasión y la obediencia de Jesús, sino su propia vocación a obedecer la voluntad de Dios y a compadecerse de los que están en necesidad. En esto consiste el ejercicio de su sacerdocio, de donde derivan todas sus acciones litúrgicas, pero sobre todo su camino hacia la perfección filial.

EVANGELIO La pasión del Cristo, en el Evangelio de san Juan, es el resultado del camino de revelación de la gloria de Jesús, que está tejido con las palabras, pero sobre todo con las señales del enviado del Padre, cada vez más clamorosas. El resultado es magro porque, aunque unos cuantos creyeron en él, la inmensa mayoría terminó rechazándolo, como anticipó ya el prólogo (ver Juan 1:9–13).

La revelación de Jesús ha causado una división irreconciliable, que se ha acentuado conforme la narración ha avanzado y que llegó a su punto crítico cuando las autoridades religiosas se reunieron por segunda ocasión para sentenciar la única solución para evitar una catástrofe nacional: quitar a Jesús de en medio para que el pueblo subsista (ver Juan 11:45–53). Con ese propósito se echan a andar los mecanismos necesarios. Así es como el problema de fondo que emerge en el relato de la pasión, y en todo

Si mi Reino **fuera** de este mundo,
   mis **servidores** habrían **luchado**
      para que **no cayera** yo en manos de los **judíos**.
   Pero mi Reino **no es** de aquí".
Pilato le dijo: "¿Conque **tú eres rey**?"
Jesús le contestó:
"**Tú** lo has dicho. **Soy rey**.
Yo nací y **vine al mundo** para ser **testigo** de la **verdad**.
Todo el que es de la verdad, **escucha** mi voz".
Pilato le dijo: "¿Y **qué es** la verdad?"

Dicho **esto**, salió **otra vez** a donde estaban los **judíos** y les dijo:
"No encuentro en él **ninguna culpa**.
Entre ustedes es **costumbre** que por Pascua
      ponga en **libertad** a un **preso**.
¿Quieren que les **suelte** al **rey** de los **judíos**?"
Pero todos ellos gritaron: "¡**No, a ése no**! ¡A **Barrabás**!"
(El tal **Barrabás** era un **bandido**.)

Entonces Pilato **tomó** a Jesús y **lo mandó azotar**.
Los **soldados** trenzaron una **corona de espinas**,
   se la pusieron en la **cabeza**,
   le echaron encima un **manto** color **púrpura**,
   y **acercándose** a él, le decían: "¡**Viva** el **rey** de los **judíos**!",
      y le daban **bofetadas**.

Pilato salió **otra vez** afuera y les dijo:
"**Aquí** lo traigo para que sepan que **no encuentro** en él
      ninguna culpa".
Salió, pues, Jesús llevando la **corona de espinas**
      y el **manto** color **púrpura**.
Pilato les dijo: "**Aquí está el hombre**".
Cuando lo vieron los **sumos sacerdotes**
      y sus servidores, **gritaron**:
"¡**Crucifícalo, crucifícalo**!"
Pilato les dijo: "**Llévenselo** ustedes y **crucifíquenlo**,
      porque **yo no encuentro** culpa en él".

Nota el dejo de desprecio y enfado en el tono del procurador.

La declaratoria de Pilato resulta provocativa a la turba judía. Haz que se note ese enardecimiento que va subiendo de tono.

el evangelio, consiste en creer o no que Jesús es el enviado del Padre para darle vida al pueblo. Cada persona, sin embargo, debe instruir o formar su decisión con la narración del evangelio y, particularmente, por la manera como Jesús fue ejecutado. Esta configura la gran señal de la gloria de Jesús.

En el episodio de *la detención en el huerto* aparece con toda claridad la soberanía de Jesús ante su muerte. La conciencia que él tiene de todo lo que se avecina es la muestra más patente de que él abraza su destino con toda libertad y entereza. Nada de las angustias desgarradoras ante la do-

lorosa muerte, leemos en san Juan, sino una guerra a un doble nivel.

En el relato, Judas facilita que las autoridades religiosas judías lleven a cabo el golpe que han dispuesto, porque conoce el sitio donde Jesús y los suyos pernoctan en Jerusalén para la celebración pascual. Él comanda la tropa armada que va por Jesús el nazareno y se encuentran con el "Yo soy", que rebasa aquella búsqueda con mucho, porque hace resonar las afirmaciones de Jesús cuando se ha presentado como el Redentor de los suyos (agua, pan, pastor, luz, etc.), asumiendo el compromiso de Dios

para salvar a su pueblo e infundirle confianza. Aquí el relato entreteje lo simbólico; Judas encabeza las fuerzas de la oscuridad que miran amenazado su imperio por "la luz del mundo" (ver Juan 8:12). Es la luz la que les abre a los suyos el camino a la libertad y que ratifica su compromiso de salvarlos a todos ellos. A eso aluden las palabras de Jesús cumplidas, porque son palabras de salvación verificada (ver Juan 6:37; 17:11).

La reacción violenta de Pedro muestra su celo discipular pero también que no ha entendido lo que está en juego (ver Juan 13:36–38). En esa circunstancia, la sobera-

Baja la velocidad de la lectura, para que la audiencia note la preocupación de Pilato.

Los **judíos** le contestaron: "Nosotros tenemos **una ley**
    y según esa ley **tiene que morir**,
    porque se ha declarado **Hijo de Dios**".

Cuando Pilato oyó **estas palabras**, se asustó **aún más**,
    y entrando **otra vez** en el **pretorio**, dijo a Jesús:
"¿De **dónde** eres tú?"
Pero Jesús no le respondió.
Pilato le dijo entonces: "¿**A mí** no me hablas?
¿No sabes que tengo **autoridad** para **soltarte**
        y **autoridad** para **crucificarte**?"
Jesús le contestó: "No tendrías **ninguna autoridad** sobre mí,
    si no te la hubieran dado **de lo alto**.
Por eso, el que me ha **entregado** a ti tiene un **pecado mayor**".

Imprime un tono diferente a las informaciones del narrador que son como adiciones.

Desde **ese** momento, Pilato **trataba** de soltarlo,
    pero los judíos **gritaban**:
"¡Si sueltas a **ése**, no eres **amigo** del **César**!;
    porque **todo** el que **pretende** ser **rey**, es **enemigo** del **César**".
Al oír **estas palabras**, Pilato **sacó** a Jesús y lo **sentó** en el **tribunal**,
    en el sitio que llaman "**el Enlosado**" (en hebreo **Gábbata**).
Era el día de la **preparación** de la **Pascua**, hacia el **mediodía**.
Y dijo Pilato a los judíos: "**Aquí** tienen a su **rey**".
Ellos gritaron: "¡**Fuera, fuera**! ¡**Crucifícalo**!"
Pilato les dijo: "¿**A su rey** voy a **crucificar**?"
Contestaron los **sumos sacerdotes**:
"**No** tenemos más **rey** que el **César**".
Entonces se lo **entregó** para que lo **crucificaran**.

Llénate de reverencia y transmite la gravedad de estos cuadros. Haz que las pausas entre un párrafo y otro se noten bien.

Tomaron a Jesús y él, **cargando** la cruz,
    se dirigió hacia el sitio llamado "**la Calavera**"
    (que en **hebreo** se dice **Gólgota**), donde lo **crucificaron**,
    y con él a **otros dos**, uno de cada lado, y en **medio** a Jesús.
Pilato **mandó escribir** un letrero y ponerlo **encima** de la cruz;
    en él estaba escrito: '**Jesús** el **nazareno**, el **rey** de los **judíos**'.
Leyeron el letrero **muchos** judíos
    porque estaba **cerca** el lugar donde crucificaron a **Jesús**

---

nía de Jesús relumbra cuando reprueba la violencia discipular, incluso en su propia defensa, para que los eventos vuelvan a su cauce. Es el Padre el que ha puesto todo en sus manos y no en otras; a ese mandamiento Jesús le está dando cabal cumplimiento (ver Juan 10:18; 14:31). A esto obedece también que el grupo discipular se disperse y que solo Pedro y el otro discípulo sigan de lejos a su Señor. San Juan denuncia el manejo del poder que se da entre las autoridades religiosas; es Anás y su familia los que mueven los hilos del poder, porque la ense-

ñanza y figura de Jesús afectaban sus intereses económicos en el templo.

En el *palacio del sumo sacerdote* prosigue el doble nivel de los eventos de esa noche de las entregas. Afuera de la sala, Pedro niega porfiadamente todo ligamen con su Señor, mientras que, adentro, Jesús se niega a darle pormenores sobre su doctrina y discípulos a Anás. Su negativa le acarrea un golpe de parte de uno de los guardias, al que Jesús reacciona con dignidad soberana. El cuadro, sin embargo, denuncia los modos como se conducen las cúpulas del poder: a oscuras, ladinamen-

te y con violencia. Esta falta de transparencia es el único modo de perpetuar la corrupción imperante, en un sistema que se parapeta en el bien público y en exhibiciones de piedad.

Con la luz del día, el poder judío hace comparecer a Jesús ante el poder romano. Poncio Pilato es el administrador de justicia en Judea. Residía en Cesarea del mar, pero subía a Jerusalén con motivo de las fiestas judías, que podían ser ocasión de sublevaciones y revueltas. El asunto a clarificar es el crimen del acusado, merecedor de la muerte. Declararse rey era un crimen que

y estaba escrito en **hebreo, latín y griego**.
Entonces los **sumos sacerdotes** de los judíos le dijeron a **Pilato**:
"**No** escribas: 'El **rey** de los **judíos**', sino: '**Éste** ha dicho: Soy **rey**
    de los **judíos**'".
Pilato les contestó: "Lo escrito, **escrito está**".

Cuando crucificaron a Jesús, los soldados **cogieron** su **ropa**
    e hicieron **cuatro partes**,
    una para **cada** soldado, y **apartaron** la **túnica**.
Era una túnica **sin costura**,
    tejida toda de una **sola** pieza de arriba a abajo.
Por eso se dijeron:
"No la **rasguemos**, sino **echemos suerte** para ver a **quién** le toca".
Así se cumplió lo que dice la **Escritura**:
*Se **repartieron** mi **ropa** y **echaron** a **suerte** mi **túnica***.
Y **eso** hicieron los **soldados**.

Junto a la cruz de Jesús estaba su **madre**,
    la **hermana** de su **madre**, **María** la de **Cleofás**,
    y **María Magdalena**.
Al ver a su **madre** y junto a ella al discípulo que **tanto quería**,
    Jesús dijo a su **madre**:
"**Mujer**, ahí está tu **hijo**".
Luego dijo al **discípulo**: "Ahí está tu **madre**".
Y **desde entonces** el discípulo se la llevó a vivir **con él**.

Después de esto, **sabiendo** Jesús que **todo** había llegado
    a su **término**,
    para que **se cumpliera** la Escritura, dijo: *"Tengo sed"*.
Había allí un **jarro** lleno de **vinagre**.
Los **soldados** sujetaron una **esponja** empapada en **vinagre**
    a una **caña** de hisopo
    y se la **acercaron** a la **boca**.
Jesús **probó** el vinagre y dijo: "**Todo está cumplido**",
    e, inclinando la cabeza, **entregó el espíritu**.

[Aquí se arrodillan todos y se hace una breve pausa.]

Las palabras de Jesús son su testimonio. No las digas con precipitación ni ligereza.

Baja un poco el tono de la voz y súbela cuando reportes las palabras postreras de Jesús.

Arrodíllate cuando llegue el momento y prosigue iniciando con tono bajo para irlo elevando en las líneas siguientes.

---

se castigaba con la muerte. Pero había que ver cómo se sustenta el cargo. Un rey sin guardias ni ejército ni territorio ni súbditos es irrisorio. Esto es lo que sostiene la humillación con la vestidura púrpura y la corona de espinas. Pilato lo sabe, no ve en Jesús un peligro para el Imperio Romano y, tras rehusarse al juego de poder de los líderes judíos, termina cediendo a sus deseos. La realeza de Jesús no se ajusta a los parámetros militares de fuerza e imposición. Es una realeza que se afianza en la verdad y la equidad y que hace de los hombres hijos de Dios. El discípulo de Jesús debe tener esto bastante

claro en su mente, a la hora de discernir a quién quiere como rey.

Los judíos abjuran de la soberanía divina como Jesús la proclama cuando deciden someterse a la realeza del César, optar por Barrabás y "comer la pascua" religiosamente purificados. En términos de san Juan, esto equivale a la idolatría, porque al núcleo mismo de la fe judía pertenece la obediencia a la voluntad de Dios. Anota el evangelista que era el mediodía, es decir, la hora de mayor luz, cuando todo se ve con claridad para tomar decisiones importantes (ver Juan 4:6). Las tradiciones rabínicas hablaban

de que a esa hora el pueblo al pie del Sinaí se había vuelto idólatra, ante el becerro de oro (ver Éxodo 34). A final de cuentas, lo que se juega en el proceso de Jesús es dirimir quién es el soberano del corazón humano; y la manera como esa soberanía se verifica en la vida de los creyentes.

Las escenas de *la crucifixión* prolongan la temática de la realeza de Jesús. En el relato se van entretejiendo textos de las Escrituras que muestran que lo sucedido en Jesús no ha sido producto de la casualidad, sino que obedece a un designio divino prefigurado en los libros sagrados. En el

Entonces, los **judíos**,
    como era el día de **preparación** de la **Pascua**,
    para que los **cuerpos** de los **ajusticiados**
    no se quedaran en la cruz el **sábado**,
    era un día **muy solemne**,
    pidieron a Pilato que les **quebraran** las piernas
        y los **quitaran** de la cruz.
Fueron los soldados, le **quebraron** las piernas a **uno** y luego al **otro**
    de los que habían sido **crucificados con él**.
Pero al llegar a **Jesús**, viendo que **ya había muerto**,
    no le quebraron las piernas,
    sino que uno de los soldados le **traspasó el costado**
        con una **lanza**
    e **inmediatamente** salió **sangre** y **agua**.

El que vio da **testimonio** de esto y su testimonio es **verdadero**
    y él sabe que dice la **verdad**, para que también ustedes **crean**.
Esto sucedió para que **se cumpliera** lo que dice la **Escritura**:
No le quebrarán ningún hueso;
    y en **otro lugar** la Escritura dice: *Mirarán al que traspasaron.*

Después de esto, **José de Arimatea**, que era **discípulo** de Jesús,
    pero **oculto** por miedo a los judíos,
    pidió a Pilato que lo dejara **llevarse** el cuerpo de Jesús.
Y Pilato lo **autorizó**.
Él fue entonces y **se llevó** el cuerpo.

Llegó también **Nicodemo**, el que había ido a verlo **de noche**,
    y trajo unas **cien libras** de una mezcla de **mirra** y **áloe**.

Tomaron el cuerpo de Jesús
        y lo **envolvieron** en lienzos con esos aromas,
    según **se acostumbra enterrar** entre los judíos.
Había un **huerto** en el sitio donde lo **crucificaron**,
    y en el huerto, un **sepulcro nuevo**,
    donde **nadie** había sido enterrado **todavía**.
Y como para los **judíos** era el día de la **preparación** de la **Pascua**
    y el sepulcro estaba **cerca**, allí pusieron a **Jesús**.

El párrafo tiene el testimonio más solemne de todo el evangelio. Pronúncialo desde dentro, vocalizando con cuidado deliberado.

Poco a poco ve bajando la velocidad de la lectura hasta el reposo completo. Páusate antes de la fórmula conclusiva y aguarda la aclamación de la asamblea.

Gólgota también, ante el letrero de la cruz "Jesús el nazareno, rey de los judíos", los sumos sacerdotes judíos rechazan la realeza de Jesús y le piden a Pilato que reescriba la causa de la ejecución. El procurador se niega y el mundo entero se ha de enterar de lo sucedido, porque aquella escritura está en hebreo, latín y griego; nadie puede desconocerlo.

Con el reparto de los despojos del ajusticiado se da cumplimiento a otra línea de las Escrituras. Destaca la túnica de Jesús, que solo entera es útil: "estaba tejida desde arriba y totalmente". Si algunos intérpretes la refieren al sacerdocio de Cristo, otros a la filiación mesiánica, por su origen, "de arriba", como todos lo de Cristo. Sin túnica nadie tiene presencia social real; era indispensable. Por eso, puede ser el signo más patente de la muerte del Encarnado (ver Génesis 37:31). El creyente intuye que esa túnica alude al "vestido de arriba" que el Padre le tiene preparado a Jesús.

Con la entrega de su madre al discípulo amado, Jesús la ampara y ella viene a formar parte de la tradición discipular en las comunidades juánicas. El vínculo con lo sucedido en Caná de Galilea (2:1–11), cuando ella impulsó la hora de Jesús. Ahora, Jesús impulsa "la hora" del discipulado de ella, podría decirse.

Jesús muere con plena soberanía y consciencia. Nada falta. Las Escrituras han sido cumplidas cabalmente y muestran que él es la víctima pascual y el soberano del reinado de Dios. Por eso la Iglesia invita a mirar el árbol de la cruz y aguardar junto al sepulcro, en pena y dolor por el pecado y la injusticia, a que Dios restaure lo que el hombre no puede y nos obtenga vida nueva por los sacramentos de la redención.

VIGILIA PASCUAL

La primera línea resume el todo; es como el título del himno. Haz que suene portentosa y admirable. Luego emprende la ruta con ritmo cadencioso. Pausa al marcar cada día.

I LECTURA   Génesis 1:1—2:2

Lectura del libro de Génesis

En el principio **creó** Dios el **cielo** y la **tierra**.
La tierra era **soledad** y **caos**;
    y las tinieblas **cubrían** la faz del abismo.
El espíritu de Dios **se movía** sobre la superficie de las **aguas**.

Dijo Dios: "Que **exista** la luz", y la luz **existió**.
Vio Dios que la luz **era buena**, y **separó** la luz de las **tinieblas**.
Llamó a la luz "**día**" y a las tinieblas, "**noche**".
Fue la tarde y la mañana del **primer día**.

Dijo Dios: "Que haya una **bóveda** entre las **aguas**,
    que **separe** unas aguas de **otras**".
E hizo Dios una **bóveda**
    y **separó** con ella las aguas de **arriba**, de las aguas de **abajo**.
Y **así** fue.
Llamó Dios a la bóveda "**cielo**".
Fue la tarde y la mañana del **segundo día**.

Dijo Dios:
    "Que **se junten** las aguas de **debajo** del cielo en un **solo** lugar
    y que aparezca el **suelo seco**". Y **así** fue.
Llamó Dios "tierra" al suelo seco y "mar" a la masa de las aguas.
Y vio Dios que era **bueno**.

Dijo Dios: "**Verdee** la tierra con plantas que den semilla
    y **árboles** que den fruto y semilla,
    según su **especie**, sobre la tierra". Y **así** fue.

Todo es nuevo. Impregna frescura a tu voz, pero también a tu porte.

El *Triduo Pascual* culmina no solo la Semana Santa, sino todo el año litúrgico. Son tres días santísimos, abundantes en signos, ritos y palabras que dan vida a todo el pueblo de Dios. Los misterios redentores de nuestra fe cristiana se miran concentrados en las celebraciones del Jueves, Viernes y Sábado Santos, aunque en términos litúrgicos el Triduo cuente de la víspera del Viernes a la del Domingo. Sucede que, en el modo bíblico de medir el tiempo, los días inician por la tarde y la noche forma parte de ellos, por eso se entiende que las vigilias sean parte del día litúrgico a celebrar; desde los

mismos comienzos de la Iglesia, las reuniones cristianas solían hacerse al caer el sol (ver 1 Corintios 16:2; Hechos 20:7–11) y se prolongaban hasta el amanecer, como testimonia la carta del gobernador de Bitinia, Plinio, al emperador Trajano (ver *Dies Domini*, 21). La vigilia de esta noche pertenece al Domingo de la Resurrección del Señor, que es el dínamo y punto culminante de todas las celebraciones litúrgicas del año. Por eso, la Iglesia celebra de manera particularmente esplendorosa la muerte y la resurrección de su Señor, con profusos ritos y atronadoras proclamaciones que nos asoman al mis-

terio de la vida escondido en Cristo Jesús, del que nutre todo su ser y quehacer.

La liturgia inicia con la bendición del fuego nuevo, la luz de Cristo, que vence las tinieblas conforme se comunica y se ingresa al recinto de la reunión. Cada creyente es testigo de esa luz, a la que se alaba con un himno magnífico. Es la noche de la Palabra que resuena en la Iglesia. Estalla el Gloria y se dispone el corazón para acoger las obras portentosas de la historia de la salvación contadas desde las Escrituras. Es noche de vida nueva: el baño bautismal y las unciones dicen lo que es y hace la Iglesia, pueblo

Esta línea puede ser muy bien recibida; alarga la fraseología buscando que la naturaleza ocupe el centro del recinto. Enfatiza las palabras que no son tan comunes.

Brotó de la tierra **hierba verde**, que producía **semilla**,
    según su **especie**,
y árboles que daban **fruto** y llevaban **semilla**, según su especie.
Y vio Dios que era **bueno**. Fue la tarde y la mañana del **tercer día**.

Dijo Dios: "Que haya **lumbreras** en la bóveda del cielo,
    que separen el **día** de la **noche**,
    señalen las **estaciones**, los **días** y los **años**,
    y **luzcan** en la bóveda del cielo para **iluminar** la tierra".
Y **así** fue.
Hizo Dios las **dos grandes** lumbreras:
    la lumbrera **mayor** para regir el **día**
    y la **menor**, para regir la **noche**;
    y **también** hizo las **estrellas**.
Dios puso las **lumbreras** en la bóveda del cielo
        para **iluminar** la tierra,
    para **regir** el día y la noche, y **separar** la luz de las tinieblas.
Y vio Dios que era **bueno**.
Fue la tarde y la mañana del **cuarto día**.

Apóyate en las negrillas para hacer notar la vida bulliciosa e incontenible en cada frase.

Dijo Dios: "**Agítense** las aguas con un **hervidero** de
        seres vivientes
    y **revoloteen** sobre la tierra las **aves**, bajo la bóveda del cielo".
Creó Dios los **grandes animales marinos**
    y los **vivientes** que en el agua se **deslizan** y la **pueblan**,
        según su **especie**.
Creó **también** el mundo de las **aves**, según sus **especies**.
Vio Dios que era **bueno** y los **bendijo**, diciendo:
"Sean **fecundos** y **multiplíquense**; llenen las **aguas** del mar;
    que las aves **se multipliquen** en la tierra".
Fue la tarde y la mañana del **quinto día**.

Dijo Dios: "**Produzca** la tierra vivientes, según sus **especies**:
    animales **domésticos, reptiles** y **fieras**, según sus **especies**".
Y **así** fue.
Hizo Dios las **fieras**, los animales **domésticos** y los **reptiles**,
    cada uno según su especie.

resucitado. Comemos y bebemos a la mesa del Señor. Es la culminación de la alianza celebrada y renovada en Cristo Jesús. Noche de muerte al pecado y de vivir en Cristo. Es la noche santa, en la que Dios sale a nuestro encuentro en su Palabra viva para hacernos santos. Ella nos santifica.

I LECTURA · La historia de la salud en Cristo Jesús tiene su fundamento en lo que transmite esta lectura con la que comienza la fe del pueblo de Dios y su historia: Dios es el creador de todas las cosas. Esta fe se expresa en uno como himno que contiene una suerte de rito o visión, sin más testigos que el oyente. Aquí la palabra es preponderante porque rige todo lo que sucede. Este himno tiene un ritmo que le dan las frases que se repiten y que muestran la eficacia de la palabra de Dios, la repetida inspección y aprobación, todo esto en una sucesión acumulativa de siete días, o sea, una semana. El día comienza a contarse en la tarde y termina en la mañana; su concepción no es la occidental nuestra de día y noche. Es la semana laboral de Dios que culmina con el descanso en el día séptimo. Dios trabaja con su palabra y pasa revista de lo que causa y hace, pero igualmente el silencio le pertenece; al silencio le compete la contemplación, la revisión. En esta composición se encierra la verdad profunda de que todo lo que existe, incluido el humano, es *creatura* y debe su existencia al Dios único que contempla todas sus hechuras.

La obra de Dios queda organizada en dos categorías o modos de actuar, por así decir. La primera consiste en separar la luz de las tinieblas, las aguas de arriba de las de abajo y la tierra del agua. Esta separación es una manera de organizar el mundo y darle

Ponle firmeza la orden divina, pero sin autoritarismo ni desmesura.

Y vio Dios que era **bueno**.

Dijo Dios: "Hagamos al **hombre** a **nuestra imagen** y **semejanza**;
que domine a los **peces** del mar, a las **aves** del cielo,
a los **animales domésticos**
y a **todo animal** que se arrastra sobre la tierra".

Y creó Dios al **hombre** a su **imagen**;
a imagen **suya** lo creó;
hombre y **mujer** los **creó**.

Esta información culmina la hechura divina. Sostén cada línea. Contempla tú mismo el resultado; es admirable.

Y los **bendijo** Dios y les **dijo**:
"Sean **fecundos** y **multiplíquense**, llenen la tierra y sométanla;
dominen a los **peces** del mar, a las **aves** del cielo
y a **todo ser viviente** que se mueve sobre la tierra".

Y **dijo** Dios:
"**He aquí** que les entrego **todas** las plantas de semilla
que hay sobre la **faz** de la **tierra**,
y **todos** los árboles que producen **fruto** y **semilla**,
para que les sirvan de **alimento**.
Y a **todas** las fieras de la tierra, a **todas** las aves del cielo,
a **todos** los reptiles de la tierra, a **todos** los seres que respiran,
también les doy por alimento las **verdes plantas**". Y **así** fue.
Vio Dios **todo** lo que había hecho y lo encontró **muy bueno**.
Fue la tarde y la mañana del sexto día.

Es gloriosa la culminación de este himno de fe. Baja la velocidad como ajustando al reposo.

Así quedaron concluidos el cielo y la tierra con todos sus
ornamentos, y terminada su obra, descansó Dios
el séptimo día de todo cuanto había hecho.

Forma breve: Génesis 1:1, 26–31a

---

un lugar o dominio a cada cosa. Lo primario es lo visual, le sigue lo espacial y luego la distancia. Todo, sin embargo, está ceñido a lo temporal; es lo más característico de las creaturas. Así pues, la marca de la creatura se la pone el tiempo.

A los tres trabajos de separación sigue la segunda modalidad de la obra de Dios, la ornamentación, que ocupa los días siguientes en el himno. Primero se ocupa del ornato de la tierra y luego del cielo. Solo entonces aparecen los seres vivos, entre los que destacan los terrestres, animales domésticos, reptiles y bestias salvajes. Los vi-

vientes son objetos de una bendición para multiplicarse, es decir, para señalar que su vocación es la fecundidad.

Finalmente, el mismo día sexto se canta la creación del ser humano, culmen de las creaturas. Esa posición tan singular le viene de ser imagen y semejanza de Dios, el Creador. El humano, pues, regirá sobre el resto de las creaturas en cuanto lugarteniente de Dios. La Biblia lo traduce como "dominar", es decir, como regir y someter, que es lo contrario a estar sujeto sometido a ellas. No es la explotación de las creaturas al capricho humano lo que aquí se ventila,

sino el deber de procurarles su bondad original y mantenerlas en ella, bondad que Dios ha contemplado y aprobado. Esa bondad ha venido a ser traducida en términos de ecología, sustentabilidad y corresponsabilidad con el cosmos.

La imagen de Dios en el humano, sin embargo, mantiene un par más de aspectos que valen la pena considerar. El primero es el de la fecundidad inherente a la imagen divina desdoblada en varón y mujer. Se trata de la bendición de la actividad sexual para multiplicar la vida. El segundo aspecto es el de vivir en relación con otro, que

Para meditar

SALMO RESPONSORIAL   Salmo 103:1–2a, 5–6, 10, y 12, 13–14, 24, y 35c

R. Envía tu Espíritu, Señor, y repuebla la faz de la tierra.

Bendice, alma mía, al Señor,
 ¡Dios mío, qué grande eres!
Te vistes de belleza y majestad,
 la luz te envuelve como un manto. **R.**

Asentaste la tierra sobre sus cimientos,
 y no vacilará jamás;
 la cubriste con el manto del océano,
 y las aguas se posaron sobre las
  montañas. **R.**

De los manantiales sacas los ríos,
 para que fluyan entre los montes,
 junto a ellos habitan las aves del cielo,
 y entre las frondas se oye su canto. **R.**

Desde tu morada riegas los montes,
 y la tierra se sacia de tu acción fecunda;
 haces brotar hierba para los ganados,
 y forraje para los que sirven al hombre. **R.**

Cuántas son tus obras, Señor,
 y todas las hiciste con sabiduría,
 la tierra está llena de tus criaturas.
¡Bendice, alma mía, al Señor! **R.**

Alternativo: Salmo 32:4–5, 6–7, 12–13, 20, y 22

II LECTURA   Génesis 22:1–18

Lectura del libro del Génesis

En **aquel** tiempo, Dios le puso una **prueba** a Abraham y le dijo:
"¡**Abraham, Abraham!**"
Él respondió: "**Aquí estoy**".
Y **Dios** le dijo:
"**Toma** a tu hijo único, **Isaac**, a quien **tanto** amas;
 vete a la región de **Moria**
 y ofrécemelo **en sacrificio**, en el monte que **yo te indicaré**".

Abraham **madrugó, aparejó** su burro,
 tomó consigo a dos de sus criados y a **su hijo Isaac**;
 cortó leña para el sacrificio
 y **se encaminó** al lugar que Dios le había **indicado.**
Al **tercer día** divisó a lo lejos el lugar.
Les dijo entonces a sus **criados:**
"**Quédense** aquí con el burro;
 yo iré con el muchacho **hasta allá**,
 para **adorar** a Dios y **después** regresaremos".

está implícito en la misma duplicidad de la hechura divina: el dialogar y vincularse, el conjuntar voluntades y propósitos en una misma dirección, pertenece a la vocación humana más profunda. El humano ha de vivir en relación con Dios, su referente primordial y modélico, pero también en relación con otros humanos y con las demás creaturas. Esta dimensión consiste en el ejercicio dialogal que hace crecer y madurar a las personas.

Llega el reposo de Dios con el séptimo día. Es un día de silencio contemplativo y de recobrar aliento. El reposo es un ingrediente

insustituible también en el humano, que lo asemeja mejor a su Creador.

En la noche de Pascua, los creyentes afirman su fe en el Dios creador de todas las cosas, que resucitó a Jesús de entre los muertos, para inaugurar los tiempos nuevos, los de la nueva creación.

En esta noche santísima, la Iglesia hace uso abundante de agua en su liturgia. Si en la lectura del Génesis, que hemos escuchado, las aguas primordiales son símbolo del caos estéril, las aguas bautismales figuran también la tumba, donde el creyente se une a Cristo en su muerte para surgir resucitado

del abismo con su Señor, como canta el Pregón pascual. La fuente bautismal es donde son regenerados los hijos de Dios. El rito de sumergir tres veces en el agua el Cirio pascual, signo de Cristo resucitado, se hace invocando la presencia del Espíritu Santo, como para comunicarle a esa agua la virtud de regenerar a las creaturas con vida nueva.

II LECTURA El relato de la atadura de Isaac es uno de los más dramáticos y paradójicos de todas las Escrituras. ¿Cómo es que el mismo Dios que le había prometido a Abraham descenden-

Abraham **tomó** la leña para el **sacrificio,**
   se la **cargó** a su hijo **Isaac**
   y **tomó** en su mano el **fuego** y el **cuchillo.**
Los dos caminaban **juntos.**
Isaac dijo a su padre Abraham: "¡**Padre!**"
Él respondió: "¿Qué quieres, **hijo?**"
El muchacho contestó:
"Ya tenemos **fuego** y **leña,** pero,
   ¿dónde está el **cordero** para el **sacrificio?**"
Abraham le contestó:
"**Dios** nos dará el cordero para el sacrificio, **hijo mío**".
Y **siguieron** caminando **juntos.**

Cuando **llegaron** al sitio que Dios le había **señalado,**
   Abraham levantó un **altar** y acomodó la **leña.**
Luego **ató** a su hijo Isaac, **lo puso sobre el altar,** encima de la leña,
   y **tomó** el cuchillo para **degollarlo.**

Pero el **ángel** del Señor lo **llamó** desde el cielo y le **dijo:**
"¡**Abraham, Abraham!**" Él contestó: "**Aquí estoy**".
El ángel le dijo: "**No** descargues la mano contra tu **hijo,**
   ni le hagas **daño.**
Ya veo que temes a Dios, porque no le has **negado** a tu hijo **único**".
Abraham **levantó** los ojos y **vio** un **carnero,**
   enredado por los **cuernos** en la **maleza.**
Atrapó el carnero y **lo ofreció** en sacrificio, en **lugar** de su **hijo.**
Abraham puso por **nombre** a aquel sitio "**el Señor provee**",
   por lo que **aun el día de hoy** se dice:
   "el **monte** donde el Señor provee".

El ángel del Señor **volvió** a llamar a Abraham
   desde el cielo y **le dijo:**
"Juro **por mí mismo,** dice el Señor,
   que por haber hecho **esto**
   y no haberme negado a **tu hijo único,**
   yo te **bendeciré**
   y **multiplicaré** tu descendencia como las **estrellas** del cielo
   y las **arenas** del mar.

cia sin número le pide al único hijo que ha engendrado el patriarca y, por si poco fuera, que por propia mano se lo sacrifique? ¿Tiene esto algún sentido? Solamente quien ha andado los senderos de la fe, como el patriarca, podrá decirlo.

El relato es catequético y muy dramático. Más allá de la verdad evidente que contiene, de que el Dios de los padres no quiere que se le sacrifiquen los primogénitos—como era usual en el entorno del pueblo elegido (ver 2 Reyes 3:27, Éxodo 22:28–29, Ezequiel 20:25–26)—el relato ilustra la confianza inconmovible en Dios de parte del

"Padre de la fe". Abraham obedece. Nunca duda ni una pizca de la fidelidad de Dios a sus promesas de la alianza, no obstante el derrotero que le ha pedido tomar. Abraham se apega a la palabra pronunciada por aquel que lo sacó de la casa paterna bajo la promesa de una tierra espaciosa y de una descendencia incontable. Es el Dios que nunca se desdice, aunque el fiel no comprenda cómo va a cumplir su palabra empeñada.

El que cree en Dios cimienta su confianza no en los vaivenes de la vida, sino en la palabra empeñada de Dios. Incluso en las situaciones sin salida, en las más desespe-

radas y contradictorias, el fiel debe saber que está en el camino que Dios le ha marcado. En esa ruta, Dios se le da a conocer como el que redime y salva de manera inesperada y portentosa. El más grande testigo de esto es el propio Cristo con su muerte y resurrección. Él es la garantía para cada cristiano.

La liturgia pascual celebra el cumplimiento de la promesa hecha por Dios a Abraham de hacerlo bendición para la humanidad entera, al darle descendencia. Esta bendición le significó al patriarca ser fecundo y perdurar, lo que miraba en Isaac, el hijo

Tus descendientes **conquistarán** las ciudades enemigas.
En tu **descendencia** serán **bendecidos**
   todos los pueblos de la tierra,
   porque **obedeciste** a mis **palabras**".

Forma breve: Génesis 22:1–2, 9a–13, 15–18

Para meditar

SALMO RESPONSORIAL Salmo 15:5 y 8, 9–10, 11

R. Protégeme, Dios mío, que me refugio en ti.

El Señor es el lote de mi heredad y mi copa,
   mi suerte está en tu mano.
Tengo siempre presente al Señor,
   con él a mi derecha no vacilaré. **R.**

Por eso se me alegra el corazón,
   se gozan mis entrañas,
   y mi carne descansa serena.
Porque no me entregarás a la muerte
   ni dejarás a tu fiel conocer la
     corrupción. **R.**

Me enseñarás el sendero de la vida,
   me saciarás de gozo en tu presencia,
   de alegría perpetua a tu derecha. **R.**

III LECTURA Éxodo 14:15—15:1

Lectura del libro del Éxodo

Hay mucho dramatismo en el relato.
Haz pausa terminando el primer párrafo.

En **aquellos** días, dijo el Señor a **Moisés**:
"¿Por qué **sigues** clamando **a mí**?
Diles a los **israelitas** que se pongan **en marcha**.
Y tú, **alza** tu bastón, **extiende** tu mano sobre el mar y **divídelo**,
   para que los israelitas **entren** en el mar **sin mojarse**.

Aumenta un poco la velocidad de la lectura.
Páusate tras la línea final de este párrafo.

Yo voy a **endurecer** el corazón de los egipcios
   para que los **persigan**,
 y **me cubriré** de gloria
   a **expensas** del faraón y de **todo** su ejército,
     de sus **carros** y **jinetes**.

---

de su propia casa. Pero la promesa de Dios lo rebasó por mucho, porque la sigue cumpliendo al adoptarnos como hijos suyos por medio del misterio pascual, tal como anota la oración que hace toda la Iglesia al concluir esta lectura. Esta noche celebramos la fidelidad del Dios de la vida a cuantos depositan en él su confianza.

III LECTURA La celebración de la pascua tiene como centro que los hebreos se ven liberados de sus amos egipcios, gracias al portento del mar. El poderoso ejército egipcio había perseguido a los esclavos hebreos que huían de sus señores. Los alcanzó en un llano junto al mar, pero sin trabar contacto con ellos. Estaban allí, escondidos entre la crecida yerba. Pardeaba la tarde y oscureció. Los hebreos no tenían salida: enfrente estaba el mar y detrás el ejército egipcio. Entonces sucedió algo inesperado y portentoso: sopló un viento que hizo subir la marea hasta donde acampaba el ejército y se abrió un vado para cruzar el mar. Los hebreos cruzaron. Al amanecer, los guerreros egipcios, carros, caballos y jinetes, flotaban a la orilla del mar. Los hebreos entendieron que Dios los había salvado milagrosamente. Esta salvación es lo que la pascua celebra.

El relato del Éxodo, sin embargo, no se limita a contar eventos verosímiles o probables, sino que hace de Dios el protagonista de la salvación. Es Dios el que comanda todas las acciones, desde la orden de marchar y secar el mar, hasta la confusión entre los perseguidores y el regreso del mar a su lecho. Es el Dios del pueblo elegido el que debe ser alabado y glorificado. Ello es lo que hace la celebración nocturna.

La gloria de Dios consiste en reconocerlo Dios único y todopoderoso. En la

Muestra la determinación del patriarca en el tono firme de tu voz.

Cuando me haya **cubierto de gloria**
    a **expensas** del faraón, de sus **carros** y **jinetes**,
    los egipcios sabrán que **yo soy el Señor**".

El **ángel** del Señor, que iba **al frente** de las huestes de **Israel**,
    se colocó tras ellas.
Y la **columna de nubes** que iba **adelante**,
    también se desplazó y se puso a sus **espaldas**,
    entre el campamento de los **israelitas**
    y el campamento de los **egipcios**.
La nube era **tinieblas para unos** y **claridad para otros**,
    y **así** los ejércitos **no** trabaron contacto durante **toda** la noche.

Moisés **extendió** la mano sobre el **mar**,
    y el Señor **hizo soplar** durante **toda** la noche
        un **fuerte viento** del este,
    que **secó** el mar, y **dividió** las aguas.
Los israelitas **entraron** en el mar y **no se mojaban**,
    mientras las aguas formaban una **muralla**
        a su **derecha** y a su **izquierda**.
Los egipcios **se lanzaron** en su persecución
    y **toda** la caballería del faraón, sus **carros** y **jinetes**,
    entraron **tras ellos** en el mar.

Es el culmen del drama. Baja la velocidad línea tras línea, como si fuera el final. Luego recupera el vigor y sube el ritmo.

Hacia el **amanecer**,
    el **Señor** miró desde la columna de **fuego** y **humo**
        al ejército de los **egipcios**
    y sembró entre ellos el **pánico**.
Trabó las **ruedas** de sus **carros**,
    de suerte que no avanzaban **sino pesadamente**.
Dijeron **entonces** los egipcios:
"**Huyamos** de Israel, porque el Señor **lucha**
    en su favor **contra** Egipto".

Entonces el Señor le dijo a **Moisés**:
"**Extiende** tu mano sobre el **mar**,
    para que vuelvan las aguas **sobre los egipcios**,
        sus **carros** y sus **jinetes**".

guerra contra los egipcios y sus dioses para liberar a su pueblo y validar las promesas hechas a los padres, Dios y solo él es el agente de la liberación.

Conviene retomar dos puntos más del relato. El primero es la dimensión comunitaria de la salvación que Dios ofrece. Ni siquiera los líderes de aquel movimiento libertador, Moisés, Aarón y María se salvan solos. No es un asunto de números, estadísticas o proporcionalidad, sino de relación, de vincularse con otros y de crear comunión de vida. Es importante subrayar esto, por-

que la historia común es la que modela la comunidad y le da rumbo en la historia. Los eventos de la salud experimentados individualmente han de encontrar cauce en y por la vida de otras personas para transmitirlos y crear un futuro común de fraternidad y sororidad, como ahora se dice.

El otro punto es el de la memoria histórica. El evento experimentado como salvación por los creyentes tiene una fuerza que impulsa a cada sucesiva generación hacia el futuro, cuando esta acude a alimentar su fe y su esperanza en lo que Dios ya ha

realizado y continúa realizando. Esta memoria histórica participa ya de la eternidad de Dios, o quizá sea mejor decir que la eternidad de Dios impregna ese acontecimiento y le rompe su cascarón histórico, para hacerse accesible y disponible a todos los fieles de todos los tiempos. Nos reunimos no simplemente para recordar el pasado, sino para participar de la salvación eterna de Dios que se nos da en lo que sucede ante nuestros ojos, para impregnarnos poco a poco de su eternidad hasta el momento en el que estemos definitivamente con él.

Y **extendió** Moisés su mano **sobre el mar**,
   y **al amanecer**, las aguas **volvieron** a su sitio,
   de suerte que **al huir**, los egipcios se **encontraron** con ellas,
   y el Señor **los derribó** en medio del mar.
Volvieron las aguas y **cubrieron** los carros,
   a los **jinete**s y a **todo el ejército** del faraón,
   que se había **metido** en el mar para **perseguir** a Israel.
Ni uno solo se salvó.

Pero los **hijos de Israel** caminaban **por lo seco** en medio del mar.
Las aguas les hacían **muralla** a **derecha** e **izquierda**.
Aquel día salvó el Señor a Israel de las **manos** de **Egipto**.
Israel vio a los egipcios, **muertos en la orilla** del mar.
Israel vio la **mano fuerte del Señor** sobre los egipcios,
   y el pueblo **temió** al Señor y **creyó** en el **Señor** y en **Moisés**,
      su **siervo**.
Entonces **Moisés** y los hijos de Israel
   cantaron este cántico **al Señor**:

[El lector no dice "Palabra de Dios" y el salmista de inmediato canta el salmo responsorial.]

Para meditar

SALMO RESPONSORIAL   Éx 15:1–2, 3–4, 5–6, 17–18
R. Cantaré al Señor, sublime es su victoria.

Cantaré al Señor, sublime es su victoria:
   caballos y jinetes arrojó en el mar.
Mi fortaleza y mi canto es el Señor,
   Él es mi salvación;
   él es mi Dios, y yo lo alabaré,
   es el Dios de mis padres, y yo lo
   ensalzaré. **R.**

El Señor es un guerrero, su nombre es el Señor.
Los carros del faraón los lanzó al mar
   y a sus guerreros;
   ahogó en el mar Rojo a sus mejores
   capitanes. **R.**

Las olas los cubrieron,
   bajaron hasta el fondo como piedras.
Tu diestra, Señor, es fuerte y terrible,
   tu diestra, Señor, tritura el enemigo. **R.**

Los introduces y los plantas en el monte de
   tu heredad,
   lugar del que hiciste tu trono, Señor;
   santuario, Señor, que fundaron
   tus manos.
El Señor reina por siempre jamás. **R.**

Sin estridencia, señala los puntos de la promesa divina con serenidad y firmeza. No titubees, para que la asamblea también note el compromiso de Dios con su palabra.

Nuestra liturgia pascual celebra la liberación del pueblo que Dios lleva a cabo con fuerza invencible. La imagen del brazo de Dios que rompe toda coyunda y cadena de muerte, resplandece en esta noche singular al sacar a Jesús de entre los muertos. Brazo potente que libera de toda esclavitud y restaura la dignidad del pueblo de Dios. Pero no contemplamos únicamente los prodigios del pasado, porque, como nos recuerda la oración asociada a esta lectura, Dios sigue multiplicado los prodigios de antaño para seguir salvando a todas las naciones de la tierra por medio de los sacramentos. Los sacramentos son la fuerza de Dios que nos restaura la dignidad de ser hijos en el Hijo.

IV LECTURA Dios le confiesa su amor irrevocable al pueblo abatido por la desgracia del destierro. El profeta, quizá un grupo de discípulos del gran Isaías, se vale de la imagen de la mujer repudiada y vuelta a tomar. El amor primero es inolvidable, insustituible; ese amor es el que Dios le tiene a su pueblo.

Si el destierro representa el momento del repudio, porque se entendió como el castigo a los pecados e infidelidades de los israelitas, eso representa apenas un breve instante, algo pasajero. Dios, como amante arrepentido, asegura que ama a su pueblo "con amor eterno"; aquello fue un dislate fugaz. Por eso apresta ya la redención, es decir, el regreso de los fieles a la tierra añorada que los vio nacer. Y el Dios enamorado de su pueblo agrega una promesa: nunca más volverá a suceder. Jamás removerá

¡Dios es un enamorado de su pueblo! Proclama con ternura la declaración de compromiso y amor quien sufre en la duda y el abandono.

El tono es decidido. Haz que se note cómo crece la determinación del Señor hasta la penúltima línea.

IV LECTURA   Isaías 54:5–14

Lectura del libro del profeta Isaías

"El que **te creó**, te tomará **por esposa**;
   su nombre es '**Señor de los ejércitos**'.
Tu **redentor** es el **Santo** de Israel;
   será llamado '**Dios** de **toda** la tierra'.
Como a una **mujer abandonada** y **abatida**
   te **vuelve** a llamar el **Señor**.
¿**Acaso** repudia uno a la esposa de la **juventud?**,
   dice tu Dios.

Por un instante te abandoné,
   pero con **inmensa misericordia** te volveré a tomar.
En un **arrebato** de ira
   te oculté un instante **mi rostro**,
   pero con **amor eterno** me he **apiadado** de ti,
   dice el Señor, **tu redentor**.

Me pasa **ahora** como en los **días de Noé**:
   entonces **juré** que las **aguas del diluvio**
   no volverían a cubrir la tierra;
   ahora juro **no enojarme** ya contra ti
   ni volver a amenazarte.
Podrán **desaparecer** los **montes**
   y **hundirse** las **colinas**,
   pero **mi amor** por ti **no desaparecerá**
   y mi **alianza de paz** quedará **firme para siempre**.
Lo dice el **Señor**, el que **se apiada** de ti.

Dios su "alianza de paz", es decir, su palabra esponsal; no habrá otro repudio.

Lo que se describe enseguida son los dones con los que el Esposo, Dios, readquiere a su mujer; la engalana como si de una virgen se tratara: la llena de joyas y de piedras preciosas. El trasfondo es el proyecto del nuevo pueblo que está en camino; su guía y arquitecto es Dios mismo. Es un proyecto que se forja en la justicia y el derecho. Esto es lo que da seguridad y confianza a los fieles. Se destierra la violencia. Nada tienen que temer.

La celebración de esta noche nos debe afirmar en el amor inconmovible de Dios, más sólido que los montes y más precioso que zafiros y esmeraldas. Ese amor es el que nos llama a vivir con él todos y cada uno de nuestros días en justicia y derecho, es decir, en alianza de paz sempiterna.

Nuestra liturgia pascual celebra la liberación del pueblo que Dios lleva a cabo con fuerza invencible. La imagen del brazo de Dios que rompe toda coyunda y cadena de muerte, resplandece en esta noche singular al sacar a Jesús de entre los muertos. Brazo potente que libera de toda esclavitud y restaura la dignidad del pueblo de Dios. Pero no contemplamos únicamente los prodigios del pasado, porque, como nos recuerda la oración asociada a esta lectura, Dios sigue multiplicado los prodigios de antaño para seguir salvando a todas las naciones de la tierra por medio de los sacramentos. Los sacramentos son la fuerza de Dios que nos restaura la dignidad de ser hijos en el Hijo.

V LECTURA Ya para cerrar su libro de consolación, el profeta rei-

Tú, la **afligida**, la **zarandeada** por la tempestad,
la **no consolada**:
He aquí que **yo mismo** coloco **tus piedras** sobre **piedras finas**,
tus **cimientos** sobre **zafiros**;
te pondré **almenas de rubí**
y **puertas de esmeralda**
y **murallas** de **piedras preciosas**.

Todos tus hijos serán **discípulos del Señor**,
y será **grande** su **prosperidad**.
Serás **consolidada** en la **justicia**.
Destierra la angustia,
pues ya **nada** tienes que temer;
olvida tu miedo,
porque ya no se acercará **a ti**".

Aísla un tanto la primera línea de este párrafo. El contraste debe quedar evidenciado. Ve bajando la velocidad de lectura hasta llegar a la línea culminante, que es la penúltima.

Para meditar

SALMO RESPONSORIAL   Salmo 29:2, y 4, 5–6, 11, y 12a, y 13b

R. Te ensalzaré, Señor, porque me has librado.

Te ensalzaré, Señor, porque me has librado
y no has dejado que mis enemigos se rían
de mí.
Señor, sacaste mi vida del abismo,
me hiciste revivir cuando bajaba a
la fosa. **R.**

Tañan para el Señor, fieles suyos,
den gracias a su nombre santo;
su cólera dura un instante,
su bondad de por vida;
al atardecer nos visita el llanto;
por la mañana, el júbilo. **R.**

Escucha, Señor, y ten piedad de mí,
Señor, socórreme.
Cambiaste mi luto en danzas
Señor, Dios mío, te daré gracias
por siempre. **R.**

---

tera las promesas de Dios a su pueblo. Se sirve de la imagen del banquete para hablar de la imperiosa necesidad de acudir a la palabra de Dios, para poder vivir y gozar de la vida. El banquete es expresión feliz de ese anhelo saciado, no solo con pan sino con la conversación, con la presencia del otro, con la comunión de pensamientos y valores.

Comienza con una amplia invitación que se dirige a la gente que no tiene medios para comprarse agua, comida, leche; son los pobres. A ellos se urge a acudir a la escucha de la palabra de Dios. ¿De qué pala-

bra se trata? De aquella que Dios prometió a David para vincularse en alianza con toda su casa. Aquella promesa no ha caído en el vacío; está en pie, porque es una alianza eterna. Se habla entonces de la restauración del pueblo. La condición para que esa restauración se lleve a cabo es acudir a Dios, buscarlo, creer en su palabra.

La parte final de este poema hace notar la disparidad entre los modos humanos y los divinos. Dios no se propone restablecer la monarquía, como si fuera a colocar a algún descendiente davídico sobre el trono pater-

no. No es ese el proyecto divino. Dios va a establecer su alianza eterna mediante su palabra. Es esa palabra la que baja, como lluvia, para fecundar la tierra. Es esa palabra la que le genera vida al pueblo y, con él, a la humanidad. El profeta se vale de una imagen plástica y elocuente: el pan, la comida, el banquete. Con su palabra, Dios nos revela su proyecto eterno: alimentar sustanciosamente a su pueblo. Su palabra tiene ese caudal para transformar la aridez humana en floreciente vergel. Por eso es tan importante la imagen del banquete para referir al Reino de

V LECTURA   Isaías 55:1–11

Lectura del libro del profeta Isaías

Esto dice el Señor:

"**Todos ustedes**, los que tienen **sed**, vengan por **agua**;
   y los que **no** tienen dinero,
   vengan, tomen **trigo** y **coman**;
   tomen **vino** y **leche** sin pagar.
¿**Por qué** gastar el dinero en lo que **no** es **pan**
   y el **salario**, en lo que no **alimenta**?

Escúchenme atentos y **comerán** bien,
   saborearán platillos **sustanciosos**.
Préstenme atención, **vengan** a mí,
   escúchenme y **vivirán**.

Sellaré con ustedes una **alianza perpetua**,
   cumpliré las promesas que hice a **David**.
Como a **él** lo puse por **testigo** ante los **pueblos**,
   como **príncipe** y **soberano** de las naciones,
   así tú reunirás a un pueblo **desconocido**,
   y las naciones que **no te conocían acudirán** a ti,
   por **amor** del **Señor**, tu **Dios**,
   por el **Santo de Israel**, que te ha **honrado**.

Busquen al Señor mientras lo pueden **encontrar**,
   invóquenlo mientras está **cerca**;
   que el **malvado** abandone su **camino**,
   y el **criminal**, sus **planes**;
   que **regrese** al Señor, y **él tendrá piedad**;
   a **nuestro** Dios, que es **rico** en **perdón**.

Es un poema apasionado y elocuente. Repasa todo el itinerario para que puedas dar los énfasis precisos a los momentos principales.

Tiene dejo de arrepentimiento esta parte. Alarga las frases más apasionadas.

Prolonga la pausa un tiempo, luego señala los contrastes entre la situación desgraciada y la nueva que se está preparando.

Dios. Dicho reinado nos ha llegado con la muerte y resurrección de Cristo.

El deseo de una vida plena, verdadera y gozosa, alienta también en la asamblea santa reunida a celebrar el misterio pascual. El anhelo sustancial de la Iglesia es la santidad, vivir indisolublemente unida a su Señor. Es un deseo que todo creyente alberga y alimenta, gracias al Espíritu de Dios que anima y da cauce a ese anhelo. Esto es lo que pedimos a Dios en la oración que corona la escucha de las palabras proféticas de Isaías: que reproduzca los buenos propósi-tos en cada uno de los fieles. Los gestos y palabras de esta santa liturgia obran nuestra santificación si los dejamos permear nuestro corazón. Acudamos al agua de vida, al vino y a la leche de la sabiduría divina.

VI LECTURA Escuchamos una exposición poética sobre la excelencia de la Ley, que se entiende como la reacción del sabio judío ante los deslumbrantes asertos de la cultura circundante, la griega, aunque el propio escrito se quiere remontar a los tiempos exílicos, pues ya asirios, babi-lonios y persas, de un lado, así como los egipcios, del otro, habían generado comprensiones profundas del cosmos y sus fuerzas, así como modos de vivir en aquel mundo que resultaban sofisticados y seductores a los propios judíos exiliados. Nada, sin embargo, fue tan profundamente transformador como la cultura griega, tan imponente como seductora. El sabio no abandona su tradición ni su cultura, sino que va a ahondar en ellas para asegurar al pueblo que lo que le acontece tiene un propósito y que la historia no es caprichosa,

Mis pensamientos no son los pensamientos **de ustedes,**
    sus **caminos** no son **mis caminos.**
Porque **así** como aventajan los **cielos** a la **tierra,**
    así aventajan **mis caminos** a los de **ustedes**
    y **mis pensamientos** a sus **pensamientos.**

Como bajan del cielo la **lluvia** y la **nieve**
    y no vuelven **allá,** sino **después** de empapar la tierra,
    de **fecundarla** y hacerla **germinar,**
    a fin de que dé **semilla** para **sembrar** y **pan** para **comer,**
    así será la **palabra** que sale de **mi boca:**
    no volverá a mí **sin resultado,**
    sino que **hará mi voluntad**
    y **cumplirá su misión".**

El final es grandioso. Dale este tono de gozo desbordante a las promesas de Dios.

Para meditar

SALMO RESPONSORIAL Isaías 12:2–3, 4bcd, 5–6

R. Sacarán agua con de las fuentes de la salvación.

El Señor es mi Dios y Salvador:
    confiaré y no temeré,
    porque mi fuerza y mi poder es el Señor,
    él fue mi salvación.
Y sacarán aguas con gozo
    de las fuentes de la salvación. **R.**

Den gracias al Señor
    invoquen su nombre,
    cuenten a los pueblos sus hazañas,
    proclamen que su nombre es excelso.

Tañan para el Señor, que hizo proezas,
    anúncienlas a toda la tierra;
    griten jubilosos, habitantes de Sión:
    "Qué grande es en medio de ti
    el Santo de Israel". **R.**

---

pues tiene un derrotero que habrá que discernir atentamente. Resuena el *Shemá* (Deuteronomio 6:8) que es la síntesis del credo judío.

El sabio exhorta a retornar a la Ley, que es la fuente de la verdadera paz y de toda sabiduría. ¿Dónde está la sabiduría? En Dios y su palabra. Los logros apabullantes de la cultura dominante no han de deslumbrar al creyente, pues este sabe cuál es el sentido profundo de la vida humana. La vida humana, siempre en busca de plenitud, desea dos bienes; el primero, alargarse dignamente, se

resiste a ser efímera e infame, quiere prolongarse para disfrutar del bien que ha prodigado generosamente a su alrededor. Igualmente, el humano quiere que su vida sea venturosa y gratificante. A nadie satisfacen las desgracias; es la alegría, el bienestar y la celebración lo que salpimienta la azarosa jornada del mortal. La Ley, asegura el sabio, es esa sabiduría que capacita para vivir felizmente. Dios se la dio a su pueblo para compartirla con los demás pueblos.

Dios quiere que su pueblo viva digna y felizmente. Para eso le ha dado su Ley que

es la fuente misma de la sabiduría. Los cristianos creemos que Cristo es la sabiduría de Dios y que él nos conduce a una vida buena, feliz y prolongada hasta el encuentro definitivo con Dios. Esto es lo que, en esta noche santa, santísima, celebramos llenos de gozo y esperanza.

El camino de la santificación es también una ruta llena de peligros que pueden arruinar la vida de comunión con Dios y con los hermanos. Por eso, en esta noche, el Espíritu Santo nos advierte por la voz de la Iglesia a mantenernos vigilantes para sor-

VI LECTURA   Baruc 3:9–15, 32—4:4

Lectura del libro del profeta Baruc

Escucha, Israel, los mandatos de **vida**,
   presta oído para que adquieras **prudencia**.
¿A qué se debe, Israel, que estés **aún** en **país enemigo**,
   que **envejezcas** en tierra **extranjera**,
   que te hayas **contaminado** por el **trato con los muertos**,
   que te veas **contado** entre los que **descienden** al **abismo**?

Es que **abandonaste** la **fuente** de la **sabiduría**.
Si hubieras **seguido** los **senderos** de **Dios**,
   habitarías en paz **eternamente**.

Aprende **dónde** están la **prudencia**,
   la **inteligencia** y la **energía**,
   así aprenderás **dónde** se encuentra el **secreto** de vivir **larga vida**,
   y **dónde** la **luz** de los ojos y la **paz**.
¿Quién es el que halló el lugar de la **sabiduría**
   y tuvo acceso a sus **tesoros**?
El que todo lo **sabe**, la **conoce**;
   con su **inteligencia** la ha **escudriñado**.
El que **cimentó** la tierra para **todos** los tiempos,
   y la pobló de **animales cuadrúpedos**;
   el que envía la **luz**, y ella va,
   la **llama**, y **temblorosa** le **obedece**;
   llama a los **astros**, que brillan **jubilosos**
     en sus **puestos de guardia**,
   y ellos le **responden**: "Aquí estamos",
   y refulgen **gozosos** para **aquel** que los hizo.
Él es **nuestro Dios**
   y no hay **otro** como él;
   él ha **escudriñado** los caminos de la **sabiduría**
   y se la dio a su hijo **Jacob**,
   a **Israel**, su **predilecto**.

tear los peligros y caminar con prudencia. Hoy pedimos por los que serán bautizados también, para que Dios los proteja con su gracia y a todos nos preserve de todo mal.

VII LECTURA Ezequiel es profeta de la esperanza del pueblo en el exilio; vivió en carne propia la historia dramática de la invasión y la deportación. Cada día retumbó en su cabeza el repetido "porqué" en busca de algún sentido. La única explicación a aquel castigo eran los delitos del pasado. Judá había pecado, igual que Israel su hermana, y había profanado el Nombre de Dios entre las naciones. Por eso el pueblo sufre la diáspora o dispersión entre las naciones paganas. No hay manera de resarcir el daño. Dios, sin embargo, se propone hacer algo inesperado para revindicar su propia santidad, es decir, su honor y dignidad ante los pueblos, y lo hará por el mismo medio por el que la deshonra llegó antes: los propios fieles.

   La santidad de Dios que los miembros del pueblo van a manifestar ante las naciones se compone de varias acciones complejas que son como una especie de ritual. Comienza con una convocación de los dispersos entre los paganos para conducirlos a la tierra de las promesas divinas. A dicha reunión sigue la aspersión purificatoria; se limpia con agua, como símbolo de que el pecador no puede acercarse a Dios sin dejar atrás el pecado. El pecado fundamental a erradicar es la idolatría: desterrar cualquier cosa que se interponga entre el fiel y Dios. Y viene enseguida una especie de creación nueva del propio fiel. El corazón de carne y el espíritu nuevo hablan de una humanidad

Después de esto, **ella apareció** en el **mundo**
    y **convivió** con los **hombres**.

La **sabiduría** es el libro de los **mandatos de Dios**,
    la ley de **validez eterna**;
    los que la **guardan, vivirán**,
    los que la **abandonan, morirán**.

Vuélvete a ella, **Jacob**, y **abrázala**;
    camina hacia la **claridad** de su **luz**;
    no entregues a otros tu **gloria**,
    ni tu dignidad a un pueblo **extranjero**.
Bienaventurados **nosotros**, Israel,
    porque lo que **agrada** al **Señor**
    nos ha sido **revelado**.

Pausa un tanto tras proclamar la primera línea de este párrafo.

Busca con la mirada a la asamblea. Baja la velocidad hacia las líneas finales.

Para meditar

SALMO RESPONSORIAL Salmo 18:8, 9, 10, 11

R. Señor, tú tienes palabras de vida eterna.

La ley del Señor es perfecta
    es descanso del alma;
    el precepto del Señor es fiel
    e instruye al ignorante. **R.**

Los mandatos del Señor son rectos
    y alegran el corazón;
    la norma del Señor es límpida
    y da luz a los ojos. **R.**

La voluntad del Señor es pura
    y eternamente estable;
    los mandamientos del Señor son
        verdaderos
    y enteramente justos. **R.**

Más preciosos que el oro,
    más que el oro fino;
    más dulces que la miel
    de un panal que destila. **R.**

VII LECTURA   Ezequiel 36:16–28

Lectura del libro del profeta Ezequiel

En **aquel** tiempo,
    me fue dirigida la **palabra del Señor** en **estos términos**:
"**Hijo de hombre**, cuando los de la casa de **Israel**
        habitaban en su tierra,

Marca la diferencia al iniciar el discurso directo. Frasea con claridad, porque esta parte puede ser confusa para los oyentes.

---

diferente a la del corazón de piedra, en clara alusión a la alianza sinaítica, cuyos mandatos estaban inscritos en las tablas de la Ley. La compasión y la bondad son los rasgos de esta humanidad nueva, capaz de vivir los mandatos, más allá de obedecerlos. Es el espíritu nuevo lo que posibilita vivir en la tierra de la promesa, en comunión de alianza con Dios. La fórmula de la alianza sella este oráculo profético: "Ustedes serán mi pueblo y yo seré su Dios".

La celebración pascual invita a celebrar la alianza con Dios que nos humaniza por el

baño bautismal, al purificarnos y darnos su espíritu. Él nos ha convocado esta noche santísima a retornar a la tierra de la promesa y a dejar atrás nuestras rebeldías. Pidamos perdón, purifiquémonos y sellemos la alianza que nos une a él en Cristo Jesús.

La santidad de esta noche convoca tanto a todos los hijos de Dios como a la creación entera a la unidad primigenia en Dios. El tiempo y las secuelas del pecado y de la muerte son revertidos, gracias a la salvación de Dios. Su obra de redención no es sino el golpe de timón que él ha dado a la historia

humana para hacer que todo concurra hacia esa unidad, tal y como suplica la Iglesia en la oración adscrita a esta lectura. Por eso exulta en una clamorosa alabanza al Rey Celestial, a la que convoca a cielos y tierra.

EPÍSTOLA   Un punto fundamental en el argumento de la Carta a los Romanos es que Dios abre—a todos —el acceso a la salvación mediante la fe en la muerte y resurrección de Cristo, su Hijo, y no solo por medio de la alianza de la circuncisión. San Pablo, el autor de la carta,

la **mancharon** con su **conducta** y con sus **obras**;
como **inmundicia** fue su **proceder** ante mis ojos.
Entonces **descargué** mi **furor** contra ellos,
por la **sangre** que habían **derramado** en el **país**
y por haberlo **profanado** con sus **idolatrías**.
Los **dispersé** entre las **naciones**
y anduvieron **errantes** por **todas** las tierras.
Los **juzgué** según su **conducta**, según sus **acciones** los **sentencié**.
Y en las **naciones** a las que **se fueron**,
desacreditaron mi **santo nombre**,
haciendo que de ellos **se dijera**:
'**Éste** es el pueblo del Señor, y ha **tenido que salir** de su **tierra**'.

Pero, **por mi santo nombre**,
que la casa de Israel **profanó** entre las **naciones** a donde **llegó**,
me he **compadecido**.
Por eso, dile a la casa de **Israel**:
'**Esto** dice el Señor: no lo hago **por ustedes**, casa de Israel.
Yo mismo mostraré la santidad de mi nombre **excelso**,
que ustedes **profanaron** entre las naciones.
Entonces ellas **reconocerán** que **yo soy el Señor**,
cuando, **por medio de ustedes** les haga ver mi **santidad**.

Los **sacaré** a ustedes de entre las **naciones**,
los **reuniré** de **todos** los países y los **llevaré** a su **tierra**.
Los **rociaré** con **agua pura** y quedarán **purificados**;
los **purificaré** de **todas** sus **inmundicias** e **idolatrías**.

Les **daré** un **corazón nuevo** y les **infundiré** un **espíritu nuevo**;
arrancaré de ustedes el **corazón de piedra**
y les **daré** un **corazón de carne**.
Les **infundiré mi espíritu**
y los **haré vivir** según mis **preceptos**
y **guardar** y **cumplir** mis **mandamientos**.
Habitarán en la tierra que di a **sus padres**;
ustedes serán mi **pueblo** y **yo** seré su **Dios**'".

Prepara la frase conclusiva de este párrafo.

Desde el diafragma apoya las acciones de Dios en favor de su pueblo. Tienen que estar llenas de fuerza. Prepara la frase final para terminar con tono elevado la lectura.

explica que la fe cristiana tiene su implante en el rito bautismal, el cual dice lo que acontece con el creyente a nivel profundo: morir y resucitar con Cristo. Muerte y vida se dan cita en ese gesto ritual que manifiesta lo que somos ante Dios y ante el mundo: el pueblo de Dios en Cristo Jesús.

El Apóstol de los Gentiles comienza a explicar la realidad del bautizado contrarrestando un falso punto de vista que sus oponentes argumentarían: que dado que la gracia de Dios sobreabunda donde hay pecado, como Pablo dice, habría que mantenerse pecando a fin de que la bondad divina "sepultara" el pecado. Esta flagrante contradicción no tiene en cuenta el sentido y realidad del bautismo, pues no es un mero rito exterior lo que se realiza, sino que ese rito implica una transformación personal del bautizado, operada desde la fe en Cristo muerto y resucitado por nuestra salvación. No es un asunto de calcular el volumen de los pecados o de abusar de la generosidad de Dios, sino de entender que es asunto personal de vida y muerte lo implicado en el bautismo.

Con el gesto ritual de la inmersión o sepultar en el agua, el creyente se incorpora a la muerte de Cristo: muere con él. La muerte de Cristo no es resultado de una eventualidad o circunstancia, sino que importa un sentido teológico profundo: es una muerte provocada por el pecado; es su futo mejor. Sin haber pecado, Cristo fue víctima del pecado y murió. El creyente, pecador, en el rito bautismal, muere con Cristo. Pablo explicita esto diciendo que es un "morir al pecado", es decir, que el creyente va a "vivir como muerto", esta paradoja aparente consiste en vivir sin pecar. Este es el sentido evidente que resulta de unirse a Cristo en

Para meditar

SALMO RESPONSORIAL   Salmo 41:3, 5def; Salmo 42:3, 4

R. Como busca la cierva corrientes de agua, así mi alma te busca a ti, Dios mío.

Mi alma tiene sed de Dios, del Dios vivo:
    ¿cuándo entraré a ver el rostro de Dios?

Cómo marchaba a la cabeza del grupo,
    hacia la casa de Dios,
    entre cantos de júbilo y alabanza,
    en el bullicio de la fiesta.

Envía tu luz y tu verdad;
    que ellas me guíen
    y me conduzcan hasta tu monte santo,
    hasta tu morada.

Que yo me acerque al altar de Dios,
    al Dios de mi alegría;
    que te dé gracias al son de la cítara,
    Dios, Dios mío.

O bien, cuando no hay bautismos:

Para meditar

SALMO RESPONSORIAL   Salmo 50:12–13, 14–15, 18–19

R. Oh Dios, crea en mí un corazón puro.

Oh Dios, crea en mí un corazón puro,
    renuévame por dentro con espíritu firme;
    no me arrojes lejos de tu rostro,
    no me quites tu santo espíritu. **R.**

Devuélveme la alegría de tu salvación,
    afiánzame con espíritu generoso.
Enseñaré a los malvados tus caminos,
    los pecadores volverán a ti. **R.**

Los sacrificios no te satisfacen,
    si te ofreciera un holocausto,
no lo querrías.
Mi sacrificio es un espíritu quebrantado,
    un corazón quebrantado y humillado tú
        no lo desprecias. **R.**

EPÍSTOLA   Romanos 6:3–11

Lectura de la carta del apóstol san Pablo a los romanos

Hermanos:
Todos los que hemos sido **incorporados** a Cristo **Jesús**
    por medio del **bautismo**,
    hemos sido **incorporados** a él en su **muerte**.
En efecto,
    por el **bautismo** fuimos **sepultados** con él en su **muerte**,
    para que, así como Cristo **resucitó** de entre los **muertos**
    por la **gloria** del **Padre**,

Es una lectura argumentativa y no es fácil de seguir. Apóyate en la puntuación y entona adecuadamente cada frase.

su sepultura de muerte, para resurgir a una vida nueva, "de gloria".

La resurrección de Cristo consiste en una vida nueva. Esta nueva existencia es una vida gloriosa, resucitada, de cara totalmente a Dios y de espaldas al pecado, pues en esta vida nueva, el pecado no tiene cabida. Por eso se entiende que el bautizado "vive en Cristo", que es la dimensión definitiva de la existencia.

El bautizado es un hombre resucitado, porque vive en Cristo Jesús, dando gloria a Dios. La gloria definitiva, sin embargo, la experimentará a su muerte. Esta es la certeza de la fe cristiana que nos impulsa a vivir y a experimentar la alianza bautismal.

La santidad de esta noche convoca tanto a todos los hijos de Dios como a la creación entera a la unidad primigenia en Dios. El tiempo y las secuelas del pecado y de la muerte son revertidos, gracias a la salvación de Dios. Su obra de redención no es sino el golpe de timón que él ha dado a la historia humana para hacer que todo concurra hacia esa unidad, tal y como suplica la Iglesia en la oración adscrita a esta lectura. Por eso exulta en una clamorosa alabanza al Rey Celestial, a la que convoca a cielos y tierra.

EVANGELIO El recorrido que esta noche la Iglesia hace por las Escrituras desemboca en la proclamación vigorosa del Evangelio de Cristo Jesús en voz de san Mateo y encapsulada en una palabra vibrante: "¡Resucitó!". Esta repetida proclamación nos llega envuelta en un relato desdoblado que tiene por protagonistas a un par de discípulas de Jesús. Ellas reciben el anuncio de un ángel y lo verifican en la aparición del propio Señor. Igualmente

Nota cómo avanza el pensamiento con oraciones pareadas. Identifícalas y no pierdas esa cadencia.

así también nosotros llevemos una **vida nueva**.

Porque, si hemos estado **íntimamente** unidos a **él**
por una **muerte semejante** a la **suya**,
también lo estaremos en su **resurrección**.
Sabemos que nuestro viejo yo fue **crucificado con Cristo**,
para que el **cuerpo del pecado** quedara **destruido**,
a fin de que **ya no sirvamos** al pecado,
pues el que ha **muerto** queda **libre** del **pecado**.

Por lo tanto, si hemos **muerto con Cristo**,
estamos **seguros** de que **también viviremos** con él;
pues **sabemos** que Cristo,
una vez **resucitado** de entre los muertos, **ya no morirá nunca**.
La muerte **ya no tiene dominio** sobre él,
porque al morir, **murió al pecado** de una vez **para siempre**;
y al resucitar, **vive ahora** para Dios.
Lo mismo **ustedes**, considérense **muertos al pecado**
y **vivos para Dios** en Cristo Jesús, **Señor nuestro**.

Baja la velocidad aquí y pronuncia las dos líneas finales haciendo contacto visual con la asamblea.

Para meditar

SALMO RESPONSORIAL   Salmo 117:1–2, 16–17, 22–23
R. Aleluya, aleluya, aleluya.

Den gracias al Señor porque es bueno,
porque es eterna su misericordia.
Diga la casa de Israel:
eterna es su misericordia. **R.**

La diestra del Señor es poderosa,
la diestra del Señor es excelsa.
No he de morir,
viviré para contar las hazañas del Señor. **R.**

La piedra que desecharon los arquitectos,
es ahora la piedra angular.
Es el Señor quien lo ha hecho,
es un milagro patente. **R.**

reciben, por partida doble, un encargo destinado al grupo discipular: anunciarles la Buena Nueva pascual y encaminarlos a Galilea donde lo verán. La visión constata el anuncio pascual.

La fe en la resurrección habla de la impotencia humana ante la muerte. Frente a ella, solo Dios tiene voz. Ante la muerte, el humano se ve anulado y con una sola opción para sobreponerse: Dios. Es la palabra de Dios la que aniquila el poder de la muerte, con la voz de la vida. El creyente se abandona a la gracia y al poder de Dios para vencer la muerte.

El anuncio pascual provoca temor y alegría en las discípulas. El temor surge ante lo que está más allá de la propia comprensión y los propios límites. En las Escrituras, causa temor lo sagrado, porque es un ámbito que no le compete al humano sino a Dios. El poder de Dios que derrota a la muerte no puede sino despertar temor en el creyente. No es un temor que lleve a huir o a fugarse, sino a reverenciar al Omnipotente, que siembra alegría por la vida nueva, porque Dios manifiesta su señorío indestructible.

El relato concluye con una repetida promesa a ser cumplida en Galilea: ver al Resucitado. La visión despeja cualquier duda, pero ante todo es la certificación de la fe. Sin fe no hay movimiento a Galilea, donde Jesús proclamaba la llegada del Reino de Dios entre los hombres. Esa proclamación cobra ahora su real dimensión: la victoria de la vida.

Esta noche santa, la Iglesia toda se reúne para escuchar, ver y hacer alianza con su Señor bajo los sacramentos de la iniciación cristiana, el bautismo, la confirmación y la Eucaristía. Con los catecúmenos, todo

EVANGELIO　Mateo 28:1–10

Lectura del santo Evangelio según san Mateo

Transcurrido el **sábado**, al amanecer del **primer día** de la semana,
　　María Magdalena y la **otra María** fueron a ver el **sepulcro**.
De pronto se produjo un **gran temblor**,
　　porque el **ángel** del Señor **bajó del cielo**
　　y **acercándose** al sepulcro,
　　hizo rodar la piedra que lo tapaba y **se sentó** encima de ella.
Su **rostro** brillaba como el **relámpago**
　　y sus **vestiduras** eran **blancas** como la **nieve**.
Los guardias, **atemorizados** ante él, se pusieron a **temblar**
　　y se quedaron **como muertos**.
El ángel **se dirigió** a las mujeres y les **dijo:**
　　"**No teman**. Ya sé que buscan a **Jesús**, el **crucificado**.
No está aquí;
　　ha **resucitado**, como lo había **dicho**.
Vengan a ver el lugar donde lo habían **puesto**.
Y **ahora**, vayan de **prisa** a decir a sus **discípulos:**
　　'Ha **resucitado** de entre los **muertos**
　　e **irá** delante de ustedes a **Galilea; allá** lo **verán'**.
Eso es **todo"**.

Ellas **se alejaron** a **toda prisa** del **sepulcro**,
　　y **llenas de temor** y de **gran alegría**,
　　corrieron a dar la **noticia** a los **discípulos**.
Pero de repente **Jesús** les **salió** al encuentro y las **saludó**.
Ellas se le **acercaron**, le **abrazaron** los pies y lo **adoraron**.
Entonces les dijo Jesús: "**No tengan miedo**.
Vayan a decir a mis **hermanos** que se dirijan a **Galilea**.
Allá me **verán"**.

El relato es simple, pero guarda elementos maravillosos en sus líneas. Identifícalos y dales expresión apropiada a los mismos.

Eleva un poco la voz al proclamar el discurso del ángel.

Una aparición inesperada del todo. Baja la velocidad al llegar a las palabras de Jesús.

el pueblo de Dios se apresta a experimentar los gozos de la Pascua con el temor reverencial de que es el Espíritu de Dios el que lo conduce al encuentro con su Señor resucitado. De él recibe su Espíritu que lo transforma en pueblo que camina en la visión del Mesías resucitado.

DOMINGO DE PASCUA

I LECTURA   Hechos 10:34a, 37–43

Lectura del libro de los Hechos de los Apóstoles

En **aquellos** días, **Pedro** tomó la palabra y **dijo:**
"**Ya saben** ustedes lo sucedido en **toda Judea,**
    que tuvo principio en **Galilea,**
    después del **bautismo** predicado por **Juan:**
    cómo Dios **ungió** con el **poder** del **Espíritu Santo**
      a **Jesús de Nazaret**
    y cómo **éste** pasó haciendo el **bien,**
    sanando a **todos** los **oprimidos** por el diablo,
    porque Dios **estaba con él.**

Nosotros somos **testigos** de cuanto él hizo en **Judea**
      y en **Jerusalén.**
Lo **mataron** colgándolo de la **cruz,**
    pero Dios **lo resucitó al tercer día** y concedió verlo,
    no a **todo** el pueblo,
    sino **únicamente** a los **testigos** que él,
    de **antemano,** había **escogido:**
    a **nosotros,** que hemos **comido** y **bebido** con él
    después de que **resucitó** de entre los **muertos.**

Él **nos mandó predicar** al pueblo
    y **dar testimonio** de que Dios lo ha **constituido**
    juez de **vivos** y **muertos.**
El **testimonio** de los **profetas** es **unánime:**
    que cuantos **creen** en él
    reciben, por su medio, el **perdón de los pecados".**

La historia de Jesús es poderosa. Proclama con viveza, pero sin dramatismos exagerados.

Nota el punto de la primera oración y alarga un tiempo la pausa.

Los "nosotros" son testimoniales. Incluye en ellos a la asamblea; haz contacto visual en los momentos oportunos.

I LECTURA | La resurrección de Cristo tiene detrás de sí una trayectoria, un camino que le da sentido y se corresponde con lo sucedido. Incluso tomando en cuenta solo las partes seleccionadas para la lectura litúrgica de hoy, se pueden apreciar dos fases inseparables de la historia de Jesús de Nazaret y una tercera que las rebasa.

En las palabras de Pedro, la primera fase condensa lo hecho por Jesús en Galilea, una vez ungido con el Espíritu Santo: pasó haciendo el bien. Lo hecho por Jesús responde a la dinámica del Espíritu que se ma-nifiesta como "Santo". La santidad no está restringida al santuario ni a los ritos u objetos sagrados, sino a la obra de Jesús ("Dios estaba con él"). Pedro explica que el trabajo de Jesús consistió en hacer el bien, lo cual, el propio testigo entiende como una obra de liberación respecto a los oprimidos por el diablo. Dios no favorece a su pueblo ni imaginaria ni demagógicamente; lo favorece en una tierra concreta donde viven personas oprimidas. Para ellas es el trabajo de santificación o liberación.

La segunda fase de la historia de Jesús, se desarrolla en Judea y en Jerusalén, la ca-pital. El acento no es que Jesús haya hecho algo, sino lo que le hicieron a él: lo mataron, Dios lo resucitó y ha sido visto por unos cuantos escogidos. Hay un ribete de recri-minación en las palabras petrinas cuando pinta cómo lo mataron las autoridades religiosas: "colgándolo de la cruz", es decir, maldito por la Ley (ver Deuteronomio 21:23; Gálatas 3:13), pero revindicado por Dios. Jesús es el centro de todo. Lo de Judea, sin embargo, cobra su verdadera dimensión solo teniendo en cuenta lo que pasó en Galilea.

Para meditar

SALMO RESPONSORIAL   Salmo 117:1–2, 16–17, 22–23

R. Éste es el día en que actuó el Señor: sea nuestra alegría y nuestro gozo.
O bien: **Aleluya.**

Den gracias al Señor porque es bueno,
   porque es eterna su misericordia.
Diga la casa de Israel:
   eterna es su misericordia. **R.**

La diestra del Señor es poderosa,
   la diestra del Señor es excelsa.
No he de morir, viviré
   para contar las hazañas del Señor. **R.**

La piedra que desecharon los arquitectos,
   es ahora la piedra angular.
Es el Señor quien lo ha hecho,
   ha sido un milagro patente. **R.**

II LECTURA   Colosenses 3:1–4

Lectura de la carta del apóstol san Pablo a los colosenses

Hermanos:
Puesto que **ustedes** han **resucitado** con **Cristo**,
   busquen los bienes de arriba,
     donde está **Cristo**, sentado a la **derecha** de **Dios**.
Pongan **todo** el corazón en los **bienes** del cielo,
     no en los de la **tierra**,
   porque han **muerto** y su **vida** está **escondida**
     con **Cristo** en **Dios**.
Cuando se manifieste **Cristo**, **vida** de **ustedes**,
   entonces **también ustedes** se manifestarán **gloriosos**,
   juntamente con él.

O bien:

La exhortación es breve y enfática. Apoya más la voz en las frases iniciales.

La fase tercera permea todo el discurso petrino (o lucano) concebido como un testimonio. Pedro y el grupo discipular son testigos de toda la trayectoria de Jesús, no solo de su ejecución y resurrección. Su testimonio implica algo más: que Dios le ha otorgado autoridad definitiva al constituirlo juez de vivos y muertos. Esto va más allá de lo histórico, pero se verifica aquí y ahora. A esto concurre el perdón de los pecados para quienes creen en él. Aquí engarza la fe en la vida nueva que el Espíritu impulsa.

Dios llama a la Iglesia al arrepentimiento y a dar testimonio de Cristo Jesús. El testimonio eclesial ha de sumarse al conocimiento de las Escrituras, para conocer mejor a Cristo Jesús y para hacer el bien, pues cada uno ha recibido la unción del Espíritu Santo.

II LECTURA Este trocito de la carta a los Colosenses habla de lo que es ser cristiano. Se puede decir que el cristiano es un hombre de dos mundos.

Por una parte, el creyente en Cristo se encuentra circunstanciado por las condiciones socioeconómicas y culturales de su medio; familia, trabajo, educación, entorno físico y ambiente social influyen, en mayor o menor medida, en sus modos de pensar y de actuar. En aquel tiempo, la gloria personal, el honor y el prestigio dictaban el comportamiento de los grecorromanos. El medio social influye determinantemente en los propósitos de la vida individual cuando se llegan a plantear, porque en las sociedades preindustriales primaba lo comunitario o colectivo. Esto es incuestionable y las propias ciencias de la conducta humana nos han mostrado algunos de los ingredientes que condicionan a las personas. El cristiano

II LECTURA   1 Corintios 5:6b–8

Lectura de la primera carta del apóstol san Pablo a los corintios

Hermanos:
¿**No saben** ustedes
   que un **poco** de levadura hace fermentar **toda** la masa?
Tiren la antigua levadura,
   para que sean **ustedes** una **masa nueva**,
   ya que son **pan sin levadura**,
   pues **Cristo**, nuestro **cordero pascual**, ha sido **inmolado**.

Celebremos, pues, la **fiesta de la Pascua**,
   no con la **antigua levadura**, que es de **vicio** y **maldad**,
   sino con el **pan sin levadura**, que es de **sinceridad** y **verdad**.

El tono debe ser apacible, desde la primera palabra.

Con entusiasmo acomete esta sección.

EVANGELIO   Juan 20:1–9

Lectura del santo Evangelio según san Juan

El **primer día** después del **sábado**, estando todavía **oscuro**,
   fue **María Magdalena** al sepulcro
   y vio **removida** la piedra que lo cerraba.
Echó a **correr**,
   llegó a la casa donde estaban **Simón Pedro** y el **otro discípulo**,
   a quien Jesús **amaba**, y les dijo:
"Se han **llevado** del sepulcro al **Señor**
   y **no sabemos** dónde lo habrán puesto".

Salieron Pedro y el otro discípulo camino del **sepulcro**.
Los dos iban **corriendo juntos**,
   pero el otro discípulo corrió **más aprisa** que Pedro
   y llegó **primero** al sepulcro,
   e **inclinándose**,

El relato transparenta algo misterioso que no está explícito. No hagas una lectura cortante ni sin matices. Llénate del espíritu de la Magdalena y contagia a la asamblea.

es un hombre de este mundo, aunque de ninguna manera consigue aquí su plenitud.

El creyente pertenece también al "mundo de arriba", el celeste, donde Cristo se encuentra. Este ámbito le compete por haber "resucitado con Cristo". El dato es bautismal y le posiciona junto a Cristo. No es una verdad evidente todavía, sino escondida, latente. Viviendo en este mundo, el creyente tiene puestos sus ojos en los bienes celestes, o sea, en aquellos que conducen a Dios, porque vienen de Cristo. Esos bienes son los que nos motivan a la meta final: vivir con Cristo.

II LECTURA El sacrificio del cordero pascual en el atrio del templo marcaba el comienzo del año nuevo para el pueblo judío. Entre los signos más claros de la novedad figuraba la ausencia de levadura en la dieta; se comía pan ázimo. La levadura era signo de lo viejo, lo que quedaba atrás. Por el contrario, el pan sin levadura era signo de lo nuevo, lo que el futuro depara; por eso se comía pan sin fermentar durante una semana, comenzando con la cena de pascua.

A partir de esas imágenes pascuales, del cordero y de los ázimos, Pablo explica a los cristianos corintios que deben abandonar sus modos viejos de pensar y de comportarse, porque ellos son algo nuevo, "masa nueva". Cristo ha sido inmolado y a ellos les corresponde vivir en una era nueva. Esta nueva pertenencia se nota en vivir apegados a la autenticidad y a la verdad de lo que son: creaturas pascuales. Lo acontecido con ellos—en el bautismo—no es ficticio sino real y consecuente. Esto es lo que es celebrado.

El reto del cristiano de antes y de ahora, es el mismo: ser coherente con su identidad bautismal. Vivir incontaminados,

miró los **lienzos** puestos en el **suelo**,
pero **no entró**.

En eso llegó también **Simón Pedro**,
que lo venía **siguiendo**,
y **entró** en el sepulcro.
Contempló los lienzos puestos en el suelo
y el **sudario**,
que había estado sobre la **cabeza** de Jesús,
puesto no con los **lienzos** en el **suelo**,
sino **doblado** en sitio aparte.
Entonces entró **también** el otro discípulo,
el que había llegado **primero** al sepulcro,
y **vio y creyó**,
porque hasta entonces
no habían entendido las Escrituras,
según las cuales **Jesús debía resucitar** de entre los muertos.

O bien: Mateo 28:1–10. En las misas vespertinas: Lc 24:13–35.

Esta visión debe hacerse presente a los oyentes. Dale un tono maravilloso a estas líneas.

Baja la velocidad de la lectura conforme te acercas al final.

inmunes a vicios y maldades, para ser ofrenda inmaculada, como corresponde, al que ha muerto y resucitado en Cristo.

EVANGELIO María Magdalena es la discípula que busca recuperar la coherencia de la ausencia del Maestro muerto. Hace el camino hasta la tumba del Amado. La muerte no le corta sus pies de discípula, ni le sepulta el amor profundo por su Señor. Antes del amanecer, ella se encamina a reclamar a la muerte la vida que ayer le arrebató. Y entonces otro sinsentido la asalta: ¡se han llevado al Señor! Y

su búsqueda contagia a Pedro y al Discípulo que Jesús amaba que, aunque juntos, andan derroteros diferentes.

Pedro llega al sepulcro después del otro discípulo y cae en la cuenta de que al Señor no se lo han llevado. Contempla las señales del sepulcro. Son señales difíciles de leer. ¿Qué hay que creer? Los lienzos le ataban los aromas al cuerpo para menguar la fetidez irreversible. ¿Dónde están? Del sudario ni una sílaba. Nicodemo, sin embargo, había hecho todo conforme a las costumbres funerarias de los judíos (ver Juan 19:40). Las menciones previas de la ca-

beza de Jesús han sido para remarcar su realeza y el momento de su muerte (ver Juan 19:2 y 30). A la muerte le ha sido arrebatada su presa.

El otro discípulo es perspicaz y cae en la cuenta de lo extraordinario de los vestigios en la tumba. Esas señales abren un resquicio en la tumba vacía a la fe en el Dios de la vida, revelado en las Escrituras. Por allí, por esa rendija de luz, Dios ilumina la vida de todos los discípulos de todas las generaciones. Es la ruta de la fe pascual de la Iglesia.

II DOMINGO DE PASCUA
(DE LA DIVINA MISERICORDIA)

Identifica las palabras clave de esta lectura. Nota los énfasis en la totalidad y acentúa esas frases.

Cada acción es completa. Respeta la puntuación.

I LECTURA   Hechos 2:42–47

Lectura del libro de los Hechos de los Apóstoles

En los **primeros días** de la Iglesia,
   todos los hermanos acudían **asiduamente** a escuchar
     las **enseñanzas** de los **apóstoles**,
   vivían en **comunión fraterna**
   y se **congregaban** para orar **en común**
   y celebrar la **fracción del pan**.
Toda la gente estaba **llena** de **asombro** y de **temor**,
   al ver los **milagros** y **prodigios** que los **apóstoles**
     hacían en **Jerusalén**.

Todos los creyentes vivían **unidos** y lo tenían todo **en común**.
Los que eran **dueños** de **bienes** o **propiedades** los **vendían**,
   y el producto era distribuido **entre todos**,
   según las **necesidades** de **cada uno**.
Diariamente se reunían en el **templo**,
   y en las **casas** partían el **pan**
   y comían **juntos**, con **alegría** y **sencillez de corazón**.
Alababan a Dios y **toda** la gente los **estimaba**.
Y el Señor aumentaba **cada día**
   el **número** de los que habían de **salvarse**.

I LECTURA La resurrección de Jesús derramó sobre toda la comunidad de discípulos una abundancia de dones escatológicos, evidentes en el primer Pentecostés o descenso del Espíritu Santo. Sobre estos presupuestos pascuales comienza a conformarse una comunidad de fe cada vez más numerosa, según cuenta el libro de los Hechos. Lo que escuchamos en la lectura es un retrato de aquella incipiente pero vigorosa comunidad cristiana.

Cabe señalar que la descripción lucana no es algo inusitado para los oídos judíos de aquel siglo primero. De hecho, se encuentran pinturas semejantes de una vida comunitaria en escritores griegos y latinos, lo mismo que en fuentes judías. Estamos pues, ante los esfuerzos cristianos de la utopía del Reino de Dios entre los hombres; algo que, de alguna manera, cada persona lleva sembrado en su corazón: vivir la perfecta comunión de los hijos de Dios, más allá de razas y credos. Ya se habían formulado, pues, descripciones de formas ideales de vida común y se habían tratado de aterrizar, con mayor o menor éxito, como se puede atestiguar entre esenios y terapeutas, lo mismo que entre ciertas agrupaciones filosóficas y religiosas.

Los cuatro rasgos que Lucas atribuye a la incipiente comunidad de Jerusalén han quedado como faros luminosos para el caminar de todo grupo cristiano —y de la misma Iglesia— en su conjunto: la enseñanza apostólica, la vida común, la fracción del pan y la oración común.

La enseñanza apostólica consiste en hacer notar la relación entre la vida de Jesús y las Escrituras de Israel. Este es un ministerio indispensable que se expresa en la vocación profética y en el estudio de las

Para meditar

SALMO RESPONSORIAL   Salmo 117:2–4, 13–15, 22–24

R. Den gracias al Señor porque es bueno, porque es eterna su misericordia.

Diga la casa de Israel: eterna es su
misericordia. Diga la casa de Aarón:
eterna es su misericordia. Digan
los fieles del Señor: eterna es su
misericordia. **R.**

Empujaban y empujaban para derribarme,
pero el Señor me ayudó; el Señor es mi
fuerza y mi energía, él es mi salvación.
Escuchen: hay cantos de victoria en las
tiendas de los justos. **R.**

La piedra que desecharon los arquitectos
es ahora la piedra angular. Es el Señor
quien lo ha hecho, ha sido un milagro
patente. Éste es el día en que actuó el
Señor: sea nuestra alegría y nuestro
gozo. **R.**

II LECTURA   1 Pedro 1:3–9

Lectura de la primera carta del apóstol san Pedro

Une en esta bendición a toda la asamblea;
haz contacto visual al inicio del párrafo.

Bendito sea Dios, **Padre** de nuestro Señor **Jesucristo**,
  por su **gran misericordia**,
  porque al **resucitar** a Jesucristo de entre los **muertos**,
  nos concedió **renacer** a la **esperanza** de una **vida nueva**,
  que no puede **corromperse** ni **mancharse**
  y que él nos tiene **reservada** como **herencia** en el cielo.
Porque **ustedes** tienen fe en Dios, **él** los **protege** con su **poder**,

Asegura con firmeza esta línea,
no la condiciones.

  para que **alcancen** la **salvación** que les tiene **preparada**
  y que él **revelará** al **final** de los **tiempos**.

Por esta razón, **alégrense**,
  aun cuando **ahora**
    tengan que sufrir **un poco** por adversidades de **todas** clases,
  a fin de que su fe, **sometida a la prueba**,
    sea hallada **digna** de **alabanza, gloria** y **honor**,
  el día de la **manifestación de Cristo**.
Porque la fe de **ustedes** es **más preciosa** que el **oro**,
  y el oro **se acrisola** por el **fuego**.

Escrituras. Lo que Jesús hizo y dijo no cobra su sentido verdadero si no es en relación con las palabras de salvación que desde antiguo Dios dirigió a su pueblo por medio de Moisés y los Profetas. Cristo Jesús viene a ser el cumplimiento de esas palabras de salud y su plenitud. De allí que se vuelva indispensable para poder creer en Jesús, releer las sagradas Escrituras conectándolas con lo acontecido en él.

La vida común se expresa en la participación efectiva de los bienes. Esta es la expresión más elocuente de lo que significa entrar en la alianza del nuevo pueblo de Dios.

Los bienes, cualesquiera que sean, materiales y espirituales, tienen una dimensión social innegable. Son instrumentos de relación fraterna y de acercamiento mutuo, pero también pueden ser medios de distanciamiento, opresión y deshumanización. El discípulo de Cristo testimonia la fe en su Señor muerto y resucitado poniendo a disposición de los más pobres su haber y su poseer.

La fracción del pan indica el gesto ritual de la Eucaristía. Esto habla de la necesaria dimensión ritual y sacramental que une en la memoria de Cristo a todos los bautizados. El sentido de la muerte y resu-

rrección de Jesús está vigente en medio de la comunidad y se expresa en los otros rasgos comunitarios.

La plegaria común no significa desmontar la piedad individual, sino encontrar una voz común. Orar es una manera privilegiada de recrear la condición común de volverse pueblo de Dios, re-unido en su presencia. Pero igualmente, la oración común nos lleva a compartir la conciencia de creaturas en Cristo, es decir, de ser creaturas nuevas.

Estos ingredientes son como vasos comunicantes que dinamizan el accionar de

Prosigue con idéntica seguridad, infundiendo certidumbre.

A Cristo Jesús **ustedes** no lo han **visto** y, **sin embargo**, lo **aman**;
   al **creer** en él ahora, **sin verlo**,
   se **llenan** de una **alegría radiante** e **indescriptible**,
   seguros de alcanzar la **salvación** de sus almas,
   que es la **meta** de la **fe**.

EVANGELIO   Juan 20:19–31

Lectura del santo Evangelio según san Juan

Al **anochecer** del día de la **resurrección**,
   estando **cerradas** las puertas de la casa
   donde se hallaban los **discípulos**,
   por **miedo** a los judíos,
   se presentó **Jesús** en medio de ellos y les **dijo**:
   "La **paz** esté con **ustedes**".
Dicho esto, les **mostró** las **manos** y el **costado**.
Cuando los discípulos **vieron** al Señor, se **llenaron** de **alegría**.

Proclama con entereza y convicción pascual estos relatos. Dale un tono vigoroso y jovial, pero no ligero a la lectura. Es la mejor catequesis de fe.

De nuevo les dijo Jesús: "La **paz** esté con **ustedes**.
Como el **Padre** me ha **enviado**, así **también** los envío **yo**".
Después de decir esto, **sopló** sobre ellos y les **dijo**:
"**Reciban** al **Espíritu Santo**.
A los que les **perdonen** los pecados, les **quedarán perdonados**;
   y a los que **no** se los **perdonen**, les **quedarán sin perdonar**".

Nota que inicia un hilo nuevo. Alarga la frase de la negativa de Tomás para que se asiente en la audiencia.

Tomás, uno de los **Doce**, a quien llamaban el **Gemelo**,
   no estaba con ellos cuando vino **Jesús**,
   y los **otros discípulos** le decían:
   "Hemos **visto** al Señor".
Pero **él** les contestó:
"Si **no veo** en sus manos la **señal** de los **clavos**
   y si **no meto** mi dedo en los **agujeros** de los **clavos**
   y **no meto** mi mano en su costado, **no creeré**".

---

toda comunidad de fe, porque ellos definen la identidad y la misión de la Iglesia.

II LECTURA La lectura inicia con una bendición que se transforma en un cuadro donde se enuncian las gracias derramadas por Dios a partir de la resurrección de Cristo. En un segundo momento, el autor considera la fe, que no es visible, ni cuantificable, pero que impulsa al cristiano en su vida actual y para el futuro.

La resurrección de Cristo representa desde ya para los creyentes una vida nueva, calificada como incorruptible, es decir, que no está tocada por el pecado ni sus secuelas mortales, pues se encuentra junto a Dios; es la vida de Dios, cabe decir. Bajo este sello es que el cristiano vive y camina al futuro, a la visión de Cristo. Con todo, esa vida futura ya le pertenece al creyente pues es su herencia segura. Todavía no entra en su posesión, pero ya la puede disfrutar; el primer fruto es el saberse protegido y asegurado que su camino terminará junto a Dios.

Esta tensión entre el "todavía no" y el "ahora" es lo que cimienta la fe. Creer es algo que se nota en la alegría cristiana, como remarca la lectura. La alegría nace de saberse partícipe de la condición del Resucitado, lo cual es la herencia segura. Este mensaje debe resonar porque las circunstancias que rodean al creyente son adversas. Las dificultades han de ser asumidas no como un castigo o una negación de la fe, sino como una purificación que la galvaniza.

No pocas veces se confunde la fe con la credulidad; pero la credulidad abate a la persona mientras que la fe la transforma y acera. Ese hilo de acero une al fiel con la vida verdadera, cuya garantía es Cristo.

El drama del cuadro resalta ante todos. El punto culminante es la confesión de Tomás. Dales amplitud y hondura.

Ocho días después, estaban **reunidos** los discípulos
     a puerta **cerrada**
y **Tomás** estaba con ellos.
Jesús se presentó de **nuevo** en **medio** de ellos y les dijo:
     "La **paz** esté con **ustedes**".
Luego le dijo a Tomás: "**Aquí** están mis manos; **acerca** tu dedo.
Trae acá tu mano, **métela** en mi costado
     y no sigas **dudando**, sino **cree**".
Tomás le respondió: "¡**Señor mío** y **Dios mío!**"
Jesús añadió: "**Tú** crees porque me has **visto**;
     dichosos los que creen **sin haber visto**".

Haz una pausa antes del párrafo final y contacta a la asamblea con la mirada. Luego avanza sin prisa, apoyándote en la puntuación.

Otras **muchas** señales **milagrosas** hizo Jesús
     en **presencia** de sus **discípulos**,
     pero **no** están escritas **en este libro**.
Se escribieron **éstas** para que **ustedes crean**
     que **Jesús** es el **Mesías**,
     el **Hijo de Dios**,
     y para que, **creyendo**,
     tengan vida en su **nombre**.

EVANGELIO Con esta emotiva lectura culmina el evangelio de san Juan, que tiene como sustento lo que significa creer en Jesús, Mesías y enviado divino. Uno del círculo de los discípulos, Tomás, el Gemelo, se ha convertido en prototipo de los incrédulos, es decir, de los que no dan crédito a la experiencia extraordinaria de otros y dicen "ver para creer". El evangelista coloca ante sus escuchas los beneficios del creer. Dos rasgos queremos resaltar.

Creer es un convencimiento personal que se comparte con los demás. Esto significa que nadie puede creer por otro, pero igualmente que los otros no pueden forzar a creer a nadie. El creer se asienta en el corazón de cada persona. Es una convicción que se alcanza por un proceso de coherencia, de conectar las propias expectativas con la realidad que siempre es más amplia de lo que los ojos que nos permiten percibir. El proceso de convicción tiene una ruta de verificación irrenunciable. Creer en Jesús teje su coherencia con el hilo de la vida de Jesús, lo que hizo y dijo, con el hilo de las Escrituras. Este tejido se nota en la condición de vida personal: volverse discípulo.

Del evangelio del día, podemos notar que la marca pascual del discipulado es el Espíritu Santo. La paz, la alegría y la comunidad son frutos evidentes del Espíritu. El Espíritu de Dios se manifiesta primero en la inteligencia de las Escrituras y, por lo mismo, el evangelista remite al librito que él mismo ha conjuntado. Sin ese ejercicio de comprensión, el tejido de la fe, la vida pascual no tiene cauce en la comunidad discipular. Vivir en el nombre de Jesús nos debe impulsar a encontrarlo en las Escrituras, animadas por el Espíritu de Dios.

III DOMINGO DE PASCUA

I LECTURA   Hechos 2:14, 22–33

Lectura del libro de los Hechos de los Apóstoles

La lectura pide un tono explicativo y exhortativo y no uno de reclamo. Haz contacto visual con la asamblea en la tercera línea.

El día de **Pentecostés**,
  se presentó **Pedro**, junto con los **Once**, ante la **multitud**,
  y **levantando la voz**, dijo: "Israelitas, **escúchenme**.
Jesús de Nazaret fue un hombre **acreditado** por Dios ante **ustedes**,
  mediante los **milagros, prodigios** y **señales**
  que Dios **realizó** por medio de **él**
  y que ustedes **bien** conocen.
Conforme al plan **previsto** y sancionado por **Dios**,
  Jesús fue **entregado**,
  y ustedes **utilizaron** a los paganos para **clavarlo** en la **cruz**.

Pedro llega al clímax del discurso. Haz contacto visual y ve bajando la velocidad, pero mantén el tono firme y sereno.

Pero Dios lo **resucitó**, rompiendo las **ataduras** de la **muerte**,
  ya que **no era posible** que la muerte **lo retuviera**
    bajo su **dominio**.
En efecto, David dice, **refiriéndose** a él:
*Yo veía **constantemente** al Señor **delante** de mí,*
  *puesto que él está a **mi lado** para que yo **no tropiece**.*
*Por eso **se alegra** mi corazón y mi lengua **se alboroza**,*
  *por eso **también** mi cuerpo **vivirá** en la **esperanza**,*
  *porque tú, Señor, **no me abandonarás** a la muerte,*
  *** ni dejarás** que tu santo sufra la corrupción.*
*Me has enseñado el **sendero de la vida***
  *y **me saciarás de gozo** en tu presencia.*

I LECTURA   La lectura escuchada en la liturgia tiene su contexto bíblico en el libro de los Hechos, donde Pedro explica a la multitud de peregrinos venidos de todo el mundo, el hecho de que escuchen en sus lenguas propias hablar de Jesús; lo que ocurre es la realización de las profecías que hablan de que Dios va a derramar su Espíritu sobre todo su pueblo, en los últimos días. Eso que está anunciado en Joel. Estos son los días finales, puesto que Dios está cumpliendo lo prometido con la resurrección de Jesús. Enseguida, Pedro predica trazando las líneas principales de la historia de Jesús.

El primer elemento que resalta en el retrato petrino de Jesús es su vínculo davídico. El predicador se vale de un Salmo que implica que el rey confía en la promesa que Dios le ha hecho de que lo rescatará del Hades, es decir, del lugar o reino de los muertos, para llevarlo a vivir junto a sí; de allí la alegría del santo. David hablaba no de sí mismo, sino de Jesús, afirma Pedro. La santidad de Jesús ha quedado evidenciada ante todos, gracias a los milagros, signos y prodigios que hizo ante todos. Esa santidad es lo contrario a la corrupción, que experimentan los muertos, pues es consecuencia del pecado.

La promesa de Dios a David consiste en asegurarle que no faltará uno de su linaje como gobernante de su pueblo. Dicha promesa se entiende como de un reinado eterno, que los cristianos ven cumplida en la resurrección de Jesús. Este es el descendiente davídico, porque Dios lo ha enaltecido haciéndolo subir al cielo. Esta ascensión es el signo más evidente de su unción celeste y definitiva, mediante la cual, Dios lo ha puesto como soberano de todos. En pala-

Hermanos,
que me sea permitido hablarles **con toda claridad:**
el patriarca David **murió** y lo **enterraron,**
y su sepulcro **se conserva** entre nosotros **hasta el día de hoy.**
Pero, como era **profeta,**
y **sabía** que Dios le había **prometido** con **juramento**
que un **descendiente suyo** ocuparía su **trono,**
con **visión profética** habló de la **resurrección de Cristo,**
el cual **no fue abandonado** a la muerte **ni sufrió la corrupción.**

Pues bien, a este Jesús Dios **lo resucitó,**
y de ello **todos** nosotros somos **testigos.**
Llevado a los cielos por el **poder de Dios,**
recibió del Padre el **Espíritu Santo** prometido a él
y lo ha **comunicado,**
como **ustedes** lo están **viendo** y **oyendo".**

Nota las frases de alegría y gozo que llevan el peso de la exposición. Sigue la puntuación para darle mayor claridad al discurso.

Para meditar

SALMO RESPONSORIAL   Salmo 15:1–2a y 5, 7–8, 9–10, 11
R. Señor, me enseñarás el sendero de la vida.

Protégeme, Dios mío, que me refugio en ti; yo digo al Señor: "Tú eres mi bien". El Señor es el lote de mi heredad y mi copa, mi suerte está en tu mano. **R.**

Bendeciré al Señor que me aconseja; hasta de noche me instruye internamente. Tengo siempre presente al Señor, con él a mi derecha no vacilaré. **R.**

Por eso se me alegra el corazón, se gozan mis entrañas, y mi carne descansa serena: porque no me entregarás a la muerte, ni dejarás a tu fiel conocer la corrupción. **R.**

Me enseñarás el sendero de la vida, me saciarás de gozo en tu presencia, de alegría perpetua a tu derecha. **R.**

bras bíblicas, "lo ha hecho Señor y Cristo", dirá enseguida (Hechos 2:36).

El segundo elemento es la relación de Jesús con el Espíritu Santo. La entronización celeste de Jesús tiene por efecto la venida del Espíritu de Dios. Esto significa que el señorío de Cristo se ejerce por medio de la santidad que opera el Espíritu y que es la manera como Dios gobierna a su pueblo.

La Iglesia es el pueblo de Dios nuevo. Esta novedad le viene del Espíritu que Cristo le confiere incesantemente para promover y ejecutar lo mismo que hizo en Galilea y Jerusalén: hacer realidad la compasión de

Dios por los pecadores y marginados. Esto mismo tenemos que hacer en la comunidad de fe, con la ayuda de la gracia que Dios nos da en cada sacramento. La santidad de Dios es lo que abate la corrupción para imponer su señorío, como pedimos en el Padrenuestro. Esto es lo que todo mundo tiene que ver y oír en nosotros, comunidad de ungidos del Espíritu Santo.

II LECTURA En esta parte de la carta, el autor comienza a desarrollar las consecuencias de un principio fundamental para los bautizados que recién

acaba de dejar expuesto en el texto bíblico: la santidad de Dios y lo que implica para los cristianos: ser santos. El escritor refiere las mismas palabras del libro del Levítico, con las que Dios urge a su pueblo: "Sean santos, como yo soy santo", acaba de apuntar en 1:16. Los destinatarios de esta carta son personas provenientes del paganismo, a los que hay que recordar lo que implica vivir santamente. De allí derivan las líneas que escuchamos ahora.

El autor funda su pensamiento en la realidad nueva que el bautismo les ha dado a los creyentes: ahora son hijos de

II LECTURA   1 Pedro 1:17–21

Lectura de la primera carta del apóstol san Pedro

Hermanos:
Puesto que **ustedes** llaman **Padre** a Dios,
    que juzga **imparcialmente** la conducta de **cada uno**
        según sus **obras**,
    vivan **siempre** con temor **filial** durante su **peregrinar**
        por la **tierra**.

Bien saben ustedes que de su **estéril** manera de vivir,
    heredada de sus padres,
    los ha **rescatado** Dios,
    no con bienes **efímeros**, como el **oro** y la **plata**,
    sino con la **sangre preciosa** de Cristo,
    el cordero sin **defecto** ni **mancha**,
    al cual Dios había **elegido** desde **antes** de la **creación** del
        mundo,
    y por amor a **ustedes**,
    lo ha manifestado en **estos** tiempos, que son los **últimos**.
Por Cristo, **ustedes** creen en Dios,
    quien lo **resucitó** de entre los **muertos** y lo **llenó** de **gloria**,
    a fin de que la **fe** de **ustedes**
    sea también **esperanza** en Dios.

Identifica las palabras que hablan de la paternidad de Dios y procura enfatizarlas al proclamarlas.

En esta línea haz contacto visual con la asamblea. Los presentes deben saberse aludidos con esta lectura.

Dios en Cristo. Lo dice subrayando menos la filiación que la paternidad de Dios, en cuya casa ahora viven. Es una comparación. Un padre de familia determina los códigos a seguir en su casa; establece qué hacer y cómo hacerlo y tiene autoridad plena para juzgar y castigar a cada uno de sus hijos y siervos, de no obedecerlo. El Padre de los cristianos no se deja guiar por consejas o apariencias. Dios es padre equitativo, o imparcial, asienta el pastor de la carta. Con esto desmonta cualquier privilegio o exención personal que el cristiano pudiera albergar. Son las obras,

la conducta, lo que avala al cristiano. Este principio es capital.

El paso del paganismo a la nueva realidad se dice en términos de rescate. El trasfondo de estas imágenes es el de la pascua, la pascua antigua, cuando el pueblo elegido fue rescatado de la casa de esclavitud y trasladado a la tierra santa, al precio de la sangre de los primogénitos de los egipcios. Así de caro fue el rescate de los elegidos. Se rescataba a un familiar endeudado o caído en manos de ladrones y secuestradores, porque sería vendido en algún mercado de esclavos. Acá, en la pascua nueva,

el rescate se ha llevado a cabo a un precio mucho más alto, la vida de Cristo, la sangre del Cordero pascual. No es un bien material, sino espiritual, imperecedero, divino. Esto es lo que cada bautizado ha de valorar.

El bautismo nos ha otorgado la facultad de invocar a Dios como Padre nuestro, con pleno derecho. Somos hijos de un Padre santo y nos corresponde ser consecuentes con la santidad de su casa. Por eso la Primera de Pedro insiste en que la respuesta a su llamado es una vida en el temor de Dios, es decir en relación de pleno respeto reverencial con él. La muestra mejor de

Procura darle variación al ritmo de lectura. No intentes correr para terminar pronto; aunque larga, esta lectura es uno de los pasajes favoritos de la asamblea.

Aminora la velocidad en esta sección. La asamblea debe recibir los elementos esenciales de la historia de Jesús.

EVANGELIO   Lucas 24:13–35

Lectura del santo Evangelio según san Lucas

El **mismo** día de la **resurrección**,
    iban **dos** de los discípulos hacia un pueblo llamado **Emaús**,
    situado a unos **once** kilómetros de Jerusalén,
    y comentaban **todo** lo que había sucedido.

Mientras **conversaban** y **discutían**,
    Jesús se les acercó y comenzó a caminar **con ellos**;
    pero los **ojos** de los dos discípulos estaban **velados**
    y **no** lo reconocieron.
Él les preguntó:
"¿De **qué cosas** vienen hablando, **tan** llenos de **tristeza?**"

Uno de ellos, llamado **Cleofás**, le respondió:
"¿Eres tú el **único** forastero
    que **no** sabe lo que ha sucedido **estos días** en Jerusalén?"
Él les preguntó: "¿**Qué cosa?**"
Ellos le respondieron: "Lo de **Jesús** el **nazareno**,
    que era un **profeta poderoso** en **obras** y **palabras**,
    ante **Dios** y ante **todo** el pueblo.
Cómo los **sumos sacerdotes** y **nuestros jefes**
    lo **entregaron** para que lo condenaran a **muerte**,
    y lo **crucificaron**.
Nosotros **esperábamos** que él sería el **libertador** de Israel,
    y **sin embargo**, han pasado **ya tres días**
        desde que **estas cosas** sucedieron.
Es cierto que **algunas mujeres** de nuestro grupo
        nos han **desconcertado**,
    pues fueron de **madrugada** al sepulcro, **no encontraron** el cuerpo
    y llegaron contando que se les habían **aparecido** unos **ángeles**,
    que les dijeron que estaba **vivo**.

esta fe son las obras que realizamos, en el modo como vivimos: en su presencia santa.

EVANGELIO Entre los relatos de apariciones de Jesús, transmitidas en los evangelios canónicos, el de Emaús es uno de los más queridos para las generaciones cristianas. En ese relato concurren muchos tópicos y motivos que el tercer evangelista ha puntuado en su narración, para que sus lectores descubran la solidez de su fe en Jesús de Nazaret. No hay otra manera de hacerlo sino conociendo a Jesús de Nazaret.

San Lucas subraya los rasgos proféticos de Jesús. Esto mismo es lo que aquellos discípulos que se alejan de Jerusalén le dicen al desconocido que se les une por el camino. Jesús es un "profeta poderoso en obras y palabras". El profeta se reconoce porque habla la palabra de Dios y la vuelve realidad. Esa unión con la palabra divina la confiere la fuerza del Espíritu de Dios. El lector puede recordar que, al salir Jesús del agua de su bautismo, el Espíritu Santo desciende sobre él, el hombre nuevo, para impulsarlo a su misión que inicia venciendo al diablo. El poder de Jesús quedó evidenciado en las curaciones y exorcismos que realizó, pero también en las enseñanzas con las que orienta hacia Dios la vida de sus discípulos. Esto es lo que Jesús hace valer como la santidad.

Los dos discípulos externan su desencanto por lo que pasó con Jesús. La esperanza mesiánica que alentaban ha sido sofocada por los líderes del pueblo que determinaron ejecutarlo. Apagaron al Espíritu. Allí acabó todo, a pesar de alguna noticia inverosímil que ha surgido recientemente, diciendo que está vivo. Esto es impensable. Los escritos proféticos, sin embargo, van a

Algunos de nuestros compañeros fueron al **sepulcro**
   y hallaron **todo** como habían dicho las **mujeres**,
      pero a él **no lo vieron**".

Es un verdadero reproche, pero nada de elevar la voz; simplemente endurécela.

Entonces Jesús les dijo:
"¡Qué **insensatos** son ustedes
   y **qué duros** de corazón para creer **todo** lo anunciado
      por los **profetas**!
¿**Acaso** no era **necesario** que el **Mesías** padeciera **todo esto**
   y **así** entrara en su **gloria**?"
Y **comenzando** por Moisés y **siguiendo** con **todos** los **profetas**,
   les explicó **todos** los pasajes de la **Escritura** que se referían a **él**.

Ya **cerca** del pueblo a donde se **dirigían**,
   él hizo como que iba **más lejos**;
   pero ellos le **insistieron**, diciendo:
"Quédate con **nosotros**, porque **ya es tarde**
   y **pronto** va a **oscurecer**".
Y entró para **quedarse** con ellos.
Cuando estaban a la **mesa**,
   tomó un **pan**, pronunció la **bendición**, lo **partió** y se lo **dio**.
Entonces se les **abrieron** los ojos y **lo reconocieron**,
   pero él se les **desapareció**.
Y ellos se decían el **uno** al **otro**:
"¡**Con razón** nuestro corazón **ardía**,
   mientras nos hablaba **por el camino**
   y nos **explicaba** las Escrituras!"

Se levantaron **inmediatamente** y **regresaron** a Jerusalén,
   donde encontraron **reunidos** a los **Once** con sus **compañeros**,
   los cuales **les dijeron**:
"De veras ha **resucitado** el Señor y se le ha **aparecido** a Simón".
Entonces ellos contaron lo que les había pasado **por el camino**
   y cómo lo habían **reconocido** al **partir el pan**.

Es el momento culminante; llénate de asombro, pero no exageres en la entonación.

abrir una perspectiva que no pertenece al horizonte humano. En esas escrituras alienta el Espíritu de Dios y ese mismo Espíritu es el que posibilita la vida santa.

El discípulo de Jesús, alimentado por las Escrituras, vive con los ojos abiertos y en santidad, incluso si la muerte lo rodea. De las Escrituras le viene la fuerza del Espíritu de Dios, manifiesta en la fracción del pan. Allí renace la oportunidad de la vida pascual en el encuentro con los hermanos.

IV DOMINGO DE PASCUA

Es un discurso lleno de vigor. Dale ese tono a las palabras de Pedro.

I LECTURA   Hechos 2:14a, 36–41

Lectura del libro de los Hechos de los Apóstoles

El día de **Pentecostés**,
    se presentó **Pedro** junto con los **Once** ante la **multitud**
    y **levantando la voz**, dijo:
"Sepa **todo** Israel con **absoluta certeza**,
    que **Dios** ha constituido **Señor** y **Mesías** al mismo **Jesús**,
    a quien ustedes han **crucificado**".

Debe notarse la convicción en la pregunta de los oyentes. No equivoques el tono.

Estas palabras les llegaron al **corazón**
    y preguntaron a **Pedro** y a los **demás apóstoles**:
"**¿Qué** tenemos que hacer, **hermanos**?"
Pedro les contestó: "**Arrepiétanse**
    y **bautícense** en el nombre de **Jesucristo**
    para el **perdón** de sus **pecados**
    y **recibirán** el Espíritu Santo.
Porque las **promesas** de Dios **valen** para **ustedes** y para **sus hijos**
    y **también** para **todos** los paganos
    que el Señor, **Dios nuestro**, quiera llamar,
    aunque estén **lejos**".

Nota el brío con el que Pedro exhorta a la conversión. Hazles una pausa en la secuencia.

Con **éstas** y otras **muchas** razones,
    los **instaba** y **exhortaba**, diciéndoles:
"**Pónganse** a salvo de este mundo **corrompido**".
Los que **aceptaron** sus palabras se **bautizaron**,
    y **aquel día** se les agregaron unas **tres mil** personas.

I LECTURA Pedro y el grupo discipular afirman dos acciones sobre Jesús que parecen contradictorias: Dios hace Mesías y Señor al mismo que los judíos ajusticiaron en cruz. Las acciones no pueden ser más contrarias. Los peregrinos que ha acudido a celebrar Pentecostés en Jerusalén reaccionan con disposición plena a remediar lo malhecho por sus autoridades, convencidos de la obra de Dios. Pedro y el grupo discipular trazan a aquella multitud una ruta que lleva a sumarse a una comunidad religiosa y social.

Comienzan por pedir arrepentimiento: volverse a Dios con sincero corazón y hacerse bautizar. Este bautismo tiene detrás el simbolismo del éxodo, de purificarse para entrar en una realidad nueva, la tierra santa. Este bautismo se hace en el nombre del Señor Jesús y, con él, el creyente recibe el Espíritu Santo.

Pedro, sin embargo, avanza más; pide apartarse de la corrupción. Este es el signo público de haberse hecho bautizar en Cristo Jesús, de manera que la diferencia entre el mundo con sus valores y Cristo con los suyos queda clara a los ojos de todos.

II LECTURA Escuchamos una exhortación dirigida a los esclavos (domésticos) cristianos a que sigan el ejemplo de Cristo Jesús, en el modo como enfrentó su pasión y muerte. Ellos han de hacer lo propio respecto a sus amos, sean estos amables o déspotas. La imagen a seguir es un retrato del Siervo doliente del libro del profeta Isaías, en aquel poema trasvasado con la imagen dócil, sin resistencia de la oveja muda llevada al matadero (ver Isaías 53). Así han de ser los siervos cristianos sumisos y dóciles a sus señores. La causa de los sufrimientos no es otra que

Para meditar

SALMO RESPONSORIAL   Salmo 22:1–3a, 3b–4, 5, 6

R. El Señor es mi pastor, nada me falta.

El Señor es mi pastor, nada me falta: en
   verdes praderas me hace recostar, me
   conduce hacia fuentes tranquilas y
   repara mis fuerzas. **R.**

Me guía por el sendero justo por el honor
   de su nombre. Aunque camine por
   cañadas oscuras, nada temo, porque
   tú vas conmigo: tu vara y tu cayado me
   sosiegan. **R.**

Preparas una mesa ante mí enfrente de
   mis enemigos; me unges la cabeza con
   perfume, y mi copa rebosa. **R.**

Tu bondad y tu misericordia me acompañan
   todos los días de mi vida, y habitaré en
   la casa del Señor por años sin término.
   R.

II LECTURA   1 Pedro 2:20b–25

Lectura de la primera carta del apóstol san Pedro

Hermanos:
Soportar con **paciencia**
   los **sufrimientos** que les vienen a **ustedes** por hacer el **bien**,
   es cosa **agradable** a los ojos de **Dios**,
   pues a **esto** han sido llamados,
   ya que **también Cristo** sufrió por **ustedes**
   y les dejó **así** un **ejemplo** para que **sigan** sus huellas.

Él **no cometió** pecado **ni hubo** engaño en su **boca**;
   insultado, **no devolvió** los insultos;
   maltratado, **no profería** amenazas,
   sino que **encomendaba** su causa al **único** que juzga con **justicia**;
   cargado con nuestros pecados, **subió** al madero de la cruz,
   para que, **muertos** al pecado, **vivamos** para la **justicia**.

Por sus llagas **ustedes** han sido **curados**,
   porque **ustedes** eran como ovejas **descarriadas**,
   pero **ahora** han vuelto al **pastor** y **guardián** de sus **vidas**.

Es una lectura que debe consolar a los escuchas e infundirles perseverar en la fe.

Estas frases son conmovedoras y el creyente debe sentirse obligado a responder. Llénalas de fervor.

Baja la velocidad y haz contacto visual con la asamblea, antes de cerrar la lectura.

el hacer el bien. Se trata entonces de aceptar un sufrimiento injusto, inmerecido, como el que Cristo padeció.

En conjunto, la lectura ofrece la clave cristiana para soportar las injusticias. En aquella sociedad en la que estaba ausente la idea de la igualdad sustantiva de los seres humanos, el respeto a los derechos humanos era bastante arbitrario; por eso, el consejo cristiano ante las injusticias era soportarlas en silencio. Se alimentaba la esperanza de que, ante la sumisa bondad de la víctima, el malvado cayera en la cuenta de su abuso y cambiara su conducta. Hoy,

el camino cristiano de la santificación se abre brecha con el ejercicio de los derechos humanos, en una cultura que debe educar en el respeto a todos, pero que denuncia los abusos para conseguir justicia para las víctimas sin discriminación alguna.

EVANGELIO San Juan se vale de imágenes entrañables para decirnos quién es Jesús para los creyentes. Hoy nos entrega la imagen del pastor. Jesús es pastor único. Pero su pastoreo se distingue del fariseo y del sacerdotal. Notemos dos puntos que surgen de allí.

El pastoreo cristiano nace del interior del propio rebaño, es decir, de la propia comunidad. No hay manera a que las ovejas yerren en su seguimiento si aquel que las guía procede de su propio seno; les es conocido, lo conocen y las conoce. Muchas veces el liderazgo parece querer cobrar relevancia alejándose de las ovejas; mientras más alejado o extraño sea el pastor, parece que adquiere mayor autoridad o poder frente al rebaño. No ha de ser así.

En segundo término, el pastoreo cristiano consiste en dar la vida por las ovejas. La entrega del pastor a la comunidad nace

EVANGELIO Juan 10:1–10

Lectura del santo Evangelio según san Juan

Las imágenes son elocuentes; habrá que frasear con toda claridad.

En **aquel** tiempo, Jesús dijo a los **fariseos**:
"Yo les **aseguro** que el que **no entra**
por la **puerta** del redil de las **ovejas**,
sino que salta **por otro lado**, es un **ladrón**, un **bandido**;
pero el que **entra** por la puerta, **ése** es el **pastor** de las **ovejas**.
A **ése** le abre el que **cuida** la puerta, y las ovejas **reconocen** su **voz**;
él llama a **cada una** por su nombre y **las conduce** afuera.
Y cuando ha sacado a **todas** sus ovejas, camina **delante** de ellas,
y ellas **lo siguen**, porque **conocen su voz**.
Pero a un extraño **no** lo seguirán, sino que **huirán** de él,
porque **no conocen** la voz de los **extraños**".

Aquí se pasa de un desarrollo a otro. La asamblea debe notar esto.

Jesús les puso **esta comparación**,
pero ellos **no entendieron** lo que les **quería decir**.
Por eso **añadió**:
"Les **aseguro** que yo soy la **puerta** de las **ovejas**.
Todos los que han venido **antes** que yo, son **ladrones y bandidos**;
pero mis ovejas **no** los han **escuchado**.

Ve elevando el tono de tu lectura, para que este acento descanse en los oyentes.

Yo soy la puerta; quien entre por mí se **salvará**,
podrá **entrar** y **salir** y **encontrará** pastos.
El **ladrón** sólo viene a **robar**, a **matar** y a **destruir**.
Yo he venido para que tengan **vida**
y la tengan en **abundancia**".

como la respuesta natural por haber recibido vida de ella. Si no se experimenta la vida como recibida de la comunidad, difícilmente se podrá vivir agradecido con ella. Sin conciencia de haber sido beneficiado por los cuidados de la comunidad, no habrá gratitud. Sin ese sentido de reciprocidad comunitaria, se vuelve inútil aducir el deber, la responsabilidad o la transparencia de cara a la comunidad de fe, como parámetros de pastoreo. Entonces el pastoreo se convierte en expolio al rebaño.

V DOMINGO DE PASCUA

Este párrafo expone el problema. Léelo de manera que le quede claro a la asamblea.

El camino para resolver el problema viene propuesto por los apóstoles. Lee claramente las condiciones que se impone a los candidatos.

Esteban y sus compañeros son elegidos en un proceso que incluye la oración. Los ministerios, todos, son servicios que deben realizarse a la luz de la fe.

I LECTURA   Hechos 6:1–7

Lectura del libro de los Hechos de los Apóstoles

En **aquellos** días, como **aumentaba** mucho
     el **número** de los discípulos,
  hubo **ciertas quejas** de los judíos **griegos** contra los **hebreos**,
  de que **no se atendía bien** a sus **viudas**
  en el servicio de **caridad** de **todos** los días.

Los **Doce** convocaron entonces a la **multitud** de los discípulos
     y les **dijeron**:
"No es **justo** que, **dejando** el ministerio de la **palabra de Dios**,
  nos dediquemos a **administrar** los **bienes**.
Escojan entre **ustedes** a **siete hombres** de **buena reputación**,
  llenos del Espíritu Santo y de **sabiduría**,
  a los cuales **encargaremos este servicio**.
Nosotros nos dedicaremos a la **oración**
     y al **servicio** de la **palabra**".

Todos estuvieron de acuerdo y **eligieron** a Esteban,
  hombre **lleno de fe** y del Espíritu Santo,
  a **Felipe, Prócoro, Nicanor, Timón, Pármenas**
  y **Nicolás**, prosélito de Antioquía.
Se los presentaron a los **apóstoles**
  y **éstos**, después de haber orado, les **impusieron las manos**.

I LECTURA Entre los primeros cristianos destacó muy pronto el grupo de los judíos helenistas. No tenemos muchos elementos para retratarlos. Serían bilingües y quizá aprendieron a ser más tolerantes étnicamente que los judíos de habla aramea, aunque no menos estrictos en cuestión del cumplimiento de la Ley mosaica; parecen bien ilustrados y radicales para interpretar las Escrituras. Quizá alentaban ideas escatologistas, dado el hecho de residir en Jerusalén, aunque caben otros motivos para esto.

Ya se ve que la comunidad cristiana de los orígenes no era monolítica ni monocromática. Con la resurrección de Jesús, y la fuerza de su Espíritu, los creyentes se distinguen por la solidaridad eficaz o amor fraterno. Sin embargo, la convivencia cotidiana entre los creyentes de origen palestino, con mucho la mayoría en esa primera etapa, y los procedentes del judaísmo helenista, no siempre fue tersa y se tensionó, como escuchamos en la lectura. Las disparidades no consistían solamente en hablar una lengua distinta, sino en una serie de tradiciones culturales.

Estas diferencias entre los dos grupos afloran en una situación que, seguramente, escondía tensiones mayores, que tocaban al presupuesto y su redistribución entre los más pobres. En el fondo, está en cuestión la veracidad del Evangelio: palabra y pan van juntos y equitativamente. En la comunidad se trataba de ejercer la caridad, comenzando por la atención a los más necesitados. Ya la Escritura reunía bajo la categoría de "viudas y huérfanos", a los grupos en situación de alta vulnerabilidad, grupos necesitados de la ayuda de los demás. Pues bien, parece que en

Mientras tanto, la **palabra de Dios** iba **cundiendo**.
En **Jerusalén** se multiplicaba **grandemente**
     el **número** de los discípulos.
Incluso un grupo **numeroso** de sacerdotes había **aceptado** la **fe**.

Para meditar

SALMO RESPONSORIAL   Salmo 32:1–2, 4–5, 18–19
R. Que tu misericordia, Señor, venga sobre nosotros, como lo esperamos de ti.

Aclamen, justos, al Señor, que merece la alabanza de los buenos; den gracias al Señor con la cítara, toquen en su honor el harpa de diez cuerdas. **R.**

La palabra del Señor es sincera y todas sus acciones son leales; él ama la justicia y el derecho, y su misericordia llena la tierra. **R.**

Los ojos del Señor están puestos en sus fieles, en los que esperan en su misericordia, para librar sus vidas de la muerte y reanimarlos en tiempo de hambre. **R.**

II LECTURA   1 Pedro 2:4–9

Lectura de la primera carta del apóstol san Pedro

Hermanos:
Acérquense al Señor **Jesús**,
     la piedra **viva**, **rechazada** por los **hombres**,
     pero **escogida** y **preciosa** a los ojos de **Dios**;
     porque **ustedes también** son **piedras vivas**,
     que van **entrando** en la **edificación** del templo **espiritual**,
     para **formar** un sacerdocio **santo**,
     destinado a ofrecer sacrificios **espirituales**,
     agradables a Dios, por medio de **Jesucristo**.
Tengan presente que **está escrito**:
He aquí que pongo en **Sión** una **piedra angular**,
     escogida y *preciosa*;
el que crea en ella **no** *quedará* **defraudado**.

El primer párrafo es una invitación. Haz que la asamblea, y tú mismo, se sienta incluida en esta llamada.

---

la comunidad jerosolimitana había organizado un sistema de apoyo a estos grupos. Según las quejas, sin embargo, la distribución no era pareja y las víctimas eran las viudas helenistas.

La resolución del conflicto pasa por el discernimiento comunitario, la oración común y la complementación de funciones: la asamblea elige y los apóstoles nombran. El resultado es el nombramiento de siete servidores de nombres griegos, que se unen a la conducción comunitaria. Es notable que ambas tareas, predicación y atención a los pobres, sean denominados "servicios".

Cuando las funciones del poder se distribuyen, la que gana es la comunidad.

II LECTURA   Pedro arma una cadena bíblica a partir del símbolo de la piedra. Se señala la estrecha unión de los regenerados por el bautismo con la persona de Cristo (Salmo 118:22). La invitación a "acercarse" hace referencia al Monte Sinaí, considerado la roca de la alianza a la que la Ley de Moisés prohibía expresamente que el pueblo pudiera acercarse (Éxodo 19:12–13). La iglesia, en cambio, se construye alrededor de la nueva roca que es

Cristo resucitado y glorioso, al cual todos tenemos acceso. Esta piedra "viviente" supera infinitamente a la alianza antigua, construida alrededor de una piedra inerte y fría (Sinaí), cuyo acceso quedaba vedado para el pueblo.

Viene después la mención del "edificio espiritual" (2:5), mención que hace evolucionar la imagen de la roca y alude a la superación del templo antiguo. Con el paso de "roca" a "edificio" la metáfora se amplía a todos los cristianos, considerados como un organismo vivo, animado por el Espíritu Santo. Es un edificio "espiritual" en contra-

Lee esta bienaventuranza de manera que hagas sentir a los oyentes que está dirigida a ellos.

Dichosos, pues, **ustedes**, los que han **creído**.
En cambio, para aquellos que se **negaron** a **creer**,
　　vale lo que dice la **Escritura**:
*La **piedra** que **rechazaron** los **constructores***
　　*ha **llegado** a ser la **piedra angular**,*
　　*y **también tropiezo** y roca de **escándalo**.*
Tropiezan en ella los que **no creen** en la **palabra**,
　　y en **esto** se cumple un **designio de Dios**.

La gracia bautismal tiene consecuencias. Esta es una apretada descripción de la dignidad del bautizado. Léela con gozo y firmeza.

Ustedes, por el contrario, son *estirpe elegida*,
　　sacerdocio **real**, *nación* **consagrada a Dios**
　　y **pueblo** *de su* **propiedad**,
　　para que **proclamen** las obras **maravillosas**
　　de **aquél** que los **llamó** de las tinieblas a **su luz admirable**.

EVANGELIO　Juan 14:1–12

Lectura del santo Evangelio según san Juan

El discurso de Jesús está marcado por las intervenciones de Tomás y Felipe. Sigue la puntuación y cambia el tono en las intervenciones de los apóstoles.

En **aquel** tiempo, **Jesús** dijo a sus discípulos:
　　"**No pierdan** la paz.
Si **creen** en **Dios**,
　　crean **también** en **mí**.
En la **casa** de mi **Padre** hay **muchas habitaciones**.
Si no fuera **así**,
　　yo se lo habría **dicho a ustedes**,
　　porque voy a **prepararles** un **lugar**.
Cuando me **vaya** y les **prepare** un **sitio**,
　　volveré y los **llevaré** conmigo,
　　para que donde **yo** esté,
　　estén **también ustedes**.
Y **ya saben** el camino para **llegar** al **lugar** a donde **voy**".

La declaración de Jesús es el centro de la lectura. Léela con aplomo y claridad.

---

posición al templo material de Jerusalén y a los sacrificios que aparecen como algo superado. La mención del templo evoca el recuerdo de los sacrificios; los cristianos forman ahora el templo nuevo. De ahí se pasa a la idea de un nuevo sacerdocio comunitario que ofrece sacrificios espirituales agradables al Padre. Estos sacrificios no son otra cosa que la vida misma, vivida cristianamente y ofrecida a Dios en todos sus aspectos.

Al mencionar Isaías 28:16, el autor desarrolla las dos funciones de la piedra: ser fundamento del edificio y piedra de tropiezo contra la cual choca la gente. La pie-

dra desechada por los constructores es el mismo Cristo crucificado. Y el hecho de que esta piedra haya sido "escogida y rescatada por Dios" es una indudable alusión a la resurrección.

Los cristianos son, pues, el nuevo pueblo de Dios que realiza en sí las características del antiguo pueblo: elección, sacerdocio, sacralidad, propiedad de Dios (Éxodo 19:5). El texto del Antiguo Testamento en griego habla de *ieráteuma*, es decir, un conjunto de personas que ejerce una función sacerdotal. Lo que hoy llamaríamos "comunidad sacerdotal". La función sacer-

dotal se asigna ahora a la comunidad cristiana en su conjunto.

EVANGELIO　A partir de 13:31 da inicio un largo discurso que Jesús dirige a sus discípulos en el marco de la última cena, una vez que Judas se ha sumergido en la noche de la traición. El autor del cuarto evangelio utiliza la forma literaria "testamento", muy conocida en las Escrituras: son las palabras que un personaje dirige a sus familiares cuando ve cercana su muerte. Hay quienes conocen esta larga conversación como el discurso de despedida.

La identificación entre Jesús y su Padre es un culmen teológico del cuarto evangelio. Lee este diálogo con Felipe con espíritu de fe.

Entonces **Tomás** le dijo:
   "Señor, **no sabemos** a dónde vas,
   ¿**cómo** podemos **saber** el camino?"
Jesús le respondió:
   "**Yo** soy el **camino**, la **verdad** y la **vida**.
Nadie va al Padre si no es **por mí**.
Si **ustedes** me conocen a **mí**, conocen **también** a mi **Padre**.
Ya **desde ahora** lo **conocen** y lo han **visto**".

Le dijo **Felipe**:
   "Señor, **muéstranos** al Padre y **eso** nos **basta**".
Jesús le replicó:
"Felipe, **tanto tiempo** hace que estoy **con ustedes**,
   ¿y **todavía** no me **conoces**?
Quien me ha **visto** a **mí**, ha **visto** al **Padre**.
¿Entonces **por qué** dices:
   'Muéstranos al **Padre**'?
¿O **no crees** que **yo** estoy en el **Padre** y que el **Padre** está en **mí**?
Las **palabras** que **yo** les digo,
   no las digo por mi **propia** cuenta.
Es el **Padre**, que **permanece** en mí, **quien hace** las obras.
Créanme: yo estoy en el **Padre** y el **Padre** está en **mí**.
Si no me dan **fe a mí**, créanlo por las **obras**.
Yo les **aseguro**:
   el que **crea** en mí, **hará** las obras que **hago yo**
   y las hará **aún mayores**,
   porque **yo me voy** al **Padre**".

La intención de Jesús es consolar a los discípulos y prepararlos para su partida. Un acontecimiento duro tendrán que enfrentar los discípulos: la muerte violenta de Jesús, que pondrá a prueba la fe de sus amigos. Necesitan entonces del consejo del Maestro.

Esta despedida trata también de aclarar a los discípulos el sentido profundo de la muerte que Jesús sufrirá. Han de llegar a la comprensión de que es un proceso de glorificación, aunque el medio para alcanzarla sea tan humillante y causa de escarnio. Estas palabras serán la herencia última, el legado final, que Jesús ofrece a sus amigos, pero también a las generaciones posteriores que creerán en él. Las intervenciones que interrumpen el discurso tienen como objetivo permitir que Jesús explique de mejor manera su mensaje.

La sección 14:1–12 contiene la promesa de Jesús de una morada celeste para quienes decidan seguirlo. A la pregunta de Tomás, Jesús responde con una afirmación de hondo significado. Jesús es el camino, la verdad y la vida. Jesús no aparece como un guía que conduce a alguna parte: él mismo es la vía. La imagen del camino no era extraña para sus discípulos. El desierto fue, durante cuarenta años, camino hacia la Tierra Prometida, camino bendecido con la presencia de Dios en la nube, durante el día, y con la columna de fuego, durante la noche. Jesús se proclama mediador: por él nos viene la revelación, el conocimiento de Dios; por él también accedemos al Padre.

La petición de Felipe "muéstranos al Padre" repite la solicitud mosaica de Éxodo 33:18. Jesús aprovecha para revelar la unión íntima que mantiene con su Padre. La fe en Jesús como camino seguro al Padre nos asocia a su misma misión.

VI DOMINGO DE PASCUA

I LECTURA Hechos 8:5–8, 14–17

Lectura del libro de los Hechos de los Apóstoles

El anuncio del evangelio en Samaria inaugura la salida del mensaje de Jesús fuera del mundo judío. Lee con gozo este testimonio de expansión misionera.

En **aquellos** días,
    Felipe bajó a la ciudad de **Samaria** y **predicaba** allí a **Cristo**.
La **multitud** escuchaba con **atención** lo que decía **Felipe**,
    porque habían **oído hablar** de los **milagros** que hacía
      y los estaban **viendo**:
    de **muchos** poseídos **salían** los espíritus **inmundos**,
      lanzando **gritos**,
    y muchos **paralíticos** y **lisiados** quedaban **curados**.
Esto despertó **gran alegría** en aquella ciudad.

Cuando los **apóstoles** que estaban en **Jerusalén**
    se **enteraron** de que **Samaria** había **recibido** la **palabra de Dios**,
    enviaron allá a **Pedro** y a **Juan**.
Éstos, al llegar, **oraron** por los que se habían **convertido**,
    para que **recibieran** al Espíritu Santo,
    porque **aún** no lo habían **recibido**
    y solamente habían sido **bautizados**
    en el **nombre** del Señor **Jesús**.
Entonces **Pedro** y **Juan impusieron** las **manos** sobre ellos,
    y ellos **recibieron** al Espíritu Santo.

El Espíritu Santo es quien hace crecer la iglesia. Lee el párrafo consciente de que el Espíritu está también actuando a través de tu proclamación.

I LECTURA A partir del relato de Pentecostés y hasta el capítulo 7, Hechos describe el ejercicio del testimonio apostólico que cumple con la primera etapa planteada: "serán testigos míos en Jerusalén" (1:8). El capítulo 8 quiere dar cuenta de la misión realizada en Samaria, pero también en Judea y Galilea. La expansión la lleva a cabo Felipe, diácono y anunciador de la Palabra.

    ¿Cuál es el problema que despierta la evangelización en Samaria, que los apóstoles delegan a Pedro y a Juan (8:14) como si tuvieran que verificar algo? Los vv. 15–16

responden: "para que recibieran el Espíritu Santo". Como si la iniciativa de evangelizar y de bautizar en una región tuviera que ir precedida de una manifestación extraordinaria del Espíritu. No se había producido en Samaria la experiencia colectiva del bautismo en el Espíritu, que garantizaba que los tiempos ya estaban maduros para esa región. Por eso es que, una vez manifestado el Espíritu (8:17s.), Pedro y Juan evangelizaron Samaria (8:25) y Felipe evangelizó Judea (8:40).

    Lucas atribuye gran importancia al grupo de los Doce. En Éfeso, por ejemplo,

hubo gente bautizada por Juan Bautista, pero no por alguno de los Doce, ni por Pablo, ya aceptado por los Doce. Por eso también allí hay un Pentecostés (19:6). Tanto en Éfeso como en Samaria, el don del Espíritu, además de inaugurar una nueva etapa de la misión y de implantar la Iglesia en espacios nuevos, parece querer buscar una relación con el grupo de los Doce. La iglesia se va conformando por grupos de diversas procedencias. La manifestación extraordinaria del Espíritu de Dios concede unidad a la diversidad.

Para meditar

SALMO RESPONSORIAL   Salmo 65:1–3a, 4–5, 6–7a, 16 y 20

R. Aclamen al Señor, tierra entera.

Aclamen al Señor tierra entera; toquen en honor de su nombre, canten himnos a su gloria. Digan a Dios: "Qué temibles son tus obras". **R.**

Que se postre ante ti la tierra entera, que toquen en tu honor, que toquen para tu nombre. Vengan a ver las obras de Dios, sus temibles proezas en favor de los hombres. **R.**

Transformó el mar en tierra firme, a pie atravesaron el río. Alegrémonos con Dios, que con su poder gobierna eternamente. **R.**

Fieles de Dios, vengan a escuchar; les contaré lo que ha hecho conmigo. Bendito sea Dios que no rechazó mi súplica, ni me retiró su favor. **R.**

II LECTURA   1 Pedro 3:15–18

Lectura de la primera carta del apóstol san Pedro

Hermanos:
Veneren en sus corazones a **Cristo**, el **Señor**,
   dispuestos **siempre** a dar, al que las **pidiere**,
   las razones de la **esperanza** de **ustedes**.
Pero **háganlo** con **sencillez** y **respeto**
   y estando en **paz** con su **conciencia**.
Así quedarán **avergonzados** los que **denigran**
   la conducta **cristiana** de **ustedes**,
   pues **mejor** es **padecer** haciendo el **bien**,
   si **tal** es la **voluntad de Dios**,
   que **padecer** haciendo el **mal**.
Porque **también Cristo** murió, **una sola vez** y para **siempre**,
   por los **pecados** de los **hombres**:
   él, el **justo**, por **nosotros**, los **injustos**, para **llevarnos** a **Dios**;
   murió en su **cuerpo** y **resucitó glorificado**.

Se trata de una exhortación a dar razones de nuestra esperanza. Siente al leer que estás transmitiendo tu propia experiencia de fe y de testimonio.

El párrafo es desafiante: hay que hacer el bien, aunque el precio sea el sufrimiento. Así nos lo enseñó Cristo. Desemboca con firmeza en la proclamación del último párrafo.

II LECTURA   La carta de Pedro tiene un bloque exhortativo que va de 3:8 a 4:11. Antes de llegar a nuestro texto, se ha referido a la relación entre los cristianos y las autoridades civiles, los deberes de los esposos y las obligaciones de amos y esclavos (2:13–3:7). Pedro va a ofrecer algunas recomendaciones de carácter general: comunión fraterna, humildad y misericordia, como camino para llegar a una vida plena y feliz.

Se aborda la difícil situación por la que pasan los cristianos y cristianas y que había sido ya insinuada antes (1:6; 2:12, 15). La epístola no habla nunca de persecución violenta o de exterminio de cristianos, sino de acusaciones y calumnias (2:12; 3:16; 4:14). Los sufrimientos de que habla la carta se refieren a problemas de testimonio cristiano. Se trata de favorecer la perseverancia cristiana en medio de dificultades y de un ambiente hostil.

Los sufrimientos se derivan de una existencia cristiana que se realiza en el seno de un mundo no cristiano y que se esfuerza por no conformarse con su sistema de pensamiento y de actuación (cfr. Juan 17:14). Esta enemistad con el mundo era fuente de sufrimientos para los cristianos. Es un mensaje de gran actualidad, pues también hoy, el cristiano solo puede ser fiel si rema en contra de la corriente. En un mundo de exclusión, de consumo, acumulación e individualismo, el cristiano no puede sino estar en perpetua guerra con el espíritu de su época.

Nuestra lectura invita a los cristianos a dar cuenta de la propia esperanza. Ante la hostilidad del ambiente circundante, el testimonio cristiano es el primer instrumento evangelizador.

Cada párrafo es una unidad de sentido. Lee toda la lectura previamente, para prever dónde hay que subir o bajar el tono.

esús anuncia que seguirá presente y no nos deja en orfandad. Transmite en tu lectura la consolación de las palabras del Maestro.

EVANGELIO   Juan 14:15–21

Lectura del santo Evangelio según san Juan

En **aquel** tiempo, **Jesús** dijo a sus **discípulos**:
"Si me aman, **cumplirán** mis **mandamientos**;
    yo le **rogaré** al Padre
      y **él** les enviará **otro Consolador** que esté **siempre** con **ustedes**,
    el Espíritu de **verdad**.
El **mundo** no puede **recibirlo**, porque **no** lo ve **ni lo conoce**;
    ustedes, en cambio, **sí** lo conocen,
    porque habita **entre ustedes** y estará **en ustedes**.

No los dejaré **desamparados**, sino que **volveré** a **ustedes**.
Dentro de **poco**, el mundo **no me verá más**,
    pero ustedes **sí** me verán,
    porque yo **permanezco** vivo y **ustedes también** vivirán.
En **aquel** día **entenderán** que **yo** estoy en mi **Padre**,
    ustedes en **mí** y **yo** en **ustedes**.

El que **acepta** mis **mandamientos** y los **cumple, ése** me **ama**.
Al que me **ama** a **mí**, lo **amará** mi **Padre**,
    yo también lo **amaré** y me **manifestaré** a él".

EVANGELIO En el marco del discurso de despedida, Jesús anuncia en este fragmento, primera de cinco veces, el envío del Espíritu Santo. El nombre que recibe es el de *Paráclito*, cuya amplia gama de significados va de abogado y consolador, hasta asistente, defensor, ayudante, valedor… Su tarea será ayudar a la comunidad en su proceso de crecimiento de fe, abrir los ojos del creyente para que esté capacitado para aceptar y recibir a Jesús y así vivir de acuerdo con su proyecto.

El anuncio de la partida de Jesús se convierte en promesa de permanencia. El Espíritu Santo, que ya no abandonará nunca a los discípulos, será la nueva presencia de Jesús en medio de la comunidad, signo de la íntima unión entre los discípulos y su Maestro. Esta promesa de regreso por parte de Jesús, que podría interpretarse como anuncio de la parusía o segunda venida del Señor al final de los tiempos, es confiada a sus discípulos como algo cercano. Aunque ellos no lo sepan por ahora (el autor y el lector sí lo saben) Jesús está dando un anticipado anuncio de su resurrección.

El último párrafo del texto está directamente vinculado al mandamiento del amor.

Jesús acaba de entregar a los discípulos, como preciosa herencia, el mandato de amarse los unos a los otros. Tal mandato constituye la característica esencial del discipulado, la nota que verifica quién es un auténtico seguidor. La acción del Espíritu se manifiesta en la disposición del discípulo de amar sin medida. Por eso le llamamos también Espíritu de Amor. En quien ama como Jesús amó y se entregó, habita la misma Trinidad y se transforma en morada de Dios.

ASCENSIÓN DEL SEÑOR

I LECTURA   Hechos 1:1–11

Lectura del libro de los Hechos de los Apóstoles

En mi **primer** libro, querido **Teófilo**,
    escribí acerca de **todo** lo que Jesús **hizo** y **enseñó**,
    hasta el día en que **ascendió** al **cielo**,
    después de dar sus **instrucciones**,
    por medio del **Espíritu Santo**, a los **apóstoles** que había **elegido**.
A **ellos** se les **apareció** después de la **pasión**,
    les dio **numerosas pruebas** de que estaba **vivo**
    y durante **cuarenta días** se dejó ver por ellos y les **habló**
        del **Reino de Dios**.

Un día, estando con ellos a la mesa, **les mandó:**
    "**No se alejen** de Jerusalén.
Aguarden **aquí** a que se **cumpla** la **promesa** de mi **Padre**,
        de la que ya les he **hablado**:
    Juan **bautizó** con **agua**;
    dentro de pocos días **ustedes** serán **bautizados**
        con el **Espíritu Santo**".

Los ahí **reunidos** le **preguntaban**:
    "**Señor**, ¿**ahora** sí vas a **restablecer** la **soberanía** de **Israel**?"

La introducción de Lucas es también una proclamación de fe en la resurrección. Lee este primer párrafo desde tu propia fe en que Jesús está vivo.

La promesa del Espíritu Santo es un elemento crucial dentro de la fiesta de hoy. Lee claramente esta sección para que esta promesa resuene en el corazón de la asamblea.

I LECTURA El libro de los Hechos de los Apóstoles es continuación del evangelio de Lucas. Escrito por el mismo autor, el prólogo de la obra que escuchamos en la lectura, la pone en relación con el evangelio de Lucas. En su decisión de relacionar ambas obras, el autor habla de los cuarenta días que separaron la resurrección del Señor de su ascenso al cielo. Este número 40 tiene honda raíz bíblica, puesto que 40 fueron los días que Moisés pasó en el monte Sinaí al recibir la Ley, 40 fueron los años que el pueblo hebreo peregrinó por el desierto antes de entrar en la Tierra Prometida, 40 también los días que Elías peregrinó alimentado por el pan angélico y, finalmente, 40 días los que Jesús se retiró en ayuno y oración después de ser bautizado por Juan. Esta temporalidad inspiró la fiesta de la Ascensión que hoy celebramos.

La Ascensión marca el inicio de un tiempo nuevo, el tiempo de la iglesia. Jesús desaparecerá físicamente y la misión de predicación e instauración del Reino quedará en manos de los discípulos. Con las figuras de Henoc (Génesis 5:24) y Elías (2 Reyes 2:1–13) de trasfondo, Lucas nos cuenta la ascensión poniendo a Jesús elevándose al plano de la glorificación divina. Todo ello en medio de un diálogo con los discípulos en el que Jesús anuncia la venida del Espíritu Santo, nueva y permanente presencia de Jesús en el mundo, y los apóstoles muestran su falta de comprensión, aun después de la resurrección, pues esperan la restauración política de Israel. A cambio de ello, Jesús los invitará a ser testigos suyos, abriéndoles la mirada a la misión que habrán de desarrollar hasta llegar a los últimos confines de la tierra.

La observación de los dos varones vestidos de blanco que se acercan a corregir a

Las últimas tres líneas de este párrafo describen la misión que Jesús encomienda. Que se sienta en tu lectura que es una invitación dirigida a nosotros.

Jesús les contestó:
"A **ustedes** no les toca **conocer** el **tiempo** y la **hora**
    que el **Padre** ha **determinado** con su **autoridad**;
    pero cuando el **Espíritu Santo** descienda sobre **ustedes**,
    los **llenará** de **fortaleza** y serán mis **testigos** en **Jerusalén**,
    en **toda** Judea, en Samaria y **hasta** los **últimos rincones**
        de la **tierra**".

Dicho **esto**, se fue **elevando** a la **vista** de ellos,
    hasta que una **nube** lo **ocultó** a sus **ojos**.
Mientras miraban **fijamente** al cielo, **viéndolo alejarse**,
    se les presentaron **dos hombres vestidos de blanco**,
        que les **dijeron**:

Haz contacto visual con la asamblea al leer las palabras de los hombres de blanco.

"Galileos, ¿**qué hacen allí parados**, mirando al **cielo**?
Ese mismo **Jesús** que los ha **dejado** para **subir** al **cielo**,
    volverá como lo han visto **alejarse**".

Para meditar

SALMO RESPONSORIAL Salmo 46:2–3, 6–7, 8–9

R. Dios asciende entre aclamaciones, el Señor, al son de trompetas.

Pueblos todos batan palmas, aclamen a Dios con gritos de júbilo; porque el Señor es sublime y terrible, emperador de toda la tierra. **R.**

Dios asciende entre aclamaciones, el Señor, al son de trompetas; toquen para Dios, toquen, toquen para nuestro Rey, toquen. **R.**

Porque Dios es el rey del mundo; toquen con maestría. Dios reina sobre las naciones, Dios se sienta en su trono sagrado. **R.**

---

los discípulos y los invitan a no seguir mirando al cielo, remarca la diferencia entre los dos relatos de la Ascensión, el del final del evangelio contra el del inicio del libro de los Hechos. En el primer caso era el broche de oro que cerraba la actividad de Jesús. En este caso es el inicio de una etapa en la que los discípulos habrán de dispersarse por el mundo llevando la luz del evangelio y el anuncio de la resurrección. Nosotros también somos testigos de Cristo.

II LECTURA En el contexto de una acción de gracias dirigida a

Dios por el testimonio de los efesios (Efesios 1:15–16), Pablo reconoce con gratitud el regalo de la fe y la acción de Dios que permite que en la comunidad de Éfeso se experimente el amor fraterno. De esta acción de gracias de desprenden tres peticiones del Apóstol: sabiduría, iluminación y conocimiento de la obra de salvación realizada en Cristo.

La primera petición (v. 17) implica una sabiduría que no es acumulación de conocimientos. No es tampoco el fruto del esfuerzo humano. La sabiduría a la que se refiere el Apóstol es una sabiduría que es don de

Dios, para que podamos conocerlo y amarlo. La segunda petición (v. 18) pide la iluminación. Aunque nuestra traducción pide la iluminación de la mente, esto ocurre porque el corazón es, para los judíos, la sede del conocimiento y de las decisiones y no solamente la sede de los sentimientos, como es para nuestra cultura occidental. Así que la iluminación que el autor pide para la comunidad de los efesios es aquella que nos permite comprender a fondo la esperanza de la gloria a la que hemos sido llamados y tomar la decisión firme de ser coherentes con ese llamado.

II LECTURA   Efesios 1:17–23

Lectura de la carta del apóstol san Pablo a los efesios

Hermanos:

Pido al **Dios** de nuestro Señor **Jesucristo**, el **Padre** de la gloria,
    que les **conceda** espíritu de **sabiduría**
    y de **reflexión** para **conocerlo**.

Le **pido** que les **ilumine** la **mente**
    para que **comprendan** cuál es la **esperanza**
    que les da su **llamamiento**,
    cuán **gloriosa** y **rica** es la **herencia**
      que **Dios** da a los que son **suyos**
    y cuál la **extraordinaria grandeza**
    de su **poder** para con **nosotros**,
    los que **confiamos** en él,
    por la **eficacia** de su **fuerza poderosa**.

Con **esta** fuerza **resucitó** a **Cristo** de entre los **muertos**
    y lo hizo sentar **a su derecha** en el cielo,
    por encima de **todos** los ángeles, **principados**,
    potestades, virtudes y **dominaciones**,
    y por encima de **cualquier** persona,
    no sólo del mundo **actual** sino **también** del **futuro**.

Todo lo puso bajo sus **pies**
    y a **él mismo** lo constituyó **cabeza suprema** de la **Iglesia**,
      que es su **cuerpo**,
    y la **plenitud** del que lo consuma **todo en todo**.

Esta lectura es una oración que Pablo le dirige a Dios en favor de la comunidad de Éfeso. Haz que la asamblea se apropie de esta oración.

Vocación y herencia son dos regalos de Dios conquistados por el misterio pascual. Lee de manera que se sienta que todos nosotros somos los llamados.

Jesús extiende su poder sobre todas las fuerzas sobrenaturales. Es el triunfador sobre la muerte. Anuncia con aplomo esta verdad.

Resalta la dimensión eclesiológica en tu lectura: somos el cuerpo de Cristo y él es nuestra cabeza.

Los versículos 19–21 hablan de la comprensión que se pide a Dios para penetrar el misterio de la acción de Dios en Cristo. El autor se vuelca entonces en una exposición cristológica: la resurrección de Jesús ha significado, sí, la victoria sobre la muerte, pero también el triunfo de Jesús que, sentado a la derecha del Padre, queda por encima de todas las potestades angélicas. Este "sentarse a la derecha del Padre" le confiere al misterio pascual una dimensión eclesiológica: Jesús es cabeza de la iglesia, que es su cuerpo. Uno no puede dejar de escuchar en la última sección del pasaje el eco del Salmo

8:7: Dios ha puesto todo bajo los pies del ser humano. Pablo lleva a su culmen el mensaje del salmo afirmando que Dios ha puesto todo a los pies de Cristo, el ser humano en plenitud. Por eso es el consumador de una salvación, que afecta no solo a los seres humanos sino a la creación entera. Para nosotros, eso es fuente de esperanza: si seguimos el camino de Jesús podremos aspirar a ser, también nosotros, divinizados.

EVANGELIO En cuestión de cinco versículos, Mateo concluye su evangelio con un poderoso mensaje que

resume las principales ideas desarrolladas a lo largo de todos los capítulos. El encuentro del Maestro resucitado con los discípulos no se da en la ciudad de Jerusalén, como ocurre en la versión de Lucas, sino en la región de Galilea. Hay en esta localización geográfica un mensaje para el lector: se trata de donde Jesús comenzó su ministerio, donde los discípulos escucharon al Maestro y lo vieron hablar y actuar; el lugar del amor primero. Jesús los congrega, además, en un monte, un sitio parecido a aquel desde el cual Dios se reveló a Israel (monte Sinaí), o donde se asentaba

La comunidad está compuesta de adoradores y de personas que titubean. Nuestra asamblea también tiene diversos niveles de fe. Todos deben sentirse llamados.

El mandato de Jesús resume la vocación del discípulo: transmitir el mensaje de su Maestro, invitando a todos a una vida nueva según el evangelio.

EVANGELIO   Mateo 28:16–20

Lectura del santo Evangelio según san Mateo

En **aquel** tiempo,
    los **once discípulos** se fueron a **Galilea**
    y subieron al **monte** en el que Jesús los había **citado**.
Al ver a **Jesús**, se **postraron**, aunque **algunos titubeaban**.

Entonces, **Jesús** se **acercó** a ellos y les **dijo**:
"Me ha sido dado **todo poder** en el **cielo** y en la **tierra**.
Vayan, pues, y **enseñen** a **todas las naciones**,
    bautizándolas en el nombre del **Padre** y del **Hijo**
      y del **Espíritu Santo**,
    y **enseñándolas** a cumplir **todo** cuanto yo les he **mandado**;
    y **sepan** que yo **estaré** con ustedes **todos los días**,
      hasta el **fin** del **mundo**".

la habitación de Dios, el templo (monte Sión), o el lugar desde el cual Jesús proclamó su ley suprema para los discípulos (monte de las bienaventuranzas) o, finalmente, el monte desde el cual se transfiguró para animar a los discípulos antes de la pasión (monte Tabor).

Estos elementos simbólicos ya nos hablan de la trascendencia del pasaje. Los Once son la representación, para Mateo, de la comunidad cristiana en su conjunto. Antes, abandonaron a su Maestro en el momento del dolor. Ahora ven cara a cara al resucitado, lo reconocen como Señor y que-

dan constituidos como sus testigos. Hay quienes dudan. El resultado es que la iglesia es presentada como la continuadora de la misión de Jesús.

El encargo, sin embargo, no se limitará ahora a anunciar la buena noticia del Reino al pueblo judío. La misión que Jesús encomienda a sus discípulos no reconoce ya ninguna frontera. El anuncio del evangelio deberá llegar hasta los últimos rincones de la tierra. Este anuncio supera la propuesta inicial de Jesús (Mateo 10:6; 15:24) y muestra una ampliación de la comprensión original de su mesianismo.

El rito que acompañará su acción evangelizadora es el bautismo, un rito que consagra la vida de las personas usando una fórmula trinitaria. La verificación de la nueva vida recibida será la transformación de las vidas en la perspectiva del evangelio: cumplir lo que Jesús nos ha mandado; hacer de su estilo de vida la norma de quienes nos llamamos discípulos suyos. El bautismo no es solo elección gratuita, es también misión que cumplir.

VII DOMINGO DE PASCUA

Es un texto breve y modélico. Cuida que en tu lectura queden claros los elementos esenciales de la iglesia del Resucitado. Las tres líneas finales son claves.

I LECTURA   Hechos 1:12–14

Lectura del libro de los Hechos de los Apóstoles

Después de la **ascensión de Jesús** a los cielos,
    los **apóstoles** regresaron a **Jerusalén**
    desde el **monte** de los **Olivos**,
    que **dista** de la ciudad lo que **se permite** caminar en **sábado.**
Cuando **llegaron** a la ciudad, **subieron** al **piso alto** de la casa
    donde se alojaban, **Pedro** y **Juan**, **Santiago** y **Andrés**,
    Felipe y **Tomás**, **Bartolomé** y **Mateo**, **Santiago**
        (el hijo de **Alfeo**),
    Simón el **cananeo** y **Judas**, el hijo de **Santiago.**
Todos ellos perseveraban **unánimes** en la **oración**,
    junto con **María**, la **madre** de Jesús,
    con los **parientes** de Jesús y **algunas mujeres.**

Para meditar

SALMO RESPONSORIAL   Salmo 26:1, 4, 7–8b
R. Espero gozar de la dicha del Señor en el país de la vida.

El Señor es mi luz y mi salvación, ¿a quién temeré? El Señor es la defensa de mi vida, ¿quién me hará temblar? **R.**

Una cosa pido al Señor, eso buscaré: habitar en la casa del Señor por los días de mi vida; gozar de la dulzura del Señor contemplando su templo. **R.**

Escúchame, Señor, que te llamo; ten piedad, respóndeme. Oigo en mi corazón: "Busquen mi rostro". **R.**

I LECTURA   En el libro de los Hechos de los Apóstoles encontramos un material que es conocido como los "sumarios". Se trata de descripciones breves de cómo vivía la comunidad cristiana primitiva. Este texto es el primero de tales sumarios. Los otros dos más conocidos son Hechos 2:42–47 y 4:32–37. La intención de estos pequeños resúmenes es no solo informarnos, sino ofrecer un espejo para los creyentes que han de venir, de suerte que en cualquier época podamos tener un punto de referencia para revisar nuestra vivencia de iglesia. Los sumarios proponen algo así

como la utopía de origen, para que siempre podamos echar la mirada atrás y, paradójicamente, seguir adelante.

La mención del monte de los Olivos y de la distancia a caminar permitida en sábado (900 metros), nos sitúa de nuevo en Jerusalén. Lucas permanecerá fiel al diseño que ha adelantado en Hechos 1:8: Jerusalén, Judea, Samaria y hasta los confines de la tierra. La presentación de la iglesia de Jerusalén va de este pasaje hasta 8:4, cuando comienza la expansión a Samaria.

La comunidad aparece conformada ya en sus elementos esenciales: los apóstoles,

con Pedro a la cabeza, la continuidad de la práctica de Jesús de promover la igualdad de género significada en la presencia de las mujeres, y también se cuenta con la presencia de María y de los hermanos de Jesús. El ambiente es de oración para alcanzar acuerdos comunes a la luz del Espíritu. La iglesia de Jesús ha de seguir siendo siempre una iglesia fundada sobre la roca del testimonio apostólico, con inclusión plena de mujeres, en oración y acuerdos comunes y con la presencia de María Santísima.

II LECTURA   1 Pedro 4:13–16

Lectura de la primera carta del apóstol san Pedro

Queridos hermanos:
Alégrense de compartir **ahora** los padecimientos de **Cristo**,
    para que, cuando se **manifieste** su **gloria**,
        el **júbilo** de **ustedes** sea **desbordante**.
Si los **injurian** por el **nombre** de **Cristo**, ténganse por **dichosos**,
    porque la **fuerza** y la **gloria** del **Espíritu de Dios**
        descansa sobre ustedes.
Pero que **ninguno de ustedes** tenga que **sufrir** por **criminal**,
        ladrón, **malhechor**,
    o **simplemente** por **entrometido**.
En cambio, si sufre por ser **cristiano**,
    que le dé **gracias** a Dios por llevar **ese nombre**.

Seguramente hay personas en la asamblea que pasan por momentos de sufrimiento. Que se sientan animados por tu lectura.

EVANGELIO   Juan 17:1–11a

Lectura del santo Evangelio según san Juan

En **aquel** tiempo, Jesús **levantó** los ojos al cielo y **dijo**:
"Padre, **ha llegado la hora**.
Glorifica a tu **Hijo**, para que tu Hijo **también** te **glorifique**,
    y por el **poder** que le diste sobre **toda** la humanidad,
        dé la **vida eterna** a cuantos le has **confiado**.
La vida eterna **consiste** en que te **conozcan** a ti,
        único Dios **verdadero**,
    y a **Jesucristo**, a quien tú has **enviado**.

Yo te he **glorificado** sobre la tierra,
    llevando a cabo la obra que me **encomendaste**.
Ahora, Padre, **glorifícame** en ti con la **gloria** que tenía,
    antes de que el mundo **existiera**.

La oración de Jesús nos permite conocer el interior del Maestro. Conserva un tono íntimo durante toda la lectura.

esús ha llevado a cumplimiento la misión que el Padre le ha encomendado. Lee su declaración con humilde firmeza.

II LECTURA La unidad de 4:12–19 abre la última sección de la primera carta de Pedro. Está dedicada a la consideración de los sufrimientos de Cristo como ejemplo que han de seguir los cristianos en medio de las persecuciones.

Este pasaje reconoce un recrudecimiento en las presiones a las que están sometidos los cristianos, que son sometidos a ultrajes y humillaciones debido a su condición de creyentes. Según el pasaje ninguna persecución ha de deberse a la mala conducta de los creyentes, porque entonces sería un castigo justo y no una persecución

atribuible al ejercicio de la fe. Un cristiano puede ofrecer un testimonio negativo, y debiera avergonzarse de ello. Sufrir persecución, en cambio, a causa de testimoniar los valores del evangelio, es digno de encomio y debe ser causa de orgullo para el discípulo de Cristo.

Encontramos en el pasaje una invitación a estar alegres por compartir los sufrimientos de Cristo. Puede parecer contradictoria la unión de alegría y sufrimiento, pero es una constante en la literatura neotestamentaria (Mateo 5:10–12; 2 Corintios 1:3–7; Filipenses 2:17–18). No buscamos

el sufrimiento. Pero sabemos ser consecuentes cuando el precio de la fidelidad al Evangelio trae consigo sufrimientos. No está lejos en el tiempo la dolorosa experiencia de sufrimiento por el seguimiento de Jesús. Basta recordar que tener un Nuevo Testamento era razón suficiente para ser llevado a la cárcel en la Guatemala de la dictadura. Y, sin embargo, los mártires que alumbran nuestro camino supieron asumir el sufrimiento como parte de su testimonio cristiano y brillan ahora como modelos de entrega generosa.

Este último párrafo debe hacer sentir a la asamblea que la oración de Jesús también nos contempla a nosotros. Mira a la asamblea cuando leas el tercer renglón.

He **manifestado** tu **nombre**
　　a los hombres que **tú tomaste** del mundo y **me diste**.
Eran **tuyos** y **tú** me los **diste**.
Ellos han **cumplido** tu **palabra**
　　y **ahora** conocen que **todo** lo que me has dado **viene de ti**,
　　porque **yo** les he **comunicado** las palabras que **tú** me **diste**;
　　ellos las han **recibido**
　　y **ahora** reconocen que **yo salí de ti**
　　y **creen** que **tú** me has **enviado**.

Te pido por **ellos**;
　　no te pido por el **mundo**,
　　sino por **éstos**, que **tú me diste**, porque son **tuyos**.
Todo lo mío es **tuyo** y **todo lo tuyo** es **mío**.
Yo he sido **glorificado** en ellos.
Ya no estaré **más** en el **mundo**,
　　pues **voy a ti**; pero ellos **se quedan** en el **mundo**".

EVERGELIO | Jesús va llegando al final del discurso de Despedida con el que aderezó la cena pascual con sus discípulos. Como Moisés, que al final de su vida termina su despedida con una oración de bendición (Deuteronomio 32–33), también Jesús dirige a Dios una plegaria al final de su diálogo con los discípulos. Todo el capítulo 17 es conocido como la oración sacerdotal de Jesús, porque en ella Jesús se dirige al Padre para interceder por los suyos y por los que creerán en él después de su misterio pascual. Esta oración es cul-

minación y desembocadura del discurso (Juan 13:31—17:26).

El tema de la oración es la glorificación de Jesús, una manera de referirse al misterio de su muerte y resurrección, que lleva a cumplimiento la obediencia del Hijo al Padre. Jesús se sitúa adelantado en su oración, como si el sacrificio que está aún por venir hubiera sido ya consumado. Ha vivido para revelar al mundo la gloria de su Padre y ha cumplido con ese mandato acompañando en su camino de fe a estos discípulos, que ahora quedarán al frente de la instauración del Reino. Ellos serán los res-

ponsables de que el mundo tenga vida eterna, es decir, que conozcan al Padre y a su enviado Jesucristo.

La oración distingue a los discípulos de Jesús del "mundo", es decir, de las fuerzas adversas al evangelio. Jesús pide que sus discípulos, que quedan en el mundo, estén siempre cuidados y resguardados por el Padre. Nunca hemos de sentirnos solos. Al cuidado de Dios por nosotros, hemos de añadirle la firme decisión de dar al mundo testimonio de unidad. El mundo solo creerá en Jesús si nos ve unidos en lo fundamental (Juan 17:21).

PENTECOSTÉS,
MISA DE LA VIGILIA

I LECTURA   Génesis 11:1–9

Lectura del libro del Génesis

En **aquel** tiempo, **toda** la tierra tenía **una sola lengua**
   y unas **mismas** palabras.
Al **emigrar** los hombres desde el **oriente**,
   encontraron una **llanura** en la región de **Sinaar**
     y **ahí** se **establecieron**.

Entonces se dijeron **unos a otros**:
"**Vamos** a fabricar **ladrillos** y a **cocerlos**".
Utilizaron, pues, **ladrillos** en vez de **piedra**,
   y **asfalto** en vez de **mezcla**.
Luego dijeron:
"**Construyamos** una **ciudad**
   y una **torre** que llegue **hasta el cielo** para hacernos **famosos**,
   antes de **dispersarnos** por la **tierra**".

El Señor **bajó** a ver la **ciudad**
   y la **torre** que los **hombres** estaban **construyendo** y **se dijo**:
"Son **un solo pueblo** y hablan **una sola lengua**.
Si ya empezaron **esta obra**,
   en adelante **ningún** proyecto les parecerá **imposible**.
Vayamos, pues, y **confundamos** su lengua,
   para que **no se entiendan** unos con otros".

Es una narración que despierta interés. Haz una lectura ágil desde el inicio.

Dale tono de soberbia a la lectura de estas líneas.

Cuando Dios aparece en escena, comienza una nueva etapa en la lectura. Subraya las palabras del Señor.

La solemnidad de Pentecostés tiene una vigilia en la que la Iglesia imita a la primera comunidad de discípulos que, reunidos en una casa de Jerusalén con María, la madre de Jesús, aguardaba la venida del Espíritu Santo. Su espera estaba sostenida por la oración, y lo mismo sucede en nuestra celebración litúrgica. Aunque no es muy usual, las rúbricas del Misal Romano dan opción a celebrar la misa de la vigilia junto con las vísperas de la Liturgia de las Horas, e indican los elementos precisos a integrar y a omitir. Lo acostumbrado es que la misa de la vigilia se haga sin el rezo de las Horas, y

en este caso, se presentan dos opciones para la Liturgia de la Palabra: una breve y una extensa, dependiendo del número de lecturas que se decida proclamar. En la forma breve se proclama como primera lectura solo una de las cuatro opciones del Antiguo Testamento con el salmo responsorial respectivo, más la lectura del apóstol y el evangelio. En la forma extensa se proclaman las cuatro lecturas del Antiguo Testamento con sus salmos responsoriales respectivos, más la del apóstol y el evangelio. En cualquier caso, el que preside la liturgia instruye

a la asamblea sobre la modalidad que se va a emplear en la celebración.

I LECTURA *Génesis.* Los capítulos del Génesis que nos traen los relatos de los orígenes (1–11) llegan a su final con este relato que ha fascinado a los lectores a través de los siglos, el relato de la torre de Babel. En esta ocasión, lo leemos como contrapunto a la fiesta que celebramos, Pentecostés, porque seguramente el autor de Hechos 2 lo tenía en mente al componer el relato de la venida del Espíritu Santo. Los objetivos de la redacción de este

Este párrafo transmite las consecuencias del engreimiento humano. Baja la velocidad y subraya los verbos de dispersión y confusión.

Entonces el **Señor** los **dispersó** por **toda** la tierra
y dejaron de **construir** su **ciudad**;
por eso, la ciudad se llamó **Babel**,
porque ahí **confundió** el **Señor** la **lengua** de **todos** los **hombres**
y desde ahí los **dispersó** por la **superficie** de la **tierra**.

Para meditar

SALMO RESPONSORIAL   Salmo 31:1–2, 5, 6, 7

R. (1a) Perdona, Señor, nuestros pecados.

Dichoso aquel que ha sido absuelto
   de su culpa y su pecado.
Dichoso aquel en el que Dios no encuentra
   ni delito ni engaño. **R.**

Ante el Señor reconocí mi culpa,
   no oculté mi pecado.

Te confesé, Señor, mi gran delito
   y tú me has perdonado. **R.**

Por eso, en el momento de la angustia,
   que todo fiel te invoque,
   y no lo alcanzarán las grandes aguas,
   aunque éstas se desborden. **R.**

En la vigilia extendida se hacen las cuatro lecturas del Antiguo Testamento, en la abreviada solo una de ellas.

O bien:

I LECTURA   Éxodo 19:3–8a, 16–20b

Lectura del libro del Éxodo

En **aquellos** días, **Moisés** subió al monte **Sinaí**
   para **hablar** con **Dios**. El **Señor** lo **llamó**
   desde el **monte** y le **dijo**:
"**Esto** dirás a la casa de Jacob, **esto** anunciarás
   a los **hijos de Israel**:

'**Ustedes** han visto cómo **castigué** a los **egipcios**
   y **de qué manera** los he **levantado** a **ustedes** sobre
      alas de **águila**
   y los he **traído** a mí.

pasaje son varios: explicar el origen de la multiplicidad de lenguas; interpretar los vestigios arqueológicos de una torre (*zigurat*) que estaba en Babilonia y que era comúnmente vista como una obra incompleta, que no se había terminado de construir; también evocaba una antigua leyenda en la que los titanes se rebelaron contra el dios Marduk e intentaron escalar hasta el cielo; mostrar la bondad de la cultura rural por encima de la construcción de ciudades… Todos estos motivos pudieron estar al origen de esta narración y quizá por eso fascina a los lectores.

En el marco de las narraciones de origen, el relato de Babel es la última vuelta de una espiral que ha ido creciendo: a partir del mal uso de su libertad y de su pretendida autonomía absoluta de Dios, el ser humano no ha hecho más que sembrar caos en su entorno, comenzando por el asesinato de Abel y pasando por la degradación social que llevó a Dios a hacer llover sobre la tierra 40 días y noches en el diluvio.

Construir una ciudad a espaldas de Dios es la acción más soberbia del ser humano. Significa querer desaparecerlo, desplazarlo de su lugar, convertirlo en algo intrascendente y superfluo. Esta acción tiene su consecuencia: la división de las lenguas y la dispersión de las personas. El intento de destronar a Dios fracasa. Lejos de Dios, los seres humanos no pueden sino alejarse los unos de los otros. La diversidad se convierte en causa de división y de separación. Todo eso será sanado de raíz en Pentecostés.

| I LECTURA | *Éxodo*. El pueblo de Dios ha sido sacado de la casa de la |

esclavitud, Egipto, y ha atravesado el mar Rojo para entrar a un camino de libertad.

La narración fluye por sí sola. Mantén el interés por lo que se cuenta con la vivacidad de tu voz.

Ahora bien, si **escuchan** mi **voz** y **guardan** mi **alianza**,
   serán mi **especial tesoro** entre **todos** los pueblos,
   aunque **toda** la tierra es **mía**.
Ustedes serán para mí un **reino de sacerdotes**
    y una **nación consagrada'**.
Éstas son las **palabras** que has de decir a los **hijos de Israel**".

Es un párrafo que destila amor por los cuatro costados. Léelo lentamente para que la asamblea se sienta envuelta en ese cariño divino.

Moisés convocó **entonces** a los **ancianos** del pueblo
   y les expuso **todo** lo que el **Señor** le había **mandado**.
Todo el pueblo, a una, **respondió**:
"**Haremos** cuanto ha dicho el **Señor**".

Al rayar el **alba** del **tercer día**, hubo **truenos** y **relámpagos**;
   una **densa** nube **cubrió** el **monte**
   y se **escuchó** un **fragoroso** resonar de **trompetas**.
Esto hizo **temblar** al pueblo, que estaba en el **campamento**.

Haz contacto visual con la asamblea para que se sientan representados en esta respuesta del pueblo.

Moisés hizo **salir** al **pueblo** para ir al **encuentro** de **Dios**;
   pero la gente **se detuvo** al pie del **monte**.
Todo el monte Sinaí **humeaba**,
   porque el **Señor** había **descendido** sobre él en medio del **fuego**.
Salía **humo** como de un **horno**
   y **todo** el monte **retemblaba** con **violencia**.

Los signos se repetirán en Pentecostés: temblor, fuego, rayos y truenos... Subráyalos en tu lectura.

El **sonido** de las **trompetas** se hacía **cada vez más fuerte**.
Moisés hablaba y **Dios** le respondía con **truenos**.
El Señor **bajó** a la **cumbre** del **monte**
   y le dijo a **Moisés** que **subiera**.

Para meditar

SALMO RESPONSORIAL   Daniel 3:52, 53, 54, 55, 56
R. (52b) Bendito seas, Señor, para siempre.

Bendito seas, Señor,
   Dios de nuestros padres.
Bendito sea tu nombre santo y glorioso. **R.**

Bendito seas en el templo santo y glorioso.
Bendito seas en el trono de tu reino. **R.**

Bendito eres tú, Señor,
   que penetras con tu mirada los abismos
   y te sientas en un trono rodeado
   de querubines.
Bendito seas, Señor, en la bóveda. **R.**

O bien:

Después de unos pocos acontecimientos que ponen a prueba al pueblo, se llega al momento crucial, al acontecimiento que da sentido a la salida de Egipto: en el monte Sinaí, Dios establecerá con el pueblo una alianza. Los hebreos no serán ya más una serie de tribus unidas solamente por un pasado común de opresión. Comenzarán, a partir de ahora, a ser un verdadero pueblo. Esta transformación, de no pueblo a pueblo, la logrará la benevolencia de Dios que los hará pueblo de su propiedad.

   La propuesta tendrá como mediador a Moisés, el libertador, que hablará cara a cara con Dios y manifestará su voluntad al pueblo reunido en las faldas del monte. La alianza convertirá al pueblo en propiedad de Dios, comunidad consagrada a su servicio. Las palabras de Dios son cariñosas en extremo: el pueblo será su "especial tesoro". Leer este pasaje en el marco de la fiesta de Pentecostés establece un vínculo entre ambos acontecimientos: en el monte Sinaí Dios baja a la cumbre para entregar su Ley, prenda de la alianza que quiere establecer con el pueblo. Los signos de su bajada son los mismos que se repiten en Pentecostés: fuego ardiente, ruido de viento impetuoso,

temblor de tierra. A pesar de la buena respuesta del pueblo ("haremos cuanto ha dicho el Señor") el lector sabe que el pueblo no permaneció fiel a la alianza, defraudó la confianza de Dios y no pudo cumplir con sus leyes. Pudo más su debilidad que sus buenas intenciones.

   Pentecostés nos muestra ahora la otra cara de la medalla: Dios ha decidido convocar a su nuevo pueblo al que ahora le dará, en lugar de una larga lista de mandamientos, la fuerza del Espíritu Santo para que pueda mantenerse como pueblo de la alianza. Por la acción del Espíritu somos nosotros

Para meditar

SALMO RESPONSORIAL Salmo 18: 8, 9, 10, 11

R. (Jn 6, 68c) Tú tienes, Señor, palabras de vida eterna.

La ley del Señor es perfecta del todo
   y reconforta el alma;
   inmutables son las palabras del Señor
   y hacen sabio al sencillo. **R.**

En los mandamientos del Señor hay rectitud
   y alegría para el corazón;
   son luz los preceptos del Señor
   para alumbrar el camino. **R.**

La voluntad del Señor es santa
   y para siempre estable;
   los mandamientos del Señor
   son verdaderos
   y enteramente justos. **R.**

Más deseables que el oro
   y las piedras preciosas
   las normas del Señor,
   y más dulces que la miel
   de un panal que gotea. **R.**

O bien:

I LECTURA Ezequiel 37:1–14

Lectura del libro del profeta Ezequiel

En **aquellos** días, la mano del **Señor** se posó **sobre mí**,
   y su **espíritu** me **trasladó**
   y me **colocó** en medio de un campo **lleno de huesos**.
Me hizo **dar vuelta** en torno a **ellos**.
Había una **cantidad innumerable** de **huesos**
    sobre la **superficie** del **campo**
   y estaban **completamente secos**.

Entonces el **Señor** me **preguntó**:
"**Hijo de hombre**, ¿**podrán** acaso **revivir estos huesos?**"
Yo respondí: "Señor, **tú** lo sabes".
Él me dijo: "**Habla** en mi nombre a **estos huesos** y **diles**:
'Huesos secos, **escuchen** la **palabra del Señor**.
Esto dice el **Señor Dios** a **estos huesos**:
He aquí que yo les **infundiré** el **espíritu** y **revivirán**.
Les **pondré** nervios, **haré** que les **brote carne**,
   la **cubriré** de piel, les **infundiré** el **espíritu** y **revivirán**.
Entonces reconocerán **ustedes** que **yo soy** el Señor'".

Para meditar (notas al margen):

Los elementos casi surrealistas del relato invitan a la lectura atenta. Conserva el ritmo narrativo, bajando la velocidad en los diálogos.

La palabra de Dios se dirige al profeta. Su fin es devolver la vida a los huesos. Una mezcla de autoridad y compasión debe dar tono a la lectura de este párrafo.

el pueblo consagrado, propiedad de Dios, elegidos por él.

I LECTURA *Ezequiel.* Esta página de Ezequiel es una de las más famosas visiones del profeta. Habiéndose posado sobre él la mano de Dios y trasladado su espíritu hasta un valle, el vidente se encuentra en medio de una escena dantesca: miles de huesos secos lo rodean. El primer actor de esta visión son estos huesos áridos, calcinados, listos para convertirse en polvo. Junto a este primer actor se planta el segundo: la palabra del Señor que le ordena al profeta hablar a los huesos secos. El anuncio divino introduce el tercer elemento: el viento, aliento de vida.

El profeta, en obediencia a las indicaciones de Dios, convoca a los huesos que, en medio de un temblor de tierra se van juntando los unos con los otros. Una imagen casi macabra centra la atención del vidente: los huesos juntos comienzan a llenarse de nervios y se van cubriendo de carne. Les falta algo: el aliento de la vida.

De nuevo es el profeta el que convoca a los vientos desde los cuatro puntos cardinales. Los huesos dejan de serlo y se convierten en seres vivientes. La acción creadora del soplo divino rememora aquel aliento que dio vida al primer ser humano, hecho del barro de la tierra (Génesis 2:7). El resultado es una multitud de personas, allí donde antes solamente hubo huesos.

El profeta nos comparte, además de la visión de los huesos vivificados, la interpretación que alcanza a descubrir en el momento que le toca vivir: los huesos son la casa de Israel, secos por el castigo del destierro, recobrarán la vida para iniciar un nuevo éxodo, el retorno a su tierra. El símbolo, sin embargo, tiene una virtualidad

La expectación llega a su culmen: los huesos reviven. Los renglones finales han de ser leídos como una orden salvadora.

Yo **pronuncié** en nombre del Señor las **palabras**
    que **él** me había **ordenado**,
    y mientras hablaba, se oyó un **gran estrépito**,
    se produjo un **terremoto**
    y los **huesos** se **juntaron** unos con otros.
Y **vi** cómo les iban saliendo **nervios** y **carne**
    y cómo se **cubrían** de **piel**; pero **no** tenían **espíritu**.
Entonces me dijo el **Señor**:
"**Hijo de hombre**, habla en mi **nombre** al **espíritu** y **dile**:
'**Esto** dice el Señor: **Ven**, espíritu, desde los **cuatro vientos**
    y **sopla** sobre **estos muertos**, para que **vuelvan** a la **vida**'".

Yo **hablé** en nombre del **Señor**, como **él** me había **ordenado**.
Vino sobre ellos el espíritu, **revivieron** y **se pusieron de pie**.
Era una **multitud innumerable**.
El Señor me dijo: "**Hijo de hombre**:
Estos huesos son **toda** la casa de **Israel**, que ha **dicho**:
'**Nuestros huesos** están **secos**; pereció **nuestra esperanza**
    y estamos **destrozados**'.
Por eso, habla en **mi nombre** y **diles**:
'**Esto** dice el Señor: Pueblo mío, **yo mismo** abriré sus **sepulcros**,
    los **haré salir** de ellos
    y los **conduciré** de nuevo a la tierra de **Israel**.
Cuando **abra** sus sepulcros y los **saque** de ellos, **pueblo mío**,
    ustedes dirán que **yo soy** el Señor.
Entonces les **infundiré** mi espíritu,
    los **estableceré** en su **tierra**
    y **sabrán** que **yo**, el **Señor**, lo **dije** y lo **cumplí**'".

El oráculo divino se dirige a toda la casa de Israel. Haz que la asamblea también se reconozca en esta obra vivificadora de Dios por la entrega de su Espíritu.

mayor y queda abierto para sucesivas reinterpretaciones. Una de ellas es mirar en el aliento de vida la presencia del Espíritu Santo, fuerza que llena de vida plena al nuevo pueblo de Dios, la iglesia. Para los cristianos, se trata de un texto de profundas resonancias pascuales, que nos habla del don del Espíritu, fruto del misterio pascual.

I LECTURA *Joel*. El relato de Números 11:27–29 es una buena referencia para comprender a fondo el anuncio del profeta Joel. Moisés acaba de hablar con Dios y el soplo o aliento de Dios fue compar-

tido, además de a Moisés, a setenta jefes elegidos por Dios. Dos de ellos recibieron el soplo divino, aunque no estaban presentes en el campamento. Esto enojó a Josué, hijo de Nun, que vio que el Espíritu se derramó a través de un medio no convencional, fuera de la norma. Entonces, lleno de celos, pidió a Moisés que a aquellos dos jefes les fuera prohibido profetizar. Moisés le responde con una frase que quedó grabada en el corazón de Israel: ¡Ojalá Dios derramara su Espíritu sobre todo el pueblo y que todas las personas profetizaran!

Deuteronomio 19:18 es otra referencia que nos ayuda a entender el texto de Joel: Dios promete a Israel levantar en medio de Israel a un profeta, distinto y superior a los otros profetas, que comunicará al pueblo la palabra del Señor. El deseo de Moisés no llegará a su cumplimiento definitivo sino hasta la aparición del Mesías, *el* profeta por excelencia.

Bajo estas dos referencias, la palabra de Joel resuena poderosa: ese tiempo anunciado llegará a su cumplimiento. El Señor derramará su Espíritu sobre toda carne y todas las personas, sin diferencias

Para meditar

SALMO RESPONSORIAL   Salmo 106:2–3, 4–5, 6–7, 8–9

R. Demos gracias al Señor, porque su misericordia es eterna. Aleluya.

Que lo digan aquellos que el Señor
   rescató poder del enemigo,
los que reunió de todos los países
   donde estaban dispersos
   y cautivos. **R.**

Caminaban sin rumbo
   por el yermo sin agua,
sin hallar el camino de ciudad habitada;
hambrientos y sedientos su vida
se agotaba. **R.**

Pero al Señor clamaron en su angustia,
   él los libró de su desgracia
   y los llevó por el camino recto
   a ciudad habitada. **R.**

Den gracias al Señor por su bondad,
   pues en favor del hombre
   hace portentos.
Sació a los que tenían sed
   y dejó a los hambrientos satisfechos. **R.**

O bien:

I LECTURA   Joel 3:1–5

Lectura del libro del profeta Joel

Esto dice el **Señor Dios**:
"**Derramaré** mi espíritu sobre **todos**;
   profetizarán sus **hijos** y sus **hijas**,
   sus **ancianos** soñarán **sueños**
   y sus **jóvenes** verán **visiones**.
También sobre mis **siervos** y mis **siervas**
   derramaré mi **espíritu** en aquellos días.

Haré prodigios en el **cielo** y en la **tierra**:
   sangre, fuego, columnas de **humo**.
El **sol** se **oscurecerá**,
   la **luna** se pondrá **color** de **sangre**,
   antes de que **llegue** el **día grande** y **terrible** del Señor.

Cuando invoquen el nombre del Señor **se salvarán**,
   porque **en el monte Sión** y en Jerusalén **quedará un grupo**,
   como lo ha **prometido** el **Señor**
   a los **sobrevivientes** que ha **elegido**".

En vísperas de Pentecostés, toda la iglesia suspira por el don del Espíritu. Comunica esta esperanza en tu lectura.

Los signos cósmicos se repiten en Pentecostés. Lee con sentido de admiración.

Nosotros somos el grupo restante, el nuevo Israel. Que la asamblea sienta agradecimiento por el don del Espíritu.

---

de edad, clase social o género, llenas del aliento de Dios, podrán ser profetas. El relato de Pentecostés, en Hechos 2, cita expresamente este pasaje de Joel para mostrar cómo la entrega del Espíritu está en la línea del cumplimiento de las promesas antiguas. La amplitud de miras de la profecía de Joel es también un elemento a considerar en la fiesta de Pentecostés: el Espíritu Santo es la fuerza que convoca y reúne a la nueva familia de las hijas e hijos de Dios. En ella, en la iglesia, deberemos abolir cualquier división basada en la edad, el género o la clase social. El Espíritu Santo

es principio de una vida (y una sociedad) totalmente reconciliada.

II LECTURA   Los avances de la ciencia, particularmente de la física, nos han hecho caer en la cuenta de la interconexión que existe entre el género humano y las demás especies del planeta, entre nuestro planeta y el universo entero. La contemplación del planeta desde los satélites que hemos enviado al espacio y la experiencia de los astronautas, arrobados ante la pequeñez de la tierra y la amplitud del universo, han cambiado de una vez y para

siempre la concepción que teníamos de nosotros mismos como especie creada.

Además, el deterioro del ecosistema se ha convertido en una reclamación continua a los seres humanos, que, con su modelo de vida consumista y depredadora, han dado al traste con el don de la naturaleza con que el Creador nos ha premiado, sin nosotros merecerlo. Esta nueva visión ha hecho que revisáramos algunas pobres interpretaciones que habíamos cultivado, fundamentando en textos bíblicos el afán destructor que ha caracterizado a la especie humana desde sus inicios.

Para meditar

SALMO RESPONSORIAL   Salmo 103:1–2a, 24, 35c, 27–28, 29bc–30

R. Envía tu Espíritu, Señor, y repuebla la faz de la tierra.
O bien: **Aleluya.**

Bendice, alma mía, al Señor: / ¡Dios mío,
    qué grande eres! / Te vistes de belleza y
    majestad, / la luz te envuelve como un
    manto. **R.**

Cuántas son tus obras, Señor, / y todas
    las hiciste con sabiduría; / la tierra está
    llena de tus criaturas. / ¡Bendice, alma
    mía, al Señor! **R.**

Todas ellas aguardan / a que les eches
    comida a su tiempo: / se la echas, y la
    atrapan; / abres tus manos, y se sacian
    de bienes. **R.**

Les retiras el aliento, y expiran / y vuelven a
    ser polvo; / envías tu aliento, y los creas,
    / y renuevas la faz de la tierra. **R.**

II LECTURA   Romanos 8:22–27

Lectura de la carta del apóstol san Pablo a los romanos

Hermanos:
Sabemos que la **creación entera** gime hasta el **presente**
    y **sufre dolores** de parto;
    y **no sólo** ella, sino **también nosotros**,
    los que poseemos las **primicias del Espíritu**,
    gemimos **interiormente**,
    anhelando que se realice **plenamente**
        nuestra condición de **hijos de Dios**,
    la **redención** de **nuestro cuerpo**.

Porque **ya es nuestra** la **salvación**,
    pero su **plenitud** es **todavía** objeto de **esperanza**.
Esperar lo que **ya** se posee **no** es tener **esperanza**,
    porque, ¿**cómo** se puede **esperar** lo que ya se **posee**?
En cambio, si esperamos algo que **todavía** no poseemos,
    tenemos que **esperarlo** con **paciencia**.

El **Espíritu** nos ayuda en **nuestra debilidad**,
    porque **nosotros** no sabemos **pedir** lo que nos **conviene**;
    pero el **Espíritu mismo** intercede por **nosotros**
    con **gemidos** que no pueden **expresarse** con **palabras**.

El razonamiento de Pablo es complejo. No olvides leer con anterioridad el texto y permanecer fiel a los signos de puntuación.

Lo que esperamos es un acicate para nuestro actuar. La utopía es necesaria. Que tu proclamación esté impregnada de esperanza.

Habitados por el Espíritu, don bautismal, podemos estar en buenas relaciones con Dios. La docilidad al Espíritu debe transparentarse en nuestra oración.

El mensaje de Pablo lleva a una dimensión cósmica, que abarca a todo lo creado, los efectos de la redención realizada en Cristo. El pecado humano, el alejamiento de la humanidad del querer de Dios nos ha convertido en verdugos de las otras especies, dominadores y no guardianes de la creación. Es hasta que la debacle del ecosistema nos ha alcanzado y la crisis climática amenaza la existencia de nuestra especie, que hemos decidido, ojalá no demasiado tarde, regresar al cultivo de la armonía original y retomar nuestro puesto, humilde pero esen-

cial, en el concierto de la naturaleza creada por Dios.

El texto paulino nos invita, con la fuerza del Espíritu que se derramó en Pentecostés, a hacernos cargo de la creación, que gime con dolores de parto esperando su liberación. La obra de la salvación no estará completa en nosotros, sino hasta la redención de nuestros cuerpos y el retorno a la armonía original de la creación.

EVANGELIO   En el marco de la celebración de la fiesta judía de las tiendas o de las chozas, Jesús prorrumpe en

esta exclamación gozosa. Él es la fuente de la que pueden beber todos los creyentes, el agua viva que ha sido anunciada en el relato del encuentro con la samaritana (Juan 4). Los discípulos descubren en esta imagen del agua y en el manantial que de ella brota, la acción del Espíritu Santo, fruto del misterio pascual de Cristo.

La fiesta de las tiendas conmemoraba la marcha por el desierto, y uno de los gestos en los que el pueblo descubrió la compañía de Dios fue el don del agua salida de la roca para saciar la sed de los peregrinos (Éxodo 17:6), así comprendemos por qué

Y **Dios**, que conoce **profundamente** los **corazones**,
   sabe lo que el Espíritu **quiere decir**,
   porque el **Espíritu** ruega **conforme** a la voluntad de **Dios**,
   por los que le **pertenecen**.

EVANGELIO   Juan 7:37–39

Lectura del santo Evangelio según san Juan

El **último** día de la **fiesta**, que era el **más solemne**,
   exclamó Jesús en **voz alta**:
"El que tenga **sed**, que **venga a mí**; y **beba**, aquel que **cree en mí**.
Como dice la **Escritura**:
*Del **corazón** del que **cree** en mí **brotarán** ríos de **agua viva**"*.

Al decir **esto**, se refería al **Espíritu Santo**
   que habían de **recibir** los que **creyeran** en él,
   pues **aún** no había **venido** el **Espíritu**,
   porque **Jesús** no había sido **glorificado**.

El texto es breve. Léelo con ímpetu: es el anuncio de la entrega del Espíritu Santo.

uno de los elementos rituales de la fiesta incluía una peregrinación a la fuente de Siloé, de donde se llevaba agua hasta el Templo y se ofrecían plegarias por la lluvia temprana. Esta fiesta, ya en la época de Jesús, había adquirido cierto rasgo mesiánico. El marco para la declaración de Jesús era, por eso, el más adecuado.

Jesús exclama que él es el agua que calma la sed del corazón humano. Promete, además, que del corazón del creyente brotarán ríos de agua viva. Suponemos aquí el conocimiento que Jesús tenía de los textos que hablaban del agua como signo de la presencia y el amor de Dios: el torrente agua que se derrama por las cuatro puertas del templo de Jerusalén (Ezequiel 47), la promesa profética de agua para sustento de las criaturas (Isaías 43:20–21). En nuestro caso, fiesta de Pentecostés, es obligado recordar el texto profético en que el agua es identificada como signo de la presencia del Espíritu Santo (Isaías 32:15).

PENTECOSTÉS, MISA DEL DÍA

El relato de Pentecostés debe leerse con fuego en el corazón. Encomiéndate al Espíritu Santo antes de tu proclamación.

Haz sentir a la asamblea la misma inquietud por saber qué es lo que está pasando. Lee más despacio.

La enumeración de pueblos distintos es signo de la diversidad de los creyentes. Lee con anterioridad los nombres para pronunciarlos correctamente.

I LECTURA   Hechos 2:1–11

Lectura del libro de los Hechos de los Apóstoles

El día de Pentecostés, **todos** los discípulos
   estaban **reunidos** en un **mismo** lugar.
De repente se oyó un **gran ruido** que venía del **cielo**,
   como cuando sopla un **viento fuerte**,
   que **resonó** por **toda** la casa donde **se encontraban**.
Entonces aparecieron **lenguas de fuego**,
   que se distribuyeron y se posaron **sobre ellos**;
   se llenaron **todos** del **Espíritu Santo**
   y **empezaron** a hablar en **otros idiomas**,
   según el **Espíritu** los inducía a **expresarse**.

En **esos** días había en **Jerusalén** judíos **devotos**,
   venidos de **todas** partes del mundo.
Al oír el **ruido**, acudieron **en masa** y quedaron **desconcertados**,
   porque **cada uno** los oía **hablar** en su **propio idioma**.

Atónitos y **llenos de admiración**, preguntaban:
"¿No son galileos **todos estos** que están **hablando**?
¿**Cómo**, pues, los oímos hablar en **nuestra lengua nativa**?
Entre nosotros hay **medos, partos** y **elamitas**;
   otros vivimos en **Mesopotamia, Judea, Capadocia**,
   en el **Ponto** y en **Asia**, en **Frigia** y en **Panfilia**,
   en **Egipto** o en la zona de **Libia** que limita con **Cirene**.

I LECTURA Cuando Lucas escribe la historia del cristianismo primitivo en Hechos de los Apóstoles, tiene ante sí la gran historia bíblica animada por la fuerza del Espíritu Santo: él guía a los personajes de la historia de la salvación, suscita a los profetas, u orienta la reflexión de los sabios. Son precisamente los profetas los que mantienen viva la gran esperanza de la efusión renovada del Espíritu para los tiempos finales. Las vísperas de Pentecostés lo han subrayado.

El autor de los Hechos es consciente de que el movimiento cristiano se inscribe dentro de este marco de expectación bíblica. Por eso, en Pentecostés, el Espíritu inicia la nueva alianza con el nuevo pueblo de Dios; esta efusión, a diferencia de los textos del Antiguo Testamento, se realiza sobre todos los miembros de la comunidad y no solo sobre algunos. Esta es una señal de los tiempos nuevos inaugurados con la resurrección de Jesús.

Así como Jesús fue capacitado para su misión por la acción del Espíritu (Lucas 4:8), así la comunidad primitiva participa, por su fe en Jesús, de la plenitud del Espíritu. Este acontecimiento, realizado en Pentecostés al principio de la vida de la comunidad cristiana, vuelve a aparecer en momentos críticos de su caminar: cuando los samaritanos se convierten (Hechos 8:4–17), cuando Cornelio y su familia aceptan la fe (Hechos 10:34–48) y cuando los discípulos de Juan se bautizan en el nombre del Señor Jesús (Hechos 19:1–7). El Espíritu guía a la iglesia como una realidad permanente y continua. Su presencia y acción es señal de la gratuidad de Dios. Por eso es llamado don (2:38) y promesa (1:4).

II LECTURA Pablo es, además de misionero, pastor de las comuni-

Algunos somos visitantes, venidos de **Roma**, judíos y prosélitos;
   también hay **cretenses y árabes.**
Y **sin embargo,**
   cada quien los oye hablar de las **maravillas** de **Dios**
      en su **propia lengua".**

La frase final describe la unidad en la diversidad que crea el Espíritu. Lee claramente las últimas tres líneas.

Para meditar

SALMO RESPONSORIAL   Salmo 103:1ab y 24ac, 29bc–30, 31 y 34

R. Envía tu Espíritu, Señor, y renueva la faz de la tierra.

Bendice, alma mía, al Señor, ¡Dios mío, qué grande eres! Cuántas son tus obras, Señor; la tierra está llena de tus criaturas. **R.**

Les retiras el aliento, y expiran, y vuelven a ser polvo; envías tu aliento, y los creas, y renuevas la faz de la tierra. **R.**

Gloria a Dios para siempre, goce el Señor con sus obras, que le sea agradable mi poema, y yo me alegraré con el Señor. **R.**

II LECTURA   1 Corintios 12:3b–7, 12–13

Lectura de la primera carta del apóstol san Pablo a los corintios

Hermanos:
Nadie puede llamar a Jesús **"Señor",**
   si no es **bajo** la **acción** del **Espíritu Santo.**

Hay diferentes **dones,** pero el **Espíritu** es el **mismo.**
Hay diferentes **servicios,** pero el **Señor** es el **mismo.**
Hay diferentes **actividades,** pero **Dios,**
   que hace **todo en todos,** es el **mismo.**
En **cada uno** se manifiesta el **Espíritu** para el **bien común.**

Porque **así** como el **cuerpo** es **uno** y tiene **muchos miembros**
   y **todos** ellos, a pesar de ser **muchos,** forman **un solo cuerpo,**
   así **también** es **Cristo.**
Porque **todos nosotros,** seamos **judíos** o **no judíos,**
   esclavos o **libres,** hemos sido **bautizados** en un **mismo** Espíritu
   para formar **un solo cuerpo,**
   y a **todos** se nos ha dado a **beber** del **mismo Espíritu.**

Proclama con claridad los tres distintos párrafos de esta breve lectura.

Subraya la alusión a las tres personas de la Trinidad, escritas en negrillas.

El ejemplo del cuerpo sirve para anunciar la libertad que nos viene del bautismo. Lee este párrafo con gran fe en la presencia de Cristo en su iglesia.

---

dades que fundó. Por eso a muchas de ellas les dirige cartas para aconsejarlas, reprenderlas, llamarlas al orden, felicitarlas… es un pastor preocupado de la marcha comunitaria. Una de las comunidades con las que mantuvo mayor trato epistolar es la comunidad de Corinto, en la cual permaneció largos períodos y a la que convirtió en epicentro de evangelización hacia otros lugares.

En la primera carta que les escribe, Pablo enfrenta varios problemas comunitarios y da respuesta a preguntas que le habían dirigido. En el capítulo 12 tratará de responder a algunas cuestiones planteadas

debido a la proliferación de carismas en la comunidad. El Espíritu Santo, que actúa repartiendo dones y suscitando servicios, ha premiado a la comunidad de los corintios con una cantidad extensa de carismas. Es necesario, sin embargo, para conservar el orden de las asambleas y la unidad de la comunidad, que los carismas no compitan entre sí, sino se ordenen siempre al bien de toda la comunidad.

Enfrentando algunas de las manifestaciones de éxtasis presentes en la comunidad, Pablo aprovecha plantear algunos criterios para discernir los carismas: que

tengan su origen en Dios y no en las simples cualidades personales; que se reconozca que todos los dones deberán estar ordenados al bien de toda la comunidad; que tengan una relación íntima con la gracia que se ha recibido en el bautismo. El ejemplo del cuerpo le sirve a Pablo para ponderar la diversidad de dones, pero ponerlos todos al bien del organismo completo. Un mensaje que sigue teniendo actualidad.

| EVANGELIO | Es el atardecer del día de la pascua. Pedro y el discípulo amado fueron ya al sepulcro vacío, avi-

EVANGELIO   Juan 20:19–23

Lectura del santo Evangelio según san Juan

Al **anochecer** del día de la **resurrección**,
    estando **cerradas** las puertas de la **casa**
    donde se hallaban los **discípulos**,
    por **miedo** a los judíos,
    se presentó **Jesús** en **medio** de ellos y les **dijo:**
"La **paz** esté con **ustedes**".
Dicho esto, les mostró las **manos** y el **costado**.

Cuando los **discípulos** vieron al **Señor**, se llenaron de **alegría**.
De nuevo les dijo **Jesús:**
"La **paz** esté con **ustedes**.
Como el **Padre** me ha enviado, **así también** los envío **yo**".

Después de decir esto, **sopló** sobre ellos y les **dijo:**
"**Reciban** al Espíritu Santo.
A los que les **perdonen** los **pecados**, les **quedarán perdonados**;
    y a los que **no se los perdonen**, les **quedarán sin perdonar**".

La proclamación de este evangelio es un verdadero kerigma. Anúncialo con aplomo y valentía.

Que tu tono transmita a la asamblea la certeza de la presencia del Señor Resucitado.

Que tu voz desborde de alegría al anunciar la entrega del Espíritu Santo y el don del perdón.

sados por María Magdalena. El discípulo amado ha visto y ha creído. Jesús hace su primera aparición a María Magdalena, a quien le unía entrañable afecto. Después, por la tarde, sucede esta aparición a los discípulos, reunidos a puerta cerrada. Tienen miedo de las represalias por pertenecer al grupo íntimo de quien acaba de ser ajusticiado.

Jesús consagra con su aparición el día domingo, que comenzará a ser el día festivo para los cristianos. Jesús se hace presente sin que las puertas tengan que abrirse. Los discípulos comprenden que es el mismo Maestro, pero su cuerpo no es igual. Jesús

los saluda con el deseo de la paz y enseguida les muestra las señales del sufrimiento en la cruz. El reconocimiento es inmediato y se convierte en fuente de alegría, que expulsa el miedo anterior.

Entonces Jesús realiza un gesto inusitado: sopla sobre ellos. La virtud simbólica de este gesto nos conecta con el jardín del Edén (Génesis 2) donde Dios infunde el soplo vital a un muñeco de barro y lo convierte en ser viviente. La resurrección es también un acto creacional. Levantando a Jesús de entre los muertos, Dios ha comenzado la construcción de un mundo nuevo. El

principio creacional es el Espíritu Santo, entregado como fruto de la resurrección. Los discípulos ahora podrán conformar una comunidad reconciliada. Los elementos de la Eucaristía dominical se hacen transparentes: el día primero de la semana, la comunidad reunida, la presencia del Resucitado, el poder de reconciliar, el regalo del Espíritu.

SANTÍSIMA TRINIDAD

I LECTURA   Éxodo 34:4b–6, 8–9

Lectura del libro del Éxodo

En **aquello**s días,
   Moisés subió de **madrugada** al monte **Sinaí**,
   llevando en la mano las **dos tablas de piedra**,
   como le había mandado el **Señor**.
El Señor **descendió** en una **nube** y se le hizo **presente**.

Moisés pronunció **entonces** el **nombre del Señor**,
   y el **Señor**, pasando delante de él, **proclamó**:
"**Yo soy** el Señor, el **Señor Dios**,
   compasivo y **clemente, paciente, misericordioso y fiel**".

Al instante, Moisés **se postró** en tierra y **lo adoró**, diciendo:
"Si **de veras** he hallado **gracia** a tus **ojos**,
   dígnate venir **ahora** con **nosotros**,
   aunque **este pueblo** sea de **cabeza dura**;
   perdona nuestras **iniquidades** y **pecados**,
   y **tómanos** como cosa **tuya**".

El encuentro con Dios es lo central. Nota que las palabras de Moisés son una súplica de perdón.

Haz resonar en toda la Iglesia y en los corazones la declaración solemne de Dios sobre su ser y sus cualidades.

Con humildad y sinceridad pronuncia la súplica de Moisés. Cuida mucho la primera línea.

I LECTURA Leemos lo que sigue en la renovación de la alianza quebrantada por el pueblo. Ahora es Moisés quien ha preparado las losas para que Dios mismo escriba sobre ellas. También se puede notar que los nuevos mandatos no coinciden plenamente con los anteriores de Éxodo 20 y 23:14–19, en todo caso se dan por establecidos. Ahora el encuentro no es en la tienda sino en la montaña. Todo esto nos indica que no hay repetición sino avance en la teofanía y en el tema.

La nueva alianza queda preparada. Moisés invoca el Nombre divino y Dios se hace presente, se deja sentir y revela. Él hace saber lo que lo distingue. La infidelidad del pueblo es el trasfondo de su identidad. El Señor es compasivo y clemente, paciente, misericordioso y fiel. Las estipulaciones de la alianza establecen el parámetro de la justicia. La misericordia, en cambio, las rebasa. Por eso, quede claro desde aquí que la Ley y sus mandatos no son el fin primordial de la narrativa, sino aprender quién es Dios mismo: pura misericordia. Esta auto declaración de Dios es el marco de la nueva alianza en la que el pueblo hebreo, primero, y la humanidad toda, después, habrán de vivir,

celebrar y comprender en el espíritu de la comunión de Dios (Trinidad). Él nos hace cosa suya. Esta pertenencia la entendemos cumplida en el momento de nuestro bautismo, al ser dedicados a la Trinidad.

II LECTURA Estamos ante una despedida tan breve como sustancial por parte de Pablo al final de esta carta a la comunidad de Corinto. Con el vocativo *hermanos*, les exhorta en forma cordial a llevar una vida digna de los hijos de Dios. La perfección, a la que invita consiste en una vida íntegra, de autenticidad com-

Para meditar

SALMO RESPONSORIAL   Daniel 3:52, 53, 54, 55, 56

R. Cantado y exaltado eternamente.

Bendito seas, Señor, Dios de nuestros
    padres, bendito sea tu santo y glorioso
    nombre. **R.**

Bendito seas en el templo de tu santa gloria. **R.**

Bendito seas en el trono de tu reino. **R.**

Bendito seas tú, que sondeas los abismos,
    que te sientas sobre querubines. **R.**

Bendito seas en el firmamento del cielo. **R.**

II LECTURA   2 Corintios 13:11–13

Lectura de la segunda carta del apóstol san Pablo a los corintios

Hermanos:
Estén **alegres**, trabajen por su **perfección**,
    anímense mutuamente, vivan en **paz** y **armonía**.
Y el **Dios** del amor y de la paz **estará con ustedes**.

Salúdense los unos a los otros con el **saludo de paz**.

Los saludan **todos** los fieles.

La **gracia** de nuestro Señor **Jesucristo**,
    el **amor** del **Padre** y la **comunión** del **Espíritu Santo**
    estén **siempre** con **ustedes**.

Recuerda que son palabras de despedida. Hay sinceridad y elocuencia en este adiós que invita fraternalmente a estar bien.

A pesar de que a todos habrá de resonar como un saludo, tú esfuérzate en hacer el énfasis de una convincente proclamación de fe.

EVANGELIO   Juan 3:16–18

Lectura del santo Evangelio según san Juan

"**Tanto amó** Dios al mundo, que le **entregó** a su **Hijo único**,
    para que **todo** el que **crea** en él no **perezca**,
    sino que tenga la **vida eterna**.

La entonación y el ritmo de esta declaración de entrada es de suma importancia. Esfuérzate en mantener el equilibrio que pide la redacción, así como el énfasis de este grandioso mensaje.

---

pleta en el seguimiento de Jesús. Este seguimiento tiene que ser comunitario. El Apóstol quiere claramente que la comunidad viva y comparta los frutos de la presencia de Dios en sus vidas, la alegría y la paz. Pero también pretende que estén en continua preparación mediante la práctica del consuelo mutuo; esto es algo que el Apóstol insiste a menudo para que todo llegue a un solo sentir (Filipenses 2:2; 4:2; Romanos 2:16). El saludo cordial de unos con otros o *beso santo* es también típico en las comunidades y escritos de Paulo (Romanos 16:16; 1 Corintios 16:20; 1 Tesalonicenses 5:20). No

cesa de invitar a darle a la vida de la gracia en Cristo un sentido útil y practico.

Es novedosa la forma en que Pablo elabora la formula trinitaria, una de las más claras en el Nuevo Testamento, comparable acaso con la del evangelio de Mateo (28:20). Se atribuyen las funciones a cada persona de la Trinidad, pero es claro para Pablo que todo tiene como única fuente a Dios.

EVANGELIO   En la primera visita de Jesús a Jerusalén, y después de la expulsión de los mercenarios del templo, el evangelista nos lleva al "diálogo con

Nicodemo", en el que tras el diálogo inicial (3:1–12) se pasa a un monólogo de Jesús sobre el misterio de la redención. Aquí encontramos una serie de temas fundamentales en relación con la persona de Cristo y de su significado para la humanidad. Después de afirmar la cualidad única de Jesús como el Revelador del Padre, el Verbo encarnado que ha bajado del cielo, el discurso avanza y profundiza llegando al centro del misterio redentor: el amor de Dios como fuente del envío del Hijo.

La declaración del verso 16 es uno de los puntos centrales del evangelio juanino.

Después de una breve pausa baja un poco el ritmo y entonación, como quien aclara y explica, antes de cerrar nuevamente con fuerza y claridad.

Porque Dios **no envió** a su **Hijo** para **condenar** al mundo,
   sino para que el mundo **se salvara por él**.
El que **cree** en él **no será condenado**;
   pero el que no cree **ya está condenado**,
   por **no haber creído** en el **Hijo único de Dios**".

El amor de Dios refiere a un acto esencial en el que se expresa toda su verdad divina. Este mensaje central de Juan 3:16 no es un caso aislado en el trabajo del evangelista (ver 1 Juan 4:8; 4:9–16), sino que está íntimamente ligado al misterio de la encarnación del Hijo (3:17). El amor del Padre y el envío del Hijo al mundo forman un solo eje central en el proyecto de salvación de la humanidad cuya finalidad principal y única es "tener vida eterna".

Al estilo del evangelista, el verso 17 reelabora el mismo enunciado con una proposición reiterativa en donde, además se aclara específicamente que la condenación no es parte de dicha salvación. El que se entregó hasta las últimas consecuencias (Romanos 8:32; 1 Juan 4:9–10) exige de nosotros una fe hasta las últimas consecuencias también.

SANTÍSIMO CUERPO
Y SANGRE DE CRISTO

Asume el rol de un buen líder con tu comunidad. Invítalos con fuerza a recordar, motívalos con emoción a revivir lo que Dios ha hecho en su vida.

Con tono fraterno y seguro proclama esta advertencia a tus hermanos. Como si hubiesen andado el mismo camino juntos.

I LECTURA   Deuteronomio 8:2–3, 14b–16a

Lectura del libro del Deuteronomio

En **aquel** tiempo, **habló Moisés** al **pueblo** y le **dijo:**
"**Recuerda** el **camino** que el Señor, **tu Dios,**
    te ha hecho **recorrer** estos **cuarenta años** por el **desierto,**
    para **afligirte,** para ponerte a **prueba**
    y **conocer** si ibas a guardar sus **mandamientos** o **no.**

Él **te afligió,** haciéndote pasar **hambre,**
    y después **te alimentó** con el **maná,**
    que **ni tú ni tus padres** conocían,
    para **enseñarte** que **no sólo** de pan **vive** el **hombre,**
    sino **también** de **toda** palabra que **sale** de la boca de **Dios.**

No sea que **te olvides** del Señor, **tu Dios,**
    que **te sacó** de **Egipto** y de la **esclavitud;**
    que te hizo **recorrer** aquel **desierto inmenso** y **terrible,**
    lleno de **serpientes** y **alacranes;**
    que en una **tierra árida** hizo **brotar** para **ti**
    agua de la **roca más dura,**
    y que **te alimentó** en el **desierto** con un **maná**
    que **no** conocían **tus padres".**

I LECTURA   La lectura junta dos secciones breves del capítulo 8 cuyo tema central es la Tierra Prometida y en contraste con la tierra de la esclavitud (Egipto). Contra la tentación del olvido, el autor propone el remedio de la memoria. Tener presente al Señor implica reconocer su actuar en la historia. Invita a mirar hacia atrás, hacia el desierto desde donde se tenía una visión trascendente de la existencia. Es necesario traer al presente esa experiencia para vitalizar lo que se tiene enfrente, el presente-futuro.

El recuerdo del camino en el desierto no es fortuito, apunta a los puntos más significativos de la existencia humana como es el hambre y a todos los peligros que ese camino esconde, porque debieron servir para fortalecer la fe del pueblo, y acrecentar la confianza en Dios. Es una ruta pedagógica; como la que un padre obliga a recorrer a su inexperto hijo, pero siempre salvaguardándolo, para que no se haga daño. Así el pueblo se jugaba la vida frente a Dios. Estar en la Tierra Prometida incluye el gran riesgo del olvido, no solo de la experiencia sino de Dios mismo. Esta generación nueva debe

ahondar en sus raíces y en el proceso que la condujo hasta el momento actual. De otro modo, puede quedar atrapada en lo inmediato y hasta superficial. Ni el pueblo de Israel ni ningún otro pueblo podrá abrazar los valores de su identidad y misión actual si entierra su memoria histórica.

Especial sabiduría se requiere para ir más allá de sí mismo y reconocer la obra de Dios en el camino recorrido. Dios es la vida para su pueblo y con él como alimento, todo camino es bueno. Indirectamente, esta lectura prepara el discurso de Jesús Pan de

Para meditar

SALMO RESPONSORIAL   Salmo 147:12–13, 14–15, 19–20

R. Glorifica al Señor, Jerusalén.

Glorifica al Señor, Jerusalén; alaba a tu Dios, Sión, que ha reforzado los cerrojos de tus puertas y ha bendecido a tus hijos dentro de ti. **R.**

Ha puesto paz en tus fronteras, te sacia con flor de harina; él envía su mensaje a la tierra y su palabra corre veloz. **R.**

Anuncia su palabra a Jacob, sus decretos y mandatos a Israel; con ninguna nación obró así, ni les dio a conocer sus mandatos. **R.**

Toma nota de tu postura, digna y confiada. No separes mucho las afirmaciones de las preguntas.

II LECTURA   1 Corintios 10:16–17

Lectura de la primera carta del apóstol san Pablo a los corintios

Hermanos:
El **cáliz de la bendición** con el que **damos gracias**,
    ¿**no nos une** a **Cristo** por medio de su **sangre**?
Y el **pan** que partimos, ¿**no nos une** a **Cristo** por medio
    de su **cuerpo**?
El **pan** es **uno**, y así **nosotros**, aunque somos **muchos**,
    formamos **un solo cuerpo**,
    porque **todos** comemos del **mismo** pan.

vida en la Eucaristía del que nos habla el evangelio de Juan.

II LECTURA Pablo clarifica las dudas de algunos miembros de la comunidad de Corinto respecto al comportamiento que han de adoptar en situaciones nuevas. El apóstol pone más que una respuesta un criterio para discernir: hay que vivir sin miedo, pero, sobre todo, muy atentos para no escandalizar a los más débiles en la fe o sencillos en su modo de creer. La caridad con los hermanos es un principio fundamental, por encima de ciertas decisio-

nes personales. Los firmes en la fe deben vivir atentos a sus hermanos como si de sí mismos se tratara (10:12).

Por ello el punto central de la lectura se orienta al valor de la Eucaristía como vínculo de unión con Cristo y con los hermanos. Será en el capítulo siguiente cuando se aborden otros aspectos de la Eucaristía, aquí lo que le interesa al Apóstol es poner en relevancia el punto clave de la cena del Señor. Allí se establece la vinculación profunda entre el que comulga y Cristo y los hermanos. Es una especie de parentesco o consanguinidad misteriosa y profunda.

Esta unidad se simboliza en un único pan y esa comunión se realiza en un acto común (comulgar).

Nos encontramos ante uno de los testimonios más antiguos de la Iglesia sobre la Eucaristía. Y en él se nos recuerda el sentido comunitario y social de este sacramento tan central para la identidad y la misión de la Iglesia. Cada Iglesia local podría evaluar con sinceridad la equivalencia entre el aumento de las personas que comulgan y los signos de cambio social en el pueblo, las familias, los lugares de trabajo y los mismos grupos eclesiales.

Es una enseñanza, pero no autoritaria, sino de un buen pedagogo. Nada de tonos cortantes.

Nota cómo se vincula una idea con otra. Los parágrafos ayudan a conectar y preparar a lo que viene.

El discurso es bellísimo. Disfrútalo y proclámalo con serenidad, ritmo y mucha fe remachando la última parte.

EVANGELIO   Juan 6:51–58

Lectura del santo Evangelio según san Juan

En **aquel** tiempo, **Jesús** dijo a los **judíos**:
"**Yo soy** el pan vivo que ha **bajado** del cielo;
  el que **coma** de este pan **vivirá** para **siempre**.
Y el **pan** que **yo** les voy a dar
  es mi **carne** para que el **mundo** tenga **vida**".

Entonces los **judíos** se pusieron a **discutir** entre sí:
"**¿Cómo** puede **éste** darnos a **comer** su **carne**?"

Jesús les dijo:
"Yo les **aseguro**:
Si **no comen** la carne del **Hijo del hombre** y **no beben** su sangre,
  no podrán tener **vida** en **ustedes**.
El que **come** mi **carne** y **bebe** mi **sangre**,
  tiene **vida eterna** y yo lo **resucitaré** el **último día**.

Mi **carne** es **verdadera comida**
  y mi **sangre** es **verdadera bebida**.
El que **come** mi **carne** y **bebe** mi **sangre**,
  permanece en mí y **yo** en **él**.
Como el **Padre**, que me ha **enviado**,
  posee la **vida** y yo vivo **por él**,
  así también el que me come **vivirá por mí**.

Éste es el **pan** que ha **bajado** del **cielo**;
  no es como el **maná** que comieron **sus padres**, pues **murieron**.
El que **come** de este pan **vivirá** para **siempre**".

En la fiesta del Cuerpo y la Sangre de Cristo celebramos y recordamos el valor y la institución del sacramento eucarístico, pero sobre todo celebramos su raíz y su sentido más profundo: la incorporación a Cristo mismo y sus consecuencias salvíficas para todos como bien avisa san Pablo.

EVANGELIO En el discurso del pan de vida se puede notar que el protagonista principal es el Padre quien da el verdadero pan bajado del cielo y la respuesta del hombre es la fe. En la parte del desarrollo eucarístico, que ahora escucha-mos, en cambio, el protagonista es Jesús, la imagen central es el pan y el tema predominante es la vida.

Todo el discurso está impregnado de la simbología del alimento (comer y be-ber-hambre y sed), y desemboca en que el pan de vida es Cristo mismo. Él es el pan vivo bajado del cielo, el cumplimiento actual de aquello que fue una figura anticipada. No debe sorprendernos que los judíos presentes sientan la enseñanza de Jesús extraña y escandalosa. "Comer la carne" significaba cierto tipo de hostilidad destructiva (Isaías 9:19; Salmo 27:2; Jeremías 19:9), así como el hecho de consumir la "sangre" que es sede de la vida era algo estrictamente prohibido (Génesis 9:4; Levítico 17:14). Y eso es justa-mente el símbolo que invoca Jesús con el hecho de comulgar con él y con su vida.

Al final de nuestro texto se da otro avance, una nueva invitación en términos de "habitar", "vivir" y "permanecer". Esta con-vivencia permanente a través de la comu-nión transmite una vida nueva, una permanencia en Cristo (Juan 15:1–17).

XII DOMINGO ORDINARIO

I LECTURA   Jeremías 20:10–13

Lectura del libro del profeta Jeremías

En aquel tiempo, dijo Jeremías:
"Yo oía el **cuchicheo de la gente** que decía:
'**Denunciemos a Jeremías,**
    denunciemos al profeta del terror'.
Todos los que eran mis amigos **espiaban** mis pasos,
    esperaban que **tropezara** y me cayera, diciendo:
'Si se **tropieza** y se cae, lo venceremos
    y podremos vengarnos de él'.

Pero el Señor, guerrero poderoso, **está a mi lado;**
    por eso mis perseguidores **caerán** por tierra
    y **no podrán** conmigo;
    quedarán avergonzados de su **fracaso**
    y su **ignominia** será eterna e inolvidable.
Señor de los ejércitos, que **pones a prueba** al justo
    y **conoces** lo más profundo de los corazones,
    haz que **yo vea** tu venganza contra ellos,
    porque **a ti** he encomendado mi causa.

Canten y alaben al Señor,
    porque él **ha salvado** la vida de su pobre
    de la mano de los malvados".

Llama la atención de la asamblea al hacer una pausa al final de la primera frase. Aprovecha la puntuación y baja el volumen para repetir las palabras de los malvados.

Levanta un poco el tono de tu voz, para infundir confianza.

Eleva tu mirada por toda la asamblea como invitándola a la alabanza.

| I LECTURA | Es típico que la vida del profeta, su persona y su experiencia queden totalmente vinculadas al mensaje que se le encomienda pronunciar. Jeremías tiene para el pueblo un mensaje de desgracia y desolación. Tan grave es lo que se avecina que ni siquiera vale la pena engendrar hijos, de ahí que Dios prohibiera al profeta tomar mujer; su celibato era profético. Por otra parte, no se ha sabido nunca de un pueblo que reciba con agrado una corrección. Todos se voltearon contra el profeta. No aceptaron ni su mensaje ni su presencia. Pero todo aquel que se rebela

contra del profeta está también en contra de quien lo envía. Jeremías se ve acosado por sus adversarios, y por eso suplica a Dios su protector, conocedor y juez del interior de las personas; él conoce las intenciones de cada quién. De esas difíciles circunstancias nos llegan los versos de hoy.

Aunque sabemos, con Jeremías, que Dios hace brillar el rostro del justo y su causa, no por eso deja de ser pesado lo que se enfrenta. Luego vendrá la alabanza. Pero el escritor sagrado no ofreció un final feliz en esta parte pues Jeremías termina maldiciendo su vida y su destino (20:14ss.),

lo que nos obliga a ubicarnos en el sufrimiento y la angustia de este hombre de Dios. Es el precio de ser profeta de Dios. Así podremos poner en perspectiva que aun en medio de las dificultades más difíciles o incomprensibles Dios está llevando a cabo su plan de salvación.

Podemos relacionar la figura de Cristo con la de Jeremías, como de hecho lo hicieron las comunidades del Nuevo Testamento, porque en ambos casos resuena la certeza a la que refiere el final de nuestra lectura: Dios nunca aparta su mirada justiciera de la

SALMO RESPONSORIAL   Salmo 69 (68):8–10, 14 y 17, 33–35

R. (14c) Que me escuche tu gran bondad, Señor.

Por ti he aguantado afrentas,
la vergüenza cubrió mi rostro.
Soy un extraño para mis hermanos,
un extranjero para los hijos de
mi madre,
porque me devora el celo de tu templo,
y las afrentas con que te afrentan caen
sobre mí. **R.**

Pero mi oración se dirige a ti,
Dios mío, el día de tu favor;
que me escuche tu gran bondad,
que tu fidelidad me ayude:

respóndeme, Señor, con la bondad
de tu gracia;
por tu gran compasión, vuélvete
hacia mí. **R.**

Mírenlo, los humildes, y alégrense,
busquen al Señor, y revivirá vuestro
corazón.
Que el Señor escucha a sus pobres,
no desprecia a sus cautivos.
Alábenlo el cielo y la tierra,
las aguas y cuanto bulle en ellas. **R.**

II LECTURA   Romanos 5:12–15

Lectura de la carta del apóstol san Pablo a los romanos

Hermanos:
Así como por **un solo hombre** entró el pecado en el mundo
y por el pecado **entró la muerte**,
así la muerte **pasó a todos** los hombres,
porque todos pecaron.

Antes de la ley de Moisés **ya existía pecado** en el mundo
y, si bien es cierto que el pecado no se castiga cuando
no hay ley,
sin embargo, **la muerte reinó** desde Adán hasta Moisés,
aun sobre aquellos que no pecaron como pecó Adán,
cuando desobedeció un mandato directo de Dios.
Por lo demás, Adán **era figura** de Cristo, el que había de venir.

Ahora bien, el don de Dios **supera con mucho** al delito.
Pues si por el delito de un solo hombre **todos fueron castigados**
con la muerte,
por el don de **un solo hombre**, Jesucristo,
se ha desbordado sobre todos la abundancia de la vida
y la gracia de Dios.

Abarca con tu mirada a la asamblea; luego inicia la lectura.

Imprime fuerza en la primera línea. Este párrafo vincula y prepara. Sostén la atención de todos.

Haz una breve pausa y enfatiza la ilación y remarca el don sobreabundante de Dios como en un crescendo.

vida del pobre que parece estar a merced de los poderosos. El refugio es Dios, y solo él.

II LECTURA Pablo habla de la liberación del pecado y de la muerte por la obra redentora de Cristo, valiéndose de una comparación. El Apóstol hace un esfuerzo por explicar un gran misterio. No es un texto fácil. La Iglesia enseña al respecto que el pecado de Adán afectó a toda la humanidad y que se propaga por generación, no por imitación. Al nacer portamos una marca, tendencia o capacidad para lo malo, para la cual el único remedio es

Jesucristo, iniciador de la nueva humanidad. Pablo hace un paralelismo antitético que da la impresión de quedar como en empate. Pero esto se resuelve en cuanto agrega que es por medio de Cristo como se inicia una vida nueva que nos permite vivir superando las ataduras del pecado.

Esto no es una explicación abstracta sin con base en la experiencia de una realidad, la realidad de la persona de Jesús y del propio Pablo. El paralelismo al que recurre Pablo refleja también su interés en expresar la profundidad de la obra redentora de Cristo. Hay que entender esto de la muerte y del pecado

no en sentido figurado sino realista, pues es algo que esclaviza y lleva a la ruptura con Dios (Romanos 6:12), a la muerte real y de sentido, material y espiritual (ver 1 Corintios 15:56; Apocalipsis 2:11). Así mismo, con profundo realismo hay que entender la vida de plenitud y de justicia en Cristo.

Entendemos que el pecado es una realidad que es considerada más como una responsabilidad que como una fatalidad en la vida de las personas. Hablamos del original originante, el de Adán, porque con él grava a todo ser humano, pero allí es donde también el don de Cristo muestra toda su

EVANGELIO   Mateo 10:26–33

Lectura del santo Evangelio según san Mateo

En aquel tiempo, Jesús dijo a sus apóstoles:
"**No teman** a los hombres. No hay nada oculto que no llegue a
  descubrirse;
  no hay nada secreto que no llegue a **saberse**.
Lo que les digo de noche, repítanlo **en pleno día**,
  y lo que les digo al oído, pregónenlo **desde las azoteas**.

No tengan miedo a los que matan el cuerpo, pero no pueden
  matar el alma.
Teman, más bien, a quien puede arrojar al lugar de castigo el
  alma y el cuerpo.

¿No es verdad que **se venden** dos pajarillos por una moneda?
Sin embargo, ni uno solo de ellos cae por tierra **si no lo permite**
  el Padre.
En cuanto a ustedes, hasta los **cabellos de su cabeza**
  están contados.
Por lo tanto, **no tengan miedo,**
  porque ustedes valen mucho más que **todos los pájaros**
  del mundo.

A quien **me reconozca** delante de los hombres,
  yo también **lo reconoceré** ante mi Padre, que está en los cielos;
  pero al que **me niegue** delante de los hombres,
  yo también **lo negaré** ante mi Padre, que está en los cielos".

Se trata de una serie de instrucciones discipulares. Evita la monotonía con la cadencia y los énfasis apropiados.

Nota los contrarios: "No tengan miedo" y "Teman": son la ilustración convincente del asunto.

Debe notarse que las ideas se expresan en pares. La frase final es lapidaria.

---

potencia, como gracia dadora de la vida nueva de Dios.

EVANGELIO Los que han optado definitivamente por seguir los pasos del Maestro saben que en cada trecho del camino sale una nueva dificultad, a la que solo se supera con la fe. La fe se hace en el seguimiento. Pero junto a este fabricarse de la fe camina el miedo. Por eso, Jesús hace un llamado insistente a sus discípulos para que venzan esa acechanza (vv. 26, 28, 31).

Las tres grandes razones que el evangelio no enseña para vencer el miedo y llenarse de confianza son: La confianza en que el evangelio tiene una fuerza propia e invencible; la segunda es la conciencia de que viviendo en el horizonte del reino cualquier riesgo, problema o pérdida es nada comparado con la plenitud de vivir en Dios. Y la tercera razón es la presencia de Dios. Su promesa es garantía absoluta.

El evangelista ilustra su mensaje con ejemplos familiares. Un hijo de Dios es más importante que cualquier animal, distinción que hace el Salmo 36:7–10; incluso aquello que parece intrascendente (los cabellos de la cabeza, ver Salmo 40:13; 69:5) refleja el cariño personal de Dios por cada uno de sus fieles.

El quehacer del discípulo, su testimonio, es lo que determina su suerte en el juicio definitivo de Dios. En ello se juega el reconocimiento por parte de Jesús donde seremos reconocidos como suyos o como extraños. De ahí la urgencia de vencer el miedo, para no caer en una supuesta "neutralidad" de los valores del reino, sino más bien anunciarlo de cara al mundo y sin dejarse intimidar por nada.

XIII DOMINGO ORDINARIO

I LECTURA   2 Reyes 4:8–11, 14–16a

Lectura del segundo libro de los Reyes

Narra la historia con soltura como si fuera una conversación de familia.

Un día pasaba Eliseo por la ciudad de Sunem
   y una mujer distinguida lo invitó con insistencia **a comer** en
     su casa.
Desde entonces, siempre que Eliseo pasaba por ahí, iba a comer
   a su casa.
En una ocasión, ella le dijo a su marido:
"Yo sé que **este hombre**, que con tanta frecuencia nos visita,
     es un **hombre de Dios**.
Vamos a construirle en los altos una pequeña habitación.
Le pondremos allí una cama, una mesa, una silla y una lámpara,
   para que se quede allí, cuando venga a visitarnos".

Haz una pausa tras la primera oracioncita, luego acelera el ritmo para darle relevancia al rol de criado.

Así se hizo y cuando Eliseo regresó a Sunem,
   subió a la habitación y se recostó en la cama.
Entonces le dijo a su criado: "**¿Qué podemos hacer** por
   esta mujer?"
El criado le dijo: "Mira, **no tiene hijos** y su marido ya es
   un anciano".
Entonces dijo Eliseo: "**Llámala**".

Culmina con fuerza. Deja que la promesa resuene en el oído de la asamblea.

El criado **la llamó** y ella, al llegar, se detuvo en la puerta.
Eliseo le dijo:
"El año que viene, por estas mismas fechas, **tendrás un hijo** en
   tus brazos".

I LECTURA Eliseo en hebreo es *Elisha* y significa "Dios es mi salvador"; él heredó la tradición profética de Elías, aunque con personalidad propia. Si Elías era más solitario y apartado, Eliseo fue más un profeta itinerante, bien reconocido por la gente de las distintas aldeas, líder de profetas y hasta respetado por los de las altas esferas sociales. En el episodio que leemos se pueden destacar varios elementos, pero el más importante es el poder que tiene el profeta de Dios.

La mujer que es bendecida por el profeta, además de rica, es, la que prácticamente tiene todas las iniciativas a lo largo de la narración. Es hábil y capaz de persuadir tanto al esposo como al profeta, para que coma y se hospede allí. Aquella habitación con cama, silla y mesa es un lujo para ese tiempo y lugar. La mujer y su marido son generosos con Eliseo, porque lo consideran un hombre santo, por cierto, es la única mención explícita en toda la Biblia sobre la santidad del profeta.

El criado Guejazí desempeña un papel importante en la trama, pues es el intermediario del profeta. De hecho, es él quien conoce la situación y necesidad de esta sunamita, una extranjera sin hijos que, como en el caso de Abraham y Sara, era signo de vergüenza y castigo. No tener hijos es tener el futuro frustrado; vivir sin esperanza. La palabra del profeta traerá un cambio dramático. La promesa de Eliseo es la bendición más grande de Dios para cualquier mujer israelita, y con igual razón para una extranjera. Hay futuro y esperanza.

Los creyentes están siempre abiertos a la novedad que la palabra de Dios trae a su vida. Esa palabra es la que engendra futuro y nos asegura la esperanza.

SALMO RESPONSORIAL   Salmo 89 (88):2–3, 16–17, 18–19

R. (2a) Cantaré eternamente las misericordias del Señor.

Cantaré eternamente las misericordias
    del Señor,
anunciaré tu fidelidad por todas
    las edades.
Porque dije: "Tu misericordia es un
    edificio eterno,
más que el cielo has afianzado tu
    fidelidad". **R.**

Dichoso el pueblo que sabe aclamarte:
    caminará, oh Señor, a la luz de tu rostro;
tu nombre es su gozo cada día,
tu justicia es su orgullo. **R.**

Porque tú eres su honor y su fuerza,
y con tu favor realzas nuestro poder.
Porque el Señor es nuestro escudo,
y el Santo de Israel nuestro rey. **R.**

II LECTURA   Romanos 6:3–4, 8–11

Lectura de la carta del apóstol san Pablo a los romanos

Hermanos:

No pierdas las referencias a Cristo. Enfatízalas y alarga esos pronombres que lo hacen presente.

Todos los que hemos sido incorporados a Cristo Jesús
    por medio del bautismo, **hemos sido incorporados a él**,
        en su muerte.
En efecto, por el bautismo **fuimos sepultados** con él en
    su muerte,
    para que, así como Cristo resucitó de entre los muertos por la
        gloria del Padre,
    así también nosotros llevemos **una vida nueva**.

Por lo tanto, si hemos muerto con Cristo,
    estamos seguros de que también viviremos con él;
    pues sabemos que Cristo,
    una vez resucitado de entre los muertos, **ya nunca morirá**.

Resalta lo permanente del señorío de Cristo y de su poder redentor.

La muerte ya no tiene dominio sobre él,
    porque al morir, murió al pecado **de una vez para siempre**;
    y al resucitar, vive **ahora para Dios**.
Lo mismo ustedes,
    considérense muertos al pecado y **vivos para Dios**
        en Cristo Jesús, Señor nuestro.

II LECTURA La vida bautismal es un asunto clave en el pensamiento de san Pablo y en la vida de las primeras comunidades cristianas que se saben marcadas por el misterio pascual, de muerte y vida. Vivir en Cristo equivale a aceptar la gracia del perdón de Dios (v.1) y al vivir se opone el morir como experiencia pascual (v. 2)

Que nadie entienda el bautismo como un rito mágico, pues está indisolublemente vinculado a la fe vivida. Vemos que, la experiencia de lo nuevo, *re-presentado* en el bautismo, no queda expresado con las palabras habituales. Aquello pascual, de lo que el cristiano participa, exige crear un vocabulario especial, y Pablo lo refiere como el ser *co-crucificado, co-sepultado, co-heredero* y *co-glorificado*. Así es como designa esa íntima relación entre el bautizado y Cristo muerto y resucitado. Ahora, el bautizado vive "en Cristo Jesús" (ver Romanos 6:4, 6, 8; 8:17).

Es probable que, en las comunidades cristianas paulinas, los cristianos fuesen bautizados en el nombre del Señor Jesucristo (ver 1 Corintios 13:15; 6:11) o con alguna otra fórmula semejante pero aún no con la fórmula trinitaria, que más tarde se volvería general. Notemos también que el agua representa el reino inferior de la muerte (Jonás 2:6–7; Salmo 18:5) e indica muerte y renacimiento a una vida nueva, cuyo horizonte es la gloria del Padre.

La gracia que otorga el bautismo a los catecúmenos no es un perdón reiterativo sino una nueva condición, de creaturas perdonadas (ver Salmo 51:12; 2 Corintios 5:17). En esa dirección se ha de entender que el señorío de Cristo sobre la muerte no es algo cíclico sino un estado definitivo (ver 1 Corintios 15:54; Isaías 60:19–20).

Las frases van de a par, y la segunda es la consecuencia. Poco a poco, aumenta el volumen de voz en este párrafo.

Con firmeza, dale contundencia a este par de líneas.

Contacta visualmente con la asamblea y ve bajando la velocidad de lectura.

EVANGELIO   Mateo 10:37–42

Lectura del santo Evangelio según san Mateo

En aquel tiempo, Jesús dijo a sus apóstoles:
El que ama a su padre o a su madre **más que a mí**,
    no es digno de mí;
el que ama a su hijo o a su hija **más que a mí**, no es digno de mí;
y el que no **toma su cruz** y me sigue, no es digno de mí.

El que salve su vida la **perderá** y el que la pierda por mí,
    la **salvará.**

Quien los recibe a ustedes **me recibe** a mí;
y quien **me recibe** a mí, recibe al que me ha enviado.

El que **recibe** a un profeta por ser profeta, recibirá recompensa
    de profeta;
el que **recibe** a un justo por ser justo, recibirá recompensa
    de justo.

Quien **diere**, aunque no sea más que un vaso de agua fría
a uno de estos pequeños, **por ser discípulo mío**,
yo les aseguro que **no perderá** su recompensa".

Hoy, Pablo y la Iglesia nos solicitan valorar la gracia de nuestro propio bautismo y liberarnos de toda atadura de muerte y vivir para Dios, en Cristo.

EVANGELIO El seguimiento de Jesús es incondicional, porque une a él con mayor fuerza que los propios lazos familiares. Optar por ser discípulo de Jesús exige un nivel de fidelidad, de entrega y de servicio que puede entrar en conflicto, en primer lugar, con uno mismo. Uno busca seguridades, cuando la única seguridad tiene que ser la alianza con Cristo. En dicha

alianza se camina seguro, con entera confianza en Dios, y por eso el seguimiento está por encima de la propia familia, que era la identidad fundamental. Seguir a Cristo cambia los registros de todas las relaciones del discípulo.

Con el segundo párrafo se enfoca el asunto de la misión. Primero se nos refiere al contexto de la hospitalidad. Ese valor central del pueblo de Dios, Jesús lo retoma con su doble implicación, recibir a Dios y al hermano. Específicamente puede estarse refiriendo ya, en el contexto del evangelista Mateo, a la existencia de discípulos itineran-

tes y a grupos de discípulos más o menos ya establecidos. El enviado es como quien lo envía, decían los rabinos. Los discípulos sedentarios habrán de recibir a los predicadores como a Cristo mismo. Los tres ejemplos de enviados a los que alude Jesús son 1) los profetas y la dignidad de su misión, 2) los justos con su conducta como recomendación y 3) los más pequeños que portan el título de ser los preferidos por Dios. Con ellos hay que ejercer la hospitalidad.

XIV DOMINGO ORDINARIO

I LECTURA   Zacarías 9:9–10

Lectura del libro del profeta Zacarías

Dale garbo y prestancia a tu expresión corporal para que transmita la alegría y esperanza a la asamblea.

Esto dice el **Señor:**
"**Alégrate** sobremanera, hija de **Sión;**
da gritos de **júbilo,** hija de **Jerusalén;**
mira a **tu rey** que viene a ti,
justo y **victorioso,**
humilde y **montado** en un **burrito.**

Con tono de certeza, afirma estas líneas. El escritor sagrado no sabía eso aún.

Él hará **desaparecer** de la tierra de Efraín los **carros de guerra**
y de **Jerusalén,** los **caballos de combate.**
Romperá el arco del **guerrero**
y **anunciará** la **paz** a las **naciones.**
Su **poder** se extenderá de **mar** a **mar**
y desde el **gran río** hasta los **últimos rincones** de la **tierra".**

Para meditar

SALMO RESPONSORIAL   Salmo 144:1–2, 8–9, 10–11, 13cd–14

R. Te ensalzaré, Dios mío, mi rey, bendeciré tu nombre por siempre jamás.

Te ensalzaré, Dios mío, mi rey, bendeciré tu nombre por siempre jamás. Día tras día te bendeciré y alabaré tu nombre por siempre jamás. **R.**

El Señor es clemente y misericordioso, lento a la cólera y rico en piedad; el Señor es bueno con todos, es cariñoso con todas sus criaturas. **R.**

Que todas las criaturas te den gracias, Señor. Que te bendigan tus fieles, que proclamen la gloria de tu reino, que hablen de tus hazañas. **R.**

El Señor es fiel a sus palabras, bondadoso en todas sus acciones. El Señor sostiene a los que van a caer, endereza a los que ya se doblan. **R.**

I LECTURA El nombre del profeta cubre las dos partes del libro (caps. 1–8; 9–14). El "primer Zacarías" es un profeta que tiene muy posiblemente antecedentes sacerdotales (ver Nehemías 12:16) de ahí su particular preocupación por el culto y el templo. El "segundo Zacarías" (caps. 9–14) pone de relevancia más bien la figura mesiánica y su sentido, con imágenes como las del rey, pastor, siervo y señor.

En el oráculo presente se anuncia la liberación del pueblo con la llegada de un nuevo rey-mesías. Este nuevo rey es justo y humilde. Su presencia y su llegada apunta a una realidad totalmente nueva, pues este rey-mesías victorioso no logra su victoria por medio de alianzas humanas que producen guerra y muerte. Él es un rey con un reinado diferente, porque es el mismo Señor quien habrá de inaugurar esta nueva era en donde todo el pueblo de Dios será congregado hasta hacerse uno. Esta figura típica es citada por los evangelios para ilustrar el sentido y alcance de la entrada triunfal de Jesús a Jerusalén.

La perspectiva cristiana del poder y del liderazgo es radicalmente diferente y hasta contraria a tantos modelos actuales que reclaman para sí poder y reconocimiento. El cristiano sincero sabe muy bien que un auténtico liderazgo es sencillo y servicial. Si no sirve, no sirve.

II LECTURA La vida espiritual se entiende como opuesta a la vida carnal, no en el sentido de una separación entre el alma y el cuerpo sino en el sentido de una vida auténticamente cristiana. La vida que está animada y sustentada por el espíritu de Cristo, más que por las apetencias egoístas de la carne. El Espíritu Santo es el nuevo principio de vitalidad para

Apela desde el corazón a la asamblea. Siéntete también aludido en la lectura.

II LECTURA   Romanos 8:9, 11–13

Lectura de la carta del apóstol san Pablo a los romanos

Hermanos:
Ustedes no viven conforme al **desorden egoísta** del **hombre**,
    sino conforme al **Espíritu**, puesto que el Espíritu de **Dios** habita
        verdaderamente en **ustedes**.
Quien **no** tiene el **Espíritu de Cristo**, no es **de Cristo**.
Si el Espíritu del **Padre**,
    que resucitó a **Jesús** de entre los muertos, **habita** en **ustedes**,
    entonces el **Padre**, que **resucitó** a Jesús de entre los **muertos**,
    también les dará vida a sus **cuerpos mortales**,
    por obra de su **Espíritu**, que habita en **ustedes**.

La conclusión tiene un sentido de corrección fraternal más que de reclamo tajante. Así ponlo a consideración y concluye con estilo de buen maestro.

Por lo tanto, **hermanos**,
    no estamos sujetos al **desorden egoísta** del **hombre**,
    para hacer de **ese** desorden nuestra **regla de conducta**.
Pues si **ustedes** viven de **ese** modo, **ciertamente** serán **destruidos**.
Por el **contrario**, si con la **ayuda** del Espíritu **destruyen**
        sus **malas acciones**,
    entonces **vivirán**.

EVANGELIO   Mateo 11:25–30

Lectura del santo Evangelio según san Mateo

Esta oración es hermosa y tradicional; oración filial. Proclámala con vigor y confianza.

En **aquel** tiempo, **Jesús** exclamó:
"¡Te doy gracias, Padre, **Señor** del cielo y de la tierra,
    porque has **escondido estas cosas** a los **sabios** y **entendidos**,
        y las has **revelado** a la gente **sencilla**!
Gracias, Padre, porque **así** te ha parecido **bien**.

---

ello. Es una nueva realidad básica y dinámica que no debe reducirse a versiones simplistas o polarizadas. El cristiano vive "en el Espíritu" pero también el Espíritu vive en él. Es un proceso dinámico y fructífero. Reina la coherencia sobre la contradicción. Tampoco hay confusión entre el Espíritu Santo y el espíritu de Cristo o el Espíritu en Cristo. Un recuerdo básico del misterio de la Trinidad divina nos ayudaría mucho en este aspecto.

El fondo de las expresiones espirituales que el apóstol Pablo emplea, es la diversidad de perspectivas para comprender la experiencia de vida cristiana. Pablo tiene plena conciencia de la diferencia y relación entre el espíritu de Cristo y el Espíritu. Este último es la fuerza divina que resucita a Cristo y por el cual el cristiano recibe una vida nueva.

La parte final de la lectura (vv. 12–13) es al mismo tiempo conclusión y exhortación. Se concluye, por lo tanto, que el cristiano ya no está bajo el imperio de la carne y del egoísmo, sino bajo el poder el Espíritu. Cuando hay fe verdadera se destierra todo temor de no poder superar las tentaciones y llevar una vida digna haciendo la voluntad de Dios. Sin embargo, para Pablo no está por demás hacer la invitación para aquellos que aun siendo libres en Cristo se dejan esclavizar por el pecado. Si quieren evitar la destrucción deben renovar su fe y hacer uso del poder del Espíritu que ya han recibido.

EVANGELIO Después de interpelar a los pueblos y ciudades que no se convierten (11:20–24) y de clarificar a los discípulos de Juan quien es el verdadero maestro (11:2–19) y cuál es su problema como discípulos, Jesús va a un punto esencial en su visión y anuncio: el lugar

Ahora exhorta con amabilidad. Mira a la asamblea al entrar a este párrafo.

El **Padre** ha puesto **todas** las cosas en **mis manos**.
Nadie conoce al **Hijo** sino el **Padre**;
nadie conoce al **Padre** sino el **Hijo**
y **aquel** a quien el **Hijo** se lo quiera **revelar**.

Vengan a mí, **todos** los que están **fatigados**
y **agobiados** por la carga
y yo los aliviaré'.
Tomen mi yugo sobre **ustedes** y **aprendan** de mí,
que soy **manso** y **humilde de corazón**,
y encontrarán **descanso**,
porque **mi yugo** es **suave** y **mi carga, ligera**".

de los pobres y sencillos en el anuncio del reino de Dios.

El rechazo de sabios y poderosos a Jesús y su mensaje no es solo una simple imagen de contraste para mostrar que los pobres, sencillos e ignorantes están, por el contrario, más abiertos a Dios. Es un contraste real que se puede comprobar en la historia y que denota dos importantes cosas en relación con la fe. Que la fe en Jesús es un don de Dios y no un fruto del esfuerzo simplemente humano. Igualmente, nos hace ver que son los pobres y sencillos precisamente quienes están dispuestos a recibir

ese don y seguir a Jesús con total confianza y gratitud.

La revelación que hace Jesús en este discurso nos hace verlo como el revelador de la sabiduría de Dios. En un primer momento (vv. 25–26), Jesús hace una oración de acción de gracias a Dios por esta decisión, luego expresa el contenido de la revelación (v. 27) que es la relación íntima entre el Padre y el Hijo. Este verso además de central en este pasaje, es también de suma importancia en la tradición común de los evangelios y bien podríamos estar en la raíz de la cristología. Luego, en los versos 28–30,

se hace una invitación a participar de esta revelación. Una invitación que torna a los invitados en sencillos y humildes, cansados y agobiados que en Jesús encontraran alivio y descanso. Nos recuerda la sabiduría del Eclesiástico (51:2–30) que invita a entrar gratuitamente en la sabiduría divina.

El discípulo está llamado a ser un aprendiz de Jesús de por vida.

XV DOMINGO ORDINARIO

I LECTURA   Isaías 55:10–11

Lectura del libro del profeta Isaías

Esto dice el **Señor**:
"Como **bajan** del cielo la **lluvia** y la **nieve**
    y no **vuelven** allá, sino **después** de **empapar** la tierra,
    de **fecundarla** y hacerla **germinar**,
    a fin de que dé **semilla** para **sembrar** y **pan** para **comer**,
    así será la **palabra** que **sale** de mi boca:
    no volverá a mí sin **resultado**,
    sino que **hará** mi **voluntad**
    y **cumplirá** su **misión**".

Una breve pausa después de la frase de apertura. Toma suficiente aire para que no arrastres palabras ni cortes el ritmo y la cadencia hasta llegar a los dos puntos. La parte final sigue siendo parte del ritmo inicial, solo acentúa con tono conclusivo.

Para meditar

SALMO RESPONSORIAL   Salmo 64:10abcd, 10e–11, 12–13, 14
R. La semilla cayó en tierra buena y dio fruto.

Tú cuidas de la tierra, la riegas y la
    enriqueces sin medida; la acequia de
    Dios va llena de agua, preparas los
    trigales. **R.**

Tú preparas la tierra de esta forma: riegas los
    surcos, igualas los terrones, tu llovizna
    los deja mullidos, bendices sus brotes. **R.**

Coronas el año con tus bienes, tus carriles
    rezuman abundancia; rezuman los
    pastos del páramo, y las colinas se orlan
    de alegría. **R.**

Las praderas se cubren de rebaños, y los
    valles se visten de mieses que aclaman
    y cantan. **R.**

I LECTURA   El segundo Isaías (caps. 40–55) culmina su mensaje con una buena noticia de consuelo y esperanza. Un canto a la fecundidad y eficacia de la palabra de Dios. Solo ella es garante y protagonista de la liberación que se avecina. Dicha palabra nunca cesa de cumplir la misión que el Señor le encomienda. Las imágenes de la lluvia y la nieve juegan un papel crucial en el contexto social como el de Israel, ya que a través de ellas se garantiza el nacimiento de la nueva vida. Así como las aguas riegan y fecundan la tierra para hacerla producir frutos, de modo semejante la palabra que sale de la boca de Dios cumple su obra y no regresa vacía.

El hombre puede comprender esta imagen de la palabra que está en medio de la cercanía y la lejanía de Dios, para ver cómo Dios se hace cercano y revela su sanación eficaz; para saber que la presencia de Dios tiene un ritmo que va más allá de la eficiencia. Como el ciclo natural de la lluvia, la palabra de Dios es al mismo tiempo alimento presente y semilla de futuro. Nos corresponde entrar en esta dinámica divina de su presencia salvífica dejándonos transfor-

mar para ser y llegar a ser al mismo tiempo semilla y fruto del amor de Dios.

II LECTURA   La lectura anterior nos centró en la vida cristiana bajo la vitalidad de Dios, es decir bajo la fuerza y poder del Espíritu Santo, el Espíritu de Cristo resucitado. Ahora estos versos nos ponen al tanto del sufrimiento en la vida cristiana relacionándolo con la esperanza de participar en la gloria de Cristo resucitado.

El sufrimiento (ver 8:14–17) por más que sea parte de la vida y ayude a la purificación del cristiano no es constitutivo de la

II LECTURA   Romanos 8:18–23

Lectura de la carta del apóstol san Pablo a los romanos

Hermanos:
Considero que los **sufrimientos** de **esta vida**
   no se pueden **comparar** con la **gloria**
      que **un día** se manifestará en **nosotros**;
   porque **toda** la creación **espera**, con **seguridad** e **impaciencia**,
   la **revelación** de esa **gloria** de los **hijos de Dios**.

La creación está **ahora sometida** al **desorden**,
   no por su **querer**, sino por **voluntad** de **aquel** que la **sometió**.
Pero dándole al **mismo tiempo** esta **esperanza**:
   que también **ella misma** va a ser **liberada**
   de la **esclavitud** de la **corrupción**,
   para **compartir** la gloriosa **libertad** de los **hijos de Dios**.

Sabemos, **en efecto**,
   que la **creación entera gime** hasta el **presente**
      y **sufre dolores** de parto;
   y **no sólo** ella, sino **también nosotros**,
      los que **poseemos** las primicias del **Espíritu**,
   gemimos **interiormente**,
   anhelando que se realice **plenamente** nuestra condición
      de **hijos de Dios**,
   la **redención** de **nuestro cuerpo**.

EVANGELIO   Mateo 13:1–23

Lectura del santo Evangelio según san Mateo

Un día salió **Jesús** de la casa donde **se hospedaba**
   y **se sentó** a la orilla del **mar**.

El tono testimonial, sereno y lleno de confianza permea toda la lectura.

Enfatiza la esperanza para todos porque es la intención del Apóstol. En este y en el siguiente párrafo se hace el mismo contraste, evita ser monótono; matiza tu voz.

Enfatiza la tercera persona del plural frente al mismo Espíritu para todos.

Usa un tono mesurado, como de sabiduría y convicción, al narrar las enseñanzas del maestro.

salvación. De igual modo, es la libertad y la dignidad de los hijos de Dios y no la esclavitud la que constituye el motor de la vida del cristiano. Somos hijos y herederos de la gloria que se nos ha de revelar y San Pablo lo recuerda inmediatamente al inicio de nuestra lectura. Es decir que, aun cuando el sufrimiento está presente en la vida cristiana, ese no es nuestro destino. Es una transición que, aunque dura y dolorosa no es para siempre y dicha transición (crisis, sufrimiento) de vida a mejor vida es algo que no solo aqueja al ser humano sino a toda la creación. Con esta solidaridad dolorosa intrínse-

ca en todo el mundo de la vida (personas, cosas, animales, vegetales, etc.), el Apóstol nos hace recordar la promesa de Dios hecha a Noé sobre la alianza que se habría de hacer "entre yo y vosotros y todo ser vivo" (Génesis 9:12–13).

Pablo nos dice que Dios aun a pesar de la maldición de la tierra sometida al desorden por causa del pecado de Adán, todavía le dio una esperanza de tener parte en la redención humana. Dicha visión y concepto de esperanza no se encuentra en el relato del Génesis. Es un aporte de la fe y la convicción de Pablo atribuyendo a quien la mal-

dijo (Dios) la capacidad de apertura a la bendición (esperanza). Es muy significativo saber que Pablo es el primer autor bíblico que introduce esta nota de esperanza. Bellísima visión de que toda la creación será participe de la gloria definitiva de Dios y no solo espectadora. Entonces toda la tierra será también liberada del "ultimo enemigo" (1 Corintios 15:23–28).

Pues todos y todo traemos ya en nuestro ser la semilla de Dios, el Espíritu como primicia. Pablo está haciendo una comparación al hecho de que cuando el pueblo ofrecía las primicias de la cosecha a Dios

Con ritmo moderado ve ofreciendo
a pinceladas los distintos momentos de
la parábola.

Se reunió en torno suyo tanta gente,
    que él se vio obligado a subir a una barca, donde se sentó,
    mientras la gente permanecía en la orilla.
Entonces Jesús les habló de muchas cosas en parábolas y les dijo:

"Una vez salió un sembrador a sembrar,
    y al ir arrojando la semilla,
    unos granos cayeron a lo largo del camino;
    vinieron los pájaros y se los comieron.
Otros granos cayeron en terreno pedregoso, que tenía poca tierra;
    ahí germinaron pronto, porque la tierra no era gruesa;
    pero cuando subió el sol, los brotes se marchitaron,
    y como no tenían raíces, se secaron.
Otros cayeron entre espinos, y cuando los espinos crecieron,
    sofocaron las plantitas.
Otros granos cayeron en tierra buena y dieron fruto:
    unos, ciento por uno; otros, sesenta; y otros, treinta.
El que tenga oídos, que oiga".

A la irrupción de los discípulos con su
inquietud, cambia el tono y prepara la
enseñanza principal.

Después se le acercaron sus discípulos y le preguntaron:
"¿Por qué les hablas en parábolas?"
Él les respondió:
"A ustedes se les ha concedido
    conocer los misterios del Reino de los cielos,
    pero a ellos no.
Al que tiene, se le dará más y nadará en la abundancia;
    pero al que tiene poco, aun eso poco se le quitará.
Por eso les hablo en parábolas,
    porque viendo no ven y oyendo no oyen ni entienden.

En ellos se cumple aquella profecía de Isaías que dice:
Oirán una y otra vez y no entenderán;
    mirarán y volverán a mirar, pero no verán;
    porque este pueblo ha endurecido su corazón,
    ha cerrado sus ojos y tapado sus oídos,
    con el fin de no ver con los ojos,
    ni oír con los oídos, ni comprender con el corazón.
Porque no quieren convertirse ni que yo los salve.

(Levítico 23:15–21) estaba ya ofreciendo de suyo toda la cosecha.

El cristiano es ya hijo de Dios (8:15) por obra y gracia del Espíritu Santo y con "tal primicia" vive su vida mirando hacia delante a la cosecha completa de gloria de Dios que es la redención de todo y de todos en él, incluido por supuesto el cuerpo y toda la materia.

EVANGELIO La catequesis del evangelio de Mateo sobre el reino de Dios nos muestra a Jesús, especialmente en este capítulo 13 explicando magistralmente lo que significa el misterioso trabajo de Dios con el Evangelio.

El arte de contar parábolas fue sin duda una de las características de Jesús como maestro. Estas narraciones ejemplares cautivan al oyente y lo mantienen atento y acercándose al misterio de Dios presente y actual, al tiempo que lo animan a una transformación profunda en su vida.

La parábola del sembrador (13:3b–9) es contada en forma breve y sustanciosa. Seguida por una explicación que ayuda a los oyentes a entender su sentido y significado. Nuestra lectura también cuenta con un marco de entrada (vv. 13:1–3a) a la parábola, pero que sirve también a todo el capítulo 13 que reúne siete parábolas del reino. El reino que está ya haciéndose realidad en la misma persona de Jesús (ver Mateo 4:17—11:1), en sus palabras y milagros, a pesar del rechazo y oposición de muchos (11:2—12:50).

Jesús prefirió enseñar en la intemperie, a campo abierto, más que en la comodidad de una casa o en el templo. Encontrando a la gente en su realidad y en sus caminos. Esta debió ser una ocasión especial para

Pero **dichosos, ustedes,** porque **sus ojos ven** y **sus oídos oyen.**
Yo les **aseguro** que **muchos profetas** y **muchos justos**
    desearon ver lo que **ustedes** ven y no lo **vieron**
    y **oír** lo que **ustedes** oyen y no lo **oyeron.**

Escuchen, pues, **ustedes** lo que **significa** la parábola
    del **sembrador.**

A **todo** hombre que **oye** la palabra del **Reino** y **no** la **entiende,**
    le llega el **diablo** y le **arrebata** lo **sembrado** en su **corazón.**
Esto es lo que **significan** los **granos que cayeron**
    a lo largo del **camino.**

Lo sembrado sobre **terrero pedregoso** significa
    al que **oye la palabra** y la acepta **inmediatamente** con **alegría;**
    pero, como es **inconstante,** no la deja **echar raíces,**
    y **apenas** le viene una **tribulación** o una **persecución**
    por **causa** de la palabra, **sucumbe.**

Lo sembrado entre los **espinos** representa a **aquel**
    que **oye la palabra,**
    pero las **preocupaciones** de la vida y la **seducción**
    de las **riquezas** la **sofocan**
    y queda **sin fruto.**

En cambio, lo sembrado en **tierra buena**
    representa a quienes **oyen la palabra,**
    la **entienden** y dan **fruto:**
    unos, el **ciento por uno;** otros, el **sesenta;** y otros, el **treinta**".

Forma breve: Mateo 13:1–9

---

que Jesús optara por una acción poco común: ensenar desde una barca.

La figura del sembrador y la narración sobre su actuar tiene destinatarios bien definidos como es la población rural ahí presente quien escuchará con interés y captará el mensaje más allá incluso de las palabras.

La parábola se ubica en el contexto de una tierra árida y con bastantes limitaciones en el espacio para sembrar. Los distintos espacios en los que cae la semilla representan la vida y el corazón humano y su capacidad para responder a la obra de Dios. Pero, tal vez el punto principal a considerar en esta narración sea la actitud del sembrador. Dios arroja la semilla a manos llenas para todos y en todos los campos. Es muy generoso en su oferta. No menosprecia ningún camino ni realidad. No hay semilla especial para campos o personas especiales. Todos tienen acceso al reino de Dios y a entrar en una vida de frutos buenos. Y "el que tenga oídos para oír que oiga". Así es la invitación repetida muchas veces (ver 11:15; 13:43) al pueblo para que ponga atención a la revelación de Dios, a los signos de su presencia por medio de Jesús.

Ni aquí ni en ninguna otra enseñanza de Jesús se adopta el proceso de "anunciar a los buenos" sino de anunciar a todos para que sean buenos y produzcan buen fruto. Finalmente, la obra del sembrador sigue adelante siempre y continuamente: Si dormidos o despiertos, si de noche o de día, de todos modos, la semilla germina y crece y vendrá el tiempo de frutos.

XVI DOMINGO ORDINARIO

Eleva el tono con solemnidad y fuerza, como alabando la grandeza de Dios.

I LECTURA   Sabiduría 12:13, 16–19

Lectura del libro de la Sabiduría

No hay más Dios que **tú**, Señor, que **cuidas** de **todas** las cosas.
No hay **nadie** a quien tengas que **rendirle cuentas**
   de la **justicia** de tus **sentencias**.
Tu **poder** es el **fundamento** de tu **justicia**,
   y por ser el **Señor de todos**,
   eres **misericordioso** con **todos**.

Tú **muestras tu fuerza**
   a los que **dudan** de tu **poder soberano**
   y **castigas** a quienes, **conociéndolo**, te **desafían**.
Siendo **tú** el **dueño** de la **fuerza**,
   juzgas con **misericordia** y nos **gobiernas** con **delicadeza**,
   porque **tienes** el **poder** y lo **usas** cuando **quieres**.

Con **todo esto** has **enseñado** a tu **pueblo**
   que el **justo** debe ser **humano**,
   y has **llenado** a tus **hijos** de una **dulce esperanza**,
   ya que al **pecador** le das **tiempo** para que se **arrepienta**.

Ve bajando la intensidad hasta concluir.

I LECTURA El libro de la Sabiduría es con toda seguridad el ultimo escrito del Antiguo Testamento. Muy cercano ya al tiempo de Jesús. En él se combinan valores del intercambio entre la cultura griega y la judía. El tercer bloque del libro (caps. 10–19) tiene la particularidad de que ya no muestra a la sabiduría en escena. Se desarrolla más como una serie de meditaciones y comentarios a la experiencia que el pueblo tuvo del éxodo. Y mantiene un esquema básico haciendo ver que lo que provoca el castigo de los enemigos se torna en bendición para el pueblo elegido. El tema de la justicia divina permea en distintos modos toda esta parte del libro.

Nuestro texto proviene del capítulo que desglosa el castigo al que se hace merecedor el pueblo idólatra. Los versos que leemos, sin embargo, enfocan más el poder de Dios que obra justicia. El autor anima la esperanza de un pueblo frente al Dios único cuyos juicios son acertados. Su poder no radica en el castigo injusto sino en el bello equilibrio entre justicia y misericordia.

El poder de Dios es, además de bondadoso y justo, pedagógico y esperanzador. Todo el que cree en el Dios verdadero encuentra una posibilidad a su arrepentimiento dejándose acoger en su plan salvífico. Es difícil, por no decir imposible, para los poderes del mundo y los poderosos comprender el tipo de poder Dios. Pero el pueblo que es de Dios y experimenta su misericordia está llamado a practicar esa misma misericordia y justicia en su interior y en sus instituciones sociales.

II LECTURA El capítulo 8 está prácticamente dedicado a reflexionar sobre la vida cristiana en el Espíritu. Nos ha hecho ver que el Espíritu es un principio

Para meditar

SALMO RESPONSORIAL   Salmo 85:5–6, 9–10, 15–16a

R. Tú, Señor, eres bueno y clemente.

Tú, Señor, eres bueno y clemente, rico en misericordia con los que te invocan. Señor, escucha mi oración, atiende a la voz de mi súplica. **R.**

Todos los pueblos vendrán a postrarse en tu presencia, Señor, bendecirán tu nombre:

"Grande eres tú y haces maravillas; tú eres el único Dios". **R.**

Pero tú, Señor, Dios clemente y misericordioso, lento a la cólera, rico en piedad y leal, mírame, ten compasión de mí. **R.**

II LECTURA   Romanos 8:26–27

Lectura de la carta del apóstol san Pablo a los romanos

Esfuérzate por proclamar con serenidad y equilibro, procurando guiar la atención de los escuchas.

Hermanos:
El **Espíritu** nos **ayuda** en **nuestra debilidad**,
    porque nosotros **no sabemos pedir** lo que nos **conviene**;
    pero el **Espíritu mismo intercede** por **nosotros**
    con **gemidos** que no pueden **expresarse** con **palabras**.
Y **Dios**, que conoce **profundamente** los **corazones**,
    sabe lo que el Espíritu **quiere decir**,
    porque el **Espíritu ruega** conforme a la **voluntad de Dios**,
        por los que le **pertenecen**.

EVANGELIO   Mateo 13:24–43

Lectura del santo Evangelio según san Mateo

Identifica los momentos de la lectura para hacer énfasis distintos. Comienza con enfatizar la pregunta de los trabajadores.

En **aquel** tiempo, **Jesús** propuso **esta parábola** a la **muchedumbre**:
"El **Reino de los cielos** se parece a un **hombre**
    que **sembró buena semilla** en su **campo**;
    pero mientras los **trabajadores dormían**,
    llegó un enemigo del dueño,
    sembró cizaña entre el **trigo** y se **marchó**.
Cuando **crecieron** las **plantas** y se empezaba a **formar** la **espiga**,
    apareció **también** la **cizaña**.

El no de la respuesta es tajante y decidido. Pronuncia con determinación y claridad las siguientes líneas.

vital que nos hace hijos en el Hijo y capaces de vivir dicha filiación. Las dificultades son parte de esta lucha, pero no tienen más valor ni fuerza que la esperanza definitiva. En dos versitos el Apóstol nos pone frente a una gran realidad de la persona y su fe: La debilidad humana y la intervención del Espíritu.

Se trata de un testimonio del propio apóstol sobre la intervención del Espíritu en la propia vida. En todo momento debemos estar conscientes de que las aspiraciones personales corren el riesgo de ser ineficaces debido a la propia debilidad, pero el Espíritu añade su intervención, en modo

especial para todo cristiano que sabe orar confiadamente a Dios. El asiste con su poder a todo aquel que está dispuesto y abierto a su obra.

El Espíritu posee la misma cualidad de Dios que escruta los corazones (ver 1 Samuel 16:7). Así que, el propio Dios, cuyo lenguaje es el del Espíritu, vibra con la oración que brota del corazón filial del cristiano, porque está hecha con el mismo Espíritu derramado desde el momento del bautismo. No hay sintonía más perfecta que esta. De esta manera, es el propio Espíritu el que nos pone en el horizonte del plan de salvación

formulado por Dios. Plan que se esboza en forma muy breve en los siguientes versos de este capítulo 8 (vv. 28–30).

Nuestra vida ordinaria debe estar permeada de una actitud de oración permanente. En medio de la lucha habremos de mantener siempre la apertura a la voluntad de Dios y, por medio de la oración, asumir nuestras debilidades sin fatalismos, llenos de esperanza y confianza en Dios. El Espíritu trabaja con nosotros y por nosotros pues siendo frágiles y limitados, como niños, no podemos articular con suficiente claridad nuestros deseos y necesidades, pero el

Entonces los **trabajadores** fueron a decirle al **amo**:
'**Señor**, ¿qué no sembraste **buena semilla** en tu campo?
¿De dónde, **pues**, salió esta **cizaña**?'
El amo les respondió: 'De **seguro** lo hizo un **enemigo mío**'.
Ellos le dijeron: '¿**Quieres** que vayamos a **arrancarla**?'
Pero él les **contestó**:
'**No**. No sea que al **arrancar** la **cizaña**, arranquen **también** el **trigo**.
Dejen que **crezcan juntos** hasta el tiempo de la **cosecha**
    y, cuando **llegue** la cosecha, **diré** a los **segadores**:
Arranquen primero la **cizaña** y **átenla** en gavillas para **quemarla**;
    y **luego almacenen** el **trigo** en mi **granero**'".

Luego les propuso esta **otra parábola**:
"El **Reino de los cielos** es **semejante** a la **semilla de mostaza**
    que un hombre **siembra** en un **huerto**.
Ciertamente es la **más pequeña** de **todas** las semillas,
    pero cuando **crece**, llega a ser **más grande** que las **hortalizas**
    y **se convierte** en un **arbusto**,
    de manera que los **pájaros vienen** y **hacen su nido** en las **ramas**".

Les dijo **también otra** parábola:
"El **Reino de los cielos** se parece a un **poco de levadura**
    que tomó una **mujer**
    y la **mezcló** con tres medidas de **harina**,
    y **toda** la masa acabó por **fermentar**".

Jesús decía a la muchedumbre **todas estas cosas** con **parábolas**,
    y **sin** parábolas **nada** les decía,
    para que se **cumpliera** lo que dijo el **profeta**:
*Abriré mi boca y les hablaré con **parábolas**;*
    *anunciaré lo que estaba **oculto** desde la creación del **mundo**.*

Luego despidió a la **multitud** y se fue a su **casa**.
Entonces se le **acercaron** sus **discípulos** y le dijeron:
"**Explícanos** la **parábola** de la **cizaña sembrada** en el **campo**".

Haz la pausa respectiva, pero sin alargar demasiado.

La imagen de esta parábola es muy familiar y hogareña. Eleva el tono hacia la culminación.

Procura que se note en tu voz el cumplimiento escriturario.

Espíritu se encarga de formularlos con claridad y de realizarlos a cabalidad pues es poder y dinamismo de acción y de oración a la vez.

Tenemos que orar y vivir confiados en el Espíritu Santo, pues él es intérprete e intercesor que anima a sintonizar con la vida de Dios.

EVANGELIO Las parábolas del evangelio de hoy son continuación de la exposición del evangelio del domingo anterior. La primera de ellas, la parábola del trigo que crece en medio de la cizaña, no tiene paralelo en los demás evangelios, aunque podría tratarse de una reelaboración que Mateo hace de Marcos 4:26–29 que trata de la semilla que crece indefectiblemente, en forma misteriosa. Como en otros casos, Mateo va a introducir la interpretación de la parábola, después de un par de parábolas (Mateo 13:36–43). La del trigo y la cizaña es la primera parábola de Jesús con una referencia explícita al "reino". A partir de aquí, cinco parábolas de este capítulo 13 iniciarán con esa referencia, por eso se les conoce como "Parábolas del Reino".

El relato habla de un dueño de una tierra, cuyos trabajadores están también bajo su protección (v. 27). Ellos notan que hay algo extraordinario en la siembra, pues saben que el dueño hace las cosas bien; la semilla era de buena calidad. Ante la pregunta, él les pide que tengan paciencia y tolerancia. El diálogo entre el dueño y los trabajadores expone por sí mismo la paciencia de uno y la inquieta ansiedad de los otros. Él sabe que es imposible en ciertos momentos del proceso extirpar la cizaña sin dañar la siembra. Por eso la recomendación de esperar a la cosecha, que es otra palabra

En la explicación baja la velocidad de lectura.

Jesús les contestó:
"El **sembrador** de la **buena semilla** es el **Hijo del hombre**,
      el **campo** es el **mundo**,
    la **buena semilla** son los **ciudadanos** del **Reino**,
    la **cizaña** son los **partidarios** del **maligno**,
    el **enemigo** que la **siembra** es el **diablo**,
    el tiempo de la **cosecha** es el **fin del mundo**,
    y los **segadores** son los **ángeles**.

Nota cómo el dramatismo va creciendo.

Y **así** como **recogen** la **cizaña** y la **queman** en el **fuego**,
    así sucederá en el **fin del mundo**:
    el **Hijo del hombre** enviará a sus **ángeles**
    para que **arranquen** de su **Reino**
    a **todos** los que inducen a **otros** al **pecado**
    y a **todos** los **malvados**,
    y los **arrojen** en el **horno encendido**.
Allí será el **llanto** y la **desesperación**.
Entonces los **justos brillarán** como el **sol** en el **Reino** de su
      Padre.

La frase final debe sonar lapidaria.

El que tenga **oídos**, que **oiga**".

Forma breve: Mateo 13:24–30

---

para referirse a los tiempos finales o escatológicos. Será entonces cuando el trigo se almacene en el granero, y el fuego consuma la cizaña perniciosa.

Puede pensarse con toda seguridad que esta parábola está destinada no solo al comportamiento personal sino sobre todo al comunitario. Así parece indicarlo la insistente mención del término *recoger* que consiste en una tarea en grupo. Llama la atención también la actitud y preocupación de los trabajadores, asunto hacia donde se enfoca la narración.

Pareciera que no conocen la naturaleza de la siembra y hasta llegan a dudar de la calidad de la semilla. Parecen ignorar que la cizaña brota en medio de lo sembrado por otras causas. La reflexión para nosotros hoy implica profundizar en el sentido de la paciencia y tolerancia sobre la obra de Dios y sus frutos en nosotros y sobre todo en el campo de la comunidad.

Dos asuntos quedan claramente afincados en nuestra conciencia de comunidad eclesial: que hay poderes reales empeñados en malograr la buena cosecha de Dios en la vida de las personas y comunidades y están

al acecho para en cualquier descuido o con cualquier pretexto intervenir y hacer daño al fruto bueno que, germinado y cultivado, va a dar buenos frutos. Y también que debemos, sobre todo en el contexto social saber contar con la cizaña con buena dosis de paciencia y sobre todo de lucidez.

XVII DOMINGO ORDINARIO

Nota que esta aparición es en sueños. Asegúrate de alargar esa frase.

Dale un tono reverencial y humilde a las palabras de Salomón, pues es la intención del diálogo.

La línea es escueta, como debe ser el tono.

I LECTURA   1 Reyes 3:5–13

Lectura del primer libro de los Reyes

En **aquellos** días, el **Señor** se le **apareció** al rey **Salomón**
        en **sueños** y le **dijo:**
"Salomón, **pídeme** lo que **quieras**, y yo **te lo daré**".

Salomón le respondió:
"**Señor**, tú trataste con **misericordia** a tu siervo **David**, mi **padre**,
        porque **se portó** contigo con **lealtad**,
        con **justicia** y **rectitud de corazón**.
Más aún, también **ahora** lo **sigues** tratando con **misericordia**,
        porque has hecho que un **hijo suyo** lo **suceda** en el **trono**.
Sí, tú quisiste, **Señor** y **Dios mío**, que **yo**, tu **siervo**,
        sucediera en el **trono** a mi padre, **David**.
Pero yo no soy **más** que un **muchacho** y **no sé** cómo actuar.
Soy tu **siervo** y me encuentro **perdido**
        en medio de este **pueblo tuyo**,
        tan numeroso, que es **imposible** contarlo.
Por eso te **pido** que me concedas **sabiduría de corazón**,
        para que **sepa gobernar** a tu **pueblo**
        y **distinguir** entre el **bien** y el **mal**.
Pues sin ella, ¿**quién** será **capaz** de **gobernar**
        a este **pueblo tuyo tan grande**?"

Al **Señor** le agradó que **Salomón** le hubiera pedido **sabiduría**
        y le **dijo:**

I LECTURA Salomón es conocido como el rey sabio. Sucesor de David en la tarea de guiar al pueblo de Dios, Salomón recibe en sueños, de parte de Dios, una oferta generosa: "Pídeme lo que quieras, que yo te lo concederé". Él pide sabiduría para gobernar. Su petición suena sincera y original, al menos en el texto bíblico, ya que hay testimonios de la época de otros reyes que pedían esa misma gracia a sus dioses. Pero el asunto de la sabiduría como don de Dios para gobernar se vuelve original al interior tanto de la tradición judía como de la cristiana.

Después de ofrecer abundantes liturgias y holocaustos como signo público de la piedad del rey, Salomón recibe la revelación de Dios en un sueño, en una especie de diálogo.

La humildad del rey tiene el sabor de una exageración sincera tanto en su persona de ser un muchacho imberbe ante un pueblo inmenso, pero es la forma como el escritor sagrado quiere dejarnos en claro la humildad de Salomón. Lo que pide es clave para su responsabilidad y su vocación pues crear leyes y aplicarlas es la tarea del rey ("juzgar"). Hacerlo con justicia y sabiduría es

su deseo y petición. Para el hombre bíblico, el corazón es la sede de la conciencia y de la voluntad más que de los sentimientos y "oyente" es la actitud fundamental del israelita que cree en Dios.

Todos tenemos quién nos manda y a quién mandar. Oremos, como Salomón, para que sepamos conducirnos con sabiduría y justicia en la vida, con derechos, deberes y responsabilidades.

II LECTURA Estos tres versitos son una especie de cántico triunfal al amor de Dios y de Cristo. Gracias a este

Ve elevando el tono en este breve discurso de Dios, de modo que se note la complacencia del Señor en sus palabras generosas.

"Por haberme pedido **esto**, y no una **larga vida**, ni **riquezas**,
   ni la **muerte** de tus **enemigos**, sino **sabiduría** para **gobernar**,
   yo te concedo lo que me has **pedido**.
Te doy un **corazón sabio** y **prudente**,
   como no lo ha habido antes, **ni lo habrá** después de ti.
Te voy a conceder, **además**, lo que no me has **pedido**:
   tanta **gloria** y **riqueza**, que **no habrá rey** que se pueda
   comparar **contigo**".

Para meditar

SALMO RESPONSORIAL   Salmo 118:57 y 72, 76–77, 127–128, 129–130
R. Cuánto amo tu voluntad, Señor.

Mi porción es el Señor, he resuelto guardar tus palabras. Más estimo yo los preceptos de tu boca, que miles de monedas de oro y plata. **R.**

Que tu voluntad me consuele, según la promesa hecha a tu siervo; cuando me alcance tu compasión, viviré, y mis delicias serán tu voluntad. **R.**

Yo amo tus mandatos, más que el oro purísimo; por eso aprecio tus decretos, y detesto el camino de la mentira. **R.**

Tus preceptos son admirables, por eso los guarda mi alma; la explicación de tus palabras ilumina, da inteligencia a los ignorantes. **R.**

II LECTURA   Romanos 8:28–30

Lectura de la carta del apóstol san Pablo a los romanos

Con mucha claridad, pero sobre todo con naturalidad, proclama este mensaje como diciendo algo ya sabido por todos.

Hermanos:
Ya sabemos que **todo** contribuye para **bien**
   de los que **aman** a **Dios**,
   de **aquellos** que han sido **llamados** por él,
   según su **designio salvador**.

Aumenta un poco el ritmo y la fuerza; vas concluyendo. Cuida las últimas tres frases.

En efecto, a quienes conoce **de antemano**,
   los **predestina** para que reproduzcan **en sí mismos**
   la **imagen** de su propio **Hijo**,
   a fin de que él sea el **primogénito** entre **muchos hermanos**.
A quienes **predestina**, los **llama**;
   a quienes **llama**, los **justifica**;
   y a quienes **justifica**, los **glorifica**.

---

amor podemos vencer cualquier situación a la que seamos sometidos y a los enemigos más fuertes. Dicho amor es puro don e iniciativa divina pues desde el principio, Dios ha destinado, llamado y amado a la humanidad (ver Deuteronomio 7:7–8; Jeremías 31:2).

El Apóstol plantea una visión que es y debe ser común a todas las personas, no digamos, a los cristianos: que Dios obra para el bien de todos. Y que todas las cosas están ordenadas misteriosamente para contribuir al bien de los que aman a Dios. Es decir que por detrás y de fondo de todo lo que sucede en la vida del creyente hay una

finalidad divina que no nos es del todo clara y que debemos buscar al menos intuir.

La predestinación del amor de Dios no se debe entender en forma restrictiva como destinada solo a unos cuantos escogidos. Si bien es verdad que el proyecto de Dios tiene un sentido personal (como enseña san Agustín) esto no quiere decir que sea exclusivo para unos cuantos. El apóstol Pablo mira, sin duda alguna, al amplísimo plan de salvación de Dios. "Los que le aman" son en la mente del Apóstol, los cristianos que han respondido a la llamada de Dios que es para todos (ver Romanos 1:6; 1 Corintios 1:2).

El plan de salvación (vv. 29–30) es, como subraya el Apóstol, un obsequio divinamente anticipado en el que se contempla desde antes el destino y la visión de Dios para toda la humanidad. Lo que Pablo nos recuerda es que todos están contemplados en la obra de Dios y la redención de Cristo y los que aceptan a Jesús adquieren el compromiso a reproducir en sí mismos al Señor mediante una vida progresiva en su vida como resucitados en él (Romanos 8:17; 2 Corintios 3:18; 4:4-6; Filipenses 3:20–21).

EVANGELIO   Mateo 13:44–52

Lectura del santo Evangelio según san Mateo

En **aquel** tiempo, **Jesús** dijo a sus **discípulos:**
    "El **Reino de los cielos** se parece a un **tesoro** en un **campo.**
El que lo **encuentra** lo **vuelve** a **esconder**
        y, **lleno de alegría,** va y **vende** cuanto tiene
        y **compra** aquel campo.

El **Reino de los cielos** se parece **también** a un **comerciante**
        en **perlas finas**
        que, al **encontrar** una perla **muy valiosa,** va y **vende** cuanto
        tiene y la **compra.**

También se parece el **Reino de los cielos** a la **red**
        que los **pescadores** echan en el **mar**
        y recoge **toda clase** de peces.
Cuando se **llena** la **red,**
        los **pescadores** la **sacan** a la playa y **se sientan**
            a **escoger** los **pescados;**
        ponen los **buenos** en **canastos** y **tiran** los **malos.**
Lo mismo sucederá al **final** de los **tiempos:**
        vendrán los ángeles, **separarán** a los **malos** de los **buenos**
        y los **arrojarán** al **horno encendido.**
Allí será el **llanto** y la **desesperación.**

¿Han **entendido todo esto**?"
Ellos le contestaron: "**Sí**".
Entonces él les dijo:
"Por eso, **todo escriba** instruido en las cosas del **Reino**
        de los cielos
        es **semejante** al **padre de familia,**
        que va **sacando** de su tesoro **cosas nuevas y cosas antiguas**".

Forma breve: Mateo 13:44–46

Tres parábolas juntas. Proclama la primera con viveza y rapidez como para alertar a la asamblea.

Enfatiza la frase del Reino de los cielos como para enganchar así a los oyentes.

La pregunta no es reclamo. Sirve para la conclusión. Remacha la última frase, pues es muy importante y muy pocos lo notan.

EVANGELIO El tema del tesoro escondido y las perlas de gran valor son ideas muy frecuentes en los cuentos y narraciones del Oriente. El evangelista reúne aquí con una brevedad admirable dos parábolas gemelas y al contarlas pone el acento en la reacción de los personajes ante semejante hallazgo. La alegría es incomparable y no es de las que aturden al ser humano. Es una alegría que da conciencia, visión y perspectiva para reconocer el verdadero valor y los otros valores relativos. El que se encuentra el tesoro del reino es alguien que no se queda únicamente en la disposición a la renuncia y al sacrificio. Va mucho más allá. Vive a plenitud y con una alegría que desborda su ser. Ese es el tema principal de estas dos parábolas.

Cuando un hombre encuentra este tesoro escondido toma una doble actitud. La interior del gozo y la exterior de la práctica consciente y estratégica de usar lo que tiene para conseguir lo que ha descubierto. En esta conducta dibujada en la narración el evangelista nos deja claro que Jesús comprendió el reino de Dios como un descubrimiento cuya alegría y gozo acaba con cualquier tipo de duda o vacilación, pues en ambos casos que aquí se narran, la persona toma una decisión radical.

Si ponemos atención al verso 44 se menciona expresamente la inmensa alegría que resulta con el hallazgo. Es decir, que el reino de Dios no llega en primer lugar como exigencia de un sacrificio extraordinario o heroico; al contrario, es un don de Dios gratuito que lleva al discípulo a vivir de modo radicalmente diferente (Mateo 19:27; 8:18–22).

XVIII DOMINGO ORDINARIO

Con entusiasmo moderado extiende la invitación de Dios a la asamblea y haz contacto visual con ella. Despierta su interés, remueve sus anhelos.

I LECTURA   Isaías 55:1–3

Lectura del libro del profeta Isaías

Esto dice el **Señor**:
"**Todos ustedes**, los que tienen sed, **vengan** por **agua**;
    y los que **no** tienen dinero,
    vengan, tomen trigo y **coman**;
    tomen vino y leche **sin pagar**.

¿**Por qué** gastar el **dinero** en lo que **no es** pan
    y el **salario**, en lo que **no alimenta**?

Escúchenme atentos y comerán **bien**,
    saborearán platillos **sustanciosos**.
Préstenme atención, **vengan** a mí,
    escúchenme y **vivirán**.
Sellaré con **ustedes** una **alianza perpetua**,
    cumpliré las **promesas** que hice a **David**".

Para meditar

SALMO RESPONSORIAL   Salmo 144:8–9, 15–16, 17–18
R. Abres tú la mano, Señor, y nos sacias de favores.

El Señor es clemente y misericordioso, lento a la cólera y rico en piedad; el Señor es bueno con todos, es cariñoso con todas sus criaturas. **R.**

Los ojos de todos te están aguardando, tú les das la comida a su tiempo; abres tú la mano, y sacias de favores a todo viviente. **R.**

El Señor es justo en todos sus caminos, es bondadoso en todas sus acciones; cerca está el Señor de los que lo invocan, de los que lo invocan sinceramente. **R.**

I LECTURA   El final del segundo bloque del libro, el profeta Isaías anuncia para todo el pueblo la oferta de Dios. Esta oferta tiene su fundamento y contenido en la alianza pactada con el David. Será algo mayor, porque es con todo el pueblo. El profeta adopta el estilo de un mercader, que grita a los cuatro vientos su mercancía en la plaza del pueblo. Ofrece todo absolutamente gratis. Nadie precisa dinero o pago alguno para adquirir la oferta, sino ganas, deseo, hambre, sed, atención y escucha. Escuchar es fundamental. Lo que se ofrece es abundante, delicioso y es para dar vida en todo sentido, pues no solo oferta comida y bebida sino palabra de Dios, que es lo sustancioso de la vida, lo que le da su sentido pleno e integral, porque es un bien de primera necesidad. Con el agua y el pan, los oyentes recuerdan su travesía por el desierto (el Éxodo); así como con la leche evoca la imagen de la Tierra Prometida, con el vino y la enjundia se evoca el banquete de Dios y los sacrificios de comunión (ver Salmos 63:6; 65:12). En una palabra, es una invitación a todos a participar de la vida prometida por Dios.

Escuchemos con atención y con el corazón este canto del profeta dejando a un lado todo prejuicio que nos impida contemplar y abrazar la bellísima oferta de Dios para todos.

II LECTURA   El Apóstol se refiere con emoción y elocuencia al amor que Cristo nos tiene. Esta afirmación no apunta a la capacidad de Cristo para amar, sino al hecho mismo de su amor manifiesto con su vida, su muerte y resurrección. Recibido, ese amor redentor en nosotros es tan poderoso que vence todo

II LECTURA Romanos 8:35, 37–39

Lectura de la carta del apóstol san Pablo a los romanos

Con tono firme y sereno plantea las preguntas haciendo una pausa doble entre cada una.

Hermanos:
¿**Qué cosa** podrá **apartarnos** del **amor** con que nos ama **Cristo**?
¿Las **tribulaciones**? ¿Las **angustias**? ¿La **persecución**?¿El **hambre**?
¿La **desnudez**? ¿El **peligro**? ¿La **espada**?

Apóyate en las negrillas para darle contundencia a estas afirmaciones.

Ciertamente de **todo esto** salimos **más** que **victoriosos**,
gracias a **aquel** que nos ha **amado**;
pues estoy **convencido** de que ni la **muerte** ni la **vida**,
ni los **ángeles** ni los **demonios**, ni el **presente** ni el **futuro**,
ni los **poderes** de este **mundo**,
ni lo **alto** ni lo **bajo**, ni creatura **alguna**
podrá **apartarnos** del **amor** que nos ha manifestado **Dios**
en **Cristo Jesús**.

EVANGELIO Mateo 14:13–21

Lectura del santo Evangelio según san Mateo

El primer párrafo enlaza con sucesos anteriores. No pierdas esa conexión.

En **aquel** tiempo, al enterarse **Jesús** de la **muerte**
de **Juan el Bautista**,
subió a una **barca** y se dirigió a un **lugar apartado** y **solitario**.
Al saberlo la **gente**, lo **siguió** por tierra desde los **pueblos**.
Cuando Jesús **desembarcó**, vio aquella **muchedumbre**,
se **compadeció** de ella y **curó** a los **enfermos**.

Cambia el tono y aumenta el ritmo en el diálogo, para mostrar cierta inquietud o preocupación.

Como ya se hacía **tarde**, se **acercaron** sus **discípulos** a decirle:
"Estamos en **despoblado** y **empieza** a **oscurecer**.
Despide a la **gente** para que **vayan** a los **caseríos**
y **compren** algo de **comer**".
Pero **Jesús** les replicó: "**No hace falta** que **vayan**.
Denles ustedes de **comer**".

obstáculo que nos separe de Cristo, es decir, el pecado en todas sus formas y desde raíz.

Y no solamente es más fuerte, sino que nos hace capaces de salir, cruzar y superar todas las pruebas. Pablo menciona una serie de fuerzas superiores a las humanas, de potencias celestes y naturales, conforme a la mentalidad astrológica de su tiempo. No se menciona si estas fuerzas son buenas o malas, pero el caso es que no son más poderosas que el amor de Dios manifiesto en Cristo.

Todas esas fuerzas eran tenidas como enemigas del ser humano. Que Pablo las mencione no quiere decir que esté describiendo el mundo sobrenatural, sencillamente está enfatizando su afirmación de que nada, absolutamente nada puede separar al ser humano del amor de Cristo, ni siquiera las fuerzas que para muchos eran consideradas invencibles. La victoria de Cristo es de otro orden, y nos unimos a ella, gracias a la fe profesada en el bautismo.

Dice el Cantar de los Cantares que "el amor es fuerte *como* la muerte" (8:6) y Pablo dice aquí que el amor es más fuerte *que* la muerte, que Dios nos ama más allá de la misma muerte, por lo que ese amor es la prenda de nuestra salvación.

El amor de Dios manifestado en el acontecimiento Cristo es pues la base inamovible de la vida y de la esperanza cristiana... concluye Pablo con la misma idea que inicio este himno.

EVANGELIO De entrada, notemos que el apartarse de Jesús tiene su razón en el relato anterior donde se contó la muerte de Juan el Bautista. Aquí encontramos la razón de Jesús para estar a solas.

Muestra las acciones de Jesús con cierta solemnidad. Luego retoma el hilo como admirando lo ocurrido.

Ellos le **contestaron**:
"No tenemos **aquí** más que **cinco panes** y **dos pescados**".
Él les dijo: "**Tráiganmelos**".

Luego **mandó** que la gente **se sentara** sobre el **pasto**.
Tomó los **cinco panes** y los **dos pescados**,
    y **mirando al cielo**, pronunció una **bendición**,
    partió los panes y **se los dio** a los **discípulos**
        para que los **distribuyeran** a la **gente**.
Todos comieron hasta **saciarse**,
    y con los **pedazos** que habían **sobrado**,
    se llenaron **doce canastos**.
Los que **comieron** eran unos **cinco mil** hombres,
    sin contar a las **mujeres** y a los **niños**.

Aunque también debemos saber que el verbo "retirarse" tiene en Mateo el sentido de huida ante situaciones de peligro (2:12, 13, 14, 22; 4:12; 12:15; 15:21). Ambos sentidos caben aquí. En todo caso Jesús no logró estar solo mucho tiempo, y a campo abierto realizó su ministerio hasta el final del día, en que los discípulos plantearon la pregunta con inquietud cuya respuesta es inesperada: "denles ustedes de comer". El relato continúa ya con más sobriedad y hasta cierta naturalidad. Se sacia a todos los seguidores, una gran cantidad de personas sin contar (aunque se mencionan) las mujeres y los niños. Parece ser que el evangelista tiene en mente la comunidad mesiánica como una comunidad total e inclusiva donde hasta los que no cuentan cuentan.

La comunidad primera relacionó desde el principio este relato con la institución de la Eucaristía. La comida judía, esta narración y la Eucaristía tienen gestos semejantes realizados por Jesús: Alza los ojos al cielo, pronuncia la bendición, parte los panes y los da a los discípulos para que lo repartan a la gente. El binomio de comer hasta quedar saciados también nos puede indicar que el evangelista tenga como telón de fondo el acontecimiento de Moisés y el pueblo de Israel alimentados por Dios con el maná el desierto (ver Éxodo 16:12; Salmo 78:29).

Esta comida anticipa o prefigura el banquete mesiánico prometido para los últimos tiempos. En el relato bien cabe la referencia a la Eucaristía y a la solidaridad, sin nada de contradicción.

XIX DOMINGO ORDINARIO

I LECTURA   1 Reyes 19:9a, 11–13a

Lectura del primer libro de los Reyes

Al llegar al **monte de Dios**, el **Horeb**,
  el profeta **Elías** entró en una **cueva** y **permaneció allí**.
El **Señor** le dijo: "**Sal** de la **cueva** y **quédate** en el **monte**
  para ver al **Señor**, porque el Señor va a **pasar**".

Así lo hizo **Elías**, y al acercarse el **Señor**,
  vino **primero** un **viento** huracanado,
  que **partía las montañas** y **resquebrajaba las rocas**;
  pero el Señor **no estaba** en el viento.
Se produjo **después** un **terremoto**;
  pero el Señor **no estaba** en el terremoto.
Luego vino un **fuego**; pero el Señor **no estaba** en el fuego.
Después del **fuego** se escuchó el **murmullo** de una **brisa suave**.
Al oírlo, **Elías** se **cubrió** el **rostro** con el **manto**
  y **salió** a la **entrada** de la **cueva**.

Dale énfasis a las palabras del Señor. Una brevísima pausa antes y después no estaría de más.

Acelera un tanto al pasar de una sección a otra, marcadas por los puntos y seguidos.

SALMO RESPONSORIAL   Salmo 84:9ab y 10, 11–12, 13–14

R. Muéstranos, Señor, tu misericordia y danos tu salvación.

Voy a escuchar lo que dice el Señor. Dios anuncia la paz a su pueblo y a sus amigos. La salvación está ya cerca de sus fieles, y la gloria habitará en nuestra tierra. **R.**

La misericordia y la fidelidad se encuentran, la justicia y la paz se besan; la fidelidad brota de la tierra, y la justicia mira desde el cielo. **R.**

El Señor nos dará la lluvia y nuestra tierra dará su fruto. La justicia marchará ante él,
  la salvación seguirá sus pasos. **R.**

Para meditar

I LECTURA Ea del profeta Elías en el monte Horeb es sin duda una de las más bellas teofanías bíblicas, en un registro diferente a las del Sinaí o las contempladas por Isaías o Ezequiel. El relato tiene dos secciones paralelas (vv. 9–12 y 13–14) de donde se extrae nuestra lectura.

Elías está en la montaña de Dios, por la misma gruta donde estuvo Moisés (ver Éxodo 33:32). Es un lugar muy importante como lo denota la pregunta de Dios al profeta: "¿Qué haces aquí?", que no refleja la lectura. Después de escuchar su queja, Yahvé le ofrece una experiencia extraordinaria de revelación. El mandato de permanecer *ante el Señor* no indica una actitud pasiva, de contemplación, sino de superación del desafío para salir en misión. Los tres primeros elementos que menciona el narrador (viento, terremoto y fuego) se encuentran en las tradiciones del Éxodo (3:2; 19:16–18 y del mismo Elías (1 Reyes 18:38, 45), pero en ellos no estaba la presencia divina; la pueden anunciar, pero no contener.

El susurro de una brisa suave es una aproximación a una frase única que une los contrarios silencio y sonido (Job 4:12–16) y quiere situar la presencia divina más allá de todo fenómeno cósmico y de toda capacidad de comprensión.

Resulta interesante que a un profeta con personalidad tan inquieta como Elías, se le revele Dios en la sencillez y quietud del misterio.

II LECTURA Pablo sufre y se lamenta por la situación de sus hermanos de raza y religión que no han aceptado a Jesús como el mesías enviado por Dios. Él sabe cuál es la esperanza de Israel como pueblo elegido por Dios. Al mismo tiempo que expresa su angustia, hace mención del

II LECTURA   Romanos 9:1–5

Lectura de la carta del apóstol san Pablo a los romanos

Llénate de vigor y confianza para esta lectura. Haz tuyos los sentimientos del Apóstol, pero sin falsa dramatización.

Hermanos:
Les **hablo** con **toda verdad** en Cristo; **no miento.**
Mi **conciencia** me **atestigua**, con la **luz** del **Espíritu Santo,**
   que tengo una **infinita tristeza** y un **dolor incesante**
      tortura mi **corazón.**

Haz como un *crescendo* para crear la sensación de la inmensidad de los dones divinos a su pueblo.

Hasta **aceptaría** verme **separado** de Cristo,
   si **esto** fuera para **bien** de mis **hermanos,**
   los de **mi raza** y de **mi sangre,**
   los **israelitas**, a quienes pertenecen la **adopción filial,**
   la **gloria**, la **alianza**, la **ley**, el **culto** y las **promesas.**
Ellos son **descendientes** de los **patriarcas;**
   y de su **raza**, según la **carne**, nació **Cristo,**
   el cual está **por encima de todo**
   y es **Dios bendito** por los siglos de los siglos. **Amén.**

EVANGELIO   Mateo 14:22–33

Lectura del santo Evangelio según san Mateo

Al practicar la lectura, distingue los momentos del relato. Fíjate en los detalles y dónde hay que hacer los énfasis.

En **aquel** tiempo, inmediatamente **después** de la **multiplicación**
   de los **panes,**
   Jesús hizo que sus discípulos **subieran** a la **barca**
   y se dirigieran a la **otra orilla**, mientras él **despedía** a la **gente.**
Después de despedirla, **subió** al monte **a solas** para **orar.**
Llegada la **noche**, estaba él **solo** allí.

Aminora el ritmo como para preparar la aparición sorpresiva de Jesús.

Entretanto, la barca iba **ya muy lejos** de la costa,
   y las **olas** la **sacudían,**
   porque el **viento** era **contrario.**
A la madrugada, **Jesús** fue **hacia** ellos, caminando **sobre** el agua.

---

problema con que se encuentra cuando predica el evangelio de Jesucristo.

En otros momentos (2 Corintios 2:17; 11:31; 12:19) nos hemos enterado ya de que la vida de Pablo no era nada fácil con sus paisanos pues le consideraban desleal con el pueblo judío. Sin embargo, eso no le amedrenta en lo más mínimo y se presenta abiertamente como cristiano.

Su actitud evoca la imagen de Moisés cuando en una ocasión eleva a Dios una súplica de estar dispuesto a ser borrado del libro de la vida con tal de que los israelitas rebeldes sean perdonados (ver Éxodo 32:32).

Este pueblo de Dios desde antaño ha sido adoptado como hijo predilecto y ha experimentado la manifestación maravillosa de Dios tanto en el desierto como en el templo y ha sido merecedor de una gran alianza expresada concretamente en la experiencia de sus padres fundadores y dicha alianza tiene como resultado las Diez palabras para el camino del pueblo santo otorgadas a Moisés en el monte Sinaí. Así va enunciando puntualmente Pablo las siete bases del pueblo de Israel hasta llegar a los patriarcas pasando por el culto y la gran promesa.

A este sumario de los siete privilegios del pueblo elegido por Dios, Pablo añade el octavo: la persona de Jesús, como punto culminante del ser pueblo elegido.

EVANGELIO Junto a estos versos que cierran el episodio anterior, el evangelista hila una nueva narración en donde se manifiesta una vez más el poder de Dios a través de la persona de Jesús. Ante la duda y temores de los discípulos, Jesús manifiesta su cercanía, su poder y su cuidado a esta comunidad eclesial (representada en la barca) que sin duda alguna

Cierra la narración haciendo de la última frase una confesión de fe de toda la comunidad presente.

Los **discípulos**, al verlo andar **sobre** el agua,
	se **espantaron** y **decían:**
"¡Es un **fantasma!**"
Y daban **gritos de terror.**
Pero **Jesús** les dijo **enseguida:**
	"**Tranquilícense** y **no teman**. Soy **yo**".

Entonces le dijo **Pedro:**
"**Señor**, si eres tú, **mándame ir a ti** caminando sobre el agua".
Jesús le contestó: "**Ven**".
Pedro **bajó** de la **barca** y comenzó a **caminar** sobre el agua
	hacia Jesús;
	pero al sentir la **fuerza del viento**, le **entró miedo**,
	comenzó a **hundirse** y **gritó:** "¡**Sálvame**, Señor!"
Inmediatamente Jesús le **tendió la mano**, lo **sostuvo** y le **dijo:**
"Hombre de **poca fe**, ¿por qué **dudaste?**"

En cuanto **subieron** a la **barca**, el **viento** se **calmó.**
Los que estaban en la barca **se postraron** ante Jesús, **diciendo:**
"**Verdaderamente** tú eres el **Hijo de Dios**".

sufre persecuciones en el tiempo en que fue redactado el evangelio.

Según el Antiguo Testamento solo Dios hace camino en medio de las aguas y puede caminar sobre sus crestas (ver Job 9:8; 38:16; Isaías 43:16). Él ha prometido a su pueblo protección si no sucumbe a las fuerzas de los ríos cuando cruza a través de ellos (Isaías 43:2). Según San Mateo en este relato se realizan ambas cosas en la persona y actuación de Jesús que manifiesta su poder y su protección caminando sobre las aguas y calmando la tempestad.

El "yo soy" de Jesús que calma a los discípulos asustados evoca también al "yo soy" de Yahvé que se revela a Moisés en el monte Sinaí (Éxodo 3:14).

San Mateo da relevancia a la figura de Pedro. Este discípulo viene a ser como la representación del seguidor de Jesús, en cuanto a la condición de fe frágil, pero que también da ocasión a manifestar la misericordia de Jesús. El comportamiento de Pedro en este relato expresa la combinación de un amor impulsivo y una fe debilitada por la duda. Son características típicas de un modo de ser cristiano (ver Juan 20:28–29)

que a cada uno de nosotros nos pueden tal vez resultar familiares.

Únicamente con una renovada fe y confianza en Cristo podemos caminar siendo Iglesia, en la misma barca, con Jesús.

ASUNCIÓN DE LA BIENAVENTURADA VIRGEN MARÍA, VIGILIA

I LECTURA   1 Crónicas 15:3–4, 15–16; 16:1–2

Lectura del primer libro de las Crónicas

En aquellos días,
    David **congregó** en Jerusalén a **todos** los israelitas,
    para **trasladar** el arca de la alianza
    al lugar que le **había preparado.**
Reunió también a los hijos de Aarón y a los levitas.
Éstos **cargaron** en hombros los travesaños
    sobre los cuales estaba **colocada** el arca de la **alianza,**
    tal como lo **había mandado** Moisés, por orden del Señor.

David **ordenó** a los jefes de los levitas
    que entre los de su tribu
    nombraran **cantores** para que entonaran cantos festivos,
    acompañados de arpas, cítaras y platillos.

Introdujeron, pues, **el arca de la alianza**
    y **la instalaron** en el centro de la tienda
    que David le había **preparado.**
Ofrecieron a Dios holocaustos y **sacrificios** de comunión,
    y cuando David **terminó** de ofrecerlos,
    bendijo al pueblo **en nombre** del Señor.

Aviva la imaginación y revive las acciones que el relato describe.

Alarga estas frases primeras para subrayar la solemnidad del momento. Luego aumenta la velocidad y termina elevando el tono y haciendo contacto visual con la asamblea.

I LECTURA   El cronista hace la memoria del traslado jubiloso del arca de la alianza para establecerla en Jerusalén, en una tienda que el rey le preparó. Cuenta esto a la comunidad que ha vuelto del exilio, porque esta nueva comunidad se ha de constituir en torno al culto y sus liturgias. La descripción nota la continuidad entre lo dispuesto por Moisés y lo ejecutado por David. No hay ruptura alguna sino continuidad en la historia. Esta continuidad se la dan ahora los sacerdotes y levitas, varias generaciones después, ya sin arca y sin rey, pero con un grupo cultual que lidera al nuevo pueblo, pero en la misma tierra de la promesa.

El arca de la alianza era el símbolo de la alianza entre Dios y su pueblo, sellada en el Sinaí. Era una caja de madera recubierta en oro, que guardaba las tablas de la alianza entre otras cosas; era el lugar de la presencia divina y de expiación del pecado. Ya en la tierra de la promesa, y organizadas en una monarquía, eligieron a David como rey, y él decidió trasladar el arca de Siló, donde residía, a Jerusalén; él instituyó también el culto y sus liturgias, por eso funge como sacerdote: sacrifica y bendice. La lectura de hoy revive ese traslado que marcó la historia del pueblo.

La Iglesia honra a la Virgen María como Arca de la nueva alianza, porque ella llevó en su seno a Jesús, nuestro Redentor. Madre del Mesías, ella le ha dado continuidad a la singular presencia de Dios para el pueblo cristiano, al darle carne y cuidados al mismo Hijo de Dios. En esa carne, Dios sella la alianza nueva, al resucitarla de entre los muertos. Esta fe es la que celebramos en esta fecha memorable.

Para meditar

SALMO RESPONSORIAL Salmo 131:6–7, 9–10, 13–14

R. Levántate, Señor, ven a tu mansión; ven con el arca de tu poder.

Oímos que estaba en Efratá, / la encontramos en el Soto de Jaar: / entremos en su morada, / postrémonos ante el estrado de sus pies. **R.**

Que tus sacerdotes se vistan de gala, / que tus fieles vitoreen. / Por amor a tu siervo David, / no niegues audiencia a tu Ungido. **R.**

Porque el Señor ha elegido a Sión, / ha deseado vivir en ella: / "Ésta es mi mansión por siempre; / aquí viviré porque lo deseo". **R.**

II LECTURA   1 Corintios 15:54b–57

Lectura de la primera carta del apóstol san Pablo a los corintios

Hermanos:
Cuando nuestro ser corruptible y mortal
   se revista de incorruptibilidad e inmortalidad,
   entonces **se cumplirá** la palabra de la Escritura:
*La muerte ha sido **aniquilada** por la victoria.*
*¿**Dónde está**, muerte, tu victoria?*
*¿**Dónde está**, muerte, tu aguijón?*
El aguijón de la muerte **es el pecado**
   y la fuerza del pecado **es la ley.**
Gracias a Dios, que nos ha dado **la victoria**
   por nuestro Señor **Jesucristo.**

La lectura proclama la mayor de las victorias. Frasea con cuidado y eleva la voz para cerrar las preguntas. Luego baja la velocidad, pero no el tono.

II LECTURA Pablo cierra esta carta abordando el tópico fundamental de la fe cristiana: la resurrección de los muertos. El Apóstol expone los datos de la tradición referentes a la resurrección de Jesús y la participación de los creyentes en ella.

Pablo confía en que el Señor vendrá pronto, pero esto no impedirá a los vivos tomar parte en su gloria, pues serán igualmente transformados por la vida nueva, incorruptible e imperecedera. Pablo habla de ser revestidos de incorruptibilidad y de inmortalidad. Este concepto implica no una ruptura radical en la persona, sino una continuidad; no es una aniquilación que exija una creación. El lenguaje es similar al que encontramos cuando habla del bautismo, porque éste expresa su sentido. El revestirse implica aniquilar el pecado y la muerte, que son los impedimentos de los creyentes. En anularlos estriba la venida de Cristo.

Pablo arguye con líneas poéticas de los profetas Isaías y Oseas para fustigar a la muerte, como si ella fuera una persona; no lo es. Las líneas proféticas hablan de la derrota de la muerte a manos de Yahveh en el día que Dios convoca al banquete escatológico universal. El festejo será interminable porque no habrá temor a perecer. Es la victoria Dios que ha realizado ya en Cristo; lo que resta es la convocatoria universal, en la que el propio Pablo se afana.

La asunción de María Virgen celebra que Dios la hizo partícipe de esos dones mesiánicos definitivos ya en su carne. Esto es lo que se dice al honrarla como "llevada al cielo". A ella no la tocó el pecado, que es el aguijón de la muerte. Dios la hizo partícipe ya de la victoria de Cristo, como nos hará a todos los creyentes.

Rebosa entusiasmo en este breve cuadro. Haz notorio el gusto también en las palabras de Jesús, no son una corrección sino una valoración más alta.

EVANGELIO   Lucas 11:27–28

Lectura del santo Evangelio según san Lucas

En aquel tiempo, mientras Jesús hablaba **a la multitud,**
    una mujer del pueblo, **gritando,** le dijo:
    "¡**Dichosa** la mujer que te llevó en su **seno**
    y cuyos pechos te **amamantaron!**"
Pero Jesús le **respondió:**
    "Dichosos **todavía más** los que escuchan la **palabra de Dios**
    y la ponen **en práctica**".

EVANGELIO La lectura es una instantánea del camino que Jesús ha emprendido desde Galilea a Jerusalén. En el trayecto se le irán sumando personas a su grupo de discípulos, pero también va a crecer una enconada oposición, de parte de escribas y fariseos, que representan los tentáculos de la clase gobernante de la capital y su templo. El pueblo simple, por su parte, aclamará a Jesús como el enviado de Dios, tal como ahora escuchamos de labios de esa mujer del pueblo. Un grito espontáneo, profético, que habla de la grandeza de Jesús, y de la familia que procede.

En aquellos medios palestinos, no había gloria mayor para una mujer que la fecundidad. Esta era la garantía de la bendición divina. A más hijos, mayor honor y consideración de parte del esposo y las familias. Jesús reorienta la valoración social en otra dirección.

Es la palabra de Dios escuchada y ejecutada la que amerita la dicha o felicidad celeste. Escuchar y ejecutar habla de una coherencia personal y una conciencia ética que el discípulo de Jesús ha de tener.

Celebramos a la Virgen María porque ella escuchó la palabra y la ejecutó. El sí que le dio al proyecto de la redención fue incondicional e irreversible. Ella da ejemplo de fidelidad a la palabra de Dios para todo el pueblo mesiánico.

ASUNCIÓN DE LA BIENAVENTURADA VIRGEN MARÍA

I LECTURA Apocalipsis 11:19a; 12:1–6a, 10ab

Lectura del libro del Apocalipsis del apóstol san Juan

La visión es magnífica y dramática.
No corras por las líneas; anda reposadamente,
pero sin melodrama. Deja que la asamblea
ejerza su imaginación.

Se **abrió** el templo de Dios en el cielo
   y **dentro de él** se vio el arca **de la alianza.**
Apareció entonces en el cielo una figura **prodigiosa:**
   una mujer **envuelta** por el sol,
   con la luna **bajo sus pies**
   y con una **corona** de doce estrellas en **la cabeza.**
Estaba encinta y a punto de **dar a luz**
   y **gemía** con los dolores del parto.

Pero **apareció** también en el cielo **otra figura:**
   un **enorme** dragón, color de fuego,
   con **siete** cabezas y **diez** cuernos,
   y una corona **en cada una** de sus siete cabezas.

Pronuncia esta línea a mayor velocidad,
como acompañando la violencia. Atiende
a las negrillas y alarga esas frases.

Con su cola **barrió** la tercera parte de las estrellas del cielo
   y las **arrojó** sobre la tierra.
Después se detuvo **delante de la mujer** que iba a dar a luz,
   para **devorar** a su hijo, en cuanto éste **naciera.**
La mujer dio a luz **un hijo varón,**
   destinado a **gobernar** todas las naciones con cetro **de hierro;**
   y su hijo **fue llevado** hasta Dios y hasta su trono.
Y la mujer huyó **al desierto,**
   a un lugar **preparado** por Dios.

I LECTURA   Cuando los fieles padecen tribulaciones diversas, se eleva al cielo su clamor: "¿Hasta cuándo?". Se necesita el consuelo. La literatura de apocalipsis, para explicar la compleja realidad, recurren a un paradigma de revelación que se sostiene en un principio que se puede formular parafraseando el Padrenuestro, "en la tierra como en el cielo". Esto dice que la realidad tiene dos líneas de eventos, una terrenal y otra celeste. De ellas, la decisiva es la de arriba, donde las potencias cósmicas, buenas y malas, libran una batalla para hacerse del dominio definitivo. Lo que arriba sucede queda reproducido en la tierra. El único modo de saber lo que pasa allá es mediante una revelación divina que se comunica en visiones y audiciones, cuyo sentido profundo hay que penetrar.

La lectura de hoy está en el corazón del libro que descubre lo que hay en el templo del cielo que se abre. Contiene el arca. Entonces aparecen las señales en el cielo. La lectura entresaca los datos necesarios para el propósito de la celebración de hoy. Las señales son dos figuras prodigiosas: una radiante que es imagen del pueblo mesiánico y la otra que son las fuerzas hostiles a los fieles de Dios.

La mujer celeste está a punto de dar a luz. Se encuentra en el trance de alumbrar: los dolores de parto son inconfundibles. Los apocalípticos hablaban de esos dolores como los que anticipan una realidad completamente nueva, significada en el nacimiento de una criatura. La criatura cifra toda la esperanza y la alegría de los creyentes. Los apuros que ahora los acongoja no son sino evidencia de que una nueva situación es inminente.

Cierra en un crescendo en tres niveles. Ve aumentando delicadamente el tono, como cantando la victoria.

Entonces **oí** en el cielo una **voz poderosa**, que decía:
   "Ha sonado la hora **de la victoria** de nuestro Dios,
   de su dominio y **de su reinado**,
   y del poder **de su Mesías**".

Para meditar

SALMO RESPONSORIAL   Salmo 10bc, 11, 12ab, 16

R. De pie, a tu derecha está la reina, enjoyada con oro de Ofir.

Hijas de reyes salen a tu encuentro. De pie a tu derecha está la reina, / enjoyada con oro de Ofir. **R.**

Escucha, hija, mira: inclina el oído, / olvida tu pueblo y la casa paterna. Prendado está el rey de tu belleza: / póstrate ante él, que él es tu señor. **R.**

Las traen entre alegría y algazara, / van entrando en el palacio real. **R.**

II LECTURA   1 Corintios 15:20–27

Lectura de la primera carta del apóstol san Pablo a los corintios

Hermanos:
Cristo **resucitó**, y resucitó como la **primicia** de todos los muertos.
Porque si **por un hombre** vino la muerte,
   también por un hombre
   vendrá **la resurrección de los muertos.**

En efecto, así como en Adán **todos mueren**,
   así en Cristo todos **volverán a la vida;**
   pero cada uno **en su orden: primero Cristo,** como primicia;
   después, a la hora de **su advenimiento,** los que **son de Cristo.**

Enseguida será la **consumación,**
   cuando Cristo entregue el Reino **a su Padre,**
   después de haber **aniquilado** todos los poderes **del mal.**
Porque él tiene **que reinar**
   hasta que el Padre ponga **bajo sus** pies a **todos** sus enemigos.
El **último** de los enemigos en ser aniquilado, será **la muerte,**
   porque **todo** lo ha sometido Dios **bajo los pies** de Cristo.

Es fundamental frasear cuidadosamente. Apóyate en la puntuación para dar el tono de cada línea.

Las tres frases de este párrafo están concatenadas, pero solo la de en medio tiene conjuntiva. Baja la velocidad de la lectura conforme te acercas al final.

El dragón es el enemigo más formidable del pueblo de Dios y encarna todo el poder y toda la fuerza del mal. No le interesa devorar a la mujer sino a su hijo, es decir el futuro. La lucha es desigual a ojos vistas, pero el resultado no depende de las fuerzas en juego, sino del designio de Dios para la humanidad.

La asunción de María Virgen es la fiesta del pueblo de Dios que ha mirado en ella esa arca de la alianza que le garantiza la victoria sobre las potencias del mal. El hijo recién nacido y la mujer están bajo la protección de Dios. El cántico final pregona la victoria defi-

nitiva que nunca ha estado en duda. Ahora son los momentos de la angustia, pero María Virgen, en su asunción a los cielos, es garantía para la comunidad mesiánica de la victoria definitiva. Esto es lo que celebra todo el pueblo de Dios en esta fecha.

II LECTURA Pablo desbroza aquí un asunto muy controvertido en aquella comunidad: la resurrección de los muertos. El Apóstol es categórico: si no hay resurrección de los muertos, los cristianos son los más desgraciados de los hombres. Esto lo deja sentado rotundamente.

En la sección que escuchamos se nota una ordenada secuencia a partir de Cristo resucitado. Su resurrección es la primicia. Se alude a los ritos que seguían a la pascua, cuando se recogían las primeras gavillas para presentarlas en el templo; era un ritual campesino, para agradecer la bendición de Dios por las cosechas que pronto empezarían. A las primicias seguía la cosecha, por varias semanas hasta culminar en la fiesta más alegre de todas, la de las Tiendas o Pentecostés. Pero aquí, el horizonte es la resurrección. Pablo adelanta un paralelismo entre Adán y Cristo. Uno y otro son primicia

EVANGELIO   Lucas 1:39–56

Lectura del santo Evangelio según san Lucas

En aquellos días,
  María se encaminó **presurosa**
  a un pueblo de las montañas de Judea,
  y **entrando** en la casa de Zacarías, saludó **a Isabel.**
En cuanto ésta **oyó** el saludo de María, la creatura **saltó** en su seno.

Entonces Isabel **quedó llena** del Espíritu Santo,
  y levantando la voz, **exclamó:**
  "**¡Bendita** tú entre las mujeres y bendito **el fruto** de tu vientre!
¿Quién **soy yo** para que la madre **de mi Señor** venga a verme?
Apenas llegó tu saludo **a mis oídos,**
  el niño saltó **de gozo** en mi seno.
Dichosa tú, que has creído,
  porque **se cumplirá** cuanto te **fue anunciado** de parte del Señor".

Entonces dijo **María:**
  "Mi alma **glorifica** al Señor
  *y mi espíritu se **llena de júbilo** en Dios, mi salvador,*
  porque ***puso*** sus ojos en la humildad **de su esclava.**

Desde ahora me llamarán **dichosa** todas las generaciones,
  porque ha hecho en mí **grandes cosas** el que **todo** lo puede.
Santo es su nombre
  *y su misericordia llega **de generación en generación***
  a los que lo temen.

Ha hecho sentir **el poder** de su brazo:
  dispersó a los de corazón **altanero,**
  destronó *a los potentados*
  *y **exaltó** a los humildes.*
*A los hambrientos **los colmó** de bienes*
  *y a los ricos **los despidió** sin nada.*

El auditorio está familiarizado con este relato. Observa las partes que lo componen para regular la velocidad de lectura y el tono mejor para cada párrafo.

Eleva un tono tu voz, pero sin exagerar. Marca la pausa al término de este párrafo.

Busca un tono convincente y orante. Apóyate en la puntuación y no te precipites. No hay prisas en esta liturgia.

de la humanidad, uno de los vivos, otro de los muertos.

El paralelismo guarda la contraposición en cuanto a los resultados. El primer hombre causó que la muerte entrara en el mundo. El segundo Adán, por el contrario, garantiza la resurrección de todos, habiendo él mismo padecido la muerte. Justo por esa solidaridad corporativa es que es garantía, primicia, de la resurrección de todos. Viene una secuencia.

Tras la primicia resucitarán "los de Cristo", es decir, aquellos creyentes que conforman las comunidades cristianas. ¿Cuándo

será? En la segunda venida mesiánica. La venida de Cristo inaugura la fase de la batalla escatológica en la que el Mesías irá sometiendo todas las potencias rebeldes a Dios. Entonces Cristo, lugarteniente del Padre, entregará el fruto de sus conquistas a Dios. La victoria definitiva y última será sobre la muerte. El triunfo absoluto de la vida redunda en resurrección de todos. El Reino de Cristo es, por tanto, una efusión irrefrenable de vida.

La asunción de la Virgen María "en cuerpo y alma al cielo", como recitamos los fieles, canta la victoria definitiva de la vida

sobre la muerte ya en su persona. Ella ha recibido la gracia de la victoria de su Hijo, y esa misma gracia siembra la esperanza en cada uno de los hijos de Eva.

EVANGELIO San Lucas inicia su evangelio con los anuncios de los nacimientos de Juan Bautista y de Jesús respectivamente. Un anuncio ocurrió en el templo de Jerusalén, a Zacarías, el padre de Juan, y el otro en Nazaret, a María, la madre del Mesías. El ángel había dado a María como señal de veracidad de lo que anunciaba, el embarazo de su parienta, Isabel, y en este

Haz contacto visual con la asamblea, como para recordarle que son descendencia de Abraham.

Acordándose de su misericordia,
    vino **en ayuda** de Israel, su siervo,
    como lo había prometido **a nuestros padres**,
    a Abraham y a su descendencia **para siempre**".

María permaneció **con Isabel** unos tres meses
    y luego **regresó** a su casa.

punto es que se toma el relato que escuchamos hoy, conocido como la Visitación.

El saludo de María causa un estallido de bendiciones de parte de Isabel. Bendice a María por su fecundidad y al fruto que lleva en sus entrañas. La bendición es una revelación, que el Espíritu Santo motiva. Ella es "la Madre de mi Señor". Ella es dichosa porque cree en las promesas de Dios que se están cumpliendo. María ha actuado en el sentido de las palabras del ángel.

María, en respuesta, compone una canción de alabanza al Dios que exalta a los humildes y derriba a los poderosos. Es la salvación de Dios que está llegando a sus fieles pobres, enfermos, prisioneros, marginales, discriminados, en fin, a todos los que padecen hambre. La fuerza de Dios, su brazo tenso, es la que va operar esta salvación mediante la misericordia. Es el Dios que cumple las promesas a Abraham, de hacerlo padre de un pueblo numeroso y bendición de la humanidad. Esta bendición es la que está llevándose a cabo.

La salvación de Dios toma cauces inusuales. Tener a dos mujeres preñadas en el centro de las esperanzas del pueblo de Abraham es un doble motivo de alegría y de esperanza. Ellas son la prueba viviente de que la palabra de Dios no ha caído en el vacío, sino de que está causando cosas buenas entre el pueblo sencillo y marginado. Es la misericordia de Dios operando.

La asunción de María es la celebración del cumplimiento de Dios a la que "ha creído" lo anunciado. Ella vivió de la promesa de Dios y experimentó su misericordia. En ella mira la Iglesia los frutos del Espíritu que hace exultar a la Iglesia por las maravillas de Dios.

XX DOMINGO ORDINARIO

I LECTURA Isaías 56:1, 6–7

Lectura del libro del profeta Isaías

Esto dice el **Señor:**
"**Velen** por los **derechos** de los demás,
    practiquen la **justicia**,
    porque **mi salvación** está a punto de **llegar**
    y **mi justicia** a punto de **manifestarse**.

A los **extranjeros** que se han adherido al **Señor**
    para **servirlo**, **amarlo** y darle **culto**,
    a los que **guardan el sábado** sin profanarlo
    y se mantienen **fieles** a mi **alianza**,
    los **conduciré** a mi **monte santo**
    y los **llenaré** de **alegría** en mi **casa** de **oración**.
Sus **holocaustos** y **sacrificios** serán **gratos** en mi **altar**,
    porque mi casa será **casa de oración**
    para **todos** los pueblos".

El tono es intenso, pero sin golpear. No es un regaño sino una exhortación.

Haz contacto visual con la asamblea iniciando el parágrafo.

Termina elevando el tono, como si algo más fuera a seguir.

Para meditar

SALMO RESPONSORIAL Salmo 66:2–3, 5, 6 y 8

R. ¡Oh Dios, que te alaben los pueblos, que todos los pueblos te alaben!

El Señor tenga piedad y nos bendiga,
    ilumine su rostro sobre nosotros:
    conozca la tierra tus caminos, todos los
    pueblos tu salvación. **R.**

Que canten de alegría las naciones, porque
    riges la tierra con justicia, riges los
    pueblos con rectitud y gobiernas las
    naciones de la tierra. **R.**

¡Oh Dios, que te alaben los pueblos, que
    todos los pueblos te alaben! Que Dios
    nos bendiga; que le teman hasta los
    confines del orbe. **R.**

I LECTURA El orden legal garantiza los derechos de los ciudadanos o partícipes de un pacto común. Los judíos que volvieron del exilio a la patria de las promesas lo tenían muy claro, principalmente los líderes y los profetas, pero implementar aquel ideal no era simple. "Del dicho al hecho hay mucho trecho", decimos. Así, se entiende que detrás de las palabras proféticas se adivinen abusos, separatismos y recelos entre los habitantes de la misma tierra. Lo único que valida la convivencia será el derecho.

El profeta urge a hacer valer el derecho de los demás, no el propio. Esto es inaudito, pues casi siempre han sido los fieles los atenazados por las potencias extranjeras. Aquí no. Hecha la repatriación, quienes detentan el poder, la autoridad y la fuerza de la Ley son judíos que están tan ocupados en su propio interés, que relegan y marginan a los no judíos, que, por cierto, eran mayoría poblacional. Aunque en la lectura solo aparece un grupo, el texto bíblico menciona dos grupos, eunucos y extranjeros. Estos grupos no formaban parte del pueblo de la alianza, unos por su incapacidad para engendrar y

cumplir el mandato del Génesis (1:26), y otros porque no estaban sometidos a las estipulaciones de la Ley de Moisés. Por esos grupos relegados eleva su voz el profeta.

El punto de integración es el culto, del que solo los israelitas podían participar. Guardar el sábado es la marca necesaria para adherirse a Dios. Eunucos y extranjeros podrán participar en los sacrificios y alegrarse en los atrios del templo, es decir, entrar en comunión con Dios. La oración es el sacrificio. Este anuncio profético rompía la barrera que separaba a judíos de no judíos. Este mismo texto tendrá eco cuando Jesús

II LECTURA   Romanos 11:13–15, 29–32

Lectura de la carta del apóstol san Pablo a los romanos

Hermanos:
Tengo **algo** que decirles a **ustedes**, los que **no son** judíos,
   y **trato** de desempeñar lo **mejor posible** este **ministerio**.
  Pero esto lo hago **también** para ver si **provoco**
     los **celos** de los de mi **raza**
   y logro **salvar** a **algunos** de ellos.
Pues, si su **rechazo** ha sido **reconciliación** para el **mundo**,
   ¿**qué** no será su **reintegración**, sino **resurrección**
     de entre los **muertos**?
Porque Dios **no se arrepiente** de sus **dones** ni de su **elección**.

Así como ustedes **antes** eran **rebeldes** contra Dios
   y **ahora** han alcanzado su **misericordia** con ocasión
     de la **rebeldía** de los judíos,
   en la **misma** forma, los **judíos**, que **ahora** son los rebeldes
   y que **fueron** la ocasión de que **ustedes alcanzaran**
     la **misericordia** de Dios, **también ellos** la **alcanzarán**.
En efecto, Dios ha **permitido** que **todos cayéramos**
     en la **rebeldía**,
   para **manifestarnos** a **todos** su **misericordia**.

EVANGELIO   Mateo 15:21–28

Lectura del santo Evangelio según san Mateo

En **aquel** tiempo, **Jesús** se retiró a la comarca de **Tiro** y **Sidón**.
Entonces una **mujer cananea** le salió al **encuentro**
   y se puso a **gritar**:
"**Señor**, hijo de David, **ten compasión** de mí.
Mi hija está **terriblemente atormentada** por un **demonio**".

Margin notes (left column):

No es fácil la lectura. Recalca bien a quién se dirige el Apóstol y entona adecuadamente las frases conjuntivas, para que se aprecie la argumentación.

Pausa tras la interrogación y aísla un tanto la línea que cierra el parágrafo.

Nota que la exposición avanza en fases desdobladas: "Así como... en la misma forma". Las frases son largas, y exigen cuidado en la entonación.

Baja la velocidad y alarga un tanto la línea conclusiva.

Nota los tres momentos del relato. Pausa brevemente tras la súplica de la mujer.

---

expulse el mercado del templo para hacerlo "casa de oración para todos los pueblos", sin restricción alguna.

II LECTURA Pablo se dispone para ir a Jerusalén llevando la ofrenda de comunión de las comunidades pagano cristianas a las judeo-cristianas. De Jerusalén, planeaba el Apóstol, pasar a Roma y de allí a España. Los judíos, como bloque, rechazaban la fe en el Cristo, y esto preocupaba mucho al Apóstol. Dedica por eso una amplia sección de Romanos (capítulos 9–11) a dilucidar el papel del pueblo hebreo, Israel, en relación con la salvación que Dios oferta en Cristo Jesús; de la parte final de la misma han sido entresacadas las líneas de la lectura de hoy.

Pablo visualiza que el rechazo de los judíos tiene un doble efecto positivo en el designio divino de salud: que el Evangelio haya llegado a los paganos, y que la reintegración de Israel en la alianza con Dios significará una resurrección.

En efecto, Pablo y los apóstoles han visto como los paganos están dispuestos a abrazar la fe en Cristo Jesús, y son ellos los que van conformando las comunidades con entusiasmo y vigor. Pablo desea que tal acogida despierte celos entre los judíos, y algunos de ellos se adhieran a la palabra predicada. De entre los judíos, los predicadores cristianos han cosechado muy poco. Pero este rechazo, rebeldía, dice la lectura, hará más patente la misericordia de Dios, porque al reintegrar a los rebeldes en la alianza de la salvación, estará llevando a cabo una auténtica resurrección de entre los muertos. De ninguna manera, Dios se ha echado para atrás en el designio trazado. Así, Pablo avala su quehacer evangelizador en el actual estado de cosas. Dios no ha

La respuesta de Jesús es seca y contundente.

Jesús no le contestó **una sola palabra**;
    pero los **discípulos** se **acercaron** y le **rogaban**:
"**Atiéndela**, porque viene **gritando** detrás de **nosotros**".
Él les **contestó**:
"Yo no he sido **enviado** sino a las **ovejas descarriadas**
    de la casa de **Israel**".

Ella **se acercó** entonces a **Jesús**, y **postrada** ante él, le **dijo**:
"¡Señor, **ayúdame**!"
Él le **respondió**:
"No está bien **quitarles** el **pan** a los **hijos** para **echárselo**
    a los **perritos**".
Pero ella **replicó**:
"**Es cierto**, Señor;
    pero **también** los **perritos** se comen las **migajas**
    que **caen** de la mesa de sus **amos**".
Entonces **Jesús** le respondió:
"**Mujer**, ¡qué **grande** es tu **fe**!
Que se **cumpla** lo que **deseas**".
Y en **aquel mismo instante** quedó **curada** su **hija**.

Baja un tanto el tono en las palabras de la mujer y auméntalo en las de Jesús. Luego cierra la lectura admirando lo sucedido. A la aclamación litúrgica, haz contacto visual con la asamblea.

rechazado a su pueblo, sino que lo dispone para un futuro más glorioso todavía.

EVANGELIO Las ciudades de la costa gozaban de especial repulsa de parte de los judíos piadosos, por considerarlas corruptas y pecadoras. La mujer cananea es como una representación de ese mundo pagano, encadenado a fuerzas demoniacas, pero que implora la salvación liberadora de Jesús, el Mesías.

La mujer pide para sí que se compadezca el hijo de David de su hija, pues está terriblemente endemoniada. Más de muerta que de viva, es su situación. La madre pide ser escuchada en favor de su hija. Una verdadera súplica de intercesión. Pero Jesús resiste, parapetado en su silencio, hasta que, a rogativas de los apóstoles, pronuncia su rechazo. La madre, sin embargo, se arrodilla e implora de nuevo, solo para que Jesús rechace ásperamente la súplica. No son iguales hijos y perros. La mujer asimila el rudo golpe y vuelve a pedir, ahora en los términos de Jesús: no quiere todo el pan, sino lo que sobre de esa abundancia que sus señores, no los hijos, nunca consumen.

Su fe sale victoriosa sobre las negativas del propio Jesús.

La fe de aquella mujer cananea es un modelo para todo discípulo de Jesús. Ella ora sin desfallecer, ahonda en su súplica y consigue la liberación deseada para su hija. La plegaria de los paganos también es atendida por Dios, así sea para beneficiar a una insignificante muchachilla endemoniada. No son los criterios de pureza o impureza los que rigen la salvación de Dios, sino la fe que se manifiesta en la oración incesante.

XXI DOMINGO ORDINARIO

I LECTURA   Isaías 22:19–23

Lectura del libro del profeta Isaías

Haz que se note la diferencia entre las dos figuras mencionadas. Pausa tras la destitución.

Esto dice el **Señor** a Sebná, **mayordomo** de **palacio**:
"**Te echaré** de tu **puesto**
    y **te destituiré** de tu **cargo**.
Aquel mismo día **llamaré** a mi **siervo**, a **Eleacín**, el hijo de **Elcías**;
    le **vestiré** tu túnica,
    le **ceñiré** tu banda
    y le **traspasaré** tus poderes.

Será un **padre** para los habitantes de **Jerusalén** y para
    la **casa** de **Judá**.
Pondré la llave del palacio de **David** sobre su **hombro**.
Lo que **él** abra, **nadie** lo cerrará;
    lo que **él** cierre, **nadie** lo abrirá.

Ve ascendiendo el tono en las líneas finales.

Lo **fijaré** como un **clavo** en **muro firme**
    y será un **trono de gloria** para la casa de su **padre**".

Para meditar

SALMO RESPONSORIAL   Salmo 137:1a y 1c–2ab, 2cd–3, 6 y 8bc
R. Señor, tu misericordia es eterna, no abandones la obra de tus manos.

Te doy gracias, Señor, de todo corazón;
    delante de los ángeles tañeré para ti. Me
    postraré hacia tu santuario, daré gracias
    a tu nombre. **R.**

Por tu misericordia y tu lealtad, porque tu
    promesa supera a tu fama. Cuando te

invoqué me escuchaste, acreciste el valor en
    mi alma. **R.**

El Señor es sublime, se fija en el humilde y
    de lejos conoce al soberbio. Señor, tu
    misericordia es eterna, no abandones la
    obra de tus manos. **R.**

I LECTURA   Isaías anuncia un cambio en la administración del reino de Judá. El oráculo profético se dirige al actual administrador, Sebná, que era el regente del gobierno de Ezequías. Sería también uno de los consejeros reales. El oráculo es más amplio y el motivo de su destitución parece ser el haberse construido un sepulcro (ver Isaías 22:15–23), sin tener en cuenta los tiempos complejos que se avecinan. El profeta le augura el destierro; allá morirá. A Sebná lo conocemos como secretario, cuando la embajada del invasor asirio, Senaquerib, llegue a

Jerusalén para demandar su rendición en el 701 a. C. (ver 2 Reyes 18:18, 26). Ahora, en lugar de Sebná será puesto Eleacín, a quien le confían los poderes y responsabilidad en el palacio, simbolizados en la túnica, banda y llaves.

De Eliacín sabemos poco también. El oráculo lo encomia en la parte que escuchamos hoy, aunque también tendrá una suerte parecida a la de su antecesor (ver Isaías 22:24–25). La administración es un asunto delicado, y con frecuencia, termina mal, porque, además de la soberbia aneja al mismo poder, parentela y compadrazgos

terminan por pesar más que los deberes frente a los intereses del pueblo.

Con seis acciones Dios muestra su favor por el nuevo administrador. Su autoridad le viene de Dios, no del rey. No es un simple burócrata de palacio. Se le augura una regencia espléndida, que se notará por su sentido paternal. Con esto se dice que estará al pendiente de todos los habitantes de Jerusalén, antes que de sus propios intereses. El lenguaje de las llaves dice el acceso al rey para presentarle los asuntos a decidir. La firmeza de su figura habla de lo que se necesita en un buen administrador,

II LECTURA   Romanos 11:33–36

Lectura de la carta del apóstol san Pablo a los romanos

¡Qué **inmensa** y **rica** es la **sabiduría** y la **ciencia** de **Dios**!
¡Qué **impenetrables** son sus **designios** e **incomprensibles**
    sus **caminos**!
*¿**Quién** ha conocido **jamás** el pensamiento del Señor*
    *o ha llegado a ser su **consejero**?*
*¿**Quién** ha podido darle algo primero, para que **Dios** se lo tenga*
    *que **pagar**?*
En efecto, **todo** proviene de **Dios**,
    todo ha sido hecho **por** él y **todo** está orientado **hacia él**.
A él la **gloria** por los **siglos** de los siglos. **Amén**.

Es importante dar la entonación debida a las admiraciones y a las interrogaciones.

No bajes el entusiasmo. Nota las negrillas y alarga la frase final.

EVANGELIO   Mateo 16:13–20

Lectura del santo Evangelio según san Mateo

En **aquel** tiempo, cuando llegó **Jesús** a la región
    de **Cesarea de Filipo**,
  hizo **esta pregunta** a sus **discípulos**:
"¿**Quién** dice la **gente** que es el **Hijo del hombre**?"
Ellos le **respondieron**:
"**Unos** dicen que eres **Juan el Bautista**; otros, **que Elías**;
    otros, que **Jeremías** o alguno de los **profetas**".

Luego les preguntó: "Y ustedes, ¿**quién** dicen que **soy yo**?"
Simón Pedro tomó la palabra y **le dijo**:
"Tú eres el **Mesías**, el **Hijo** de Dios **vivo**".

Jesús le dijo **entonces**:
"¡**Dichoso tú, Simón**, hijo de Juan,
    porque **esto** no te lo ha revelado **ningún** hombre,
    sino mi **Padre**, que está en los **cielos**!

El relato es vivo y dramático. Apóyate en la puntuación para que no merme en viveza.

Eleva un poco el tono en la exclamación de Jesús.

---

lealtad al soberano. Estos elementos estarán presentes también cuando Jesús coloque a Pedro como administrador de su Iglesia.

II LECTURA Esta especie de alabanza es un himno a la sabiduría insondable de Dios. Sus líneas cierran los desarrollos relativos al papel que Israel juega en el plan de la salvación de Dios, aunque recoge ecos y resonancias innegables de los capítulos iniciales, donde Pablo mostró que la humanidad entera, sin excepción, está encerrada en la rebeldía y necesitada

de la salvación de Dios, quien la oferta en el Evangelio de su Hijo (ver Romanos 1:18).

A las dos exclamaciones que admiran el designio divino de salud, siguen tres preguntas retóricas tomadas de Isaías, que afirman el monoteísmo absoluto de la fe en el Dios de Israel.

La admiración de Pablo no es otra que la del humano ante lo que no puede abarcar con su pensamiento y lógica. Es como cuando uno se planta frente al mar abierto. No queda sino sentirse empequeñecido. ¿Puede uno abarcar el océano? No, solo admirarlo. ¿Puede uno conocer lo que escon-

de? No, solo mirar lo que arroja a la playa. Así el humano ante la salvación que Dios ofrece. Recibir la salvación es abrirse a la gracia de su Hijo. ¿Puede dar algo a cambio? ¡Nada! Solo alabar, admirar, dar gloria.

Pablo prorrumpe en este himno para que los creyentes se le unan con entusiasmo agradecido. Todo proviene de él, mediante él y para él. No hay manera de no sentirse envuelto por esa gracia que vivifica en su presencia. No es asunto de analizar los planes de Dios para prever su desarrollo, sino de contemplar lo que ha hecho para agradecerle en la fe lo que nos depara.

Marca las frases con puntualidad. Respeta los puntos y haz pausa de dos tiempos en ellos.

Y yo te digo **a ti** que **tú** eres **Pedro**
 y sobre **esta piedra** edificaré **mi Iglesia**.
Los **poderes del infierno** no **prevalecerán** sobre ella.
Yo te daré las **llaves del Reino** de los cielos;
 todo lo que **ates** en la tierra **quedará atado** en el cielo,
 y **todo** lo que **desates** en la tierra **quedará desatado** en el cielo".

Y les **ordenó** a sus **discípulos** que **no dijeran** a **nadie**
 que **él** era el **Mesías**.

EVANGELIO La confesión de Simón, el hijo de Juan, tiene como dos cuadros complementarios, en un movimiento de afuera hacia adentro. El primer cuadro podemos verlo en la pregunta primera que Jesús plantea a sus discípulos. Ellos oyen a la gente decir que Jesús es un profeta auténtico. Elías, Jeremías y el propio Bautista no han escatimado su seguridad personal por la verdad de la palabra de Dios. Ellos fueron a contracorriente con la sola fuerza de Dios. Cuando Jesús se refiere a sí mismo como Hijo de Hombre, habla de su lado vulnerable, como apuntando a su pasión.

El segundo momento es la pregunta de Jesús sobre lo que sus propios discípulos saben de Jesús. La respuesta de Pedro es categórica, y la reacción de Jesús declara que se trata no de una aguzada percepción discipular, humana ("hijo de Juan"), sino de una revelación celeste ("mi Padre"). El Mesías confesado por Pedro es el Hijo de Dios vivo. Su confesión mira a la vida, y ésta tiene sentido cabal solo contrastada con la muerte. El Dios vivo da vida a su Mesías, y esto es lo que revela a la humanidad entera.

La confesión de Pedro le vale venir a ser la roca de la Iglesia de Cristo. La roca es una imagen de firmeza y de seguridad en Dios, en este caso, para el grupo discipular. La Iglesia de Jesús es su grupo discipular, en el que Pedro cumple la función de primero. La promesa de que la Iglesia resiste y vence sobre las fuerzas del infierno, habla del poder de la vida del Reino de Dios. En él, Pedro tiene la autoridad terrenal de acceso pleno al Mesías, vía la comunidad eclesial (imagen de las llaves). Ese acceso se da, no solo en la custodia de la fe, sino de manera activa en la predicación y en las señales que la acompañan, y que Pedro y todos los discípulos con él, llevan a cabo día con día.

XXII DOMINGO ORDINARIO

I LECTURA   Jeremías 20:7–9

Lectura del libro del profeta Jeremías

Me sedujiste, Señor, y **me dejé seducir**;
  fuiste **más** fuerte que **yo** y me **venciste**.
He sido el **hazmerreír** de **todos**;
  día tras día se **burlan** de mí.
Desde que **comencé** a **hablar**,
  he tenido que **anunciar** a gritos **violencia** y **destrucción**.
Por anunciar la **palabra del Señor**,
  me he convertido en **objeto de oprobio** y de burla **todo el día**.
He **llegado** a decirme: "**Ya no me acordaré** del Señor
  ni hablaré más en su **nombre**".
Pero **había en mí** como un **fuego ardiente**, encerrado
    en mis **huesos**;
  yo me esforzaba por contenerlo y **no podía**.

Este trozo es una especie de poema rebosa lirismo. Llévalo como una reflexión personal. Nota la diferencia cuando el profeta le habla a Dios y cuando habla de él.

Para meditar

SALMO RESPONSORIAL   Salmo 62:2, 3–4, 5–6, 8–9

R. Mi alma está sedienta de ti, Señor, Dios mío.

Oh Dios, tú eres mi Dios, por ti madrugo, mi alma está sedienta de ti; mi carne tiene ansia de ti, como tierra reseca, agostada, sin agua. **R.**

¡Cómo te contemplaba en el santuario viendo tu fuerza y tu gloria! Tu gracia vale más que la vida, te alabarán mis labios. **R.**

Toda mi vida te bendeciré y alzaré las manos invocándote. Me saciaré como de enjundia y de manteca y mis labios te alabarán jubilosos. **R.**

Porque fuiste mi auxilio, y a la sombra de tus alas canto con júbilo, mi alma está unida a ti, y tu diestra me sostiene. **R.**

I LECTURA   Jeremías es uno de los cuatro profetas mayores, junto a Isaías, Ezequiel y Daniel, conocidos también como escritores. Era de familia sacerdotal y su quehacer se prolongó por unos cuarenta años. No se casó, y su soltería era signo de la suerte aciaga de la capital y sus proyectos grandiosos. Le tocaron años muy turbulentos, de reformas nacionales, pero también de conspiraciones, de alianzas políticas, de traiciones y de invasiones extranjeras. Tras la caída de Jerusalén su rastro se pierde llevado como rehén de un grupo que busca refugio en Egipto.

La lectura de hoy es un trocito tomado del complejo de sus confesiones (Jeremías 11–20). En ellas, el profeta vacía los sufrimientos de su corazón por causa de su quehacer profético. Anuncia no lo que quieren oír, sino lo que Dios le descubre. Sus paisanos lo rechazan, se burlan de él, lo aíslan, lo toman por zafado y, el profeta no tiene modo de entender por qué Dios permite tanto. Reniega de ser profeta y se refugia en la oración para dar cauce a su queja.

En las líneas finales de hoy aflora el motivo que lo obliga a no callar: un fuego incontenible. Lo siente en sus huesos. Es la palabra de Dios que se le impone en la conciencia. El profeta no puede mentir. Él no puede contemplar una realidad y decir palabras inconsistentes con lo que ve. El profeta es un vigía, analítico y apasionado de la verdad, no un simple locutor. Su la vocación profética es su respuesta a la palabra de Dios que clama para advertir y conducir, para corregir e iluminar. Jeremías, como cada bautizado del pueblo de Dios, es un seducido por la palabra que clama por una vida auténtica para cada persona humana.

II LECTURA   Romanos 12:1–2

Lectura de la carta del apóstol san Pablo a los romanos

Hermanos:
Por la **misericordia** que **Dios** les ha **manifestado**,
   los **exhorto** a que se ofrezcan **ustedes mismos**
   como una **ofrenda viva**, **santa** y **agradable** a **Dios**,
   porque en **esto** consiste el **verdadero culto**.
No se dejen **transformar** por los **criterios de este mundo**,
   sino **dejen** que una **nueva manera de pensar**
      los transforme **internamente**,
   para que sepan distinguir **cuál** es la voluntad de **Dios**,
   es decir, lo que es **bueno**, lo que le **agrada**, lo **perfecto**.

EVANGELIO   Mateo 16:21–27

Lectura del santo Evangelio según san Mateo

En **aquel** tiempo,
   comenzó **Jesús** a anunciar a sus **discípulos** que tenía que **ir**
      a **Jerusalén**
   para **padecer** allí **mucho** de parte de los **ancianos**,
   de los **sumos sacerdotes** y de los **escribas**;
   que tenía que ser **condenado a muerte** y **resucitar al tercer día**.

Pedro se lo llevó **aparte** y trató de **disuadirlo**, diciéndole:
   "**No** lo permita Dios, **Señor**.
Eso no te puede suceder a **ti**".
Pero **Jesús se volvió** a Pedro y le **dijo**:
"**¡Apártate** de mí, **Satanás**, y no **intentes** hacerme
      tropezar en mi **camino**,
   porque **tu modo** de pensar **no es** el de **Dios**,
      sino **el** de los **hombres**!"

La lectura exige mucha atención a los tonos que marca la puntuación. Mantén una velocidad en la lectura, pero acentúa las expresiones de las dos líneas finales.

Tu lectura debe distinguir las fases sucesivas del destino de Jesús. Nota el énfasis que se pone en los protagonistas.

Endurece el tono en el reproche de Jesus.

II LECTURA Pablo hace un llamado a los cristianos de Roma a que abracen la misericordia que Dios ha manifestado en Cristo y a que sean consecuentes con esa aceptación.

Ya ha expuesto el Apóstol antes cómo la humanidad entera estaba abocada a la destrucción por estar sometida al pecado. Dios, sin embargo, a judíos y gentiles, les ofrece una oportunidad inédita con el Evangelio de Cristo Jesús. La fe es aceptar esa oferta gratuita de Dios que se tiene que notar en un cambio de vida. Para apuntalar ese cambio es que se recurre a la imagen del culto.

Lo que el culto realiza es una transformación. Mediante ritos y gestos, se trasladan objetos comunes de una esfera profana a otra, la sagrada; al hacer esto los objetos son santificados, se vuelven santos. La consagración es una transformación, que puede hacerse también en las personas. Pablo habla de un cambio en el propio cuerpo, que ha de convertirse en una ofrenda a Dios. Pero los efectos no son momentáneos, sino perdurables. Es decir, que el creyente, una vez trasladado del dominio de los ídolos al de Cristo, por el baño bautismal, ha de prolongar a toda su vida, ese trato santo. Entonces todo lo que hace y dice queda convertido en oblación viva, santa y grata a Dios. El creyente es una ofrenda alentada con el espíritu de Cristo resucitado. Esto es lo que explicita el último párrafo.

El mundo es la humanidad sin Dios. En otros lugares de la carta, Pablo expone que esa humanidad ha sido incapaz de conocer a Dios, es decir, de asumir el proyecto de salvación de Dios como propio, porque está sumida en la rebeldía del pecado, de la auto-referencia cuyo destino es la muerte.

Haz contacto visual con la asamblea antes de atacar este párrafo.

Luego Jesús dijo a sus **discípulos**:
"El que quiera **venir conmigo**, que **renuncie** a sí mismo,
   que **tome su cruz** y me siga.
Pues el que **quiera salvar** su vida, **la perderá**;
   pero el que **pierda su vida** por mí, **la encontrará**.
¿De **qué** le sirve a uno **ganar** el **mundo entero**, si **pierde** su **vida**?
¿Y **qué** podrá dar uno a **cambio** para **recobrarla**?

Ese párrafo está vinculado al previo. Nota lo lapidario de la línea final.

Porque el **Hijo del hombre** ha de **venir** rodeado de la **gloria**
   de su **Padre**,
   en **compañía** de sus **ángeles**,
   y entonces le dará a **cada uno** lo que **merecen** sus **obras**".

Pablo urge a no someterse al pecado sino dejarse transformar por lo santo, pues es santo lo recibido en el bautismo. Esa fuerza transformadora es el Espíritu que todo santifica y que nos hace buscar las cosas de Dios, no las del mundo.

EVANGELIO Encontramos el primero de los tres anuncios que marcan la ruta de Jesús desde Galilea a Jerusalén. El anuncio encierra el núcleo más duro de la fe cristiana: la muerte y la resurrección del Cristo. Sin embargo, en las expectativas populares, el Mesías de Dios sería un perso-

naje victorioso que pondría a Israel por encima de todos sus enemigos, no un individuo ajusticiado por sus adversarios. De aquí se comprende la reacción de Pedro, un discípulo que tiene que modificar su modo de entender las realidades mesiánicas.

El discípulo no puede sino parecerse a su maestro, es lo que afirma Jesús. Por eso es necesario mirar constantemente en qué y cómo se gasta la vida el Maestro para que nazca la imitación. Negarse a sí mismo tiene sentido solo si uno se somete a Dios, si lo adopta como su único señor. La autonegación sin el ideal mesiánico del Reino

es enfermedad frustrante. La ignominia de la cruz sin la esperanza de la gloria divina es aberración. Seguir a Cristo sin la radicalidad de la entrega es una mentira. Cristo llama a su seguimiento sano, entusiasta y total. La comunidad de discípulos de Cristo, mucho tenemos que aprender de su camino. Pero Jesús no retira su invitación: "El que quiera ser...". La opción está en el campo del creyente.

XXIII DOMINGO ORDINARIO

I LECTURA   Ezequiel 33:7–9

Lectura del libro del profeta Ezequiel

Mira con atención a la asamblea y empatiza con ella. Tú también recibes la palabra.

Esto dice el **Señor**:
"A ti, **hijo** de hombre, te he constituido **centinela**
　　para la **casa** de **Israel**.
Cuando **escuches** una **palabra** de mi **boca**,
　　tú se la **comunicarás** de mi **parte**.

Si yo pronuncio **sentencia de muerte** contra un **hombre**,
　　porque es **malvado**,
　　y tú no lo **amonestas** para que **se aparte** del **mal camino**,
　　el malvado **morirá** por su **culpa**,
　　pero yo te pediré **a ti** cuentas de su **vida**.

Haz notar el giro del texto en tu entonación. La asamblea también está involucrada.

En cambio, si **tú** lo **amonestas**
　　para que **deje** su **mal camino** y él **no lo deja**,
　　morirá por su **culpa**,
　　pero tú habrás **salvado** tu **vida**".

Para meditar

SALMO RESPONSORIAL   Salmo 94:1–2, 6–7, 8–9

R. Ojalá escuchen hoy su voz: "No endurezcan su corazón".

Vengan, aclamemos al Señor, demos vítores a la Roca que nos salva; entremos a su presencia dándole gracias, aclamándolo con cantos. **R.**

Entren, postrémonos por tierra, bendiciendo al Señor, creador nuestro. Porque él es nuestro Dios y nosotros su pueblo, el rebaño que él guía. **R.**

Ojalá escuchen hoy su voz: "No endurezcan el corazón como en Meribá, como el día de Masá en el desierto, cuando los padres de ustedes me pusieron a prueba y me tentaron, aunque habían visto mis obras". **R.**

I LECTURA Después de la destrucción de Jerusalén y en medio de la experiencia de la deportación del pueblo, el profeta Exequiel recibe el encargo de prevenir tanto al pueblo (v. 2) como a las personas (vv. 7–9). La imagen es de capital importancia entre los pueblos de este tiempo, por la amenaza constante de invasiones de poderes extranjeros. El profeta-centinela debe avisar y prevenir de todo aquello que se avecina y amenaza al pueblo. Debe estar atento y analizar los signos de la realidad y los acontecimientos.

Los tres versos que componen la lectura de hoy desarrollan lo esbozado en otro lugar (Ezequiel 3:17–19, 21). El profeta-centinela se juega su propia suerte ante Dios, porque su misión consiste en amonestar y corregir al malvado. No es un quehacer extraño, porque el profeta mide el pulso moral y religioso de su pueblo, como vemos en otros libros proféticos (Jeremías 6:17; Isaías 21:6–12). Ahora, Ezequiel debe "advertir" (capítulos 3 y 33), por ser el vigilante de parte de Dios. Su advertencia lo hace mediador entre Dios y el pueblo, porque deberá dirigir y orientar a las personas (ver Éxodo

18:20; 2 Reyes 6:10), no nada más echar un grito de alerta. En cuanto que advierte, el profeta esclarece cuando analiza e interpreta, no como simple transmisión de ideas o mandatos, sino como verdadero exégeta de Dios de la realidad humana. Él expone lo que viene, pero también a qué se debe. Esta tarea compete a todos los bautizados.

II LECTURA Pablo expande el horizonte de la responsabilidad del cristiano mediante lo que se conoce en Romanos como la gran síntesis de la moral paulina. En el amor al hermano se resumen

II LECTURA   Romanos 13:8–10

Lectura de la carta del apóstol san Pablo a los romanos

Hermanos:
No tengan con nadie **otra deuda** que la del **amor mutuo**,
    porque el que **ama** al **prójimo**, ha **cumplido** ya **toda la ley**.
En efecto, los **mandamientos** que **ordenan**:
"**No** cometerás adulterio, **no** robarás,
    no matarás, **no** darás **falso** testimonio, **no** codiciarás"
    y **todos** los **otros**, se **resumen** en **éste**:
    "**Amarás a tu prójimo** como a **ti mismo**",
    pues quien **ama** a su **prójimo** no le causa **daño** a **nadie**.
Así pues, cumplir **perfectamente** la ley **consiste** en **amar**.

No extiendas mucho la pausa después del saludo litúrgico a la asamblea.

Esta última frase es conclusiva. Sin despegarla de la lectura, dale contundencia y determinación.

EVANGELIO   Mateo 18:15–20

Lectura del santo Evangelio según san Mateo

En **aquel** tiempo, **Jesús** dijo a sus **discípulos**:
"Si tu **hermano** comete un **pecado**,
    ve y amonéstalo **a solas**.
Si **te escucha**, habrás **salvado** a tu **hermano**.
Si **no te hace caso**, hazte **acompañar** de **una** o **dos personas**,
    para que **todo** lo que se diga **conste** por **boca**
        de **dos** o **tres testigos**.
Pero si **ni así** te hace caso, **díselo** a la **comunidad**;
    y si **ni** a la **comunidad** le hace **caso**,
    apártate de él como de un **pagano** o de un **publicano**.

Yo les **aseguro** que **todo** lo que **aten** en la tierra
    quedará atado en el cielo,
    y **todo** lo que **desaten** en la tierra
    quedará desatado en el cielo.

La primera frase dispone a la audiencia; dila con calidez y cordialidad.

Con aplomo y seguridad concluye con firmeza mirando fijamente a la asamblea.

---

toda la Ley. De hecho, en Gálatas (5:14) se reconoce que este precepto es el "único" fundamento de dicha Ley. Otro tanto hallamos en Mateo (25:31–45), Lucas (6:26–38), Santiago (2:8), y Juan (1 Juan 3:14; 4:20), por ejemplo, que afirman que toda expresión de amor al prójimo (1 Corintios 13:3–7) refleja la autenticidad de la verdadera entrega a Dios.

El amor o caridad no habrá de entenderse como una especie de deber para con alguien únicamente sino con todos; más todavía, no se reduce a un deber al interior de la comunidad cristiana sino para todo el mundo.

Esta expansión del precepto del amor por parte de Pablo, y del mismo Jesús (ver Marcos 12:28–34), parece corregir sin duda el sentido que el Levítico (19:18) le da a la categoría del "prójimo" ubicada únicamente en el seno del pueblo judío.

Si Cristo es la plenitud y cumplimiento de toda la Ley de Moisés, por consiguiente, el amor que animó toda su vida viene a ser la meta de vida de todo discípulo. Lo que pareciera una verdad obvia para la Iglesia y cada uno de nosotros hoy, es más bien un imperativo inaplazable en nuestra identidad y comportamiento creyentes.

EVANGELIO La comunidad cristiana a la que se dirige el evangelio enfrenta serios desafíos en su convivencia. No es algo nuevo. Los desafíos se encuentran explícitos o implícitos en todos los escritos del Nuevo Testamento, sin embargo, cada comunidad de discípulos tiene su propia realidad y alternativa. San Mateo presenta aquí un modelo de convivencia comunitaria en la cual los verdaderos discípulos de Cristo guían su fe y su convi-

Aumenta el tono y haz contacto visual con la asamblea.

Yo les **aseguro también,** que si dos de **ustedes**
  se ponen de acuerdo para **pedir** algo, **sea** lo que fuere,
  mi **Padre celestial** se lo **concederá;**
  pues donde **dos o tres** se reúnen en **mi nombre,**
  ahí estoy yo **en medio de ellos".**

vencia poniendo a los más pequeños y humildes al centro e implementando la práctica del perdón como criterio fundamental. La corrección fraterna en Mateo conlleva un sentido práctico en tres pasos: Se trata de "ganar" no de perder al hermano a quien se corrige en privado. "Ganar" entre los rabinos significaba lograr la conversión por medio de la misión (Levítico 19:17, 18). En segundo lugar, el valor de contar con algunos testigos (ver Deuteronomio 19:15), no como forma de presión sino como factor de veracidad y apoyo al asunto y a la per-

sona. En tercer lugar, el rol de la comunidad local (la Iglesia) para decidir sobre el asunto.

La comunidad eclesial, es comunidad de oración, de perdón y corrección fraterna. Ella debe emplear todo su esfuerzo y agotar todos los recursos para hacer volver al hermano que se ha extraviado. La exclusión o excomunión es la última cosa por hacer. Antes debe reinar el amor, el respeto y la corrección fraterna en esta comunidad en la que esta Jesús vivo y actuante.

Los discípulos que dirigen a la comunidad tienen la capacidad de "atar y desatar" (pasivo teológico "será atado"), pero es Dios

quien tiene la palabra definitiva. El lenguaje con sabor a legalidad y juicio que usa la lectura no es para imitar a los juicios, cortes, policías y jueces de nuestro tiempo sin para superar mejorando la experiencia el interior de la comunidad de fe.

XXIV DOMINGO ORDINARIO

I LECTURA   Eclesiástico (Sirácide) 27:30—28:7

Lectura del libro del Eclesiástico o Sirácide

Los contenidos de la lectura piden cadencia y equilibrio. Apóyate en la puntuación.

Cosas abominables son el rencor y la cólera;
   sin embargo, **el pecador** se aferra a ellas.
El Señor se vengará del vengativo
   y llevará rigurosa cuenta de sus pecados.

Perdona la ofensa a tu prójimo,
   y así, **cuando pidas** perdón, se te perdonarán tus pecados.
Si un hombre le **guarda rencor** a otro,
   ¿le **puede acaso** pedir la salud al Señor?

Aprovecha las interrogaciones como elemento que refuerza las afirmaciones.

El que **no tiene** compasión de un semejante,
   ¿**cómo pide** perdón de sus pecados?
Cuando el hombre que **guarda rencor**
   pide a Dios el perdón de sus pecados,
   ¿hallará **quien interceda** por él?

Piensa **en tu fin** y deja de odiar,
   piensa en **la corrupción** del sepulcro
   y **guarda** los mandamientos.

El último párrafo es clave. Concluye de manera rotunda elevando el tono, no el volumen de voz.

Ten presentes los mandamientos
   y **no guardes** rencor a tu prójimo.
Recuerda la alianza del Altísimo
   y **pasa por alto** las ofensas.

I LECTURA El libro del Eclesiástico ha recibido ese nombre por el gran uso que hacían de él los primeros cristianos en sus asambleas (*ekklesiai*) litúrgicas y es el único libro del Antiguo Testamento que tiene un autor muy bien identificado: Jesús Ben Sira, de ahí el otro nombre con que a veces le encontramos en las biblias: Sirácide. En esta obra se combina el valor de le enseñanza de la fe (la Ley de Dios) con la sabiduría, es decir el arte de conducirse en la vida según la voluntad de Dios.

En la lectura de hoy el autor comenta el precepto de Levítico 19:17–18, que explicita el sentido de la alianza que consiste en amar a los demás. Ese amor que tiene cauces de profundo realismo como son el desterrar el odio y la venganza y promover el acompañamiento consciente y solidario.

Nuestro autor sabe por experiencia que el rencor humano, el odio y la discriminación acaban siempre en venganza, que no es sino fatalidad y destrucción de las personas. Quien ha entrado en la espiral de violencia de la venganza sabe lo difícil que es vivir con ella y salir de ese sendero. Ben Sirá

también lo sabe y establece que la única manera de liberarse de esa trampa es perdonando. Perdón y reconciliación son el único camino para la paz y la fraternidad auténtica en el interior de la persona y de las comunidades.

Son versos elocuentes los de esta lectura. Los podemos meditar de cara a nuestra experiencia familiar y comunitaria, pero sobre todo de cara a nosotros mismos. También los podemos meditar como una meditación y comentario anticipado a la petición del Padrenuestro: "perdona nuestras ofen-

Para meditar

SWALMO RESPONSORIAL   Salmo 103 (102):1–2, 3–4, 9–10, 11–12

R. (8) El Señor es compasivo y misericordioso

El Señor es compasivo y misericordioso
   lento a la ira y rico en clemencia.
   Bendice, alma mía, al Señor,
   y todo mi ser a su santo nombre.
   Bendice, alma mía, al Señor,
   y no olvides sus beneficios. **R.**

El perdona todas tus culpas
   y cura todas tus enfermedades;
   el rescata tu vida de la fosa,
   y te colma de gracia y de ternura. **R.**

No está siempre acusando
   ni guarda rencor perpetuo.
   No nos trata como merecen nuestros
   pecados
   ni nos paga según nuestras culpas. **R.**

Como se levanta el cielo sobre la tierra,
   se levanta su bondad sobre sus fieles;
   como dista el oriente del ocaso,
   así aleja de nosotros nuestros delitos. **R.**

II LECTURA   Romanos 14:7–9

Lectura de la carta del apóstol san Pablo a los romanos

Hermanos:
Ninguno de nosotros vive para sí mismo,
   ni muere para sí mismo.
Si vivimos, para el Señor vivimos;
   y si morimos, para el Señor morimos.
Por lo tanto,
   ya sea que estemos vivos o que hayamos muerto,
      somos del Señor.
Porque Cristo murió y resucitó para ser Señor
      de vivos y muertos.

Siéntete parte integral de la asamblea, y enfatiza la primera persona del plural.

sas como también nosotros perdonamos a los que nos ofenden".

Nosotros podemos leer estos versos como un comentario anticipado al perdón que vamos a pedir en la misa.

II LECTURA Esta lectura forma parte de la sección parenética de la carta. Se ocupa de lo práctico. No son cuestiones menores sino determinantes de la calidad de fe que se tiene y se demuestra en lo concreto, en la relación con los demás. Aunque el Apóstol no parece conocer mucho a esta comunidad, sabe de los pro-

blemas que la aquejan y que, de algún modo, la desafían. El problema de relación entre los más fuertes y los más débiles para varias y diversas razones. La base de la vida de la comunidad cristiana es que somos capaces de vivir para Dios sirviéndole en todas las cosas. La nueva vida en Cristo y por Cristo es la que nos libra del pecado del egoísmo. Él tiene ahora la soberanía sobre toda vida, la de los vivos y la de los muertos. Somos suyos, por su obra de redención.

La relación entre los débiles y los fuertes en la comunidad cristiana puede ser una oportunidad para un análisis serio y honesto

a nivel personal y comunitario. Sin perder de vista que con mucha seguridad el Apóstol Pablo entienda por fuertes a todos aquellos que están mejor formados en la fe y son más conscientes de que la fe cristiana ha roto con toda atadura esclavizarte. Y los débiles en cambio, serían aquellos que tienen menos formación, comprensión y consciencia, lo que los mantiene atados a la leyes y observancias que limitan y achatan su vida cristiana. Pablo no oculta su simpatía, en este sentido, con los fuertes en la fe. Pero lo verdaderamente importante para él es que los fuertes deben ser más flexibles y

EVANGELIO Mateo 18:21–35

Lectura del santo Evangelio según san Mateo

En aquel tiempo, Pedro se acercó a Jesús y le preguntó:
"Si mi hermano **me ofende**, ¿cuántas veces tengo que
    perdonarlo?
¿Hasta siete veces?"
Jesús le contestó: "No sólo hasta siete, **sino hasta** setenta
    veces siete".

Entonces Jesús les dijo:
"El Reino de los cielos es semejante a un rey
que **quiso ajustar cuentas** con sus servidores.
El primero que le presentaron le debía muchos talentos.
Como **no tenía con qué** pagar,
    el señor mandó que lo vendieran a él, a su mujer, a sus hijos
    y todas sus posesiones, **para saldar** la deuda.
El servidor, arrojándose a sus pies, le suplicaba, diciendo:
'**Ten paciencia** conmigo y te lo pagaré todo'.
El rey **tuvo lástima** de aquel servidor, lo soltó y hasta le
    perdonó la deuda.

Pero, apenas había salido aquel servidor,
se encontró con uno de sus compañeros, que le debía **poco
    dinero**. Entonces lo agarró por el cuello y casi lo
    estrangulaba,
    mientras le decía: '**Págame** lo que me debes'.
El compañero se le arrodilló y le rogaba:
'**Ten paciencia** conmigo y te lo pagaré todo'.
Pero el otro **no quiso** escucharlo,
    sino que fue y lo metió en la cárcel **hasta que le pagara**
    la deuda.

Dale un tono pausado al párrafo y marca la duda de Pedro ante la seguridad de Jesús.

Eleva un poco el tono y acelera en esta parte.

Aumenta un poco la velocidad, pero hazlo gradualmente.

---

comprensivos, llegando incluso a perder, en cierto sentido, con tal de ganar en la línea de la comunión y sobre todo en la línea de la ley suprema que está por encima de todo carisma: la ley del amor.

EVANGELIO El evangelista viene delineando el carácter de una comunidad local de cristianos. Quien vive atento a su propia vida y a la vida de la comunidad sabe que el evangelio de Jesús es para impactar y transformar las relaciones humanas en corto, para que tengan verdadera profundidad un largo alcance. La

oración y la atención a los más humilde y sencillos son las dos actitudes que acompañan en la actitud central que es el perdón. Ya se habló de ello (18:15–20) en modo específico y hasta práctico. Aquí se ilustra el asunto con una parábola yendo a lo más profundo de este valor que debe animar la vida en la comunidad.

La parábola está claramente referida al reinado de Dios y abarca a todo el pueblo elegido. Así se entiende, por el sentido de "siervo" en el Antiguo Testamento, con lo cual se designa a la totalidad del pueblo de

Dios, incluyendo las altas esferas religiosas y políticas.

Notemos por otro lado, que la suma es inmensamente grande refiriéndonos a la inmensa misericordia de Dios, así como a la enorme diferencia entre lo que fue perdonado y lo que no es capaz de perdonar. Es precisamente en este tipo de desigualdad y diferencia en lo que deberíamos estar también atentos, pues en la propia capacidad de perdonar queda manifiesta la experiencia de Dios y su misericordia en nosotros.

No es ninguna casualidad que el evangelista transforme esta enseñanza de Jesús,

Eleva el tono de voz conforme avanza la reprimenda. Haz la pausa marcada antes del párrafo final.

Al ver lo ocurrido, sus compañeros se llenaron de **indignación**
    y fueron a contar al rey lo sucedido.
Entonces el señor lo llamó y le dijo:
'Siervo malvado. **Te perdoné** toda aquella deuda porque me lo
    suplicaste.
¿No debías tú también haber **tenido compasión** de tu
    compañero,
    como yo **tuve compasión** de ti?'
Y el señor, encolerizado, lo entregó a **los verdugos**
    para que no lo soltaran **hasta que pagara** lo que debía.

Pues **lo mismo hará** mi Padre celestial con ustedes,
    si cada cual **no perdona de corazón** a su hermano''.

también localizada como un diálogo en Lucas (17:4), justo con Pedro como protagonista. Es en el apóstol que más ha experimentado el perdón donde atisba la duda y la tacañería. En él nos vemos reflejados nosotros y ésa sin duda la intención del evangelista. Todos estamos llamados a perdonar sin límites. Cosa que no es posible fuera del ámbito de la fe en Cristo y la experiencia de Dios. Así es como conformamos la Iglesia, la comunidad de perdonados.

XXV DOMINGO ORDINARIO

I LECTURA   Isaías 55:6–9

Lectura del libro del profeta Isaías

Imprime a tu lectura cierto sentido de urgencia, pero sin golpear las palabras.

Busquen al Señor mientras lo pueden **encontrar,**
    invóquenlo mientras está **cerca;**
    que el **malvado** abandone su **camino,**
    y el **criminal,** sus **planes;**
    que **regrese** al Señor, y **él** tendrá **piedad;**
    a nuestro **Dios,** que es **rico en perdón.**

Hay un cambio de tema y de tono.
Baja la velocidad de lectura.

Mis pensamientos **no** son los pensamientos de **ustedes,**
    sus caminos **no** son **mis** caminos, dice el **Señor.**
Porque así como **aventajan** los **cielos** a la **tierra,**
    así aventajan **mis caminos** a los de **ustedes**
    y **mis pensamientos** a **sus pensamientos.**

Para meditar

SALMO RESPONSORIAL   Salmo 144:2–3, 8–9, 17–18

R. Cerca está el Señor de los que lo invocan.

Día tras día te bendeciré y alabaré tu
    nombre por siempre jamás. Grande es
    el Señor y merece toda alabanza, es
    incalculable su grandeza. **R.**

El Señor es clemente y misericordioso, lento
    a la cólera y rico en piedad; el Señor es
    bueno con todos, es cariñoso con todas
    sus criaturas. **R.**

El Señor es justo en todos sus caminos, es
    bondadoso en todas sus acciones; cerca
    está el Señor de los que lo invocan, de
    los que lo invocan sinceramente. **R.**

I LECTURA   Palabra y camino (vida) van en un mismo modo, en el que es de Dios. El segundo Isaías anuncia la liberación del pueblo bajo la opresión de Babilonia. Es una gran noticia, extraordinaria y, no por la noticia, sino por la situación de quienes la reciben se reaccione en distintos modos. Los que viven aplastados por el pesimismo y la desconfianza no creen posible que Dios actúe por medio de extraños y contrarios (el rey pagano, Ciro). Los insatisfechos y frustrados no veían ningún signo de cambio, ni real ni posible; otros más ya se habían instalado en su seguridad y comodidad y no veían otro mundo posible y mejor, fuera del que ya tenían en esa esclavitud bajo el imperio de Babilonia. Pero también había otros, el cuarto modo, unos cuantos, que anhelaba la liberación y mantenían viva la esperanza de que Dios actuara liberándoles y castigando a sus opresores. El profeta invita y desafía a todo el pueblo a superarse a sí mismo, a ir más allá de sus límites, planes, fe, visión, cálculos, deseos, etc. Todo lo del hombre no es más que visión incompleta. Perspectivas a ras de tierra. Tiene que volver a Dios, confiar en él y en sus promesas. Todo el pueblo y cada persona y grupo debe elevar y ampliar sus horizontes de fe y de sentido para acercarse un poco e intuir los planes de Dios, su visión y su proyecto.

II LECTURA   La carta a los cristianos de Filipo es, junto con la de Filemón, una de las cartas más cordiales y de tono familiar por parte de Pablo. Por su tono y contenidos, podemos percibir otro aspecto de la vida de Pablo y de las comunidades primitivas. Filipos albergaba una comunidad sencilla, de buen corazón, aunque con sus propios problemas, especialmente el de la carencia de su formación y

II LECTURA   Filipenses 1:20c–24, 27a

Lectura de la carta del apóstol san Pablo a los filipenses

Hermanos:
Ya sea por mi vida, **ya sea** por mi muerte,
　Cristo será **glorificado** en **mí**.
Porque **para mí**, la **vida** es **Cristo**, y la **muerte**, una **ganancia**.
Pero si el **continuar** viviendo en **este mundo**
　me permite trabajar **todavía** con **fruto**, no **sabría** yo **qué** elegir.

Me hacen fuerza **ambas cosas:**
　por una parte, el **deseo de morir** y **estar con Cristo**,
　lo cual, **ciertamente**, es con **mucho lo mejor;**
　y **por la otra**, el de **permanecer en vida**,
　porque **esto** es **necesario** para el **bien** de **ustedes**.
Por lo que a **ustedes** toca, **lleven** una **vida digna** del **Evangelio**
　de **Cristo**.

EVANGELIO   Mateo 20:1–16

Lectura del santo Evangelio según san Mateo

En **aquel** tiempo, **Jesús** dijo a sus discípulos **esta parábola:**
"El **Reino de los cielos** es **semejante** a un **propietario**
　que, al amanecer, salió a **contratar trabajadores** para su **viña**.
Después de **quedar** con ellos en pagarles un **denario** por día,
　los **mandó** a su **viña**.
Salió **otra vez** a media mañana,
　vio a **unos** que estaban **ociosos** en la **plaza** y les **dijo:**
'Vayan **también ustedes** a mi **viña** y les **pagaré**
　lo que sea **justo'**.
Salió de nuevo a **medio día** y a **media tarde** e hizo **lo mismo**.

No transmitas un sentido de resignación sino de esperanza plena. Alegra tu rostro.

Marca las pausas de la puntuación. Cierra con la última frase con un tono de insistencia.

La lectura es un poco larga, procura distinguir lugares, personas y acciones.

---

comprensión de la fe cristiana. Pablo, por su parte, había iniciado su camino en el Señor en la madurez de su vida, ahora, además de encontrarse encarcelado, se siente al borde del final de su vida terrena. En la perspectiva de Pablo lo central es la actuación y glorificación de Cristo y espera confiado en que eso haya de suceder en su propia vida. Cuando Pablo habla de "cuerpo" (*soma*) no refiere únicamente a lo físico de su persona, sino a la totalidad de su presencia: física, espiritual y dinámica.

A pesar de la humana incertidumbre frente a la muerte, Pablo ha estado conven-

cido a partir de su bautismo de que toda su vida está bajo el poder de la obra de Cristo (ver Gálatas 2:19–20; 3:27–28; Romanos 6:3–11), por eso se entiende que, sin detestar la vida, anhele morir. Pero no en el sentido de escape o liberación del mundo sino porque representa la posibilidad de realizar el auténtico anhelo del encuentro definitivo con Cristo. Con todo, las exigencias del apostolado son, como lo fueron siempre, una prioridad del Apóstol por encima de sus propios deseos y torna esa opción en un presentimiento.

La tensión de la muerte en la vida y del futuro de nuestra existencia debería ser asumida por todos nosotros con una alegría moderada y una entrega apasionada. Nosotros tomamos decisiones. Dios pone los caminos.

EVANGELIO Mateo usa el concepto de "viña" para referirse no solo a una porción de Israel sino, en la mentalidad israelita, a todo el pueblo de Dios (ver Isaías 5; Jeremías 2:10). Personas, grupos, instituciones, cultura, política y fe. Al respecto de dicha viña

En este párrafo enfatiza el cambio de tiempo y haz que la pregunta sobresalga para resaltar la situación de estos últimos invitados.

Por último, salió **también** al caer la **tarde**
    y encontró **todavía otros** que estaban en la **plaza** y les **dijo**:
'¿**Por qué** han estado aquí **todo** el día **sin trabajar**?'
Ellos le respondieron: 'Porque **nadie** nos ha **contratado**'.
Él les dijo: 'Vayan **también ustedes** a mi **viña**'.

Marca el contraste entre la justicia del dueño de la viña y la actitud de los inconformes.

Al atardecer, el **dueño de la viña** le dijo a su **administrador**:
'**Llama** a los **trabajadores** y **págales** su **jornal**,
    comenzando por los **últimos** hasta que llegues a los **primeros**'.
Se **acercaron**, pues, los que habían llegado al **caer la tarde**
    y **recibieron** un denario **cada uno**.

Cuando les llegó su turno **a los primeros**,
    creyeron que **recibirían más**;
    pero **también ellos** recibieron un denario **cada uno**.
Al recibirlo, **comenzaron** a **reclamarle** al **propietario**, diciéndole:
    '**Ésos** que llegaron **al último** sólo trabajaron **una hora**,
    y **sin embargo**, les pagas **lo mismo** que a **nosotros**,
    que **soportamos** el **peso** del **día** y del **calor**'.

Pero él respondió a **uno de ellos**:
'**Amigo**, yo no te hago **ninguna injusticia**.
¿**Acaso** no quedamos en que te pagaría **un denario**?
Toma, pues, **lo tuyo** y vete.
Yo quiero darle al que llegó al último **lo mismo** que **a ti**.
¿**Qué** no puedo hacer con **lo mío** lo que **yo quiero**?
¿**O** vas a tenerme **rencor** porque **yo soy bueno**?'

Estas dos preguntas van de la mano con las dos últimas frases. Dale continuidad y fuerza para que la asamblea capte con claridad.

De **igual** manera, los **últimos** serán los **primeros**,
    y los **primeros**, los **últimos**".

---

el evangelista dispone de dos parábolas (20:1–16a y 21:33–45). La que nos guía hoy tiene remaches de conexión (ver Mateo 19:30 y 20:16) con la parábola del joven rico (Mateo 19:16–30). Ambas parábolas ofrecen una explicación de la recompensa para quienes deciden seguir a Jesús y el cambio de suerte de los que son considerados últimos a los ojos del mundo (v. 8).

Pero viendo el relato en sí, se trata ante todo un retrato irrefutable de la generosidad de Dios que pone de manifiesto las perversas actitudes de quienes, según sus cuentas, llegaron primero.

Varios elementos ilustran con realísimo la narración: Se contrata en cinco momentos distintos del día. Es decir, todo el día se necesitaba quien realizara el trabajo. Los invitados a la labor son ociosos porque no han sido contratados, no es por flojos que están desempleados. El pago es el mismo y es el considerado justo por una jornada de trabajo. Los que "murmuran" (Éxodo 16:3–8) son víctimas del cambio de expectativas pensadas por ellos mismos.

Esta parábola tiene una función de enseñanza fundamental para la vida de la comunidad cristiana (v. 8): Debe vivir en un cambio permanente de mentalidad mientras se entrega a la misión. El punto clave de dicha conversión está en que la recompensa de Dios es un don gratuito. El modo como Dios trata a los suyos no corresponde a ninguna forma de cálculo humano. Todos y cada uno de los discípulos está llamado a darlo todo confiando plenamente en Dios confiado en que la recompensa divina no quedará reducida a sus propios esfuerzos por más grandes que éstos sean.

XXVI DOMINGO ORDINARIO

I LECTURA   Ezequiel 18:25–28

Lectura del libro del profeta Ezequiel

Con seguridad y confianza eleva la voz para emitir estos reclamos de parte de Dios. Cuida de no gritar y menos regañar.

Esto dice el **Señor:** "Si **ustedes** dicen:
   'No es **justo** el proceder del Señor', **escucha,** casa de **Israel:**
¿Conque es **injusto** mi proceder?
¿No es **más bien** el proceder de **ustedes** el **injusto?**

En tono pausado pero firme, remacha la frase conclusiva.

Cuando el justo **se aparta** de su **justicia,**
   comete la **maldad** y **muere;**
   muere por la maldad que **cometió.**
Cuando el pecador **se arrepiente** del **mal** que hizo
   y practica la **rectitud** y la justicia, **él mismo salva** su vida.
Si **recapacita** y **se aparta** de los **delitos cometidos,**
   ciertamente vivirá y **no morirá".**

Para meditar

SALMO RESPONSORIAL   Salmo 24:4–5, 6–7, 8–9
R. Recuerda, Señor, que tu misericordia es eterna.

Señor, enséñame tus caminos, instrúyeme en tus sendas, haz que camine con lealtad; enséñame, porque tú eres mi Dios y Salvador, y todo el día te estoy esperando. **R.**

Recuerda, Señor, que tu ternura y tu misericordia son eternas; no te acuerdes de los pecados ni de las maldades de mi juventud; acuérdate de mí con misericordia, por tu bondad, Señor. **R.**

El Señor es bueno y es recto, y enseña el camino a los pecadores; hace caminar a los humildes con rectitud, enseña su camino a los humildes. **R.**

I LECTURA Ezequiel insiste en el problema de la responsabilidad personal de cara a Dios y a la situación en que se vive. Es cuestión de opción personal, pues la responsabilidad personal no está atada a la historia colectiva del grupo (Ezequiel 18:2–4), ni a la vida que lleven los parientes más cercanos (18:8), ni siquiera al propio pasado (18:23).

De ahí que podamos intuir que la objeción de que Dios no es justo en su proceder, venga de parte de los resignados a su mala suerte, o de quienes, en el fondo, temen a las consecuencias de la conversión auténtica, la que impulsa desde el corazón a una vida diferente y nueva.

Quienes piensan que el mal o el bien en una persona era producto de sus antepasados (ver Éxodo 20:5; Deuteronomio 5:9) y no algo personal, participan de una visión ya desfasada de la fe en Dios y no corresponde a lo que anuncia el profeta. Para quienes viven en el destierro con todas sus consecuencias, esto podría servir hasta de excusa para comprender su situación actual echando la culpa a los de antes. Ezequiel se opone con determinación a esa idea y proclama la ética de la responsabilidad personal y, por ende, sus consecuencias personales: "la persona que peque, morirá", punto.

Lo que distingue al justo del injusto es su propia elección, decisión y acción. Por eso el profeta invita a recapacitar y a la conversión, a fin de poder vivir en libertad. En esta exhortación desemboca el mensaje del profeta (v. 32) pues Dios no quiere la muerte de nadie.

II LECTURA Que una comunidad, como la de Filipos, no tenga suficiente formación en la fe no la exime del esfuerzo por asemejarse a Cristo. Es el

Practica las líneas hasta que encuentres el ritmo adecuado de las frases condicionales ("si esto…") con su apódosis o consecuencia ("entonces…").

II LECTURA   Filipenses 2:1–11

Lectura de la carta del apóstol san Pablo a los filipenses

Hermanos:
Si **alguna fuerza** tiene una **advertencia** en nombre de **Cristo**,
   si **de algo** sirve una **exhortación** nacida del **amor**,
   si **nos une** el mismo **Espíritu** y si ustedes **me profesan**
   un afecto **entrañable**, llénenme de **alegría** teniendo
   todos una **misma manera** de **pensar**,
   un **mismo** amor, unas **mismas** aspiraciones y **una sola** alma.
Nada hagan por espíritu de **rivalidad** ni **presunción**;
   antes bien, por **humildad**,
   cada uno considere **a los demás** como **superiores** a sí mismo
   y **no busque** su **propio interés**, sino **el del prójimo**.
Tengan los **mismos** sentimientos que tuvo **Cristo Jesús**.

Este párrafo complementa el anterior. Dale cierto tono meditativo, como para contemplar a Cristo-modelo.

Cristo, siendo Dios,
   no consideró que debía **aferrarse**
   a las prerrogativas de su **condición divina**,
   sino que, **por el contrario**, **se anonadó** a sí mismo,
   tomando la **condición** de siervo,
   y se hizo **semejante** a los **hombres**.
Así, hecho **uno** de ellos, **se humilló** a sí mismo
   y por obediencia **aceptó** incluso la muerte,
   y una **muerte de cruz**.

Ve aumentando el tono y la intensidad gradualmente en este párrafo hasta culminar vigorosamente.

Por eso Dios lo **exaltó** sobre **todas** las cosas
   y le **otorgó** el **nombre** que está sobre **todo nombre**,
   para que, al **nombre de Jesús, todos** doblen la rodilla
   en el **cielo**, en la **tierra** y en los **abismos**,
   y **todos** reconozcan **públicamente** que **Jesucristo** es el **Señor**,
   para **gloria** de **Dios Padre**.

Forma breve: Filipenses 2:1–5

---

mismo evangelio para todos, los entendidos y los no entendidos. Cada quien tiene su propia capacidad y responsabilidad para llevar a cabo la obra de Cristo en su vida y en su relación con los demás. Pablo invita con urgencia a todos a vivir la humildad y el servicio invocando el ejemplo de Jesús mismo. Para esta evocación de Cristo como modelo de entrega y humildad, se vale de un hermoso himno cristológico que adopta y adapta de la tradición cristiana de su tiempo (Hechos 2:36; 10:36), aunque algunos piensan también que es creación original del Apóstol (ver 1 Corintios 1:20–25; 13:1–13).

De cualquier modo, leerlo, escucharlo, orarlo y meditarlo será un deleite espiritual y literario, así como una hermosa oportunidad para aumentar nuestra fe en Cristo y aprender del espíritu de Pablo.

El himno sitúa la persona y la obra de Cristo en el amplio designio de salvación mediante el cual Dios mismo reclama para el universo entero como su pertenencia. En dicha obra Jesús es el obediente máximo y Pablo lo pone en el horizonte de todo cristiano para suscitar en él en modo urgente una actitud en esa línea. Los filipenses, y nosotros, somos urgidos por el amor de

Cristo a dejar el egoísmo o interés propio, para poder servir a los demás. Sin esto, el evangelio se queda en meras palabras.

EVANGELIO   Quien rechaza a Jesús rechaza la salvación. San Mateo deja esta afirmación establecida a través de tres capítulos (21 al 23) mediante diversas narraciones en las que ilustra, por así decirlos, diversas actitudes, situaciones y consecuencias de rechazar al Mesías. Es paradójico que aquél prometido, anunciado y hasta anhelado, ahora que está delante de los propios judíos, es rechazado. Por razo-

EVANGELIO   Mateo 21:28–32

Lectura del santo Evangelio según san Mateo

Identifica los momentos clave de la comparación y dales la entonación adecuada.

En **aquel** tiempo,
   Jesús dijo a los **sumos sacerdotes** y a los **ancianos** del pueblo:
"¿Qué opinan de **esto**?
Un **hombre** que tenía **dos hijos** fue a ver al **primero** y **le ordenó**:
'Hijo, ve a trabajar **hoy** en la **viña**'.
Él le contestó: '**Ya voy**, señor', pero **no fue**.
El **padre** se dirigió al **segundo** y le dijo **lo mismo**.
Éste le respondió: '**No quiero ir**', pero **se arrepintió** y fue.
¿**Cuál** de los **dos** hizo la **voluntad del padre**?"
Ellos le respondieron: "El **segundo**".

Endurece un tanto el tono de voz. Este es un párrafo que no admite concesiones.

Entonces **Jesús** les dijo:
"Yo les **aseguro** que los **publicanos** y las **prostitutas**
   se les han **adelantado** en el **camino** del **Reino de Dios**.
Porque **vino** a ustedes **Juan**, predicó el camino de la **justicia**
   y **no le creyeron**;
   en cambio, los **publicanos** y las prostitutas, **sí** le creyeron;
   ustedes, **ni siquiera** después de haber visto,
   se han arrepentido **ni han creído** en él".

nes políticas, por falta de coherencia de vida, por el mal uso de la religión, por poseer una fe débil o incompleta, entre otras cosas. En suma, por llevar una vida estéril, simbolizada en la higuera que no produce frutos (ver Mateo 21:18–22). Esta actitud del pueblo elegido que rechaza al Mesías es profundizada en tres momentos. Mediante la parábola de los dos hijos, la de los viñadores asesinos (21:33–46) y por la parábola del banquete de bodas (22:1–14).

   Los sumos sacerdotes y los escribas juegan un papel importante a distancia pues son ellos quienes están cuestionando y re-chazando la autoridad de Jesús (21:23–27). Mediante esta actitud rechazan su persona y lo que dice y hace. Con esto en mente hay que entender la parábola de hoy, en la que hay dos grupos muy bien definidos: los piadosos que dicen, pero no hacen, representados en los escribas y fariseos a quienes Jesús reprocha (23:3), y las personas del mundo (publicanos) y consideradas más pecadoras (prostitutas), que por su fe en Jesús acaban más cerca de la justicia divina. Todos los que honran a Dios solo con palabras, pero mantienen su corazón lejos de él (Isaías 29:13 citado en Mateo 15:8) serán reempla-zados por un pueblo que sí produzca frutos a la hora de la hora, en el tiempo debido.

   La exigencia de Jesús a vivir una fe auténtica y sincera está frente a cada uno de nosotros como un rescate y sobre todo como oferta de una vida llena de sentido de plenitud anticipada en la vida ordinaria.

XXVII DOMINGO ORDINARIO

I LECTURA Isaías 5:1–7

Lectura del libro del profeta Isaías

Proclama con entusiasmo y marca las acciones del amante.

Voy a **cantar**, en **nombre** de mi **amado**,
    una **canción** a su **viña**.
Mi amado **tenía** una **viña**
    en una **ladera fértil**.
Removió la tierra, **quitó** las piedras
    y **plantó** en ella **vides selectas**;
    edificó en medio una **torre**
    y **excavó** un **lagar**.
Él **esperaba** que su **viña** diera **buenas uvas**,
    pero la viña dio **uvas agrias**.

Ahora bien, habitantes de **Jerusalén**
    y gente de **Judá**, yo les **ruego**,
    sean **jueces** entre mi **viña** y **yo**.
¿Qué más pude hacer por mi **viña**,
    que yo **no lo hiciera**?
¿Por qué cuando yo **esperaba** que diera **uvas buenas**,
    las dio **agrias**?

Haz una breve pausa dando la sensación de actualidad desafiante a los oyentes.

Ahora voy a darles a **conocer** lo que **haré** con mi **viña**;
    le **quitaré** su **cerca** y será **destrozada**.
Derribaré su **tapia** y será **pisoteada**.
La **convertiré** en un erial,
    nadie la podará **ni** le quitará los **cardos**,
    crecerán en ella los **abrojos** y las **espinas**,
    mandaré a las **nubes** que **no lluevan** sobre ella.

| I LECTURA | Estamos ante la famosa canción de la viña que, en la tradición del Antiguo Testamento se refiere al pueblo de Israel. Uno de los poemas más hermosos de la Biblia. Contiene cierta semejanza estructural con la narración de 2 Samuel 12:1–7 pues inicia con una breve parábola (vv. 1–2), pasa luego a la inclusión de los oyentes como jueces del asunto (v. 3), para provocar así un juicio o sentencia que, en el caso de nuestra lectura, es la aprobación implícita de la decisión que ha tomado el dueño de la viña (vv. 4–6). Si bien la viña tiene un gran valor y significado en la

vida y la cultura del pueblo israelita, con mucha más razón el pueblo de Israel que es para Dios como la niña de sus ojos en este canto amoroso.

Hay un doble plano de significados pues al mismo tiempo que es un canto de amor también resuena la alusión al trabajo. El dueño, quien ha trabajado ardua y amorosamente, comparte el fracaso con su pueblo a quien ama entrañablemente. Se encuentra entretejido varias veces (siete) el verbo "hacer" pareciendo indicar que el amor no es asunto de mero afecto o de sentimiento, sino que implica obra, empeño,

acción en correspondencia. La sorpresiva paradoja aquí es que al amor de Dios se debe responder con el amor al hermano. Dios con sus trabajos no está buscando un amor con sabor a egolatría. Lo que busca es que su amor produzca frutos, que su pueblo se ame y se respete.

Isaías estaría proclamando este cántico al inicio de su ministerio profético, aunándose a la tradición en esta línea de Oseas (10:1), pero que encontraremos también en Jeremías (2:21), y Ezequiel (15:1–8; 19:10–14). También es posible que el pueblo escuche con mucho agrado -al principio-

Pues bien, la **viña del Señor** de los ejércitos
es la casa de **Israel**,
y los hombres de **Judá** son su plantación **preferida**.
El Señor **esperaba** de ellos que obraran **rectamente**
y ellos, **en cambio**, cometieron **iniquidades**;
él esperaba **justicia**
y **sólo** se oyen **reclamaciones**.

Para meditar

SALMO RESPONSORIAL   Salmo 79:9 y 12, 13–14, 15–16, 19–20

R. La viña del Señor es el pueblo de Israel.

Sacaste, Señor, una vid de Egipto, expulsaste a los gentiles, y la trasplantaste. Extendió sus sarmientos hasta el mar y sus brotes hasta el Gran Río. **R.**

¿Por qué has derribado su cerca, para que la saqueen los viandantes, la pisoteen los jabalíes y se la coman las alimañas? **R.**

Dios de los Ejércitos, vuélvete, mira desde el cielo, fíjate, ven a visitar tu viña, la cepa que tu diestra plantó y que tú hiciste vigorosa. **R.**

No nos alejaremos de ti; danos vida, para que invoquemos tu nombre. Señor Dios de los Ejércitos, restáuranos, que brille tu rostro y nos salve. **R.**

II LECTURA   Filipenses 4:6–9

Lectura de la carta del apóstol san Pablo a los filipenses

Hermanos:
No se inquieten **por nada**;
más bien presenten en **toda ocasión** sus peticiones a **Dios**
en la **oración** y la **súplica**,
llenos de **gratitud**.
Y que la **paz de Dios**, que sobrepasa **toda** inteligencia,
custodie sus **corazones** y sus **pensamientos** en **Cristo Jesús**.

Por lo demás, **hermanos**, aprecien **todo** lo que es **verdadero**
y **noble**,
cuanto hay de **justo** y **puro**, **todo** lo que es **amable** y **honroso**,
todo lo que sea **virtud** y merezca **elogio**.

Con tono sereno y pacífico proclama esta parte, ofreciendo una enseñanza a la asamblea.

Adopta un tono y postura interior de fraternidad para exhortar cordialmente.

este cántico, hasta que cae en la cuenta de que dicho estilo literario de narración también incluye una condena y exigencia.

Hay una gran resonancia entre esta lectura y el evangelio de hoy. No solo por el tema de la viña sino por la urgencia de dar frutos entre nosotros como respuesta al amor y el cuidado de Dios por todos. El empeño, dedicación y preocupación de Dios por su pueblo produce indefectiblemente frutos y están sin duda ahí. Es tiempo de cosechar entre nosotros resultados palpables de su gracia.

II LECTURA   San Pablo invita en forma cordial y urgente a la comunidad cristiana de Filipos, a vivir y cultivar la alegría de ser cristianos, como una nota que caracteriza su modo de vivir, compartir y celebrar. Tal actitud debe ser algo permanente (Filipenses 1:27; 2:1–4, 14, 17, 29; 3:1; 4:4, 10) y más vigorosas que todas las preocupaciones de la vida ordinaria que amenazan con marcar y definir la vida de las personas y de la comunidad: ansiedad, agobio laboral, preocupación por la subsistencia, angustia en el control de las cosas y de los demás. Todo eso es digno de tomarse en cuenta, pero nunca podrá ser superado sin la oración, la confianza en Dios y una actitud auténtica y adecuada respecto a los demás y uno mismo.

La oración es una disposición profunda que traduce una actitud de agradecimiento por todo lo que Dios nos ha dado y nos da. Gracias a la oración, la comunidad cristiana entrará en un ambiente de paz y confianza. La paz en sentido bíblico se refiere a la integridad personal como resultado de un gran esfuerzo ético en donde entran en juego todas las facultades personales. En este sentido, el apóstol Pablo invita a los cristia-

Mira a la asamblea al proclamar esta parte con tono de sabiduría.

Pongan por obra cuanto han **aprendido** y **recibido** de mí,
   todo lo que yo he **dicho** y me han **visto** hacer;
   y el **Dios** de la **paz** estará con **ustedes**.

EVANGELIO   Mateo 21:33–43

Lectura del santo Evangelio según san Mateo

En **aquel** tiempo,
   Jesús dijo a los **sumos sacerdotes** y a los **ancianos** del pueblo
      esta **parábola**:
"Había una vez un **propietario** que **plantó** un **viñedo**,
   lo **rodeó** con una cerca, **cavó** un lagar en él,
   construyó una **torre** para el **vigilante**
   y luego lo **alquiló** a unos **viñadores** y **se fue** de viaje.

Inicia hasta que todas las miradas se fijen en el ambón. Imprime un sabor anecdótico y elocuente a la historia a desarrollar.

Llegado el **tiempo** de la **vendimia**,
   envió a sus **criados** para pedir su parte de los frutos
      a los **viñadores**;
   pero **éstos** se **apoderaron** de los **criados**,
   golpearon a uno, **mataron** a otro y a **otro más** lo **apedrearon**.
Envió de nuevo a **otros criados**,
   en **mayor número** que los **primeros**,
   y los trataron del **mismo** modo.

Tras la pausa acelera el ritmo de lectura y acentúa el dramatismo en el plan de los viñadores asesinos.

Por último, les **mandó** a su **propio hijo**, pensando:
'A **mi hijo** lo **respetarán**'.
Pero cuando los viñadores **lo vieron**, se dijeron **unos a otros**:
'**Éste** es el **heredero**.
Vamos a **matarlo** y **nos quedaremos** con su **herencia**'.
Le **echaron** mano, lo **sacaron** del viñedo y lo **mataron**.

Ahora, **díganme**: cuando **vuelva el dueño** del viñedo,
   ¿**qué hará** con esos viñadores?"

---

nos a vivir el realismo de la fe bajo el factor principal de la cercanía. La cercanía del Señor (1 Corintios 16:22; Apocalipsis 22:20) y de ellos entre sí como respecto al resto de la comunidad, que los ha de conocer por su testimonio, por su bondad.

No hay nada de lo auténticamente humano que no deba ser asumido y cultivado en la comunidad de fe y, en este sentido, el verso 8 ha sido considerado como la Carta Magna del humanismo. De ahí que la invitación de Pablo a dar y ser testimonio en el mundo (Filipenses 2:15–16) no es por agraviar el mundo, la cultura o la sociedad sino

para apreciar, discernir y promover todo lo bueno y verdadero. Los cristianos saben que la "paz de Dios" está más allá del resultado de nuestras acciones, de nuestras propias expectativas e imaginación.

EVANGELIO Al parecer, esta parábola ponía originalmente el acento en la muerte del hijo. Pero el evangelio de Mateo enfatiza el sentido alegórico para identificar a la viña con el pueblo de Israel, el pueblo elegido. La imagen de la viña con la que inicia la narración evoca la Canción de la Viña del profeta Isaías (5:1–7).

Por este y por otros textos (ver Oseas 10:1; Jeremías 2:21; Ezequiel 17:3–10; 19:10–14) los oyentes y lectores del evangelio sabían inmediatamente que la "viña del Señor" era el pueblo de Israel. Ante dicha viña tenemos dos posturas o modos de proceder muy claras: la del dueño y la de los arrendatarios. El dueño no cesa en su empeño por recoger los frutos a su debido tiempo mientras que los administradores son capaces de todo, golpear, apedrear y hasta asesinar, con tal de no cejar en su crimen.

La parábola resalta el respeto que se espera por parte del dueño al enviar a su

Crea suspenso al hacer la pregunta con cierta lentitud. El parrafito final debe sonar a sentencia lapidaria.

Ellos le respondieron:
"**Dará muerte terrible** a esos **desalmados**
y **arrendará** el viñedo a **otros** viñadores,
que le **entreguen** los frutos **a su tiempo**".

Entonces **Jesús** les dijo:
"¿No han leído **nunca** en la **Escritura**:
*La **piedra** que **desecharon** los **constructores**,
es **ahora** la piedra **angular**.
Esto es **obra del Señor** y es un **prodigio admirable**!*

Por **esta** razón les digo a **ustedes**
que les **será quitado** el **Reino de Dios**
y se le **dará** a un pueblo que **produzca** sus **frutos**".

representante más preciado, a su propio hijo (v. 37), quien es reconocido y, justamente por ello, ejecutado; lo cual denota la intención consciente y malvada de los encargados.

Punto clave de la narración es cuando los oyentes, de entonces y de ahora, son impelidos a decidirse y entrar en el asunto cuando pregunta: "Cuando venga el dueño de la viña ¿qué les parece que hará con tales viñadores" (v. 40).

A la pregunta final nadie puede quedarse al margen, pues la respuesta está en la acción misma de los administradores, que,

aun reconociendo al Hijo de Dios, lo rechazan y dan muerte con tal de no entregar cuentas a Dios de su modo de proceder con el pueblo de Dios, la viña. No hay duda que el evangelista se refiere a la obstinación de los líderes (escribas y fariseos) que se quieren adueñar del pueblo, de su corazón y de sus frutos, pretendiendo usurpar el lugar de Dios y de su Hijo en esta su viña.

La insistencia de la parábola no está en señalar a un pueblo que no produce frutos, sino en la actitud malvada y consciente de todo tipo de líder y servidor en la comunidad de los creyentes que se cree dueño más

que un buen administrador de lo que es y pertenece a Dios. Eludir este punto de juicio para nosotros hoy no es más que una confirmación de la importancia de examinar y corregir nuestra actitud y comportamiento ante Dios y la comunidad mirando de frente a Cristo.

XXVIII DOMINGO ORDINARIO

I LECTURA   Isaías 25:6–10a

Lectura del libro del profeta Isaías

Describe con sorpresa y gusto esta descripción maravillosa del banquete universal.

En **aquel** día, el **Señor** del universo
  preparará sobre **este monte**
  un **festín** con platillos **suculentos**
  para **todos** los pueblos;
  un **banquete** con vinos **exquisitos**
  y manjares **sustanciosos**.
Él **arrancará** en este monte
  el **velo** que **cubre** el **rostro** de **todos** los pueblos,
  el **paño** que **oscurece** a **todas** las naciones.
Destruirá la **muerte** para **siempre**;
  el Señor Dios **enjugará** las **lágrimas** de **todos** los rostros
  y **borrará** de **toda** la tierra la **afrenta** de su **pueblo**.
Así lo ha dicho el **Señor**.

Añade un tanto de ímpetu y certeza a tu voz, para certificar que es un hecho lo que se dice.

En **aquel** día se dirá:
  "**Aquí** está **nuestro Dios**,
  de quien **esperábamos** que nos **salvara**.
Alegrémonos y **gocemos** con la **salvación** que nos trae,
  porque la **mano** del Señor **reposará** en **este monte**".

I LECTURA   El texto que contemplamos hoy se ubica en la sección conocida como "el apocalipsis de Isaías" (caps. 24–27), por tener algunos elementos de dicho género, es decir, expresa su mensaje mediante el recurso de sueños y visiones, animales que representan imperios, seres angélicos y revelación del porvenir mediante mensajes ocultos que hay que descifrar. Algunos catalogan esta sección también como una gran liturgia en donde se predice, por medio de símbolos, himnos y oraciones, el castigo de los enemigos y el reinado universal de Dios sobre su pueblo entre los pueblos. El capítulo 25 abre con un cántico de alabanza a Dios y su poder que obra en favor de los pobres y desprotegidos contra los poderosos. La lectura de hoy es el oráculo del profeta sobre la bella imagen (visión) de un espléndido banquete. Dicho banquete celebra la intervención de Dios trayendo la salvación a todos los pueblos. Ha sido vencido y destruido todo lo que causaba inseguridad, dolor y muerte a los suyos, y por eso viene la celebración de la vida con todos. Desde entonces, como ahora, lo mejor de la vida se celebra compartiendo la mesa. En este banquete hay abundancia de vida (alimentos y vinos exquisitos).

En esta bella y profética imagen del reinado de Dios con su pueblo se combina la universalidad y el centralismo. Todos los pueblos y culturas son llamados y convocados por Dios para formar el único pueblo de Dios. En dicho llamado tiene un rol y lugar central el pueblo elegido (Israel) por Dios.

Es costumbre que un rey ofrezca un banquete el día de su entronización. Lo extraño y novedoso aquí es que el rey es Dios y, como ningún otro rey hubo ni habrá, el garantiza la vida para todos haciendo justicia.

Para meditar

SALMO RESPONSORIAL   Salmo 22:1–3a, 3b–4, 5, 6

R. Habitaré en la casa del Señor, por años sin término.

El Señor es mi pastor, nada me falta: en verdes praderas me hace recostar, me conduce hacia fuentes tranquilas y repara mis fuerzas. **R.**

Me guía por el sendero justo por el honor de su nombre. Aunque camine por cañadas oscuras, nada temo, porque tú vas conmigo: tu vara y tu cayado me sosiegan. **R.**

Preparas una mesa ante mí enfrente de mis enemigos; me unges la cabeza con perfume, y mi copa rebosa. **R.**

Tu bondad y tu misericordia me acompañan todos los días de mi vida, y habitaré en la casa del Señor por años sin término. **R.**

Con tono amable, dale tono sereno y testimonial a este fragmento.

II LECTURA   Filipenses 4:12–14, 19–20

Lectura de la carta del apóstol san Pablo a los filipenses

Hermanos:
Yo sé lo que es **vivir** en **pobreza**
    y **también** lo que es tener de **sobra**.
Estoy **acostumbrado** a **todo**:
    lo mismo a comer bien que a pasar **hambre**;
    lo mismo a la abundancia que a la **escasez**.
Todo lo puedo unido a **aquél** que me da **fuerza**.
Sin embargo, han hecho **ustedes** bien en **socorrerme**
    cuando **me vi** en **dificultades**.

Evita un trono triunfalista o exaltado en este párrafo. Baja el volumen en la línea final.

Mi Dios, **por su parte**, con su **infinita riqueza**,
    remediará con esplendidez **todas** las necesidades de **ustedes**,
    por medio de **Cristo Jesús**.
Gloria a Dios, nuestro **Padre**, por los **siglos** de los siglos. **Amén**.

El tema del banquete como celebración (signo) de vida, alegría y comunión está presente en todas las familias, grupos y culturas. También fue un tema preferido de Jesús (ver Mateo 22:1–14; Lucas 14:16–24; Apocalipsis 19) en relación con el "Dios con nosotros". En nuestro tiempo tan global, diverso, injusto y plural, urge retomar esta visión profético-cristiana del reino de Dios con su pueblo. Celebrando la presencia de Dios en los diferentes rostros y tradiciones culturales de nuestros pueblos y poder así vencer, de la mano de Dios, la injusticia que aqueja a los pobres de todas las razas y culturas.

II LECTURA Por Hechos 16:6–40, sabemos que los fundadores de la comunidad cristiana de Filipos fueron Pablo, Silas y Timoteo. También sabemos que Pablo tenía mucho cuidado en no ser una carga para sus comunidades, porque él se procuraba el sustento con el trabajo de sus manos (ver 1 Corintios 4:12; 2 Corintios 11:7–9; 1 Tesalonicenses 2:9). Sin embargo, estando preso, debió hacer una excepción con la comunidad de Filipos de quien aceptó ayuda. Agradecer su generosidad solidaria es el motivo principal de esta lectura.

En primer lugar, expresa su agradecimiento con alegría, seguido de un comentario respecto de su actitud sincera y desinteresada. No es convenenciero ni exigente. Pablo tiene formación farisea y educación de rabino; ha aprendido a vivir en libertad plena, tanto en la abundancia como en la escasez. Cuando Pablo hace referencia a la autosuficiencia ("hacerse cargo de sí mismo") usa un concepto muy valorado en la cultura grecorromana, la autarquía, aunque Pablo lo adapta. No se refiere únicamente a sus propias fuerzas, sino que todo lo centra en la gracia de Cristo (2 Corintios

EVANGELIO   Mateo 22:1–14

Lectura del santo Evangelio según san Mateo

En **aquel** tiempo, volvió **Jesús** a hablar en **parábolas**
    a los **sumos sacerdotes**
  y a los **ancianos** del pueblo, diciendo:
"El **Reino de los cielos** es **semejante** a un **rey**
  que preparó un **banquete de bodas** para **su hijo**.
Mandó a sus **criados** que **llamaran** a los **invitados**,
    pero **éstos no quisieron ir**.

Envió **de nuevo** a **otros criados** que les dijeran:
'**Tengo preparado** el **banquete**;
  he hecho **matar** mis **terneras** y los **otros animales gordos**;
    todo está listo.
Vengan a la **boda**'.
Pero los **invitados** no hicieron **caso**.
Uno se fue a su campo, **otro** a su negocio
  y **los demás** se les echaron **encima** a los **criados**,
  los **insultaron** y los **mataron**.

Entonces el **rey** se **llenó** de **cólera**
  y **mandó** sus **tropas**, que dieron **muerte** a **aquellos asesinos**
  y **prendieron fuego** a la **ciudad**.

Luego les dijo a sus **criados**:
'La **boda** está **preparada**; pero los que habían sido **invitados**
  no fueron **dignos**.
Salgan, pues, a los **cruces** de los **caminos**
  y **conviden** al **banquete de bodas** a **todos** los que **encuentren**'.
Los criados **salieron** a los **caminos**
  y **reunieron** a **todos** los que encontraron, **malos** y **buenos**,
  y la **sala** del banquete **se llenó** de **convidados**.

Diferencia entre la introducción y el relato de la parábola. Proclama con agilidad el primer párrafo, pero retrasa su frase final.

Recita estas tres líneas como si fueran acciones desarticuladas. Luego, en un solo impulso, une con el siguiente párrafo.

Eleva el tono y tu mirada al momento de la invitación universal.

12:9–10), la gran fuerza que sostiene y orienta todo su empeño personal.

Los filipenses, con todo y su generosidad, experimentan sus propios desafíos en la línea de la concordia. Pablo busca inyectarles confianza para trabajar y superar esas situaciones. Usa el concepto de intercambio de bienes, algo que todos podrían entender muy bien. Lo plantea así: la generosidad de los filipenses con él se traduce en abundantes gracias de parte de Dios hacia ellos, gracias que irán dando frutos de amor y respeto en medio de la comunidad. Pues la espléndida generosidad filipense no tiene fines individualistas o egoístas sino de propagar el evangelio. Pablo no duda en comparar esta oblación de la comunidad con un sacrificio de suave perfume que agrada a Dios, refiriéndose a una tradición de fe (ver Levítico 1:9).

La generosidad unida al desinterés y la claridad de metas claras y honestas habrán de redundar siempre en abundantes beneficios.

EVANGELIO El evangelista parece fundir dos parábolas cortas en una sola. La de los invitados al banquete de bodas y la del invitado que asiste sin el vestido apropiado. Junto con la parábola de los dos hijos (Mateo 21:28–32) y la de los viñadores homicidas (21:33–46), nuestra parábola trata el problema del rechazo de Jesús como Mesías y salvador. La comparación, sin ir en extremo a los detalles, nos lleva a identificar a Dios como el rey del banquete que, a través de sus enviados (profetas, apóstoles, discípulos) invita a sus conocidos (los judíos), pero no en forma exclusiva, sino que amplía su llamado a toda persona que anda en los caminos (los paganos). Aunque pareciera que la entrada al gran banquete

Haz una breve pausa antes de las palabras del rey. Nota la sorpresa en la pregunta.

Cuando el rey **entró** a **saludar** a los **convidados**
    vio **entre ellos** a un **hombre que no iba vestido**
        con **traje de fiesta** y le **preguntó:**
'**Amigo,** ¿cómo has **entrado** aquí **sin traje de fiesta**?'
Aquel hombre se quedó **callado.**
Entonces el **rey** dijo a los **criados:**
'**Átenlo** de pies y manos y **arrójenlo fuera,** a las **tinieblas.**
Allí será el **llanto** y la **desesperación.**
Porque **muchos** son los **llamados** y **pocos** los **escogidos**'".

Forma breve: Mateo 22:1–10

con Dios queda obstruida por la actitud de los primeros invitados lo que se necesita en realidad es una actitud de vida nueva, de conversión, ilustrando el punto con el símbolo de un vestido nuevo apropiado para ese evento que culmina en el encuentro con el anfitrión de la boda.

La parábola subraya los trazos anormales, los que no ajustan con la realidad. No es común que todos los invitados se nieguen o que una vez que se niegan sean sustituidos por la pobrería que nunca estuvo en el horizonte de la boda preparada para el hijo del rey. Estos acentos disonantes corresponden perfectamente a la intención del evangelista, porque ellos son la punta que captura la atención del oyente.

Una vez más parece que Mateo, además de tocar el punto clave de aceptar a Jesús como el Mesías, está indicando los serios desafíos que enfrentaba su comunidad de creyentes, mixta y multicultural, por cierto. Decir que todos son invitados y muy pocos los elegidos no es una referencia explícita a cierto tipo de vocación sino a la única vocación y misión de todo el que acepta a Jesús como su mesías y salvador: vivir el amor de Cristo encarnado en las cir- cunstancias concretas de la vida (ver Mateo 25:31–46).

XXIX DOMINGO ORDINARIO

I LECTURA   Isaías 45:1, 4–6

Lectura del libro del profeta Isaías

El tono es solemne. Haz una pausa antes de proclamar el oráculo divino.

Así habló el **Señor** a **Ciro**, su **ungido**,
  a quien ha tomado **de la mano**
  para **someter ante él** a las naciones
  y **desbaratar** la **potencia** de los **reyes**,
  para **abrir ante** él los portones
  y que no quede **nada cerrado**:
"Por amor a **Jacob**, mi **siervo**, y a **Israel**, mi **escogido**,
  te llamé por tu nombre y **te di** un título de **honor**,
  aunque **tú no me conocieras**.
Yo soy el Señor y **no hay** otro;
  fuera de mí no hay Dios.

Aquí enfatiza alargando las frases.

Te hago **poderoso**, aunque **tú no me conoces**,
  para que **todos** sepan, de **oriente** a **occidente**,
  que **no hay** otro Dios **fuera de mí**.
Yo soy el Señor y **no hay otro**".

I LECTURA Con el capítulo 45 inicia el nuevo ciclo de poemas de la segunda parte del libro de Isaías, el Deutero-Isaías, que busca restaurar la esperanza de los deportados. Sus líneas revelan que el designio de salvación divina incluye aspectos y dinámicas inimaginables para el sentido común. Ciro, rey de medos y persas, va a cumplir los planes de la liberación de Dios. Ciro no sabe que sus intereses sociopolíticos tienen un propósito más allá de lo que él piensa. Puede que la sorpresa e incredulidad aqueje a los oyentes del profeta, debido a que la salvación y liberación del pueblo llega de un rey pagano. Sin embargo, Dios manifiesta su acción libertadora en todo lo que hace y sus designios, aunque permanezcan ocultos para muchos, son eternos y eficaces.

Los conceptos de siervo y ungido tienen varios significados en nuestra lectura. Se refieren a la persona de Ciro como elegido por Dios, pero se trasladan también al pueblo de Israel y a todos los que, como Jacob, han sido parte de esta historia de salvación. Todos, el pueblo y las personas van recibiendo signos de la elección por parte de Dios para ejecutar su plan. Todos son llamados a conocer al Señor y a glorificarle. Pero la meta final de todo este proceso salvífico es la gloria de Dios, para que nadie reduzca la salvación a sí mismo o a sus propios planes.

La imagen de siervo llamado y elegido "desde el vientre materno" puede relacionarse con la vocación del profeta Jeremías (Jeremías 1:5) y con la narración en la cual Moisés afirma que no está preparado para la misión que Dios le confía (Éxodo 3:1–4:17).

A nosotros, Dios nos sigue llamando personalmente a ser parte de su plan y la

Para meditar

SALMO RESPONSORIAL   Salmo 95:1 y 3, 4–5, 7–8, 9–10a y c

R. Aclamen la gloria y el poder del Señor.

Canten al Señor un cántico nuevo, canten al Señor, toda la tierra. Cuenten a los pueblos su gloria, sus maravillas a todas las naciones. **R.**

Porque es grande el Señor, y muy digno de alabanza, más temible que todos los dioses. Pues los dioses de los gentiles son apariencia, mientras que el Señor ha hecho el cielo. **R.**

Familias de los pueblos, aclamen al Señor, aclamen la gloria y el poder del Señor, aclamen la gloria del nombre del Señor, entren en sus atrios trayéndole ofrendas. **R.**

Póstrense ante el Señor en el atrio sagrado, tiemble en su presencia la tierra toda. Digan a los pueblos: "el Señor es rey", él gobierna a los pueblos rectamente. **R.**

II LECTURA   1 Tesalonicenses 1:1–5ab

**Lectura de la primera carta del apóstol san Pablo
a los tesalonicenses**

El saludo es amplio y cálido. Dale ese sentido cordial, como animando a toda la asamblea.

Pablo, Silvano y **Timoteo**
    deseamos la **gracia** y la **paz** a la comunidad **cristiana**
        de los **tesalonicenses**,
    congregada por **Dios Padre** y por **Jesucristo**, el **Señor**.

Imprime un tanto de convicción a tus palabras. Este es un compromiso de fe y entrega apostólica.

En **todo** momento **damos gracias** a Dios por **ustedes**
    y los tenemos **presentes** en **nuestras oraciones**.
Ante **Dios**, nuestro **Padre**,
    recordamos **sin cesar** las obras que **manifiestan** la fe de **ustedes**,
    los **trabajos fatigosos** que ha emprendido su **amor**
    y la **perseverancia** que les da su **esperanza**
        en **Jesucristo**, nuestro **Señor**.

Nunca perdemos de vista, **hermanos muy amados** de Dios,
    que **él** es quien los ha **elegido**.
En efecto, nuestra **predicación** del Evangelio entre **ustedes**
    no se llevó a cabo **sólo** con **palabras**,
    sino **también** con la **fuerza** del **Espíritu Santo**,
    que produjo en ustedes **abundantes** frutos.

---

primera actitud por nuestra parte debe ser de agradecimiento, pero con ella, la segunda, de respuesta confiada y compromiso a cumplir su voluntad.

II LECTURA Tesalonicenses es con toda seguridad la primera de las cartas de san Pablo, lo que la convierte en el primer escrito del Nuevo Testamento, fechada hacia el año 50 ó 51. Va a una comunidad griega y joven en su fe. Como es de esperarse Pablo no desarrolla aquí una alta teología, más bien vemos las semillas de algunos temas que florecerán en cartas

posteriores. El fervor cristiano es una nota de esta carta tanto por el Apóstol mismo, como por la comunidad y los temas que aborda refiriéndose al sentido de gratitud, alegría, oración y consuelo. Va al corazón.

Abre con un saludo cordial y lleno de profundidad teológica especialmente por tres razones. En primer lugar, el sentido de colaboración y responsabilidad compartida en la misión del Evangelio. En segundo lugar, Pablo no está solo, ni trabaja por cuenta propia; se dirige a la comunidad cristiana, no a individuos. Es interesante que desde el primer momento el Evangelio escrito y la

misión tienen un carácter eclesial, no individualista. En tercer lugar, también percibimos la visión de la obra de Dios en comunidad en la formula trinitaria que desglosa en el conjunto del texto (vv. 1–5).

En lo que sigue de nuestra lectura descubrimos una emotiva acción de gracias por la obra del Espíritu en la vida de esta comunidad joven que, en su elección, como todo discípulo y toda la Iglesia, tiene en la base de su experiencia los tres pilares fundamentales: una fe viva que produce frutos, el don de la caridad o amor que guía a todos en un continuo esfuerzo de hacer el mayor

Es un episodio dramático, pero no exageres la exposición.

Crea cierto suspenso alargando la imprecación de la respuesta de Jesús. Luego avanza sin prisa y culmina con tono elevado.

EVANGELIO   Mateo 22:15–21

Lectura del santo Evangelio según san Mateo

En **aquel** tiempo,
se reunieron los **fariseos** para ver la manera de **hacer caer**
a **Jesús**,
con **preguntas insidiosas**, en algo de que pudieran **acusarlo**.

Le **enviaron**, pues, a **algunos** de sus **secuaces**,
junto con **algunos** del partido de **Herodes**, para que le dijeran:
"**Maestro**, sabemos que eres **sincero** y enseñas con **verdad**
el **camino de Dios**,
y que **nada** te arredra, porque **no buscas** el favor de **nadie**.
Dinos, pues, **qué** piensas:
¿Es **lícito** o no **pagar** el **tributo** al **César**?"

Conociendo **Jesús** la **malicia** de sus intenciones, les **contestó**:
"**Hipócritas**, ¿por qué **tratan** de **sorprenderme**?
Enséñenme la moneda del **tributo**".
Ellos le presentaron una **moneda**.
Jesús les **preguntó**:
"¿De **quién** es **esta imagen** y **esta inscripción**?"
Le respondieron: "**Del César**".
Y **Jesús concluyó**:
"**Den**, pues, **al César** lo que es **del César**,
y **a Dios** lo que **es de Dios**".

bien y la esperanza como bastión de fortaleza indestructible.

EVANGELIO Queda muy claro para todo lector del evangelio que los adversarios de Jesús no tienen el mínimo interés por la verdad a la que apunta su pregunta. Es claramente una trampa intencional, porque el asunto era espinoso. La adulación de la pregunta del verso 16 ya deja asomar la inquina.

La pregunta no daba opción a una respuesta más allá de los dos polos de esa trampa mortífera; es una pregunta cerrada.

En cualquier respuesta, Jesús quedaría en un campo minado (religioso) o explosivo (político). La trampa parece perfecta pues solo da opción a responder sí o no. Pero Jesús clarifica en primer lugar las atribuciones a Dios y al César, sin que con esto esté dividiendo el mundo en dos reinos, como si el del mundo perteneciera al César y el del cielo a Dios. Tampoco separa dos órdenes (uno terreno y otro divino) sin relación alguna. No va por ahí la respuesta de Jesús ni la teología cristiana, pues el César no tiene nada que no proceda de Dios (Juan 19:11). El César no es Dios. Su función y tarea so-

ciopolítica esta también bajo el plan de Dios en la instauración de un orden social equilibrado y defender el bien común de la *polis* (la ciudad), pero mucho más importantes son los deberes para con Dios a quien todos pertenecemos.

Este texto tiene mucha luz y potencial para la conciencia moral y la responsabilidad social de los cristianos pues la construcción de un mundo justo no se hace al margen de las reglas y valores sociopolíticos y teniendo en claro que siempre hay que obedecer antes a Dios que a los hombres

XXX DOMINGO ORDINARIO

I LECTURA   Éxodo 22:20–26

Lectura del libro del Éxodo

Estos mandamientos son muy claros. Tu dicción debe corresponder a la profundidad del mensaje.

Esto dice el **Señor** a su **pueblo**:
"**No hagas** sufrir **ni oprimas** al **extranjero**,
    porque **ustedes** fueron extranjeros en **Egipto**.
No explotes a las **viudas** ni a los **huérfanos**,
    porque si los **explotas** y ellos **claman** a mí,
    ciertamente oiré yo su **clamor**;
    mi ira se **encenderá**, te **mataré** a espada,
    tus **mujeres** quedarán **viudas** y tus **hijos, huérfanos**.

La protección del pobre es notoria; deja en claro la gravedad del delito.

Cuando prestes dinero a uno de mi **pueblo**,
    al **pobre** que está **contigo**,
    no te portes con él como **usurero**, cargándole **intereses**.

Si **tomas** en prenda el **manto** de tu **prójimo**,
    devuélveselo **antes** de que **se ponga el sol**,
    porque no tiene otra cosa con qué **cubrirse**;
    su **manto** es su **único** cobertor
    y **si no** se lo devuelves, ¿**cómo** va a **dormir**?
Cuando él **clame** a mí, **yo** lo escucharé,
    porque soy **misericordioso**".

I LECTURA La moral bíblica se basa en criterios y valores, pero también ofrece ejemplos muy concretos de cómo se han de vivir dichos valores. Este es el caso de nuestra lectura de hoy que nos ofrece unos versos del Código de la Alianza (Éxodo 20:22—23:33). Es una orientación práctica de cómo vivir esas diez grandes palabras o Diez Mandamientos que Dios dio al pueblo de Israel por medio de Moisés.

Es muy común que en las sociedades se vaya marginando y excluyendo casi "naturalmente" a los más pobres como son, en este caso, la viuda, los huérfanos y los ex-

tranjeros. Y no es por falta de claridad en su fe, sino por falta de modos concretos y prácticos de integrarlos socialmente. La ética del Decálogo es para que el pueblo viva y así devenga en pueblo de Dios. Pero ningún pueblo tiene futuro cuando desprotege las partes más frágiles de su estructura social. Este código antiguo, confirma la preocupación de Dios por los desamparados.

La primera parte de la lectura contiene los mandamientos a favor de la viuda, los huérfanos y los extranjeros. La segunda parte apunta a la justicia social en el área concreta de los préstamos y las ofrendas,

área en la que la viuda y los huérfanos quedaban aún más frágiles respecto de los extranjeros. En todo caso (v. 26), Dios garantiza que no tendrá oídos sordos a sus súplicas. Es cuando su misericordia es bondad para el desvalido y al mismo tiempo juicio para el opresor.

II LECTURA Pablo vivió convencido del retorno inminente y glorioso de Cristo. Esta expectativa de Cristo, junto con otras razones, inyectaba a su quehacer pasión y entrega. Cordialmente, el Apóstol reconoce las luchas y los dones

Para meditar

SALMO RESPONSORIAL   Salmo 17:2–3a, 3bc–4, 47 y 51ab

R. Yo te amo, Señor, tú eres mi fortaleza.

Yo te amo, Señor, tú eres mi fortaleza, Señor,
mi roca, mi alcázar, mi libertador. **R.**

Dios mío, peña mía, refugio mío, escudo
mío, mi fuerza salvadora, mi baluarte.
Invoco al Señor de mi alabanza y quedo
libre de mis enemigos. **R.**

Viva el Señor, bendita sea mi Roca, sea
ensalzado mi Dios y Salvador. Tú
diste gran victoria a tu rey, tuviste
misericordia de tu ungido. **R.**

II LECTURA   1 Tesalonicenses 1:5c–10

**Lectura de la primera carta del apóstol san Pablo
a los tesalonicenses**

Procura que cada afirmación sea cálida y llena de confianza.

Hermanos:
Bien saben **cómo** hemos actuado entre **ustedes** para su **bien**.
Ustedes, por su parte, se hicieron **imitadores** nuestros
    y del **Señor**,
    pues en medio de **muchas tribulaciones**
    y con la **alegría** que da el **Espíritu Santo**,
    han aceptado la palabra de Dios **en tal forma**,
    que han llegado a ser **ejemplo** para **todos** los creyentes
    de **Macedonia** y **Acaya**,

Haz contacto visual con la asamblea al pronunciar esas regiones griegas.

    porque **de ustedes** partió y se ha **difundido** la **palabra**
    del **Señor**:
    y su **fe en Dios** ha llegado a ser **conocida**,
    no sólo en **Macedonia** y **Acaya**, sino en **todas** partes;
    de **tal manera**, que nosotros **ya no teníamos** necesidad
    de decir **nada**.

de esta comunidad joven y fervorosa. Por su parte, la hospitalidad brindada por la comunidad a Pablo y sus colaboradores es marca de una fe viva y eficaz. Los miembros de esa comunidad han aceptado a Dios en su vida, lo que les ha acarreado dificultades sin fín, pues su entorno es pagano. De tal modo que quienes los ven, o los vituperan o los admiran, porque no pueden menos que sentirse desafiados e invitados a andar este camino nuevo de la fe cristiana. En la comunidad, junto a la hospitalidad, sobresale su alegría.

Y es que esta comunidad ha vivido una verdadera y profunda conversión ya que se han levantado y puesto en camino moviéndose y avanzando desde una vida pasada de esclavitud a una vida nueva de libertad. Han roto las cadenas de atadura a los dioses falsos (ídolos) y han abrazado al Dios verdadero, Jesucristo. Convirtiéndose así en verdaderos discípulos (imitadores) de Cristo bajo la guía de sus hermanos mayores (apóstoles) en la fe y el testimonio. Viven confiados, sin miedo y con esperanza en Cristo Jesús quien, por medio de la resurrección, ha sido constituido juez de todo y de todos.

La fe de los pueblos y comunidades sencillas, su lucha, su hospitalidad y su alegre apertura a Dios siguen siendo un misterio desafiante en la historia y en nuestra realidad. Dios trabaja a través del anuncio y testimonio del evangelio.

EVANGELIO   Jesús es cuestionado continuamente en forma directa o indirecta en su estadía en la ciudad. El evangelista reúne tres cuestionamientos mediante preguntas importantes que deben analizarse con atención, pero más importante aún es percibir la acti-

Ve bajando la velocidad de la lectura, pero no el tono ni la intensidad. Cierra en alto, con el anuncio pascual.

Porque **ellos mismos** cuentan de **qué** manera **tan favorable**
    nos acogieron **ustedes**
y cómo, **abandonando** los ídolos,
se convirtieron al Dios **vivo** y **verdadero** para **servirlo**,
esperando que venga desde el cielo su Hijo, **Jesús**,
a quien él **resucitó** de entre los **muertos**,
y es quien **nos libra** del castigo venidero.

EVANGELIO   Mateo 22:34–40

Lectura del santo Evangelio según san Mateo

Las frases tienen su propio peso. Dale naturalidad y agilidad a este párrafo.

En **aquel** tiempo, habiéndose enterado los **fariseos**
    de que **Jesús** había dejado **callados** a los **saduceos**,
se acercaron a él.
Uno de ellos, que era **doctor de la ley**,
    le preguntó para **ponerlo a prueba**:
"Maestro, ¿**cuál** es el mandamiento **más grande** de la **ley**?"

La respuesta de Jesús llévala con calma, pero sin arrastrarla ni autoritarismo innecesario. Es un mandato de amor.

Jesús le respondió:
"***Amarás al Señor**, tu Dios, con **todo tu corazón**,
    con **toda tu alma** y con **toda tu mente**.*
Éste es el **más grande** y el **primero** de los mandamientos.
Y el segundo es **semejante** a éste:
***Amarás** a tu **prójimo** como a **ti mismo**.*
En estos **dos mandamientos** se fundan **toda la ley** y los **profetas**".

---

tud de fondo de quienes se acercan a Jesús con preguntas que no buscan el saber sino el justificar su propia postura y visión de las cosas. El impuesto al César y la obediencia a Dios (Mateo 22:15–22), la resurrección de los muertos y nuestra vida presente (22:23–33) y la cuestión sobre qué es el más importante en medio de tanto que tenemos enfrente (22:34–40), son lecturas consecutivas tanto en el evangelio como en nuestra liturgia dominical.

    Esta pregunta hecha por los fariseos parece más sincera que las dos anteriores que se han hecho, aunque el evangelista an-

ticipa que busca poner a prueba a Jesús. El pueblo judío buscaba con sinceridad vivir la voluntad de Dios mediante la Ley y los profetas. Los especialistas en la religión habían deducido de la Ley de Dios una gran cantidad de preceptos y mandatos, unos 248 de acción y otros 365 de prohibición. Todas estas obras se distinguían entre graves, leves y pequeñas y el asunto de lo más importante se discutía entre los entendidos. En tiempo de Jesús había algunos maestros que ya habían propuesto algunas síntesis y lo que Jesús hace es unificar dos mandamientos que en la Ley judía estaban separa-

dos: el amor a Dios (Deuteronomio 6:5) y el amor al prójimo (Levítico 19:18), añadiendo con extrema claridad que el segundo es semejante al primero.

    Desde la perspectiva cristiana (de Cristo), sin amor al prójimo no hay amor a Dios. Esta es la justicia mayor (Mateo 5:21) que enseña Jesús en el Sermón de la montaña. Y si bien uno no sustituye ni se identifica con el otro ambos son definitivamente necesarios (1 Juan 4:20).

TODOS LOS SANTOS

I LECTURA   Apocalipsis 7:2–4, 9–14

Lectura del libro del Apocalipsis del apóstol san Juan

La escena celestial es solemne. Apóyate en la puntuación y en las negrillas para guardar el ritmo.

Yo, Juan, vi a un **ángel** que **venía** del oriente.
Traía consigo el **sello** del **Dios vivo** y gritaba con voz **poderosa**
   a los **cuatro ángeles** encargados de hacer daño
   a la tierra y al mar.

Eleva la voz en la parte discursiva, ni la opaques.

Les dijo: "**¡No hagan daño** a la tierra, ni al **mar**, ni a los **árboles**,
   hasta que terminemos de **marcar** con el **sello**
   la frente de los **servidores** de nuestro **Dios**!"
Y pude oír el **número** de los que habían sido **marcados**:
   eran ciento **cuarenta** y **cuatro mil**,
   procedentes de **todas** las **tribus** de Israel.

Alarga el "todos" y frasea con lentitud la descripción. Luego eleva el tono en la alabanza.

Vi luego una **muchedumbre** tan grande,
   que **nadie** podía contarla.
Eran individuos de **todas** las **naciones** y **razas**,
   de **todos los pueblos y lenguas**.
Todos estaban **de pie**, delante del **trono** y del **Cordero**;
   iban **vestidos** con una túnica **blanca**;
   llevaban **palmas** en las **manos** y **exclamaban**
    con voz poderosa:
   "La **salvación** viene de nuestro **Dios**,
   que está **sentado** en el **trono**, y del **Cordero**".

I LECTURA Los libros de apocalipsis buscan descifrar las realidades celestes y verdaderas que gobiernan este mundo, porque están ocultas a la mayoría de los mortales; a unos cuantos se les da acceso a ellas mediante signos o códigos. De ese contexto surgen visiones, números, colores, personajes y eventos con un mensaje cifrado que los elegidos pueden descifrar. No es un mensaje para el más allá, sino uno pertinente al aquí y ahora de los destinatarios. Este modo de comunicación surge en circunstancias de opresión y represión, cuando las cosas se dicen velada, no abiertamente.

El vidente del Apocalipsis de Juan, expone la revelación escrita en un libro asegurado con siete sellos que el Cordero degollado va rompiendo, uno a uno. La lectura de hoy es parte del sexto sello que incluye una pausa que retarda los acontecimientos desgraciados ocultos por el séptimo sello. La escena tiene referencia en el libro del profeta Ezequiel (8–10). La pausa no es inactividad, sino que algo está ocurriendo: la marca preventiva de los elegidos para la salvación, que van a participar en una liturgia celeste.

Los marcados son dos grupos. Uno está compuesto por todo el pueblo de Israel, los ciento cuarenta y cuatro mil. El segundo grupo es una multitud incontable de fieles. Todos aclaman con los ángeles, los ancianos y los vivientes que adoran a Dios y al Cordero incesantemente. Uno de los ancianos aclara la identidad de los que se suman a la alabanza universal.

La identidad de los fieles la dan sus vestiduras, "blanqueadas con la sangre del

Marca los dos momentos de la alabanza. Pausa en el "amén", y sin acelerar consigue que se vea un incremento en los obsequios rendidos a Dios.

Y todos los **ángeles** que estaban alrededor del **trono**,
   de los **ancianos** y de los **cuatro** seres **vivientes**,
   cayeron rostro en tierra delante del trono
   y **adoraron** a **Dios**, diciendo:
"**Amén**. La alabanza, la gloria, la sabiduría,
   la acción de gracias, el **honor**, el poder y la **fuerza**,
   se le **deben** para **siempre** a nuestro **Dios**".

Entonces uno de los ancianos me preguntó:
   "¿**Quiénes** son y de **dónde** han venido
   los que llevan la **túnica blanca**?"
Yo le respondí:
   "Señor mío, **tú** eres quien lo **sabe**".
Entonces él me **dijo**:
   "Son los que han **pasado** por la gran **persecución**
   y han **lavado y blanqueado** su **túnica**
   con la sangre del **Cordero**".

Para meditar

SALMO RESPONSORIAL   Salmo 23:1–2, 3–4a, 5–6
R. Ésta es la clase de hombres que te buscan, Señor.

Del Señor es la tierra y cuanto la llena, /
   el orbe y todos sus habitantes: / Él la
   fundó sobre los mares, / él la afianzó
   sobre los ríos. **R.**

¿Quién puede subir al monte del Señor? /
   ¿Quién puede estar en el recinto sacro?
   /El hombre de manos inocentes / y puro
   de corazón, / que no confía en
   los ídolos. **R.**

Ése recibirá la bendición del Señor, / le hará
   justicia el Dios de salvación. / Éste es el
   grupo que busca al Señor, / que viene a
   tu presencia, Dios de Jacob. **R.**

Cordero". Son los mártires cristianos, caídos en la persecución. Se trata de una visión. Esa persecución es la que está por venir. El mensaje profético es claro: aunque los ajusticien, el destino final de esos fieles es glorioso.

Aunque hay espacios y lugares donde la persecución a los cristianos todavía se da, en nuestros medios cristianizados, no es común ver algo así. Hay, sin embargo, una persecución más sutil y perniciosa, donde las expresiones religiosas, símbolos, prácticas y relaciones son objeto de *bullying*, burlas y discriminación. La fiesta de hoy nos da

la oportunidad de revisar nuestra actitud en materia del derecho a la libertad religiosa, en su ejercicio más completo y en su aportación al bien común.

II LECTURA La gran tentación humana fue, y sigue siendo, la de "hacerse igual a Dios". La caída o pecado consistió en no reconocerse criaturas. De esa discordancia, sin embargo, pende la historia de la salvación, que no es otra cosa que la búsqueda amorosa y continua de reintegrar a la criatura a la comunión de

vida con su Creador. Dios salió en busca de su hechura.

La búsqueda de Dios por el hombre alcanzó su punto culminante con el envío de su Hijo amado. Su venida revela a los suyos la ruta de acceso a Dios, pero, sobre todo, el amor de Dios por el mundo. El amor solo se recibe y se acepta, o bien se rechaza. Se recibe el amor de Dios en el Hijo con un acto de regeneración, que es el bautismo en el nombre del Hijo único. Así se participa en la filiación divina, pero bajo el título de adopción. La adopción no es ficticia, sino tan real

La exhortación es paternal, con el tono de un anciano a sus hijos adultos. Procura un ritmo pausado, pero sin arrastrar las palabras.

II LECTURA   1 Juan 3:1–3

Lectura de la primera carta del apóstol san Juan

Queridos hijos:
Miren cuánto **amor** nos ha tenido el **Padre**,
    pues no sólo nos **llamamos** hijos de **Dios**, sino que lo **somos**.
Si el **mundo** no nos reconoce,
    es porque **tampoco** lo ha **reconocido** a él.

Hermanos **míos**,
    ahora **somos hijos** de Dios,
    pero aún **no** se ha **manifestado** cómo seremos al fin.
Y ya sabemos que, cuando él se **manifieste**,
    vamos a ser **semejantes** a él,
    porque lo **veremos** tal cual es.

Todo el que tenga **puesta** en Dios esta **esperanza**,
    se **purifica** a sí **mismo** para ser tan puro como **él**.

EVANGELIO   Mateo 5:1–12a

Lectura del santo Evangelio según san Mateo

El inicio es como casual, pero cobra solemnidad al sentarse Jesús.

En aquel tiempo,
    cuando Jesús vio a la **muchedumbre**,
    subió al monte y se sentó.
Entonces se le acercaron sus **discípulos**.
Enseguida comenzó a **enseñarles**, hablándoles así:

Las frases van pareadas. Haz que se noten los puntos.

"**Dichosos** los pobres de **espíritu**,
    porque de ellos es el **Reino** de los **cielos**.
Dichosos los que **lloran**,
    porque serán **consolados**.

---

que origina derechos y deberes filiales, es decir, unos modos de vida.

San Juan apunta que la filiación del creyente es puro don del amor de Dios, que el mundo es incapaz de reconocer. El mundo es la humanidad cerrada al amor, que no tiene ojos que no sean para sus propios intereses y orgullo. Por eso los cristianos están relegados, hostigados y perseguidos por ese mundo rebelde al amor de Dios, que es entrega y servicio. Es como si la filiación estuviera velada, sin verse. Pero hay un punto de inflexión.

La filiación del cristiano aguarda la manifestación divina. Entonces, la contemplación de Dios, el "mirarlo tal como es", es decir, sin velos ni mediación alguna, pondrá de manifiesto la identidad profunda del creyente. Será como reflejar el amor de Dios, sin pecado que lo enturbie; es la plenitud.

La tarea de la Iglesia, comunidad de los hijos en el Hijo, será reflejar el amor de Dios por el mundo. Esto es lo que han hecho los santos a cabalidad. Ellos son los frutos mejores de esta comunidad que se purifica sin cesar, con la esperanza inquebrantable de ver a Dios como él es.

EVANGELIO En esta fecha, la liturgia nos coloca frente al ideal de vida cristiano, condensado en una especie de fórmulas de sabiduría que aseguran la comunión con Dios: las bienaventuranzas.

Apenas antes, Jesús se ha rodeado de discípulos, curó y exorcizó a muchos enfermos, y esta multitud es la que comienza a seguirlo. Pueden diferenciarse dos grupos de personas, el de discípulos y el de los beneficiados por sus milagros, para ambos se anuncian las pautas del Reino de Dios.

Las nueve bienaventuranzas visualizan a personas periféricas a los ojos del mundo,

Dichosos los **sufridos**,
    porque **heredarán** la **tierra**.
Dichosos los que tienen **hambre** y **sed** de **justicia**,
    porque serán **saciados**.
Dichosos los **misericordiosos**,
    porque **obtendrán misericordia**.
Dichosos los **limpios** de **corazón**,
    porque **verán** a Dios.
Dichosos los que **trabajan** por la **paz**,
    porque se les **llamará** hijos de **Dios**.
Dichosos los **perseguidos** por causa de la **justicia**,
    porque de ellos es el **Reino** de los **cielos**.
Dichosos serán ustedes, cuando los **injurien**,
    los **persigan** y **digan** cosas falsas de ustedes **por** causa **mía**.
Alégrense y salten de contento,
    porque su **premio** será **grande** en los **cielos**".

Haz contacto visual con la asamblea en las líneas finales.

tenidas por desgraciadas y en condiciones deplorables y reprobables. A estas personas se les hace un anuncio, a todas luces paradójico, que adquiere su sentido solo en el horizonte del Reino de Dios. El Reino es esa dinámica de la vida humana que hace la experiencia de la salvación de Dios en Jesús.

Jesús asegura a sus seguidores la certeza de la futura comunión con Dios, pero no solo eso, sino que esa comunión de vida ya rige desde ahora. Esta presencia efectiva de Dios en favor de los suyos se verifica en el aquí y ahora, como deja claro la primera de las bienaventuranzas. Los pobres de es-píritu son los seguidores de Jesús que nada poseen sino a Dios. Poseer a Dios es una manera de decir que Dios es su todo, y esta es la condición primaria para convertirse en discípulo de Jesús. Esta bienaventuranza encabeza las primeras cuatro, englobadas desde la conclusión con la sed de justicia, que deja ver de lo que va en el Reino.

Las siguientes cuatro bienaventuranzas también reiteran esto de la posesión o pertenencia del reino y la justicia, pero ya no por la condición social, sino por la actitud del seguidor de Jesús. Se trata de imitar a Dios, de ser como él, de reproducir sus modos de actuar. Hay una marca de ambos grupos de cuatro: el sufrimiento a causa del reino. En resumen, los pobres que se comportan como Dios son los artífices del evangelio del reino, les pertenece; son ellos los que lo prodigan. Estas condiciones desembocan en la novena bienaventuranza.

La alegría de los seguidores de Jesús es la mejor manera de propagar el Reino presente entre la humanidad. Esto es lo que los santos han conseguido, gracias a su comunión con Dios y a su trabajo esforzado por la justicia del Reino.

TODOS LOS FIELES DIFUNTOS

El tono es reflexivo y sapiencial. Nota dónde van los puntos y dales la pausa correspondiente.

Alarga un tanto la pronunciación de las palabras en negrillas. Ellas cargan el peso de las ideas para la asamblea.

PRIMERA LECTURA   Job 19:1, 23–27a

Lectura del libro de Job

En aquellos días, Job tomó la palabra y dijo:
  "Ojalá que mis palabras **se escribieran**;
  ojalá que se grabaran en **láminas de bronce**
  o **con punzón de hierro** se esculpieran
  en la roca **para siempre**.

Yo sé bien que **mi defensor** está vivo
  y que al final se levantará **a favor de humillado**;
  de nuevo **me revestiré** de mi piel
  y con mi carne **veré a mi Dios**;
  yo mismo **lo veré** y no otro,
  mis propios ojos **lo contemplarán**.
Esta es **la firme esperanza** que tengo".

Se puede usar estas u otras lecturas tomadas de las Misas de Difuntos.

SALMO RESPONSORIAL   Salmo 25 (24):6–7bc, 17–18, 20–21
R. A ti, Señor, levanto mi alma.

O bien:
**R. Cuantos en ti viven confiados,
  no serán confundidos.**

Recuerda, Señor, que tu ternura y tu
  misericordia son eternas;
acuérdate de mí con misericordia, por tu
  bondad, Señor. **R.**

Ensancha mi corazón oprimido y sácame de
  mis tribulaciones.
Mira mis trabajos y mis penas y perdona
  todos mis pecados. **R.**

Guarda mi vida y líbrame, no quede yo
  defraudado de haber acudido a ti.
La inocencia y la rectitud me protegerán,
  porque espero en ti. **R.**

I LECTURA   La vida del ser humano acaba en el polvo, pero está sembrada en muchas interrogantes antes de reposar allí. La primera de todas es si el dolor tiene sentido o si allí, en la tierra, acaba la ruta de las personas. ¿Hay alguna forma de vencer a la muerte? El libro de Job expone los cuestionamientos más profundos que cimbran al ser humano. En una serie de discursos se da voz a las distintas respuestas teológicas, gracias a los doctos amigos de Job que han venido de tierras lejanas para consolarlo y hacerle entender su situación, producto, arguyen siempre, de algún pecado. Job es un hombre justo e intachable, en busca de la causa de sus males y desgracias. ¿Qué Dios es ese que deja a su propia suerte a sus criaturas?

Las escasas líneas de la lectura de hoy son elocuentes y dejan entrever la convicción profunda del justo en desgracia. Quiere que la verdad que va proferir no se desvanezca con el soplo del viento. Es una verdad que debe alcanzar a cada generación. ¿Hay algo más perdurable que el bronce? Su convicción se perpetuará.

Que Dios está vivo y que se preocupa de su fiel en la desgracia. Que lo rescata levantándolo del polvo de la humillación en el que ahora se encuentra. Job dice más.

La convicción de su redención no la transporta a un futuro indeterminado ni a especulaciones espirituales. Job la ancla en la cercanía de su carne y en su propia historia. Ese es el Dios en el que Job cree. No es un Dios lejano y universal de los tratados teológicos que los amigos de Job conocen de memoria, pero no borra el sufrimiento de su carne. El redentor de Job lo mira a él y él terminará contemplándolo con sus ojos. Ese es el Dios de los creyentes a los que hoy celebramos.

SEGUNDA LECTURA　Filipenses 3:20–21

Lectura de la carta del apóstol san Pablo a los filipenses

Hermanos:

Nosotros **somos ciudadanos** del cielo,
　de donde esperamos que **venga nuestro Salvador**, Jesucristo.
Él transformará **nuestro cuerpo** miserable
　en un **cuerpo glorioso**, semejante al suyo,
　en virtud del poder que tiene para **someter a su dominio** todas
　　las cosas.

El centro de la lectura es Cristo Jesús. Con vigor pronuncia las frases que refieren a su quehacer.

EVANGELIO　Marcos 15:33–39; 16:1–6

Lectura del santo Evangelio según san Marcos

Al llegar el mediodía,
　toda aquella tierra **se quedó en tinieblas** hasta las tres
　　de la tarde.
Y a las tres, Jesús **gritó con voz** potente
　Eloí. Eloí, ¿lemá sabactaní?
　(que significa: Dios mío, Dios mío,
　¿por qué me has abandonado?).
Algunos de los presentes, al oírlo decían:
　"Miren, **está llamando** a Elías".
Uno corrió a empapar una esponja en vinagre,
　la sujetó a un carrizo
　y se la acercó **para que la bebiera**, diciendo:
　"Vamos a ver **si viene Elías** a bajarlo".
Pero Jesús, dando un fuerte grito, **expiró**.

El relato es dramático y cargado de solemnidad. Eleva la voz al grito de Jesús.

Détente tras la primera oración, como impactado por lo narrado.

II LECTURA En las sociedades grecorromanas, como en las actuales, la ciudadanía de los habitantes decía la dignidad que se les debía acreditar en los actos públicos. Los ciudadanos de Roma, por entonces la potencia imperial por más de dos siglos ya, recibían honores, alimentos, contratos y un estatuto legal singular que los colocaba por encima de los ciudadanos de otras ciudades, por nada decir de los miembros de la familia imperial. Para el tiempo del Nuevo Testamento, Filipos era una colonia romana de pleno derecho, donde sus habitantes gozaban de un estatuto similar al de la capital. Muchos miembros del partido romano que apoyó a Marco Antonio, fueron desterrados tras la derrota a manos de Octavio. El autor de la carta quiere que los cristianos, una minoría entre la población latina, macedonia y los migrantes allí avecindados, pongan su atención en lo que su fe significa. De allí deriva el resto. En los versos previos, escribe que entre los creyentes hay enemigos de la cruz de Cristo, y estos son los que se dedican a servir a su propio vientre, es decir a sus propios gustos y apetencias. La fe en Cristo exige otra cosa.

Más que mirar a Roma, de la que Filipos es un espejito socio económico y legal, Pablo quiere los creyentes miren al cielo, pues de allá han de recibir la salvación. Esta salvación no está concebida como un arrebato a las esferas celestes, sino como una transformación corporal, del cuerpo de carne en un cuerpo de gloria. ¿Cómo será esto? El Apóstol lo remite al poder de Cristo, el Señor de la gloria. En síntesis, será su condición gloriosa la que nos participará al transformarnos. La vocación de nuestro cuerpo, la nuestra, es la gloria de Cristo Jesús.

Acelera un tanto en este párrafo.

Entonces el velo del templo **se rasgó en dos**, de arriba abajo.
El oficial romano que estaba frente a Jesús,
al ver **cómo había expirado** dijo:
"De veras este hombre era **Hijo de Dios**".

Calcula bien cómo llegar al anuncio del joven.
Es el clímax. Termina en tono elevado.

Transcurrido el sábado,
María Magdalena, María (la madre de Santiago) y Salomé,
compraron perfumes para ir **a embalsamar a Jesús**.
Muy de madrugada, **el primer día de la semana**,
a la salida del sol, se dirigieron al sepulcro.
Por el camino se **decían unas a otras**:
"¿Quién **nos quitará la piedra** de la entrada del sepulcro?"
Al llegar, vieron que **la piedra ya estaba** quitada,
a pesar de ser muy grande.

Entraron en el sepulcro y **vieron a un joven**,
vestido con una túnica blanca, **sentado en el lado derecho**,
y se **llenaron de miedo**.
Pero él les dijo:
"No se espanten.
Buscan a **Jesús de Nazaret**, el que fue crucificado.
No está aquí; **ha resucitado**.
Miren **el sito donde** lo habían puesto".

EVANGELIO La muerte de Jesús coloca al creyente ante la realidad de su fe en Dios, porque en ella puede mirar su propio destino, no en cuanto a las circunstancias sino en cuanto a su vocación definitiva: la gloria de Dios.

Jesús muere bajo el signo ominoso de las tinieblas que se apoderan de la tierra, a las que el grito final pone fin. Allí, ajusticiado por los hombres y abandonado por sus seguidores, muere el Mesías en las manos de Dios, a quien invoca con palabras del Salmo 69. El justo abandonado por Dios… A su muerte, uno de los verdugos queda pasmado; no

todos los ajusticiados mueren así. El creyente entiende más y que también puede morir también así, como hijo de Dios. Por eso también la historia de Jesús no se clausura en la cruz, sino que prosigue en el relato de la tumba vacía y en la Buena Noticia que alumbra el día nuevo.

La Iglesia celebra a los fieles difuntos no tanto por asimilar su muerte a la muerte de Jesús, sino por su vida de fidelidad a Dios, habiendo aceptado el anuncio de la resurrección. Les llamamos la Iglesia triunfante, porque Dios los ha glorificado ya. Ellos también impulsan nuestro caminar de

Iglesia militante, hasta el encuentro definitivo en la patria eterna.

XXXII DOMINGO ORDINARIO

I I LECTURA   Sabiduría 6:12–16

Lectura del libro de la Sabiduría

Radiante e incorruptible es **la sabiduría**;
   con facilidad la contemplan quienes **la aman**
   y ella se deja encontrar por quienes **la buscan**
   y se anticipa a darse a conocer a los que **la desean**.
El que **madruga por ella** no se fatigará,
   porque **la hallará sentada** a su puerta.
Darle la primacía en los pensamientos
   es **prudencia consumada**;
   quien por ella se desvela
   pronto se verá **libre de preocupaciones**.

A los que son dignos de ella,
   ella misma sale a buscarlos por los caminos;
   se les aparece benévola
   y colabora con ellos **en todos sus** proyectos.

La proclamación tiene un aire majestuoso y solemne, pero no petulante. Lleva las líneas con sencillez y no te olvides de levantar el tono cuando no haya punto.

Pronunciada la primera línea, haz contacto visual con la asamblea.

SALMO RESPONSORIAL   Salmo 63 (62):2, 3–4, 5–6, 7–8
R. (2b) Mi alma está sedienta de ti, Señor, Dios mío.

Oh Dios, tú eres mi Dios, por ti madrugo,
   mi alma está sedienta de ti;
   mi carne tiene ansia de ti,
   como tierra reseca, agostada, sin agua. **R.**

¡Cómo te contemplaba en el santuario
   viendo tu fuerza y tu gloria!
   Tu gracia vale más que la vida,
   te alabarán mis labios. **R.**

Toda mi vida te bendeciré
   y alzaré las manos invocándote.
   Me saciaré como de enjundia y de manteca,
   y mis labios te alabarán jubilosos. **R.**

En el lecho me acuerdo de ti
   y velando medito en ti,
   porque fuiste mi auxilio,
   y a la sombra de tus alas canto con júbilo. **R.**

I LECTURA   El afán por una vida plena y feliz, los griegos lo colocaban en asir la verdad de las cosas creadas y comprender el sentido de los eventos, para vivir bien. Para los judíos, en tanto, la vida plena procede solo de la Ley del Señor o Torah, a la que hay que adherir el corazón para obrar el bien. Obrar el mal no puede producir felicidad.

En lo que hemos escuchado hay un elogio a la sabiduría. Se la representa como un bien tan valioso como imperecedero. Si es radiante e incorruptible significa que no consiste en un bien material; no es una cosa, porque pertenece a la esfera de las cosas del espíritu, la de Dios. No es un bien exclusivo de ricos y poderosos, aunque el libro está concebido como instrucción a los reyes y a sus hijos, sino que está al alcance de todos. Pero hay que amarla, contemplarla, recrearse en ella. Antes que nada, hay que desearla.

Se habla de la sabiduría como de una entidad animada, con personalidad propia, no un bien a adquirir. Parece más una persona, que se sienta a la puerta, que espera que alguien se fije en ella, que la busque; pero a este rol pasivo sigue uno activo, porque es ella la que sale a buscar a quien la desea. Un siglo después, estas expresiones y otras sobre la sabiduría van a ser leídas por los cristianos como referidas al Cristo, sabiduría de Dios.

Dios ha colocado en el hombre el deseo de encontrarlo por caminos de inteligencia y verdad, con la finalidad de que viva a plenitud, en armonía con cuanto le rodea. Por desgracia, este anhelo de vida puede verse sofocado por los afanes cotidianos de la sobrevivencia, el lucro y la competencia. Entonces el hombre tendrá una vida ruin. Por eso, el sabio impulsa a cultivar

269

Son líneas de consuelo desde la fe. El tono es bajo y sereno pero firme.

II LECTURA   1 Tesalonicenses 4:13–18

Lectura del la primera carta del apóstol san Pablo a los tesalonicenses

Hermanos:
No queremos que ignoren **lo que pasa** con los difuntos,
    para que **no vivan tristes**,
    como los que no tienen esperanza.
Pues, si creemos que Jesús murió y resucitó,
    de igual manera debemos creer que,
    a los que murieron en Jesús,
    Dios los llevará **con él**.

Lo que les decimos, como **palabra del Señor**, es esto:
    que nosotros, los que **quedemos vivos** para cuando venga
        el Señor,
    no tendremos **ninguna ventaja** sobre los que ya murieron.

Cuando Dios mande que suenen **las trompetas**,
    se oirá la voz de un arcángel y el **Señor mismo** bajará del cielo.
Entonces, los que murieron en Cristo **resucitarán primero**;
    después nosotros, los que **quedemos vivos**,
    seremos arrebatados, juntamente con ellos entre nubes,
        por el aire,
    para ir al encuentro del Señor, y así estaremos **siempre con él**.

Consuélense, pues, unos a otros con estas palabras.

Lectura breve: 1 Tesalonicenses 4:13–14

La descripción es apocalíptica. Eleva el tono de voz, y no pierdas las marcas de los distintos momentos del cuadro.

los dones que impulsan al espíritu humano a ser mejor, a aspirar a una vida de calidad espiritual, que está al alcance de todos, porque la verdad y la bondad de Dios acompañan los proyectos de quien lo busca con sincero corazón. Él se deja encontrar porque quiere ser encontrado.

| II LECTURA | San Pablo pensaba que la parusía o segunda venida del Señor estaba muy próxima. Si Jesús victorioso está por llegar de un momento a otro "para juzgar a vivos y muertos", sorprenderá a ciertos creyentes laxos y descui-

dados, que se han dejado llevar por sus propias apetencias pecaminosas, y terminará por reprobarlos y excluirlos de su reino. Pero los corintios estaban inquietos por lo que pasaría con los fieles ya difuntos, ¿participarían ellos en el triunfo del Mesías? Pablo es claro. Ellos van a beneficiarse también en la parusía de Cristo, y serán los primeros, porque serán resucitados y se unirán a Cristo para ser llevados al cielo. Esta representación de los eventos finales es común a los escritos apocalípticos judíos.

Hay una frase que Pablo emplea para referirse a los cristianos difuntos; son

los que "han muerto en Cristo". Morir en Cristo tiene su correspondiente "vivir en Cristo", que es una expresión que refiere tanto a los efectos del bautismo en el nombre de Cristo como a la coherencia ética que de allí deriva.

La alianza bautismal que el creyente sella con Dios no se rompe con la muerte; es más bien la garantía de vencerla, porque proporciona la vida nueva de Cristo, o gracia santificante. Pero morir en Cristo solo es posible cuando se ha vivido en él, es decir, cuando se ha desarrollado una relación tan estrecha y vigorosa con él que solo cabe

EVANGELIO Mateo 25:1–13

Lectura del santo Evangelio según san Mateo

En aquel tiempo, Jesús dijo a sus discípulos esta parábola:
"El Reino de los cielos **es semejante a** diez jóvenes,
   que tomando sus lámparas, salieron al encuentro del esposo.
Cinco de ellas **eran descuidadas** y cinco, **previsoras**.
Las descuidadas llevaron sus lámparas,
   pero no llevaron aceite para llenarlas de nuevo;
   las previsoras, **en cambio**,
   llevaron cada una un frasco de aceite junto con su lámpara.
Como el esposo **tardaba**, les entró sueño a todas y se durmieron.

A medianoche **se oyó un grito**:
'¡Ya viene el esposo! ¡Salgan a su encuentro!'
Se levantaron entonces **todas aquellas jóvenes**
   y se pusieron a preparar sus lámparas,
   y **las descuidadas** dijeron a las previsoras:
'Dennos un poco de su aceite, porque nuestras lámparas **se
   están apagando**'.
Las previsoras les contestaron:
'No, porque no va a alcanzar para ustedes y para nosotras.
Vayan mejor a donde lo venden y cómprenlo'.

Mientras aquéllas iban a comprarlo, **llegó el esposo**,
   y las que estaban listas entraron con él al banquete de bodas
   y **se cerró la puerta**.
Más tarde llegaron las otras jóvenes y dijeron: 'Señor, señor,
   ábrenos'.
Pero él les respondió: 'Yo les aseguro que **no las conozco**'.

Estén pues, preparados, porque no saben ni el día ni la hora''.

La trama es ligera y como anecdótica. No la hagas pesada ni solemne.

Dale el timbre de sorpresa al grito repentino.

La primera parte tiene cierta celeridad, pero el resto del párrafo debe hacerse más lento.

---

decir como Pablo a los gálatas, "es Cristo quien vive en mí" (2:20). La muerte hace indisoluble ese vínculo.

EVANGELIO En el contexto narrativo de los eventos de los últimos tiempos, escuchamos una enseñanza que debe revitalizar el espíritu cristiano. La parábola de las diez jóvenes que aguardan la llegada del novio para entrar al festejo de bodas refleja las dos actitudes opuestas ante la dilatada parusía del Señor, la prudencia y la dejadez. Pero san Mateo apunta que se trata de una parábola del Reino de los Cielos; es una manera de decir cómo es Dios.

Dios es repentino. Esta es la punta de la parábola. Dios llega cuando todos lo esperan, aunque no todos están preparados para disfrutar con él. Él tiene la imagen del esposo, al que hay salir a recibir y acompañarlo en el banquete nupcial. En ese fondo de la parábola, de pronto el esposo se convierte en portero que rechaza a los que no entraron con él a la sala del festejo. Entonces viene la moraleja de vivir preparados.

La comunidad cristiana es el espacio donde encontramos al Señor. Quizá convenga retomar la enseñanza de la parábola para calibrar si ahora que nos acercamos al final del año litúrgico, nos hemos venido preparando al encuentro con el Señor. Cabe pensar si hemos desarrollado ese sentido social y comunitario que se requiere para participar en la fiesta de la vida nueva: Cristo viene a nuestro encuentro, victorioso de la muerte. ¿Vamos a aumentar la luz y la alegría del festejo de la vida o vamos a llegar tarde a la cita?

XXXIII DOMINGO ORDINARIO

El relato guarda su interés. Localiza las acciones claves y enfatízalas alargando su fraseo.

I LECTURA   Proverbios 31:10–13, 19–20, 30–31

Lectura del libro de los Proverbios

Dichoso el hombre que encuentra una **mujer hacendosa**:
   muy superior a las **perlas** es su **valor**.

Su marido **confía** en ella
   y, con su **ayuda**, él **se enriquecerá**;
   todos los días de su **vida**
   le procurará **bienes** y **no males**.

Adquiere lana y lino
   y los **trabaja** con sus **hábiles manos**.

Sabe manejar la **rueca** y con sus dedos **mueve** el huso;
   abre sus manos al **pobre** y las **tiende** al **desvalido**.

Son **engañosos** los **encantos** y **vana** la **hermosura**;
   merece **alabanza** la mujer que **teme al Señor**.

Es digna de **gozar** del fruto de sus **trabajos**
   y de ser **alabada** por **todos**.

Acompasa la felicitación del amo con gusto en la expresión.

Para meditar

SALMO RESPONSORIAL   Salmo 127:1–2, 3, 4–5

R. Dichoso el que teme al Señor.

¡Dichoso el que teme al Señor, y sigue sus caminos! Comerás del fruto de tu trabajo, serás dichoso, te irá bien. **R.**

Tu mujer, como parra fecunda, en medio de tu casa; tus hijos, como renuevos de olivo, alrededor de tu mesa. **R.**

Ésta es la bendición del hombre que teme al Señor. Que el Señor te bendiga desde Sión, que veas la prosperidad de Jerusalén, todos los días de tu vida. **R.**

I LECTURA El Libro de los Proverbios contiene dichos o sentencia que encapsulan consejos prácticos para una vida útil y beneficiosa. Es un verdadero arcón de la experiencia cotidiana del pueblo de Israel. Su composición se atribuye a Salomón, aunque contiene materiales posteriores al exilio babilónico también. El retrato que hoy nos ofrece la liturgia es sobre la mujer ideal, que es la que todo hombre sensato quiere tener por esposa. Se lee como una especie de poema elogioso que hace iniciar cada línea siguiendo el orden de las letras del abecedario hebreo.

Con este poema se cierra todo el libro, por eso se considera que esta mujer ideal es imagen o figura de la sabiduría. Se propone entonces como algo deseable, un ideal a alcanzar.

Se considera a la mujer integrando una sociedad patriarcal y patriarcalizante, que corresponde al horizonte cultural de la Biblia. En ella, el valor dominante en esa mujer es su laboriosidad o industria en favor de su marido, pero destaca también ser responsable en todas sus tareas y tener un corazón generoso para socorrer a los necesitados, que tiene su fuente en su piedad,

es decir, el temor de Dios. Esto le vale el honor de su marido, e igualmente el de toda la sociedad. Se entiende que la educación femenina se orientara con tales ideales. Pero este retrato es más bien una invitación a ir detrás de la sabiduría, pues es una ruta para todos. Entendemos que lo que está detrás de esta lectura no es un asunto de equidad de género, sino un motivo escatológico, de no bajar los brazos porque se dilate la venida del Señor.

La mujer ideal representa una invitación para los creyentes a trabajar sabiamente mientras aguardamos la venida del Señor.

II LECTURA   1 Tesalonicenses 5:1–6

**Lectura de la primera carta del apóstol san Pablo
a los tesalonicenses**

Identifica los toques de sorpresa en la instrucción; acelera en esas frases.

Hermanos:
Por lo que se refiere al **tiempo** y a las **circunstancias**
    de la **venida** del **Señor**,
 no necesitan que les escribamos **nada**,
 puesto que **ustedes** saben **perfectamente**
 que el **día del Señor** llegará como un **ladrón** en la **noche**.
Cuando la **gente** esté diciendo:
 "¡Qué **paz** y qué **seguridad** tenemos!",
 de repente vendrá sobre ellos la **catástrofe**,
 como **de repente** le vienen a la **mujer** encinta
    los **dolores** del parto,
 y **no** podrán **escapar**.

Hay un contraste claro. Aminora el ritmo y acentúa la serenidad.

Pero a **ustedes**, **hermanos**, ese día **no** los tomará por **sorpresa**,
    como un **ladrón**,
 porque ustedes **no viven** en **tinieblas**,
 sino que son **hijos** de la **luz** y del **día**, no de la **noche**
    y las **tinieblas**.

Es un exhorto; frasea con cuidado las palabras finales.

Por tanto, **no** vivamos **dormidos**, como los **malos**;
 antes bien, mantengámonos **despiertos** y vivamos **sobriamente**.

Por esto la liturgia nos entrega esta lectura, cuando nos acercamos al final del año litúrgico. No hay que descuidar ninguna de nuestras responsabilidades, ni dejar de generar proyectos, pero puestos siempre los ojos en el Señor que viene a encontrarnos.

II LECTURA Pablo había predicado el Evangelio en Tesalónica, pero algunas cosas no basta escucharlas una vez, sino que requieren volverse a masticar para que consigan quedarse. Es el caso de las enseñanzas sobre la venida del Señor. En esto, Pablo comparte la idea de la pri-

mera generación al respecto: que la parusía del Cristo era inminente. La conciencia de la inminencia era tal, que algunos cristianos ya no le encontraban sentido a trabajar siquiera. Por eso la reacción del Apóstol, que subraya dos puntos sustantivos de lo que bien conocen los tesalonicenses.

Lo primero que destaca de la venida del Señor es que se trata de algo tan repentino como inevitable. Las imágenes de la parturienta y del ladrón ilustran que se trata de algo que no tiene una hora previsible que se pueda determinar. Seguramente había algunos que interpretaban las noticias

de aquel mundo como signos seguros de la venida inaplazable. Pablo recuerda que la venida es cierta, pero imprevisible. Simplemente, hay que vivir vigilantes y alertas.

El segundo asunto es que los cristianos son personas luminosas, es decir, hijos del día. Con esto se apunta directamente a la ética de su conducta. Pablo recurre al trasfondo de la lucha entre la luz y las tinieblas, que tenía su ritualización en los gestos bautismales. Por el bautismo, el creyente era trasladado del dominio oscuro de los ídolos al del señorío de Cristo Jesús. Es la luz de

EVANGELIO   Mateo 25:14–30

Lectura del santo Evangelio según san Mateo

En **aquel** tiempo, **Jesús** dijo a sus discípulos **esta parábola**:
"El **Reino** de los cielos se parece **también** a un hombre
    que iba a salir de viaje a **tierras lejanas**;
    llamó a sus servidores de confianza y les encargó sus bienes.
A uno le dio **cinco** talentos; a otro, **dos**; y a un tercero, **uno**,
    según la capacidad **de cada uno**, y luego se fue.

El que recibió **cinco** talentos fue **enseguida** a negociar con ellos
    y **ganó** otros cinco.
El que recibió dos hizo **lo mismo** y ganó **otros dos**.
En cambio, el que recibió un talento **hizo** un hoyo en la tierra
    y allí **escondió** el dinero de su señor.

Después de mucho tiempo **regresó** aquel hombre
    y llamó a cuentas a sus servidores.

Se acercó el que había recibido **cinco** talentos
    y le presentó **otros cinco**, diciendo:
'Señor, **cinco talentos** me dejaste;
    aquí tienes otros cinco, que con ellos **he ganado**'.
Su señor le dijo:
'**Te felicito**, siervo **bueno y fiel**.
Puesto que has sido **fiel en** cosas de poco valor
    te confiaré cosas de **mucho** valor.
Entra a tomar parte en **la alegría** de tu señor'.

Se acercó luego el que había recibido **dos talentos** y le dijo:
'**Señor**, **dos** talentos me dejaste; aquí tienes otros dos,
    que con ellos **he ganado**'.
Su señor le dijo: '**Te felicito**, siervo **bueno y fiel**.
Puesto que has sido **fiel en** cosas de poco valor,
    te confiaré cosas de **mucho** valor.
Entra a tomar parte en **la alegría** de tu señor'.

Busca imprimir ritmos distintos en el relato. Acelera en las descripciones y ralentiza en los diálogos.

Alarga este par de frases, para hacer más indeterminado el tiempo del relato.

Dale calidez a las felicitaciones. Mantén el tono en las frases que se repiten en un cuadro y otro.

Cristo la que resplandece en las obras buenas del cristiano.

La esperanza en la venida del Señor apura a obrar el bien, no a la indolencia y pereza. Sin angustias, pero sin dejadez, los creyentes debemos urgirnos a las obras buenas, a obrar como Cristo quiere que obremos. Él viene a encontrarnos.

EVANGELIO La parábola de los talentos habla también de la venida del Señor, que en algunos círculos de las comunidades cristianas de las segunda y tercera generaciones parecía cada vez más irre-

levante. San Mateo sacude esos espíritus indolentes con estos relatos que muestran las dos caras de la parusía: alegría y celebración para los fieles y laboriosos, pero reprobación y castigo para los desidiosos. Como las parábolas de las muchachas que aguardan al esposo, y la del juicio universal, esta parábola tiene un sentido judicial evidente.

La parábola tiene dos momentos mayores muy claros. En el primero, el señor confía a tres de sus esclavos su haber, y se aleja, sin que se diga a dónde. Las sumas confiadas son fabulosas, pues un talento equivaldría a unos veinticinco años o más del jornal de un

trabajador, si promediamos unos 250 por año. Según fuentes, una familia de cinco requeriría unos 200 jornales para sobrevivir, o incluso de mucho menos. En fin, el relato enfoca la iniciativa e industria de dos siervos, contraria a la parálisis timorata del tercero. Mucho tiempo después, el segundo momento, regresa el señor y pide cuentas de sus encargos. La diferencia entre los esclavos resulta muy clara.

Si los dos esclavos diligentes con la fortuna de su señor son honrados como "buenos y fieles", el tercero es calificado de "malo y perezoso", el segundo calificativo

Enfatiza la frase justificativa del proceder del esclavo perezoso: "por eso...".

Finalmente, se acercó el que había recibido **un talento** y le dijo:
'Señor, **yo sabía** que eres un hombre **duro**,
   que **quieres** cosechar lo que **no has plantado**
   y **recoger** lo que no has sembrado.
Por eso **tuve miedo** y fui a **esconder** tu millón bajo tierra.
Aquí tienes lo tuyo'.

El señor le respondió: 'Siervo **malo y perezoso. Sabías** que
   cosecho lo que no he plantado
y **recojo** lo que **no he sembrado.**
¿**Por qué**, entonces, no pusiste mi dinero **en el banco,**
   para que a mi regreso lo recibiera yo **con intereses?**
Quítenle el talento y **dénselo** al que tiene **diez.**
Pues al que **tiene se le dará** y **le sobrará;**
   pero al que tiene **poco**, se le quitará aun eso **poco** que tiene.

Y a este hombre inútil, échenlo fuera, **a las tinieblas.**
Allí será el llanto y la **desesperación'".**

Forma breve: Mateo 25:14–15, 19–21

Vincula el "Allí" con la expresión previa, como si tuviera coma y no punto.

también significa "miedoso", tal y como se justifica el propio siervo. El señor reprueba al timorato por su inacción, y el miedo a perder incluso lo confiado. Las motivaciones o actitudes son bastante elocuentes para los escuchas. La comunidad cristiana sabe que su Señor está por volver y ajustará cuentas de lo confiado a sus siervos.

Lo que hace el siervo primero debe servir de modelo a los creyentes que han perdido de vista la venida del Señor. Afanarse en multiplicar los bienes del Reino, cualesquiera que sean, es la tarea de todos y cada uno, no solo de los líderes. El miedo y la parálisis ante la dureza del Señor que vendrá no son buenos consejeros para trabajar. Es preciso poner los ojos en la recompensa magnífica que el Señor tiene destinada a sus siervos buenos y fieles. Él está cerca, nos recuerda la liturgia.

NUESTRO SEÑOR JESUCRISTO, REY DEL UNIVERSO

I LECTURA Ezequiel 34:11–12, 15–17

Lectura del libro del profeta Ezequiel

Esto **dice** el Señor Dios:
"Yo mismo iré a **buscar** a mis ovejas y **velaré** por ellas.
Así **como un pastor** vela por su rebaño
cuando las ovejas se **encuentran dispersas**,
    así **velaré** yo por **mis** ovejas
    e **iré** por **ellas** a todos los lugares por donde se **dispersaron**
        un día de **niebla** y **oscuridad**.

Yo mismo **apacentaré** a mis ovejas, yo mismo **las haré** reposar,
    dice el **Señor Dios**.
Buscaré a la **oveja perdida** y haré volver a la **descarriada**;
    curaré a la herida, **robusteceré** a la débil,
    y a la que está gorda y fuerte, **la cuidaré**.
Yo las **apacentaré** con justicia.

En cuanto a ti, **rebaño mío**,
    he aquí que yo voy a juzgar entre **oveja y oveja**,
    entre **carneros** y machos **cabríos**".

Tras la presentación, pásate. Dale solemnidad a los repetidos "yo" que son de Dios.

Nota que la línea última del párrafo redondea el pensamiento.

Evita el contacto visual con la asamblea, porque vienen palabras judiciales. Sostén el tono. Haz una pausa antes de la fórmula litúrgica.

I LECTURA El pueblo hebreo era pueblo de pastores. Todos sabían lo que es cuidar del rebañito familiar, atenderlo y estar pendiente de cada animalito; de eso vivían. Claro, habría pastores diligentes y cuidadosos, pero también malos y perezosos que solo medraban con el rebaño. Esto se constata en la experiencia diaria y en las páginas sagradas. En la Biblia, que reúne las historias de ese pueblo pastoril, aparece con bastante frecuencia la imagen del pastor para hablar de reyes y autoridades, como en el caso de esta lectura profética.

Ezequiel es un profeta de los deportados. Era sacerdote de Jerusalén, pero cuando la potencia extranjera conquistó y se adueñó de sus tierras, fue deportado; allá, se convirtió en profeta. En el destierro comenzó la reflexión de por qué había sobrevenido aquella catástrofe nacional. Lo evidente decía que Dios había rechazado a su pueblo, por sus transgresiones e infidelidades. ¿Era eso posible? Allá, en el destierro, se comenzó a revisar la historia del pueblo y a encontrarle sentido a lo que se estaba experimentando. Surgieron voces de denuncia y de anuncio también. Tras la con-

moción inicial, los exiliados comenzaron a barruntar un futuro diferente. Aquella etapa era de purgación. Había que purificarse y sembrar para el porvenir. De ese futuro habla Ezequiel.

Avizora el profeta la venida de Dios mismo a buscarse a su pueblo disperso y a reunirlo en torno a sí. Esta presencia de Dios contrasta con los liderazgos que se habían mostrado incapaces de dar seguridad y alimento al pueblo. Medraron a costa del pueblo y lo llevaron a una ruina irreparable. Por eso el Pastor supremo, celoso de su rebaño, va a salir en su búsqueda y a reunir a todos. Este

Para meditar

SALMO RESPONSORIAL Salmo 22:1–2a, 2b–3, 5, 6

R. El Señor es mi pastor, nada me falta.

El Señor es mi pastor, nada me falta: en verdes praderas me hace recostar. **R.**

Me conduce hacia fuentes tranquilas y repara mis fuerzas. Me guía por el sendero justo por el honor de su nombre. **R.**

Preparas una mesa ante mí enfrente de mis enemigos; me unges la cabeza con perfume, y mi copa rebosa. **R.**

Tu bondad y tu misericordia me acompañan todos los días de mi vida, y habitaré en la casa del Señor por años sin término. **R.**

II LECTURA   1 Corintios 15:20–26, 28

Lectura de la primera carta del apóstol san Pablo a los corintios

Es el anuncio pascual. Llénate de convicción y aplomo para esta proclamación.

Hermanos:
Cristo **resucitó**,
   y resucitó como **la primicia** de todos los **muertos**.
Porque si por un **hombre** vino la **muerte**,
   también por un **hombre**
   vendrá la **resurrección de los muertos**.

Nota la cadena de eventos, para que le des el tono adecuado.

En efecto, así como en **Adán** todos **mueren**,
   así en **Cristo** todos volverán **a la vida**;
   pero **cada uno** en su orden: **primero Cristo**, como primicia;
   después, **a la hora** de su advenimiento, **los que son de Cristo**.

Enseguida será **la consumación**, cuando,
   después de haber **aniquilado** todos los poderes del mal,
Cristo **entregue el Reino** a su Padre.
Porque **él** tiene que **reinar**
   hasta que el **Padre** ponga bajo **sus pies**
   a todos sus **enemigos**.

Ve elevando el volumen de voz para las líneas finales. Cierra casi silabeando las últimas palabras.

El **último** de los **enemigos** en ser aniquilado,
   será **la muerte**.
Al **final**, cuando todo se le **haya sometido**,
   Cristo mismo **se someterá al Padre**,
   y así Dios **será todo** en todas las cosas.

ideal de la reunión de todos los dispersos se va a prolongar hasta encontrar cumplimiento en Cristo.

    La obra tan formidable de Dios no es algo mágico. El profeta anuncia que la salvación de Dios tiene por dinamo la justicia. Esa es su fuerza. La justicia de la Biblia está estipulada en la Ley de Dios. Ella marca la ruta a todas las relaciones humanas. Por eso habla de que Dios mismo distinguirá entre carnero y carnero. Es decir, no basta la pertenencia al pueblo de Dios para participar de la salvación. Hay una responsabili-

dad personal, individual, que es la que marca la distinción al interior.

    Más que nunca, conviene retomar estos textos cuando cerramos el año litúrgico, porque nos llevan a meditar en nuestra situación de pueblo de Dios. ¿Cómo ha sido nuestro liderazgo? ¿Ha sido la justicia de Dios la que nos ha guiado o hemos buscado el propio beneficio en detrimento del bien común?

II LECTURA La Primera carta a los corintios cierra con un tema que les preocupaba mucho a los cristianos de

aquella comunidad: la resurrección de los muertos. No es algo periférico sino algo sustantivo para la fe cristiana; de hecho, de allí pende todo lo demás. Pablo va a dedicar el último tirón de este escrito a aclarar algunos puntos elementales.

    El primero es que Cristo resucitó, está vivo y vendrá. La resurrección de Cristo no señala la resurrección general de todos los muertos, como es evidente, pero es su primicia. Las primicias son los primeros frutos de una cosecha. El campesino obtiene la certeza de que su trabajo no se ha perdido, sino que dará resultados positivos. Le crece

El primer momento coloca el escenario de lo que viene. No hagas pesado el comienzo.

Con entusiasmo y confianza arranca esta parte. Luego marca los contrastes hasta llegar a la sección de las preguntas de los justos.

EVANGELIO   Mateo 25:31–46

Lectura del santo Evangelio según san Mateo

En aquel tiempo, **Jesús** dijo a sus **discípulos**:
"Cuando **venga** el **Hijo del hombre**,
   rodeado de su gloria, **acompañado** de todos sus **ángeles**,
   se sentará en su trono **de gloria**.
Entonces serán **congregadas** ante él todas **las naciones**,
   y él **apartará** a los unos de los **otros**,
   como **aparta** el pastor a las **ovejas** de los **cabritos**,
   y **pondrá** a las **ovejas** a su **derecha**
   y a los **cabritos** a su **izquierda**.

Entonces dirá el rey a los de **su derecha**:
'**Vengan**, benditos de mi **Padre**;
   tomen **posesión** del **Reino** preparado para ustedes
   desde la **creación** del **mundo**;
   porque estuve **hambriento** y me dieron de **comer**,
   sediento y me dieron de **beber**,
   era **forastero** y me **hospedaron**,
   estuve **desnudo** y me **vistieron**,
   enfermo y me **visitaron**,
   encarcelado y fueron **a verme**'.
Los **justos** le **contestarán** entonces:
'Señor, ¿**cuándo te vimos** hambriento y te dimos de comer,
   sediento y te dimos de **beber**?
¿**Cuándo te vimos** de **forastero** y te **hospedamos**,
    o **desnudo** y te **vestimos**?
¿**Cuándo te vimos enfermo** o encarcelado y **te fuimos a ver**?'
Y el rey les dirá:
'**Yo les aseguro** que, cuando lo **hicieron** con **el más
   insignificante** de mis hermanos, **conmigo** lo hicieron'.

---

el ansia y la esperanza, pero no tiene más remedio que aguardar con paciencia. La cosecha vendrá pronto. Esas primicias, sin embargo, en el horizonte de la Biblia, no le pertenecen a él, sino a Dios; por eso, el piadoso las llevaba al templo y las entregaba al sacerdote, para reconocer que el dueño de la tierra es Dios. Las primicias le pertenecen a Dios, y ese es el caso de la resurrección de Cristo. Él es la garantía de la resurrección de todos, y está junto a Dios.

Pablo recurre a una comparación avalada en el sentido corporativo de lo humano; así como en Adán todos los hombres mueren, todos vivirán en Cristo. La resurrección atañe a la humanidad, en su dimensión más débil y caduca, la carne. Por lo mismo, es el cuerpo de Cristo lo que ha resucitado, no solo su espíritu. Para un judío, decir que el cuerpo resucitó equivale a decir que la persona entera resucitó, no solo un componente de la misma. La resurrección tiene que ver con la humanidad misma, no con ángeles o potencias espirituales, como algunos especulaban.

Cristo vendrá de nuevo. Es la confesión del advenimiento final del Mesías resucitado. Es una venida que tiene el propósito de resucitar a sus fieles difuntos. Esta resurrección, en la representación paulina, desencadena los tiempos de la batalla final, contra los enemigos de Dios. Esta batalla escatológica es la expansión del reino que culmina con el triunfo sobre la muerte. Es una victoria anticipada ya, en la carne de Cristo mismo. Entonces será una victoria de la humanidad entera sometida al imperio de Dios.

El reinado de Cristo impulsa a todo creyente a combatir contra el mal y sus fuerzas, para que esa victoria última de la vida nueva acontezca pronto. Esto es lo que celebramos y pedimos en cada celebración litúrgica.

Repite el tono del párrafo previo.

El tono lapidario se deja sentir en la frase final de la respuesta del rey. Dale firmeza a la línea final.

Entonces **dirá** también a los de la **izquierda**:
'**Apártense** de mí, malditos;
    vayan al fuego eterno, preparado para **el diablo** y **sus ángeles**;
    porque estuve **hambriento** y **no me dieron** de comer,
    sediento y **no me dieron** de beber,
    era **forastero** y **no me hospedaron**,
    estuve **desnudo** y **no me vistieron**,
    enfermo y encarcelado y **no me visitaron**'.

Entonces ellos le responderán:
    'Señor, **¿cuándo te vimos** hambriento o sediento,
      de **forastero** o desnudo,
    enfermo o **encarcelado** y **no te asistimos**?'
Y él les **replicará**:
'Yo les **aseguro** que,
    cuando **no lo hicieron** con uno de aquellos más **insignificantes**,
    tampoco lo hicieron **conmigo**'.
Entonces irán **éstos** al **castigo eterno** y los justos a la **vida eterna**".

EVANGELIO El cuadro con el que cierran el año litúrgico las lecturas dominicales es solemne e imponente. Jesús enseña a sus discípulos sobre los eventos del advenimiento del Hijo del Hombre. Es un discurso que emplea lenguaje parabólico, pero no es una parábola. El punto central de la enseñanza es el juicio universal del Hijo del Hombre, ahora transformado en el rey de cielos y tierra.

Ha sido esa figura del Hijo del Hombre la que ha servido al evangelista para anunciar el destino de Jesús en su camino a Jerusalén, destino de sufrimiento y de gloria.

Esa misma figura resalta ahora no solo en su aspecto glorificado, sino judicial, de juez universal. Aquel que ha sido fustigado y juzgado es juez. Él ha experimentado el sufrimiento en sus formas más dramáticas, hasta la muerte. Por eso su juicio es inapelable también, porque conoce lo que juzga. El juez no es neutral. Es un juez solidario con los que sufren, los marginados y los necesitados. Esta solidaridad de Dios con los afligidos era conocida en el Antiguo Testamento (Proverbios 19:17; 17:5). Ahora juzga a los que han estado en condición de ayudar y aliviar ese sufrimiento. Por eso compensa a los compasivos y misericordiosos y castiga a los de corazón endurecido. Es muy simple la ecuación.

Estas enseñanzas de Cristo deben humanizarnos a todos, primeramente, a los que acudimos a la liturgia dominical. El reino de Dios es el de la caridad de unos con otros. Es el amor nuestro juez, y para esto hemos de vivir cada día.